西尔斯怀孕百科
THE PREGNANCY BOOK

〔美〕威廉·西尔斯 玛莎·西尔斯 琳达·休伊·霍尔特/著 子怡 译

南海出版公司

2009·海口

图书在版编目(CIP)数据

西尔斯怀孕百科/〔美〕西尔斯等编著;子怡译.－海口:南海出版公司,2009.3
ISBN 978-7-5442-4424-4

Ⅰ.西… Ⅱ.①西…②子… Ⅲ.妊娠期－妇幼保健－基本知识 Ⅳ.R715.3

中国版本图书馆 CIP 数据核字(2009)第 026233 号

著作权合同登记号 图字:30-2009-022

THE PREGNANCY BOOK: Month-By-Month, Everything You Need To Know From America's
Baby Experts by William Sears, M.D. and Martha Sears, R.N. with Linda Hughey Holt, M.D.
Copyright © 1993 by William Sears and Martha Sears
Published by arrangement with Denise Marcil Literary Agency, Inc.
through Bardon-Chinese Media Agency
All RIGHTS RESERVED

XI'ERSI HUAIYUN BAIKE
西尔斯怀孕百科

作　　者	〔美〕威廉·西尔斯　玛莎·西尔斯　琳达·休伊·霍尔特			
译　　者	子　怡			
责任编辑	李　昕		特邀编辑	侯明明
丛书策划	新经典文化 www.readinglife.com			
装帧设计	崔振江		内文制作	北京文辉伟业
出版发行	南海出版公司		电话	(0898) 66568511
社　　址	海口市海秀中路 51 号星华大厦五楼　邮编 570206			
电子邮箱	nanhaicbgs@yahoo.com.cn			
经　　销	新华书店			
印　　刷	三河市三佳印刷装订有限公司			
开　　本	700 毫米×990 毫米　1/16			
印　　张	29.25			
字　　数	450 千			
版　　次	2009 年 3 月第 1 版　2009 年 3 月第 1 次印刷			
书　　号	ISBN 978-7-5442-4424-4			
定　　价	29.80 元			

作者序

　　我们以分娩教育家、小儿科医生、产科医生等专业人士的身份，将工作领域的经验带给读者。更重要的是，我们同时也以家长的身份与读者对谈；玛莎和威廉医生共养育了8名子女，琳达医生则是3个孩子的母亲。

　　身为专业人士，又同时为人父母，我们从怀孕夫妻身上学到了不少宝贵的知识——特别是他们的忧虑，以及他们想要的资讯。我们写作本书是基于一个信念：读者对怀孕及分娩了解得越多，整个过程的进行也就越安全、越令人满意。怀孕不是病，而是正常健康的女性生理过程；怀孕也不仅是害喜、夜间频尿而已。怀孕可以说是一趟个人旅程，在旅途中你可以发现自我、心灵的秘密，以及身体的奥妙之处。在这9个月当中，你不但会孕育一个宝宝，同时还会经历个人的成长。怀孕所带来的前所未有的感觉，不管是对你的身体、心理、婚姻、工作，乃至于你整个人，都将是一大挑战。你每天都会产生数百万个新细胞，这些细胞最后会形成一个人，而这个人有一天会独立于你而存在。怀孕也许是不容易，不过，它真的很美好。

　　对每一位女性来说，怀孕都是相当独特的经验。纵使理智上你很清楚在你之前已经有无数的女性怀孕过，但是怀着你自己的孩子的，还是只有你一个人。所以你应该觉得很骄傲、很特别，你本身就是这段惊奇历险的一部分。只要想到在短短的9个月之后，你就会产下一个新生命，你所花的时间、所经历的不便与不适，就都变得不那么重要了。

　　我们希望这本书的内容是可靠的，并且告诉读者什么情况正常，什么情况不正常，还有你可以怎么做。另外，我们也希望这本书的内容与实际生活契合。怀孕的9个月不总是狂喜、或是忧郁不安，也不是惨不忍睹的折磨。它是一段完完整整的过程，而且不需要你用忍受来度过。你会因为知道怎么感谢你的身体和怎么照顾你的宝宝，而将怀孕和分娩时的担心和抱怨转换成个人的成长，并加速你适应新妈妈的角色。你会成为更健康、更成熟和更懂事的人，并获得恩赐——你的宝宝。这是一本关于你和你的宝宝如何成长的书。

如何使用本书

　　如果你想知道接下来会有什么样的变化，你最好在怀孕前期就把整本书读完，这样对你最有帮助。本书可以让你了解在这个阶段出现的许多不适症状，到了下一个阶段就会渐渐消失。而你在这个月的忧虑也可能成为下个月喜悦的源泉。

　　我们在本书中所列出来的孕期生理上及情绪上的改变，是依照大多数孕妇的亲身感受，根据每个月的次序去排列的。但是每个人怀孕的过程都是独特的，所以你可能会发现你自己的忧郁时间跟书上出现的月份不吻合。如果你的疑问或是忧郁并没有出现在本书讨论的当月（或是你读到的那个月）内容里，你可以忽略月份，只注意相关内容。

　　这本书希望能成为你每个月由医生提供的产前照顾之外的补充读本，而不是取而代之。因为不管是什么书，都只能就大多数孕妇在多数情况下感受到的变化做概括性的介绍。而你的怀孕过程和你体内的小宝宝都是非常独特的，所以你可能有一些特殊的怀孕症状超出本书探讨的范围，而且你所需要的处理方式，也可能会不同于本书提出的建议。所以如果你有疑问，一定要跟你的医生讨论，并且遵照医生的嘱咐去做。

　　为了避免造成编排上的混乱，让已经是满腹心思的孕妇更困惑，我们把一些很特殊的情况一并列在附录三的"你应该知道的产科专有名词"里。身为本书的作者，同时也为人父母，我们不希望这些只会发生在 1% 的人身上的罕见问题给其他 99% 的准妈妈们带来不必要的忧虑。

目录 CONTENTS

第1个月的产前检查

1～4周

在这个月的产前检查中，你可能会做的项目包括：

* 确认是不是真的怀孕了
* 过去用药的历史及在产科就诊的一般记录、个人及家族疾病史
* 一般体检
* 血液检查：血色素（血红蛋白）、血细胞比容（血细胞占全血容积的百分比）、血型、风疹、乙肝（其他如艾滋病、性病则为选择性检查项目）
* 阴道疾病检查
* 子宫颈抹片检查
* 遗传性疾病的血液检查
* 验尿（检查尿糖、尿蛋白、有无感染等）
* 体重及血压检查
* 营养摄取及日常生活注意事项咨询
* 可与医生讨论孕后心情的变化和自己关心的问题

（本书中所提每月产前检查计划为美国妇产科学会的专业建议，孕妇可另参考我国各地卫生局制发的"母子保健健康档案"，作为每次产检的最佳指南。）

第 **1** 个月

刚怀孕的心情

恭喜你！你怀孕了！未来几个月将是你这一生中最精彩的经历，你会迎来生活中最不寻常的变化。迎接一个新生命降临前，有许多事需要你仔细规划和准备，这绝对是女人一生中最重要的里程碑。

虽然从检查报告或是早孕试纸中知道了怀孕的消息，但你可能还无法从身体的反应感受到自己怀孕的迹象。可能有些人在情绪上已经开始有了转变，而生性比较敏感的人，也开始产生因怀孕带来的生理变化。

也许你开始期待自己能像电视中怀孕的女主角一样，有各种不同的怀孕症状，你的身体也会同时发出"我真的怀孕了"的信号，比如恶心、容易饿、口渴、疲倦、燥热、虚弱或总是打瞌睡。也可能你根本没注意到这些，只是妄自猜测自己感冒了；也可能你已经知道自己怀孕，但身体却没什么特别的反应。

无论你身体的感觉怎样，这个宝宝是不是在你计划中的，无论你是从医生口中还是通过早孕试纸知道自己怀孕了，此时都会发现自己陷入兴奋、害怕、如释重负、不可置信或是迷惑的情绪中。

当然，你的反应会因为这个宝宝的来临是计划已久，或根本是个意外而有所不同。不过，即使你已经做好所有的心理准备来迎接这个生命中的惊奇与改变，但在别人能看出你怀孕之前，你可能还是想对怀孕这件事保持低调。不过，有这样的反应也不必惊讶，以下就是怀孕早期准妈妈身心变化的过程。

情绪上可能的转变

快乐

怀孕这件大事可能会让你心醉神迷。如果长久以来，你一直想要怀孕，到现在终于如愿以偿的话就尤其如此。你可能会感到你的人生再无缺憾，生命完整无瑕，你将会是一个无比幸福的准妈妈。

我知道有个小人儿在我的身体里，他是这么依赖我、爱着我，这个神奇的小生命也许是沉重的责任与负担，但更是上苍赐给我最珍贵的礼物。

难以置信

有时候你可能会怀疑"我真的怀孕了吗？我一点感觉都没有，会不会我根本就没有怀孕呢？"这些感觉在刚怀孕的几周中特别强烈，尤其是身体上并没有什么变化或征兆时，你甚至会在潜意识中强迫自己认定，你的恶心与疲倦都只是因为感冒引起的。如果你想怀孕想疯了，可能还会怀疑，这些症状都是因为太想怀孕而产生的幻觉。没关系，这一切忐忑不安都会随着日渐增大的腰围而消失，放心，真的有一个小天使在你的体内一天天成长。

琳达医生的经验谈：得知自己

怀孕那一刻，我完全呆住了，根本不能接受这个事实。说真的，我们并未打算这么快就要小孩；话说回来，如果等到我认为最适合生小孩的时候，可能我已经老得生不出来了。当时，我刚做了一年住院医生，发现月经没有按时来，但压根儿没想到怀孕这档事，我以为月经迟来是因为工作时间过长及忙碌。我丈夫在主持一个验孕实验室，于是一个朋友将我的血液样本拿到他的实验室做检查。当确定受孕的报告出来时，我坚持让他们再做一次，因为我相信他们一定是搞错了。

矛盾

你一方面觉得"母亲"这个字眼充满光荣与喜悦，另一方面可能也会感觉到压力，因为这个字眼代表了生活的剧变。产生这种错综复杂的感情是很正常的，你可能觉得兴奋、骄傲、激动，很渴望能赶快被正式冠上这个称谓，或是能赶快履行这个角色的一些责任。但婚姻、身体及生活习惯的改变，又会让你不由自主感到恐惧。很多女性认为，如果将怀孕当成一种成长过程，就像青春期一样，可能就会好过许多。其实一个准妈妈常常会面临自我认同的危机，不能接受像"我要做某个人的妈妈了"这样的想法，常常引发"我的生活会产生什么样的变化"之类的疑惑。生活的巨大改变带给人的焦虑是很严重的，即使是计划已久的怀孕，也会让你怀疑自己是否已准备好成为一个母亲，或者说成为一个称职的母亲。

即使是在怀孕的第1个月里，你也可能开始觉得自己要变成一个必须扮演双重角色的女人。你可能对于怀孕这件事过于兴奋（或过于担心），以致无法再专注于其他事情，你甚至担心如果无法在短时间内恢复正常的工作状态，就可能会失去工作。有时候，许多事如工作、产假、要不要辞职回家带小孩，或是如何尽到做母亲的责任等都会让你心烦；有时候你可能又非常享受现在的生活，而完全忘了怀孕这件事（却又因为你对宝宝的忽视而有罪恶感）。在怀孕过程中，其实很难对工作保持一定的热诚，同时也很难一直注意不忽略体内小生命的成长。是的，你的确多了一份新的工作——滋养体内的小生命，在这个时候，现实中的工作就显得不那么重要了。对某些女性来说，强烈的生物本能让她们认为无法再在工作上如怀孕前一样发挥所有的潜能，但大部分的女性很快就能在两者之间找到平衡。

我母亲告诉过我她怀第一胎时的情况："起床、呕吐、做早餐，接着就和父亲一起出门上班了。"

无论如何，身体的改变带给你的结果总是有好有坏。你可能会因怀孕散发出的温柔女性特质而感到愉悦，自豪于另一个生命因你的滋养而成长，并且迫不及待地想穿上孕妇装，让别人一眼就能看出你怀孕。但你可能无法接受原来熟悉的身躯日渐走样，你也许听朋友说过，她们在怀孕时有多么丑陋肥胖，而且绝大多数怀孕的女人都担心自己对丈夫不再有吸引力。

如果你发现自己开始喜欢站在镜子前不断欣赏自己曼妙的身躯，请不要惊讶。你想看个够，因为你可能一辈子或至少一年，不会再看到自己完美的身材了。在潜意识里，你可能会怀疑："我能不能恢复到现在的身材？我的曲线会不会改变？"

得知怀孕时，有些人本以为自己应该欣喜若狂，但结果一点兴奋都没有。不要因为你没有感觉到与腹中宝宝温暖贴心的联系，或觉得自己只是个婴儿培育器而不是个母亲而感到恐慌。在怀孕早期没有与胎儿产生亲密连心的深刻感受，并非不健康或异常的情况，许多妈妈直到第一次胎动，或是看到超声波中婴儿的影像，甚至要等生下宝宝之后，才能深切地感受到与宝宝的亲情联系，与宝宝建立无法分割的亲密情感。这是一个逐渐发展的长期过程，每个母亲和婴儿的状态都不一样，互动的关系也有所差别。

情绪化

充满喜悦、毫无低潮的怀孕过程，就像超完美的夫妻关系一样绝无仅有。当怀孕的喜悦渐渐淡去，即将成为父母的感受逐渐确定，生活当然就会随之高低起伏。有时候你可能觉得站在世界的顶端，而下一刻又感到泫然欲泪。孕妇情绪不稳定通常有几个原因：得知怀孕而情绪大幅波动之后，通常会比较低落，低潮总是在高潮之后到来，这很正常；另一个主要原因是激素的变化，因为怀孕会使激素的分泌不协调，从而改变情绪。情绪的低落可能会出乎你的意料，尤其是如果你一直都想要一个宝宝，好不容易梦想成真了，为什么反而沮丧呢？如果你因为无法时时感到快乐而沮丧，这是没有意义的，情绪低落就像怀孕会疲倦、恶心一样自然，有些妈妈一天之中的情绪，甚至会像坐过山车般翻转好几次呢！你要对可能产生的情绪起伏做好充分的心理准备，尤其是在怀孕早期的 3 个月和最后的几周，记住一切变化都是激素的作用。

充满疑惑

虽然迎接一个新生命的来临是一件令人喜悦的事，但你和准爸爸在潜意识里可能有另一个声音在问："天啊！我们做了什么事？我是不是昏了头啦？"

有了小宝宝会影响你的工作前途、生活状态、婚姻品质、时间分配，就算这是你的第二或第三个小孩，你还是免不了产生这样的疑虑：是不是再也无法掌控我的生活？有了小孩之后的生活是不是会产生很大的变化？无法回到过去没有小孩的日子？没错！你的世界将大大不同，当你开始意识到这样的变化时，就可以提早做好准备，以应付即将到来的改变。

自己是否能尽到做个好母亲的责任？是否能承受分娩时的痛苦折磨？是否能妥善照顾这个小小人儿？如果你有这些疑问，放心，这是绝对正常的。没错，过程很痛苦，但一年后当你的小宝贝对你粲然一笑，仿佛在告诉你"你是全世界最棒的妈妈"时，相信你会对自己更有信心。

当我刚生下第一个小孩时，我想我的生活终于可以回归正常了。现在，宝宝两岁了，我发现我的生活已无法再回到怀孕之前的日子，现在所过的生活，才是所谓的"正常"生活！

焦虑不安

对于未知的事物感到焦虑是很正常的。如果你已经过惯了没有孩子的生活，一旦想到必须整天与尿布、奶瓶为伍，可能会感到相当焦虑。当你满心欢喜地向姐妹们宣布怀孕的消息时，你可能会发现这些姐妹们摇身一变，马上成了育婴专家，你会听到各种光怪陆离的描述。这些第一手经验可能很有趣，但对于准妈妈来说，只要参考就好。你要学着不要对这些经验太认真，因为每个人的情况都不同。

怀孕的过程充满了许多未知数，分娩时又必须承受强烈的疼痛，只要想到这些就足以让人恐慌。但换个角度想想，每个母亲都要经历这样的过程，甚至许多妈妈还愿意再承受一次，所以，你可以放轻松，没什么大不了的。另外，在怀孕早期，担心流产也是另一种焦虑的来源，如果你能顺利通过第 1 个月的考验，流产的概率就会降到 10% 以下，怀孕的周数越长，越不用担心流产。如果第一次产检时不幸碰到一个不体贴的医生，可能也会让你更焦虑。适度的担心是正常的，但如果随着怀孕周数的增加，你的焦虑感没有相对减少，反而严重到让你无法正常生活时，请务必请教医生，以帮助你渡过难关。

生理上可能的转变

疲倦

怀孕产生的疲倦，和你过去习以为常的疲倦感完全不同，尤其是在怀孕的前 3 个月里，身体会强迫你睡觉。在白天，你常常会感到从骨头里散发的疲惫，让你渴望躺在床上，好好睡觉。可能你坐在桌前，不知不觉就睡着了。不要感到愧疚，如果你知道自己的身体是如何努力在营造一个完美的环境，让宝宝顺利成长，就不会自责了。此时，你所有的器官都必须加班加点以应付体内这个娇贵的客人，身体的每一部分都因怀孕产生的激素与生理机能的改变而大受影响。你的身体也正努力创造新的器官——胎盘，以孕育宝宝，同样，你的宝宝也在努力发育他自己的器官。所有的改变都需要极大的能量，这些因素加在一起，你当然会感到疲倦。

这种异常的疲倦通常过了 3 个月就好多了，当你的身体渐渐习惯怀孕带来的变化，往日的精力就又恢复了。但这并不意味着从此你再也不会感到疲倦，其实在分娩前的 6~8 周，你还是会感到疲倦，但那种疲倦是由于身体必须承受过重的负担，与怀孕早期的疲倦感不同。你可以把怀孕早期的疲倦当成一种信号而不只是一种症状，它告诉你："慢慢来，不要急，

怀孕的早期征兆

在你怀疑自己可能怀孕之后没多久，你的身体就会自动验证怀疑是否正确。身体是如何告诉我们已经怀孕的？以下是怀孕早期常见的征兆，出现的顺序因人而异：

你可能会	说　　明
疲倦	不再有足够的精力应付习以为常的活动，如爬个小山或是晚餐后还能保持清醒。怀孕会消耗身体大部分的能量。
恶心呕吐 （害喜）	恶心呕吐可能会让人误以为是感冒，或是得了什么不大对劲的疾病。有些人只是很轻微地作呕，但有些人严重得可能会一整天都干呕或呕吐。
月经没来	有些与怀孕无关的原因也会引起月经不规律，例如压力过大。
阴道微量出血	胚胎着床时造成的轻微出血，常常会让人误以为是月经。少数女性在怀孕早期，会在她们原先月经应该来时出血。
厌恶某些特定气味 （酒味或烟味）	此时胎儿的自动保护系统启动，你开始不太爱喝咖啡，在有烟味的环境会不舒服。
特别偏爱某类食物 或某些口味	可能开始变得口味很重，每一道菜都要加盐，或总是想喝橙汁。很奇怪，你开始特别想吃某些以前从来不碰的食物。
乳房变化	很像青春期乳房的变化，可这次变化激烈多了。乳头感到刺痛，乳晕加深，乳房变得更加柔软丰盈，原本细小的乳腺变得十分明显。
盆腔不适	可能从下腹部到盆腔都感到不舒服，但如果你只是一侧剧烈疼痛，就必须在产检时请医生仔细做检查。
腹部不适、腹胀	可能感到腹部胀得不大舒服，如果同时有恶心，你可能会以为自己得了什么怪病。
尿频	在怀孕早期，会因为激素改变而变得尿频（怀孕晚期尿频则是因为膀胱受到胎儿的压迫）。

要好好休息。"因为新生命的成长，需要你体内大量的能量，需要你常常为自己充电，为自己储备足够的精力，这样才能让宝宝的成长不会因能量不足而受到影响。

如何将疲倦感减到最低？以下建议供你参考：

*多为自己着想。对准妈妈而言，不管是怀孕还是刚生下小宝宝，有一个重要观念恒久不变，那就是**"先照顾好自己，才能照顾好宝宝"**。在怀孕的第1个月，如果能先照料好自己疲惫的身体，就是为产后第1个月做好了完善准备。你要克服的第一个困难就是认清自己需要好好休息的这个现实。要让自己接受现阶段的生活是需要改变的，在整个怀孕期间，你不只是被照顾，同时也在孕育另一个生命。

对我来说，感觉好累是怀孕的第一个讯号，我可以在晚上8点就躺在沙发上睡着，我丈夫说我"一人睡两人补"，这话很好玩，也非常传神。

*改变生活中的优先次序。你不可能总要求自己既是一个全能的家庭主妇，又是一个完美的职业女性，同时又能24小时扮演好情人的角色，即使你非常想，但很抱歉，你已经没有精力如此面面俱到了。你发现自己总是什么事都做不好，甚至总有打不完的盹儿。但切记，你正在做全世界最重要的一件事——孕育一个婴儿！尽可能地（当然，说比做容易多了）不要为尽义务而牺牲休息的时间。如果你是那个总是做得最多的女人，请不要再为每一个人做每一件事，你办不到！而且，也不会有人要求你这样做。

琳达医生的经验谈：我发现将所有待完成的工作列出，再把这些工作分成3部分，排出事情的优先次序对我很有帮助。第一部分是必须做而且只有我能做的；第二部分是可以交给别人而且必须交给别人去完成的事；第三部分则是完全可以忽略的工作。我通常用一支粗红笔把第三部分的工作画个"×"。一旦我觉得快被工作淹没时，就问自己："如果这些事没有做完，会有什么后果？"结果我发现，即使我忽略了10件事情中的9件，日子也还是过得下去。

*像婴儿般久睡。把睡觉当成最重要的一件事，只要一觉得疲倦，立刻上床，就算这样可能会让你错过一部喜爱的电视剧（可以把它录下来看或以后喂宝宝喝奶时再看）。每天结束时，你需要一段时间放松，需要更多的时间补充睡眠。可能的话，一直

有哪些验孕的方法？

你再也不需要等到一次或两次月经都没来，才敢确定自己怀孕了。在受精一周之后，胚胎开始着床，发育中的胎盘便会产生一种激素——人类绒毛膜促性腺激素（Human Chorionic Gonadotropin，简称HCG）。这种激素可在受精一周后通过血液检验出来，而所有的基本验孕工具都可在受精7~10天后通过尿液检测出是否怀孕。

尿液验孕法：你可在妇产科或是家中利用早孕试纸（只要你遵循使用说明）即可检验出是否怀孕，用这种方法在受精7~10天后检验，准确率几乎达百分之百。通常在妇产科所做的检验应该比较准确，因为化验员较有经验，同时在做检验时手也不会发抖，基本不会造成误差。如果过早检验，因为你的身体还没有产生足够的HCG，可能检验出来的结果是没有怀孕，但几天或一周以后，再做一次检验就会发现自己已经怀孕了。同时，女性在服用某些药物或接受某些治疗期间，如果用尿液验孕，可能会产生错误的检验结果，让你以为自己怀孕了；或是有时检验结果显示你没有怀孕，但实际上你已经怀孕了。如果你完全按照使用说明操作，假性怀孕的情况就不容易发生，反而是显示没怀孕但实际上怀孕的状况常出现。在家中使用早孕试纸的过程，可能是你这辈子度过的最长的5分钟，其间交织着各种错综复杂的情绪。如果结果是有可能怀孕了，请你当做真的怀孕了一样好好照顾自己和腹中的胎儿。如果你一定要百分之百确认怀孕与否，可以利用血液验孕法，做最精确的检测。

血液验孕法：血液验孕法必须到医院才能完成。通常只要几滴血液，在受精一周后做检验，其后一两天，就可以得到正确率几乎为百分之百的结果。

月经没来时利用尿液或血液验孕法检验，准确率都达百分之百（当然得避免人为操作上的错误）。如果你的月经没来，但验孕结果是阴性的，请等一周再测，怀孕的讯息可能比你揣测的时间出现得晚，也可能是你体内的血液或尿液还没产生足够的HCG值。如果你的月经没来，但用早孕试纸一再检验结果还是阴性的，就要到医院检查，看看是否有宫外孕的可能性（指受精卵没有正常着床于子宫的现象，详见第34页）。

不管你通过什么方式证实怀孕，

都让知道这个消息的那一刻成为永恒的记忆吧。大部分的女性都像记得宝宝出生时那样，记得自己得知怀孕的那一刻。

当我和丈夫得知怀孕的消息时，他的嘴巴惊讶得大张着。那天我们一直有点晕，好像坐着过山车一样，兴奋、害怕、快乐、焦虑，想哭，又想大声笑出来。

睡到觉得身体已完全醒来之后再起床，而不是靠预先设好的闹钟把自己吵醒。最好在工作结束后打个盹儿，或是利用午休时间在你的座位上睡15分钟。大部分怀孕的女性都发现，如果她们中午不休息，就根本没有办法持续工作到下班。

* 让家人知道你的感受。你的丈夫和孩子可能无法完全了解，为什么你会这么累，或是为什么你无法再做许多他们希望你做的事。他们需要知道，为什么你在床边读故事时，就不知不觉睡着了；话说到一半，就好像换了个频道般不知所云；洗过的衣服也不再叠得整整齐齐；一个星期叫了3次外卖，也不愿意接待访客。男人和孩子不会了解，怀孕对一个女人来说多么消耗精力，特别是在怀孕的早期。你一定要告诉他们，让他们知道你有多疲倦（一两个月之后会变得好些）。和他们一起阅读这一章，利用图片告诉你的家人体内胎儿的成长情况，他的器官如何形成，你的身体如何为这个胎儿准备一个家，日渐长大的子宫如何变化。一旦你向丈夫解释，

为什么你不再能尽到原有的责任，甚至连开个汽水瓶可能都有问题，或为什么总是打瞌睡时，他会更理解你的辛苦，也会帮助你。

琳达医生的经验谈：第三次怀孕时，我向孩子们解释怀孕早期的感觉就像得了"胃肠型感冒"，骨头疼、疲倦，外加恶心呕吐。

* 倾听身体的讯号。有些时候，你总是认为找些事来做感觉好，期待自己投入工作，或是满怀喜悦地布置房间。但你也会常常感觉到，身体开始发出讯息告诉你该休息了——不仅是停下你忙碌的脚步，而是要从所有社交活动、家务和你既定的责任范围中脱身——完完全全暂停！而且很不幸的是，你无法预期明天或往后是否也会收到同样的讯号。试着不要为无法预期的身体讯号而感到苦恼，坦然接受它吧。因为你目前的身体状况无法承受怀孕之前的生活方式，千万别让自己过于疲惫，你必须保留精力来完成一些必要的工作。从现在起，如

为宝宝写日记

在怀孕的过程中，玛莎（本书作者之一）总是非常热衷写日记，希望有一天，我们的孩子也会很喜欢它。你会发现，这本怀孕日记成了你最珍贵的财产。

为什么要写日记？ 把你与宝宝之间的点点滴滴记录下来，能让你与他之间的内在互动关系更加具体。这个过程同时也有心理治疗的功效，当你为一些困惑的情绪而挣扎时，把它们写下来，会让你更清楚地了解真正的感受。将问题写下来常常能帮助你找出解决的方法，多年后重新翻阅，便能重温这一生中最重要的一段时光。当你的孩子长大后即将拥有自己的孩子时，如果他们读到这本日记，他们会更加感动。撰写本书时，我再一次回顾自己的日记，在看的时候，抬头看见调皮的儿子跑过去，我不禁感叹："这个小人儿原本只是在我肚子里动来动去的小家伙啊！"

我期待有一天，孩子们即将为人父母时，让他们看看我的日记。我相信他们读到出世之前、婴儿时期，甚至孩提时代的记录时，一定会非常感动。我希望日记能成为另一种让孩子与父母更亲密接触的途径。

日记要记录什么？ 日记里要写些什么或是如何撰写完全由你决定，可能只是写些平常做的事，或是你的感受，又或是写些你想对宝宝说的话等。写下你每一天的欢乐、担心，特别是在这个非常时期怎样让自己感觉舒服些。重点是你想写什么就写什么，不要总想着该写些什么。某些意义非凡的第一次，比如说发现怀孕了、第一次胎动、第一次买婴儿衣物、第一次子宫收缩等，都值得记下来。告诉宝宝，在这些重要时刻，妈妈有什么样的感受。

小贴士： 市面上有许多设计精美的怀孕日记本，你直接把字填进去就可以，就算你用一本几块钱的笔记本写日记也没关系。我们发现，口袋大小的录音机无论在室内或室外使用都很方便，在值得纪念的时刻到来的时候，比如第一次胎动，都可利用口述的方式记录下来。一旦你习惯了从宝宝还在子宫时，就为他写下故事（不管是用笔写还是录音），那么自他出生到儿童时期，你都会不断地为他记录。最好是写得简短些但要常常写。遇到令人兴奋的时刻，不管是宝宝的成长变化还是自己的感受，你都可以多写一点，描述更细致入微一点。但你会发现，或者因为太忙，或者因为偷懒，你的日记可能会两三天才写上一次。

我觉得怀孕是身为女人最棒的时候。怀孕期间，常觉得我的生活接近完美，就好像我所做的一切都是我想要做的。在我一生中，从未像现在一样，感觉身为女人竟然如此美好，即使用全世界来和我交换这种感觉，我也不愿意。我更加感激我的母亲，我希望能够充分了解她在怀我时的感觉，当我年幼时，她是什么样的母亲。我真希望我的母亲能写下一些东西，让我知道她当时的感觉。

如果每一次怀孕，你都用日记记录了整个过程，就能够比较每次怀孕过程中自己的改变。你会很惊讶地发现，每个过程是如此不同。同时，也

鼓励你的丈夫写日记吧！毕竟，父亲也会有他的感受。

在怀孕过程中，我经历了前所未有的感觉，可能未来也不会再有，我的丈夫也是。这种经验太独特了，我们不能想象有人没留下一点记录就让这段日子过去了。

这段极其珍贵的故事，只有你才能够把它记录下来（可能也只有你的家人想看）。孩子在子宫的时间和他的一生比起来，当然显得微不足道，但把这段时间记录下来，就能够将这个记忆保留一辈子。

在本书每一章的末尾，我们为你保留了几页，让你撰写自己的怀孕日记。在你的宝宝出生后，你可以把它们复印下来，整理成一本日记，让你和宝宝永久珍藏。

果需要就请假；如果工作让你感到很吃力，可能要与老板协商一个对你来说比较合适的工作时间（详见第150页"怀孕期间的工作"）。

*维护一个温馨平和的家庭环境。在怀孕期间保持心情的平静如同让身体得到彻底休息一样重要，尽量将你居住的环境布置得让你的心情平静，尽可能减少那些会让你不快的事物。如果家里有精力旺盛的孩子，找

个保姆或让他上托儿所，好让你能有几小时的安静。试着听古典音乐、放松心情的录音带，或是泡个澡（但温度不要太高，详见第64页），现在也正是你的丈夫学习按摩的好时机。不要因为你花时间放松自己而有罪恶感，因为不只是你需要，腹中的胎儿更需要这样的休息。

*享受美好的户外活动。改变空间对疲倦的身心是非常好的，如果你

的身体状况允许，不妨做些户外运动（但不要太剧烈），在公园散步、逛街、游泳等。适当的运动与改变空间一样，对身体是有帮助的。但是，总会有些时候，你很想运动但身体却不胜负荷，请尊重身体的反应，不要硬撑着运动，你可以等到其他日子再运动，不必急于一时（详见第 187 页"怀孕期间的运动安全"）。

*补充体内所需的营养。营养摄取不足会让你更没有精神，同时也会加重你的疲惫感。选择营养充足的食物，并在一天内随时吃点东西（详见第 97~120 页"一人吃两人补"那一节中当你感觉不舒服时，帮你吃得舒服及如何在怀孕期间维持良好营养状况的建议）。

请注意，以上的建议基本都可以应用在一般人身上，包括吃得营养、睡眠充足、身心放松及适度运动，但在怀孕期间，你需要格外注意这些，来补充快速消耗的精力。

害喜

一般孕妇常经历的恶心、呕吐或腹部不适，很容易让怀孕这件美好的事情变成苦差事。当你觉得自己很狼狈时，很难让自己感觉到孕育一个新生命有多美好，特别是一天 24 小时都在害喜时更是如此。虽然在怀孕早期想要一个没有反应的胃很难，但还是有一些方法可以帮助你，让消化系统好过一些。以下是一些准妈妈常问的问题：

Q：我刚刚怀孕，觉得一切都还不错，但我听到很多怀孕的准妈妈一提到害喜就非常痛苦，我很害怕。害喜的感觉到底是怎样的？

A：害喜发生的频率与时间长短，就像准妈妈体重的变化一样，各不相同。你可能会经历所有或部分以下的症状。很幸运的是，只有少数准妈妈在整个怀孕过程中经历了所有的症状。

害喜的两大特征是，对某些气味特别敏感和对某些食物特别厌恶。

这些气味直达胃部，让你立刻作呕。有些孕妇在怀孕之前对某些气味重的食物，像大蒜、鱼或咖啡，可能没什么感觉，但怀孕之后就特别反感。有些人抱怨，家中特有的味道本来不会为她们带来烦恼，但在怀孕之后，这些味道变得难以忍受。例如家中养的狗，现在闻起来"狗味"特别重；一瓶气味不错的香水，很可能会让人夺门而吐；甚至原来喜欢的食物，也可能因为散发出令人作呕的味道而变得难以忍受；还有些孕妇甚至连丈夫散发的男人味儿都受不了！

不想吃东西也有许多不同的表现方式。有时候，孕妇如果不呕吐就无法吃下某些食物（如肉类、蔬菜或牛奶）。有时候，只有某些食物可以入口。我们甚至怀疑，有些孕妇极度渴望吃到某些食物，只是因为这些食物是少数几样她们能吃的。很多孕妇会觉得好像没有一样东西可吃，为什么还要吃呢？因为如果你不吃东西，会加重恶心想吐的一系列反应。如果因为恶心而不愿吃东西，造成每餐之间的间隔太久，最后一次吃下过多的食物，就更容易全部吐出来。

虽然大部分害喜都与食物有关——甚至许多孕妇仅仅是想到做饭就恶心想吐——但有时候孕妇莫名其妙地就会恶心。有些孕妇发现她们有固定的恶心时间；有些孕妇则是从早到晚都恶心；还有些孕妇是此刻觉得一切都没问题，但下一刻甚至没看到或闻到什么，就莫名其妙地吐了起来。

有些孕妇以意志力抗拒呕吐，但更多人却认为吐出来反而让她们舒服点，所以就让自己尽量吐出来（许多一整天都感到不舒服的孕妇认为，如果能吐出来就会舒服些，但就是吐不出来）。许多人想要多睡一会儿，因为睡着就不会恶心了。

害喜没有什么正确或不正确的表现方式，不管你是只有轻微呕吐、感到呼吸困难、想睡觉、感到窒息、胸口发闷，或是想大口喘气等，恭喜你，你已加入"害喜俱乐部"。

Q：是不是所有的孕妇都会害喜？

A：不是，少数孕妇甚至连一点想吐的感觉都没有就度过了怀孕早期。有些孕妇丝毫没觉得胃不舒服，有些只是偶尔恶心，但这些幸运的孕妇只是少数。如果你怀孕了，就请对这些"让你感到怀孕"的症状做好心理准备。大约80%的孕妇会出现恶心、干呕、呕吐，或是在怀孕的某些特定时段有以上所有的症状。

Q：通常在傍晚的时候，我会感到胃特别不舒服，这也可以算"晨吐"（morning sickness）吗？

A："晨吐"这个词很容易误导许多人，晨吐、午吐、晚吐或半夜吐，不管怎么称呼，都是害喜的表现。有些人称这些症状为"怀孕病"，我们不喜欢这个称呼，虽然有些人认定怀孕是一种疾病，但用"怀孕病"这个词会加重这种错误的观念。怀孕是正常且自然的阶段，虽然肠胃不适的症状常发生在怀孕早期刚起床的时候，但也可能发生在怀孕的任何一个月份中的任何一个时间。"晨吐"这个词可能是男人发明的，他们只记得妻子在早上看起来特别凄惨，而其他的时间好像都还可以。

Q：都说怀孕很美好，为什么我

这么悲惨?

A：你大可将情绪的变化与害喜的不适，当做是激素变化惹的祸。把激素想成是一种神奇的药物，对你现在的情绪可能会有所帮助，因为激素对于维护准妈妈与胎儿的健康非常重要，但如同其他的药物会有少数令人不适的副作用一样，激素的副作用就是肠胃不适。比如，HCG 能帮助稳定怀孕的过程，但也让你的胃不舒服。缩胆囊素的增加能让孕妇更有效率地消化食物，以增强身体储存能量的能力，但其副作用也是显而易见的，低血糖、恶心、眩晕、腹胀，以及孕妇都曾经历过的——饭后想睡觉。雌激素与黄体酮的增加，让肠激素受到直接的影响，也会导致害喜。在怀孕早期，你可能会感到非常不舒服，因为激素的变化在这段时间最为剧烈。3 个月过后，当这些激素消失或减少时，不舒服的症状也会消失或减轻。当然，如果你怀的是双胞胎，你要有心理准备会比别人更难受，因为身体会产生更多的激素，所以你比一般的孕妇更有"怀孕的感觉"。

Q：我知道我应该长胖一些，可是我经常恶心，我很害怕体重反而会减轻。

A：别因为在害喜阶段无法增加体重而担心。实际上，大部分孕妇在这几周或几个月中，仍然持续地增加体重。可能是为了让自己舒服些，她们少量多餐，令人惊讶的是，这样反而让她们在害喜阶段吃得更多，而非更少。即使部分孕妇的体重减少，但当害喜现象渐渐消退后，她们的体重很快就会增加了。

Q：我吐得很厉害，有点担心，这样恶心呕吐会不会伤害我的宝宝?

A：一点也不会！你宝宝的健康不会受害喜影响。胎儿常被视为最完美的"寄生动物"（也许字眼不恰当），当养分不足以供应准妈妈与胎儿时，胎儿通常先吸收他需要的那一份，而准妈妈需要的养分就不够了。

大部分害喜对你体内的功能运作不会有影响，不会因此减轻体重，而且到反应结束后会感觉好多了。只有不到 1% 的孕妇因为严重呕吐而苦恼，这类孕妇因为严重的呕吐使得身体无法弥补呕吐造成的损失，导致电解质与水分大量流失，简言之，就是脱水。如果没有注意到或没有对这样的状况采取措施，严重的呕吐会令你非常不舒服，甚至危及胎儿。但经过治疗，即使是严重脱水的孕妇，胎儿也还是非常健康的。

如果出现下列征兆，表示你可能有脱水现象，应立刻去看医生：

*呕吐没有减轻的迹象。

＊小便次数减少，小便颜色较深。

＊眼睛、嘴巴、皮肤感觉干燥。

＊身体觉得越来越疲倦。

＊意识逐渐不清。

＊感觉越来越虚弱。

＊超过 24 小时无法进食或喝水。

除了注意避免脱水之外，还应避免饥饿性酮症。当你的身体缺乏养分（尤其是碳水化合物）时，细胞组织会开始分裂，并在血液中产生过量的酮体（一种组织化合物），更会加重呕吐。为避免这样的情况发生，可以尝试喝些含盐分的液体，如鸡汤或口服电解质溶液。

因为市面上出售的抗呕吐药的安全性并不可靠，一般医生（同时许多孕妇也比较喜欢）用 24~48 小时的静脉输液来治疗脱水。当失去的盐分和水分获得补充时，身体状况会很快恢复。除非是严重的脱水，否则大部分苦于脱水或饥饿性酮症的孕妇都可以在家中进行静脉输液治疗。

Q：我一直认为人的身体反应和情绪都有自然方面的原因，害喜也是这样吗？

A：是的，从生物学角度来看，害喜绝对是合乎逻辑的。你要把它看成一种保护机制，它强迫你回避一些可能对你或胎儿不好的物质或环境。最重要的是对潜在有害气味的超级敏感能力，如油漆味、汽油味及烟味。有一次玛莎闻到咖啡就感到恶心，她就知道自己怀孕了；另一次是一杯突如其来的香槟，为她提供了怀孕的征兆。对某些气味感到厌恶与恶心，可能是一种天然的警告，告诉准妈妈们注意她们所呼吸的空气和吃下的食物是否安全，有些准妈妈甚至称自己的鼻子为"雷达鼻"。生物学家认为这种嗅觉能力的增强，让怀孕的动物们在尚未看见危险之前就能感觉到。当然，孕妇可能不会感谢这样的生物本能，因为有时候这种保护似乎过了头。

Q：我的产科医生告诉我，害喜代表我怀着一个健康的宝宝，但我怀疑他这么说只是为了让我好过些罢了。

A：如果你需要一些科学依据，那么让你了解下面的因果关系是很有帮助的。在怀孕期间，导致害喜的大量激素代表一个胚胎已顺利植入子宫。统计数字表明，孕妇害喜程度越严重，就越有可能生下一个健康的宝宝。以产科经验来看，"怀孕过程越狼狈的妈妈，孩子越健康"。对某些孕妇而言，激素水平低，表示她的怀孕过程不太理想，流产的危险也大。然而，这并不意味着如果你没感到不舒服，宝宝就会不健康。有很多妈妈在整个怀孕过程中都很顺利，没怎么害喜，还是生下了健康的宝宝。

Q：在我很不舒服的这些日子里，唯一让我比较好过的就是拼命吃喜欢吃的东西，但我非常担心这样的饮食习惯会导致营养摄取不均衡。

A：当你感到不舒服时，在饮食方面最后考虑的才应是食物的营养成分。你要吃那些能帮助你感觉好过些的东西，而这也是你应该做的。切记，任何食物（除了众所周知不健康或不安全的食物）——只要能让妈妈感觉舒服和提供精力的——对胎儿都有益。也许有时你摄取了过多的糖分，有时吃了太多高蛋白食物，有时只吃一些让你舒服的东西，但你会很惊讶地发现，即使这样乱吃一个月，这些食物也并不会让你的营养状况失去平衡。当害喜最厉害的时候，先把每日均衡摄取营养的守则丢到一边吧，试试看能不能以一周为单位，来均衡地摄取营养。

胃感到不舒服时，没有什么食物是好的或坏的。尽量吃些你想吃的，而且能让你感到舒服一点的东西（我们认识一个本来吃素的准妈妈，她连续两个月只吃烤牛肉三明治、橙汁和番茄。她觉得自己需要大量的铁与维生素C，以应付铁的新陈代谢。这没什么，因为她吃不下任何其他的食物）。如果你不停地恶心，准备一盘让你觉得比较舒服的食物放在床边和椅子边，随时补充一点，等你觉得好过些，再来考虑营养均衡的问题吧。

Q：这是我第二次怀孕。我第一次怀孕的前4个月，都觉得挺舒服，而这一次我会感觉更好还是更坏呢？

A：你应该会觉得更舒服些，就像分娩一样，已经有过一次怀孕经验之后，害喜就变得比较容易承受了。你可以预料到会有什么样的感觉，也已经有对策来应付。但是，每次怀孕的激素变化都不同，害喜时间的长短和严重程度也不同。玛莎发现，最后两次怀孕的害喜症状和前3次比起来，持续的时间更久，也更不舒服，但中间的两次，就程度上而言，则介于中等。但过了16周后，她的感觉与前5次怀孕一样好。

Q：我丈夫对我因为恶心而觉得不舒服，不太能感同身受，他认为这只不过是我在幻想罢了。

A：你的丈夫必须要很清楚地了解，你承受的是怎样一个不舒服的过程。如果他曾经晕车或晕船（他一定不会忘记那种滋味），请他想象晕车一整天的感觉，然后再告诉他，这些都是他脑袋里的幻想。没错，情绪低落让害喜更严重，但你是在身体上而不是心理上感觉不舒服。温柔地提醒他，是你的身体——不是他的——在怀孕期间发生变化。许多男人因为不了解妻子为何如此悲惨而感到无助，更因为无法解决这一问题而感到沮丧。他们很难忍受眼睁睁看着所爱的人受苦，自己却只能袖手旁观。让他知道怎么做可以帮助你减轻不适的感觉（详见第23页），如果将来他要陪你分娩，这会是个绝佳的练习机会。

不过，有时候情绪对害喜也会有影响。根据我们的经验，孕妇通常预先认定自己一定会害喜。这种"我怀孕了，所以我会害喜"的态度，预示了害喜无法避免。喜欢航海的人都知道，有一个规则就是，永远不要说"我觉得晕船了"，特别在新手面前，就算只是想想晕船都会有传染性。

对大部分孕妇而言，害喜症状通常开始于怀孕第3周的后期，在第3个月后症状减轻。但不要太寄希望于这3个月结束后，就完全不会害喜。在怀孕3个月之后，部分孕妇还是会有程度不一的恶心呕吐症状，但大部分孕妇的症状会随着怀孕月份的增加而减轻。只有很少孕妇，从怀孕开始到分娩一直都有反应。

琳达医生的经验谈：我几乎找不出任何规律或原因来解释害喜。我怀第一胎时，是个男孩，有一点点反应；怀第三胎时，是个女孩，也完全没有害喜现象；但是中间的那一胎，前几个月害喜得非常严重，她是个女孩。是否害喜和我的压力程度完全没有关系，因为我所承受的压力从来没小过。

Q：可不可以告诉我，这种狼狈的感觉会持续多久？

A：很多孕妇都会有"短暂的美好时光"的回报—— 一天之中会有几小时或几乎整天，让你感觉总算可以正常地做事。你可以期望怀孕过程会一天比一天更好，舒服的日子会越来越多，不舒服的日子会越来越少。害喜就像分娩，总会过去的。

17 种减轻害喜的方法

有很多方法可以帮你减轻害喜的不适，许多孕妇发现下面的方法十分有效——至少在某些特定时间是行得通的。

尽量避开让你恶心的东西

经过几个星期反胃的生活，你的脑子里可能已经有了一张黑名单，知道自己听到、看到或闻到某些东西，就会恶心呕吐。许多孕妇发现，最令她们受不了的恶心根源，通常是怎么避也避不掉的东西。虽然一个完全不会触发害喜的生活环境，就像完全无

对食物的渴望

有经验的孕妇都知道，要应付自己极度想吃某种食物的欲望，特别是害喜期间，就是开怀大吃！有没有顺应胃部发出的讯息，会决定你今天是舒服地过一天，还是害喜一整天。在怀孕期间爱吃某类东西，很可能是一种能真实反映出身体需求的自然智慧。很多研究孕妇爱吃的食物种类的营养学家表示，这些食物的确在怀孕期间提供了孕妇所需的营养。有些孕妇会开始吃一些在怀孕之前从来不碰的食物，这可能是因为身体需要吸收和怀孕前不同的营养。大部分孕妇发现，随着怀孕时间的增加，爱吃的食物种类也有所不同，这可能是为了配合身体在不同时期的不同营养需求。就像害喜一样，爱吃某些食物的现象也在怀孕早期表现得特别明显。

琳达医生的经验谈：在怀孕早期，我特别爱吃牛排和汉堡，这有点不寻常。我丈夫被吓到了，因为除了鱼和鸡肉，我以前几乎不吃其他的肉。我相信这是我的身体想获得更多矿物质和铁的方式，因为我原来的饮食习惯不能充分满足身体这方面的需求。

你自己想吃的和身体所需的，差异可能不会太大，但可不要百分之百确定你想吃的绝对有足够的营养。在今天这个时代，快餐店、冷冻食品及广告费惊人的食品，和身体发出的讯息一样，常常影响孕妇的选择。如果你觉得非吃到圣代冰激凌不可，这通常是情绪上的因素大于身体对营养的需求。但如果你半夜一定要吃到某个餐厅的外卖（这表示你的丈夫必须摸黑出门），你就吃吧，这也许是身体上的需求而非嘴馋而已。但如果你发现，对某种食物的渴望已超过你所能控制的程度，就仔细想想，你吃了多少？吃的次数有多少？问问医生或营养师，看看你最想吃的东西对你和小宝宝好不好？吃这些食物是否只是单纯满足你想吃的欲望？一般来说，除非这些食物实在太不健康，否则请把在怀孕期间爱吃的食物，都当成身体真正需要的营养。

我看着杂志里的糖果广告就开始流口水，小熊软糖是我最想吃的东西，我就是忍不住想吃它。但很不幸，我觉得让我两岁大的女儿看到妈妈坐在一旁，狼吞虎咽地吃着软糖，却告诉她，她不适合吃，好像不大好。我真希望能像我的朋友们一样，想吃的都是健康食品，比如水果和沙拉。

痛的分娩一样不可能存在，但还是有些方法可以让你知道，哪些东西会引发恶心的感觉，以及你应该如何避免。请比较一下，那些让你觉得相当舒服的日子与一整天都不舒服的日子有何差别？在力所能及的范围内，想想怎么做可以避开这些会触发害喜的东西。如果丈夫刚起床的气味让你想吐，就先不理他；如果小狗或垃圾桶的味道让你恶心，让你丈夫知道这是他的事（切记，孕妇千万不能接触猫的排泄物，因为它可能带有弓形虫，会造成胎儿畸形。详见第63页）。找出让你不舒服的气味，可能会让你忙一阵子，但是害喜的问题却能大大减轻。

当然，如果让你恶心的气味是狗食，但又没人能帮你喂狗，那就必须想办法克服。许多孕妇都逐渐可以很娴熟地用嘴呼吸，暂时停止呼吸，或是用手捏住鼻子来避免不良气味（现在学习单手做家务，可以为未来宝宝生下后的日子做准备）。

让每一天有个美好的开始

当你早晨突然醒过来，而且饥饿的胃中充满胃酸时，绝对会引起害喜。同时，如许多孕妇所言，如果你一起床就恶心，那就一整天也别想好过了。现在，给你机会反击一下想吐的胃。每天晚上上床前，先吃点东西，这样第二天早晨起床时，肚子就不会空空如也了。还有，放一盘容易消化又可口的点心在床边，半夜起来上厕所时，顺便吃点。再告诉你一个小秘方：在你下床之前，先往嘴里塞点东西。如果有必要，抱着你的零食，吃它一上午。

突如其来的改变很容易引发恶心，有什么比一阵冷酷的闹铃声把你从梦中吵醒更难受呢？让你的日子过得轻松点吧！让轻柔的音乐唤醒你，或至少用一种逐渐加大音量的闹钟叫醒你。如果你不需要在特定时间起床，就不要设定闹钟。如果丈夫有这个需要，给他一个不吵的闹钟，或是将闹钟调到振动放在他枕头下面，在设定的时间叫醒他。

如果有可能，尽量以一种愉快而没有压力的活动拉开一天的序幕，像步行、冥想或阅读，让你的身体能准备好度过美好的一天，实现你想要的生活状态。

少量多餐

低血糖很容易引发恶心，尤其在你刚起床或几小时没吃东西时，更容易发生低血糖情况。一日三餐的传统进食习惯，对孕妇来说并不合适。比较好的进食方式是一天6次，少量多餐。特别是当你的胃似乎无法接受任何食物时，就更应该考虑这样的进食习惯。不断地吃一些容易消化的富含营养的食物，可以让你的胃舒服些，同时也可以维持血糖的平衡。

我觉得自己好像一直处于饥饿状态，一直在想我的下一餐该吃什么。当胃发空时，我就觉得恶心，所以我必须让胃一直都满着。我吃完早餐就想，中午要吃什么？我的生活完全被食物和下一餐要吃什么包围了。

吃容易消化的食物

某些食物对胃来说特别难以消化，例如高热量食物、辛辣食物及一些高纤维食物等。试着采用以下这些让胃舒服的进食建议。

＊吃些能很快转换成热量的食物：有营养的食物，通常也比较容易消化，通过肠胃的速度也较快，像汤或粥等流质食物、鲜果饮品、酸奶，以及低脂但碳水化合物含量高的食物。尽量避免吃难以消化的高脂肪食物或油炸食物，如冰激凌、薯条和炸鸡等。

＊尝试一些富含营养的食物，像酪梨、菜豆、鱼、坚果酱、全麦面、糙米、豆腐等。如果你不喜欢花生酱，可以吃味道较淡的杏仁酱或腰果酱。把果酱薄薄地涂在饼干、面包、苹果片或是西芹上享用。只要一大匙就足以在你的胃中慢慢消化，因为它们的脂肪含量很高。

＊为了避免脱水（这是引发恶心的重要原因之一），最好吃一些会让你感觉口渴的食物，像泡菜或苏打饼干。

＊避免将唾液吞进你的空胃里。空胃对唾液非常敏感，一碰到就容易引发恶心。大部分孕妇在怀孕期间都会产生过多的唾液，即使只是想想食物，都会促进唾液的分泌。在你吃容易促进唾液分泌的食物（如咸的饼干或干的食物）之前，应该先喝些牛奶或酸奶，滋润你的胃，这样不会因唾液的增加引发恶心。薄荷糖或薄荷口香糖有助于抑制恶心，但最好不要在空腹时吃，因为它会增加唾液的分泌。

＊如果孕妇专用的维生素会让你恶心，就在你吃得最多的一餐后服用。

＊水分多的食物能帮助你减轻肠胃的负担，更能预防脱水与便秘，这是加重恶心的两大主要因素。可尝试一下甜瓜、葡萄、莴笋、苹果、梨和芹菜。

＊找一种你觉得有效的口含片（像柠檬片），随身携带。

当我到餐厅打开菜单点菜，就无法克制恶心的冲动，甚至有时候只是想想自己要点什么菜，都会让恶心变得更严重。现在学乖了，我会很快打开菜单，快速说一个第一眼就看到的菜名。

我也学会了远离让我感到烧心的东西。对我来说，恶心与烧心是最无法忍受的两件事。

吃高热量食物

复合碳水化合物（祖辈们称之为淀粉）就像一种缓释药丸，它会缓慢地将你需要的热量注入血液，让你的胃口好一点。这类食物主要是谷类(大米、玉米、小麦、燕麦、小米和大麦)，在面包、面条和饼干中含量最高。如果这些食物是全谷物的，营养成分会更高。

吃你喜欢且觉得舒服的食物

经过几个星期的害喜，你可能已经可以列出一份让你感觉舒服的食物清单——至少是不会加重恶心的食物。但如果你突然不喜欢吃这些食物了，也别惊讶，再换其他你喜欢的食物吃吧！就算不是很健康，只要你吃下去觉得舒服就行。

想办法让自己吃

有时候你可能会完全没有食欲，但是不吃不喝，会让你更难受。千万不要在早晨起床后胃酸过多血糖又过低的时候站在卫生间里。吃些东西吧，不管是什么。

出门走一走

就像你必须在完全没有胃口时强迫自己吃东西一样，你也必须在完全没有动力从沙发上站起来时，强迫自己起来。新鲜空气、不同的地方、拜访朋友或是看场电影，都可以让你暂时忘记害喜的难受。如果你想活动一下，那就动吧。如果你想休息，那就好好休息。但切记，不要总待在同一个地方。如果你在上班，别在你的办公桌上吃午饭，出去走一走，几分钟也好。

琳达医生的经验谈：虽然我自己也认为我不应该去工作，但是工作让我感觉好一些。至少在工作时，我没有太多的时间去想我有多不舒服。

自己开车，别让别人载

如果坐别人开的车让你感觉不舒服，告诉他们你想自己开车。当你全心全意专注在发动与刹车的转换中，就很少感觉不舒服（这就是为什么舵手总是最后一个晕船的原因）。

把工作分配出去

躺在床上，直到你的胃和家务都安顿好再说。让丈夫做家务，这样可以让他提早做好准备，至少在你分娩后的前几个月，他能分担一些家务。记得你列出的恶心名单吗？让你的家庭帮手——你的丈夫和大一点的孩子为你分担家务，把喂狗、洗盘子之类的琐事都委派给他们，把垃圾和没洗的碗在当天晚上处理完毕，你应该有一个味道清新的厨房！把让你觉得不舒服和舒服的事项写下来，并贴出来让大家知道。丈夫该做的事会随着你的身体状况而有所调整，有时候他是个勤杂工，需要采购及办一些琐事；有时候他又是个招待，专门为你供应零食与正餐。可千万不要因为躺在床上让丈夫给你买饼干而感到愧疚，记住，你们正在共同孕育一个新生命。如果你想吃某种食物（甚至需要开车出去购买）、按摩脚部，或是处理生活中的一些小事，只要你想，就告诉他吧！你可能做了好几顿简单的饭菜，但是，就算你的家人连吃几顿饼干和胡萝卜，也没什么大不了。如果你丈夫因此发牢骚，就让他自己做饭吧！

威廉医生的经验谈：玛莎有一段时间特别想吃一种小零食，我就必须经常在半夜到超市里买上几包来满足她。有天晚上，我拿着一大袋准备结账时，收银员盯着我说："你老婆一定怀孕了！"

当你变得对周围环境特别敏感时，你的丈夫就必须变得对你的需求更加敏感。有些孕妇对超市中的味道完全无法忍受，或至少在怀孕早期没有办法接受，你可以有几种选择：让丈夫代劳、找个人帮忙，或者找个可以外送的商店。

我喜欢在晚饭前打盹儿，而丈夫在厨房里忙着，之后我们就可以一起愉快地享受这顿美好的晚餐。

预先做准备

如果你知道什么东西会让你感到恶心，就试着避开这些东西。如果做饭的味道让你不舒服，可以考虑在你感觉舒服时先做好，然后放到冰箱里。或者降低你对食物的要求，买些方便食品。如果你到朋友家做客，预先准备一盘你能吃的食物一起带去。当你工作或外出办事时，别忘了随身携带一些会让你有食欲的食物，当饥饿感突然袭来，如果你没有准备一些随手可得的食物，恶心就会马上出现。

减轻压力

害喜源自身体，而不是心理。但身心是相关的，你的脑和胃分享着同一套神经系统，所以当你心情郁闷时，胃也同样不舒服。很多孕妇常陷在一种"压力—恶心"的循环里无法自拔，她们感觉越不舒服，压力就越大，然

让你感觉舒服的最佳食物

害喜的时候，没有对的食物和错的食物，只有能让你感觉好一些的食物。这里列举的是一些让胃部舒适的食物，包括几种能应对呕吐的天然药物（有些可能会让你产生不适，请咨询医生再食用）：

* 各种姜：姜提取物、鲜生姜、姜胶囊、姜茶、姜丝、姜片、腌姜、小姜饼等

* 柠檬：含或闻
* 覆盆子叶茶
* 薄荷，薄荷油
* 土豆（烤、煮、捣烂）
* 咸葵花子
* 木瓜汁
* 口香糖
* 西瓜
* 酸奶冰沙
* 冻酸奶
* 年糕
* 葡萄
* 泡菜
* 布丁
* 甘菊茶
* 加柠檬的碳酸矿泉水
* 鳄梨

* 苹果汁
* 冰糕，果子露
* 苏打饼干
* 梨
* 芹菜
* 胡萝卜
* 柠檬糖
* 香蕉
* 甘草
* 西葫芦
* 面包圈
* 意大利面
* 谷类
* 西红柿
* 麦片

能让一个孕妇缓解呕吐的食物或饮品也许会让另一个孕妇呕吐。通过试验和调整，你会列出自己的"胃部舒适清单"。在怀孕最初的3个月坚持食用这些食物，当你的肠胃不那么挑剔之后，可以扩充你的清单。同时，在清单上保留6种左右让自己感觉最舒服的食物，分娩时也可以吃一点。这些做法可以帮助你战胜可能经历的呕吐。

后就感觉越来越不舒服。

怀孕时，你必须改变对生活和工作的看法。妇产专家认为，胎儿在子宫时，最好不要接受过多的应激激素。如果你的工作让你压力很大，成就感又很低，就想办法调整工作时间或工作内容，或是做任何让你觉得身心比较和谐的工作。除了小孩和丈夫以外，排除家中不必要的压力来源。现在学着排解压力对将来当个沉着镇定的妈妈，是很好的练习。**请谨记，宝宝需要的，是一个快乐平和的妈妈，不管在他出生前还是出生后都一样。**

怀孕对我来说，是个从充满竞争的环境退下来的绝佳机会。当了那么久需要承受高度压力的股票经纪人，我周围充斥着男性激素的作用。是该休息的时候了，现在我可以接受女性激素的影响，并舒服地适应这种改变。

尝试指压法

中西医都提到，如果刺激内关穴（手腕内侧，距腕横纹两指处，腕部两根筋之间的中点），可以减轻因怀孕引起的恶心和呕吐，甚至对其他因素引发的呕吐也有效（如晕船）。这种方法不需要医生指点，也没有副作用。

穿宽松一点

请穿宽松一点的衣服。很多孕妇发现，只要有任何东西压迫到腹部、腰部或是脖子等处，都会令人感到不舒服，而且容易引发恶心。

舒服的姿态

除了令人不适的恶心、呕吐外，许多孕妇在早上害喜时，还伴有烧心的症状。这种灼热感的产生是由于胃酸逆流至食道造成的刺激，在怀孕时很容易发生（又是激素在捣乱，它让胃与食道之间的闸门打开了）。预防烧心的最佳方式是调整身体的重心，

通常会让你感觉不舒服的食物

* 油炸食品
* 油腻食品
* 高脂肪食品
* 香肠
* 煎蛋
* 辛辣食品
* 含味精（MSG）食品
* 洋葱
* 酸菜
* 卷心菜
* 菜花
* 含咖啡因饮料，如咖啡、可乐

只要让胃的出口低于入口，逆流状况就会减轻。当你吃饱后，尽量坐直或是右侧睡，仰睡的姿势最容易引发烧心（更进一步的建议，详见第 79 页）。

尽量多睡

睡眠需求的增加与害喜程度成正比，对孕妇来说这是很值得庆幸的，至少可以依赖睡眠来缓解害喜的不适。玛莎记得自己嗜睡的原因只有一个：逃避恶心。请珍惜这种休息，确保自己睡得越久越好。但对某些孕妇而言，躺在床上休息好像没什么帮助，她们必须借其他事物来分散对胃部反应的注意力。

如果家里有个刚会走路的小孩，你可能就不会有躺在床上或小睡片刻的奢侈权利。为了避免起床后恶心，在休息之前，可以先吃一些清淡的食物，例如水果或作用持久的复合碳水化合物（如谷类或面食等）。这类食物能支撑整个夜晚，缓慢释放身体需要的能量到血液中，但又不会让你睡不着。除此之外，还可以吃些天然的抗酸性食物（如牛奶、冰激凌和酸奶），可以在你逐渐入睡时帮助中和胃酸。有些孕妇觉得，在睡前嚼几片每日所需剂量的钙片也挺有用的，但也有些孕妇觉得醒着时嚼比较有用（口嚼钙片是一种抗酸剂）。

老一辈的人常说："起床时下错边，是引发害喜的原因。"这其实是有些心理学根据的。起床下错边，是因为上床"上错边"。如果上床时心情郁闷，起床时也好不到哪里去。失眠的夜晚通常会引发第二天的恶心与呕吐。为了避免上床时心中还千头万绪，你可以试着读书或做一些事，这样可以放松一点。很多夫妻很喜欢利用这段时间，聊一聊即将成为父母的喜悦，或是丈夫将手放在妻子的肚子上，和未出世的宝宝说话。很多孕妇都说，这样的交流让她们感到非常放松，更容易入睡。

保持乐观的心情

找能与你分忧解惑的人聊天，当过妈妈的人比没有当过的人会更了解你的状况。还要试着告诉你的孩子们，怀孕是件非常美好的事。如果有一天，你无法将许多事安排妥当，仍要提醒自己，最珍贵的礼物就是肚子里的宝贝。

早上起床时，我觉得还挺舒服的，因为昨天晚上睡得不错。但到了下午，孩子们陆续从学校回家，我就觉得头痛万分。他们只看到疲倦、坏脾气又需要人照顾的妈妈，我也无法为可怜的孩子们花许多精力准备吃的东西。有一次，14 岁的孩子又听到我在抱怨呻吟，就开口问我："妈妈，是不是有个小宝宝在肚子里让你不舒服？"这让我马上停止了抱怨，并意识到最好还是自我控制一点，让孩子们看到我积极的一面，尤其不要在女儿面前表现出一副对每件事都不满的样子，让她们看到一个坏榜样。

我肚里的孩子啊，就算我为你遭受害喜的折磨，也绝对值得。

胎儿的成长（1~4 周）

当你工作、走路、放松和睡觉时，你的体内逐渐产生了神奇的改变。

第 1 周：当精子先生碰到卵子小姐，受孕就发生了！

当精子突破重重障碍进入卵子后，通常在其中一条输卵管的上方，受精就产生了。受精的那一刻，胎儿的性别就已经被决定（某些精子产生男孩，另外一些精子则产生女孩）。在一开始，受精卵就拥有所有完整的遗传密码：23 对染色体来自父亲，另外 23 对来自母亲。有时两个卵子会与两个精子同时受精，这就形成异卵双胞胎；有时一个卵子与两个精子受精，之后再分裂为两个受精卵，形成十分相像的同卵双胞胎，这种情况比较少见。在这不过 10 厘米长的 4 天输卵管之旅中，细胞每天都分裂为前一天的 2 倍，所以当这一组即将形成胎儿的细胞到达子宫时，它已经至少有 16 个细胞了。在前 8 周，科学家称这些细胞为胚胎，但大部分的准爸爸妈妈们宁愿称它为"宝宝"。

第 2 周：着床

在胚胎形成的第 7 天，它已经长得像颗小草莓，开始寻找一个最佳着陆点以便在子宫内膜上着床。胚胎着床的位置通常在子宫上部的 1/3 处，或是接近子宫的顶端。当胚胎植入到某些血流量丰富的内膜处时，可能会发生少量出血。这个生命蓬勃的球状物被称为胚囊，每一个胚囊分成几组，每组有几百个细胞。有些细胞植入柔软的子宫内膜，有些细胞则聚集成一团或形成腔，每一组细胞都有不同的密度。而子宫为了适应胚胎的存在，开始形成胎盘。胎盘可以将母亲体内血液中的营养传递给发育中的胎儿，并帮助排除胎儿产生的废物。在胎盘形成的过程中，会产生 HCG，它能帮助胎盘形成，同时借助高水平的雌激素与黄体酮，刺激胎盘的顺利发育。在胎盘形成的过程中，体内的 HCG 会大量流入母亲的血液中，在第 2 周结束时，在母亲的尿液中就可测出 HCG。

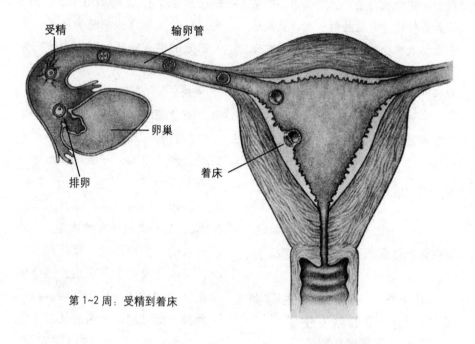

受精　　　　　　　　输卵管

卵巢

排卵

着床

第1~2周：受精到着床

第3周：随着子宫与胎儿成长，激素会增加

　　这时候，月经没来，一般女性可能就会怀疑已经怀孕，同时逐渐升高的激素水平，也让人开始感觉怀孕了。怀孕引发的激素变化通知卵巢不需要再排卵，卵巢收到通知后，也会告诉脑下垂体，不需要再刺激月经的到来。在这3个星期中，原本只是单细胞的受精卵成为了几百万个细胞，这些细胞分成3类：一类形成神经系统、皮肤与毛发，一类形成胃肠道，而另一类则形成

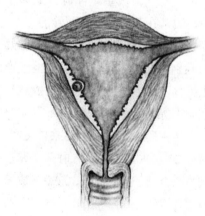

胚胎着床

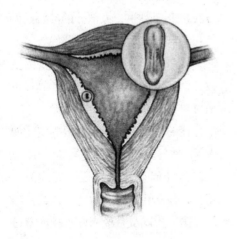

3 周大的胚胎

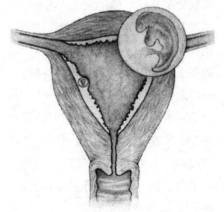

4 周大的胚胎

循环系统、生殖系统及肌肉骨骼系统。在第 3 周结束前，胎儿刚发育的小心脏就已经开始跳动，血液也开始循环。

第 4 周：胎儿开始成形

在这一周，胎儿的大小和形状发育得有如一颗弯曲的米粒，在脐带中的 3 条不同的血管也在此时出现。在胎儿微小身体的外缘，有一群组织会集合起来形成脊椎，还有一些小芽出现在身体外围，不久就会形成手臂和腿。球状的小心脏开始分裂成心房、心室，并开始送出血液到已成形的血管中，超声波仪器可检查到规律的心跳。头部也开始出现几个浅窝，以后将会形成双眼及双耳。脑部与脊柱也开始发育，未来器官的雏形，如气管、食道、胃、嘴、肝、肾、膀胱、甲状腺和泌尿器官开始出现。令人惊讶的是，在受孕仅 4 周时，胎儿的大部分重要器官，已经依照它们自己的方式开始发挥作用了。

你应该关心的事

随着宝宝逐渐长大，你关心的问题也会越来越多。你的身体发生了很多新的、不同的变化，会有很多需要学习和思考的事。下面是一些你可能第一次考虑到的问题。

预产期

就像新手父母很难在各个方面都完全准备好一样，宝宝的出生日期是很难准确预测的。因为胎儿的成长速度不尽相同，就如同他们出生之后的生长速度也不同一样。产科医生通常会以最后一次月经的第一天，加上280天来计算你的预产期。其中的266天或38周为受精到分娩的平均时间，另外14天为最后一次月经的第一天到下一次排卵的平均时间。根据这种预产期的计算方法，产科医生会告诉你胎儿的大概出生时间，而所有的预产期都只能作为一种预测。预产期常用EDD（estimated date of delivery）或EDC（estimated date of confinement）来表示。你也可以自行计算预产期：

＊找出最后一次月经的第一天日期（比如说1月1日）。

＊加上1年(第二年的1月1日)。

＊减掉3个月（10月1日）。

＊再加上7天，就算出了你的预产期（10月8日）。

你可能会发现，自行算出的预产期与医生告诉你的差了几天，那是因为自行计算时是以月份为计算基础的，但并非每个月的天数都一样；医生计算时则使用预产期计算表（以日为计算基础）。如果你能百分之百确定受孕的日期，再加上266天即可，

这个正确率就会与预产期计算表不相上下。要知道，只有5%的胎儿会刚好在预产期诞生，大部分的准妈妈们会在预产期前后的两周内分娩。

如果你了解到其中有太多的变数，就知道为什么预产期的计算并不绝对科学。有些女性对于最后一次正常月经的第一天日期不是很确定，如果又刚好停吃避孕药，可能会经历一段月经周期和排卵很不规律的时间。有些女性因为其他原因造成月经不规律，所以从月经来潮到排卵就可能多于或少于14天。就算你属于非常规律型，月经周期的长短也会有影响。月经周期越接近28天，预产期的推算就越准确。月经周期越长，越有可能过了预产期之后才分娩，而月经周期越短，就越可能在预产期之前分娩。

对某些女性及产科医生来说，正确的预产期推算是非常重要的。如果预产期和胎儿成长的速度不符，医生可能就需要注意是否有其他异常状况发生，以确定是否为异常怀孕（如多胞胎或胎儿的发育有问题）。可喜的是，随着孕期的增加，医生预测预产期的准确性也就越高，当你与宝宝都在成长时，依据以下资讯，即可测出比较准确的预产期：

＊在每次产检时，医生都会测量子宫的高度，看看你与胎儿的成长是

否和预期一样（怀孕约 20 周时，子宫的平均高度大约在肚脐水平）[1]。

* 在怀孕 12 周左右，通过多普勒超声波即可听到胎儿的心跳。

* 怀孕约 16~20 周之间，准妈妈会感觉到第一次胎动（怀第二胎的妈妈可能更容易发觉，因为她们知道如何分辨胎动与肠胃蠕动）。

* 如有必要，在怀孕 16~20 周之间，医生会安排 1~2 次超声波检查，以便精确计算正确的预产期。

对于经期不准或是不太清楚经期的孕妇来说，用超声波来测预产期特别有帮助。在怀孕的每个阶段，超声波的准确性不尽相同，在 12~13 周时，用超声波估算胎儿的实际大小，大约会有几天的误差；16~20 周时，误差可能会有 7~10 天；而到怀孕晚期，误差则可能会多达 3 周左右。

如果我们为分娩赋予一种管理精神的话，在怀孕早期，推算一个正确的预产期非常有助于管理整个怀孕过程。医生通常不会对这个日期多作调整，除非有充分的证据证明，预产期

---

①医生用以推测的"怀孕周数"是以最后一次月经的第一天开始计算（而不是以受孕日开始计算），所以会比实际怀孕周数多两周。而在本书中提到的周数，从受孕开始，都是以实际周数来计算的。你也可以在怀孕日记中，以同样的方式描述胎儿的成长。

在一开始就是错的，才会予以调整。许多例子证明，如果准妈妈能确切知道受孕的日子，她的预产期会比用最后一次月经的第一天或超声波估算来得准确。如果超声波检测出来的日期和用月经周期推算出来的日期的差距在一般月经周期的浮动范围内，医生通常会以月经周期推算为主。如果几次超声波检测的结果都与当初预测的不同，医生可能就会告诉你一个新的预产期。超声波检查会因为个体差异或是怀孕过程有问题而出现误差。

知道预产期是好的，但实际上，胎儿会自己决定他的出生日期。在日历上记下预产期，当预产期有所改变，再在日历上写上另一个预产期。为了不让自己在分娩前的最后一个星期，不断想着"我迫不及待想抱我的宝贝"，却又不断失望（或是想着"好想赶快生下来，真受不了了"），最好把预产期自行延后一个星期。这样，如果你的宝宝早些降临，你会感到非常高兴；同时，也可以避免原预产期过后还没有分娩的迹象时，不断接到关心询问的电话："生了没呀？"要避免这样的骚扰（这种关切的确是种骚扰，尤其是肚子够大、预产期又过了，而你也又烦又累的时候），还有另一种方法：预产期是 1 月上旬，告诉你的亲朋好友时就不要说是 1 月 2 日；是 1 月中旬就不要说是 1 月 10 日；

是 2 月初就不要说是 1 月 29 日。以周为单位，不要把确切的日期说出来会比较好。

分享怀孕的喜悦

什么时候该将这个好消息告诉亲朋好友和公司同事呢？在腹部突出之前，应该可以选择沉默以对。但在首次宣布这个好消息之后的几分钟内，想要告诉全世界的冲动会将你冲昏头，你一定不想掩饰自己有多骄傲，或许你也想选择过一阵子再告诉家人朋友。但无论你决定什么时候告诉什么样的人，这都是非常特别的宣言。

将这个好消息告知丈夫时，应该把它视为一件不寻常的事。与丈夫分享这个即将改变生活的消息，不应只是打个电话而已，一定要当面告诉他。绝对不要错失看见丈夫第一个反应的机会，尤其如果这是你们的第一个孩子，亲自告诉他，让他知道他的重要性。不妨订个烛光晚餐，然后宣布这个好消息。为了能够拥有充裕的时间来接受这即将改变彼此关系的消息，也许你该花上一整天、一个周末或是一个星期的假期，来真正接受怀孕这个事实，并分享及讨论彼此的感受和随之而来的重要决策。

威廉医生的经验谈：虽然已过去了 10 年，我仍然清楚地记得，玛莎告诉我她正怀着我们的第 6 个小孩马修时的情景。圣诞节那天，她送给我一个包装精美的盒子作为礼物，里面是早孕试纸检测结果。记得打开这个盒子后，我看到两条粉红色的线，这代表怀孕了。而更令我难忘的是，玛莎随礼物附上的亲笔信。

正确的说法应该是："亲爱的，'我们'怀孕了！"要让丈夫从一开始就知道，有些值得兴奋的事不只是发生在你身上，同样也发生在他身上。如果一开始他好像不能进入状态，感受到这股兴奋（尤其当好消息来得太突然时），你可不要沮丧。他的反应可能不会与你同步，因为你已经有一些时间来消化感觉，对他来说当然也需要时间来调整，不要因此产生负面的想法。男人总是会先理智地想想："现在怀孕时机对吗？""我们现在养得起小孩吗？""这个小东西对我们的婚姻会产生什么影响？"许多准爸爸要花上一些时间才能真正体会到喜悦，享受成为父亲的光荣。

你们应该共同讨论一下，什么时候告诉其他人这个好消息。你可以选择过一阵子再让亲朋好友分享这份喜悦，因为你可能觉得对于接受一箩筐的建议、怀孕注意事项及育儿经验，还没有做好心理准备；或者可以选择让某些人先知道这个好消息，比如跟你关系最好、最亲近的人；如果你非常注重隐私，想独自享受这个甜蜜的秘密也无所谓。如果你曾经有过流产经历，或害怕会流产，等到一切怀孕状况都稳定下来之后再告诉别人，可能会让你不那么紧张焦虑。同时，要做好准备接受一切可能的愚蠢问题，诸如："现在怀孕好吗？""为什么这么年轻就要生小孩呢？"就把这些讨厌又无用的问题和建议当成做父母的准备吧！

如果你把怀孕的消息告诉你的孩子，就要有所有人都会知道的心理准备。不同年纪、不同个性的孩子，需要以不同的方式告诉他，因此，宣布怀孕消息的时机和方式，应该依据每个孩子对这件事的了解程度而定。大部分的孩子很喜欢阅读绘有怀孕的妈妈与正在喝奶的婴儿的绘本，你可以试着用图片慢慢引导大一点的孩子了解婴儿是如何成长的。其实，就算是很小的孩子也会感觉到妈妈不一样了，特别是他们会听到大人有关怀孕的谈话。所以，你一定要和他们聊聊这件事，孩子们一定会因为他们第一个知道这消息而感到骄傲不已。但是一定要让他们了解，你需要更多的休息、更多的协助和更多的谅解。也要让他们知道为什么你有时会觉得心情不好，有时候会恶心，但你的状况会越来越好，同时对他们的爱与照顾都不会改变。这可能是有史以来第一次，你的孩子意识到，有一个除了他以外的人跟他一样重要。用一些适合他们年纪的解释让他们了解这个状况，比如说："妈妈要花很多力气才能让小宝宝长大，所以妈妈会觉得好累想睡觉。妈妈要你像一只可爱的猫咪一样安静，这样妈妈和小宝宝才能好好休息，好吗？"

何时才是告诉老板的好时机，这真是个职业规划的大考验，尤其是如果你的怀孕可能会造成工作内容改变甚至不能保留这份工作。就法律而言，孕妇不应受到歧视。可是，在告诉上司之前应该想清楚，宝宝生下来之后重回职场的规划。详细考虑之后，你才能处理接下来可能发生的种种问题，同时你也会比较清楚是要延长产假，还是当孩子还小的时候，上半天班或实行弹性工作制等（详见第150页"怀孕期间的工作"）。

我知道如果我一宣布怀孕，公司就会把我列入黑名单，所以我先观望等待。当我怀孕2个月时，公司为我加了薪。而当我怀孕4个月以后，我才公布怀孕的消息，当然他们都惊呆了。

何时让他人知道你怀孕绝对是你个人的决定。当然即使你否认，没多久别人自然会从你的身体变化看出来（详见第 156 页"规划一套符合你需要的产假计划"）。

宫外孕

宫外孕是指受精卵在子宫腔以外的地方着床。95% 的宫外孕发生在输卵管，亦称为输卵管怀孕；极少数的宫外孕发生在卵巢、腹腔或子宫颈。

宫外孕大约只有 1% 的发生概率。如果你没有任何宫外孕的征兆，而且才刚开始怀疑可能怀孕，那很可能你早就过了该担心宫外孕的时候了。宫外孕的征兆通常在受孕第一周就会产生。但有些女性可能事先毫无征兆，等到知道怀孕以后才发现是宫外孕。

为何会发生宫外孕？

大部分这类不正常怀孕发生的原因都是输卵管中有阻碍物。这些阻碍物可能是长出的肉芽或是因先前感染而产生的瘢痕。这种肉芽或瘢痕会使受精卵不能正常地通过输卵管而无法进入子宫，于是受精卵便在输卵管（或子宫之外的其他地方）植入成长。少数的宫外孕找不出明确原因——有些女性天生就比较容易引发宫外孕。下列就是一些容易造成宫外孕的危险因素：

*曾有宫外孕的经历。*有过宫外孕经历的女性，有 10% 的人在下一胎怀孕时也会发生宫外孕。

*曾做过输卵管或靠近输卵管部位的手术。*手术之后容易留下瘢痕，会阻碍输卵管的通畅。曾做过输卵管复通手术或结扎手术失败，也会增加宫外孕的概率。

*曾有盆腔感染的病史。*盆腔感染，如盆腔炎或因性交而感染的疾病，会伤害输卵管，进而增加宫外孕的概率。

*子宫内膜异位。*是指本应只生长在子宫内的子宫内膜组织，生长在了子宫以外的其他腹腔部位。

*受到过己烯雌酚（DES）的影响。*曾服用这种药物的孕妇生下的女孩长大后，生殖系统异常的比例较一般人高，这类异常也包括宫外孕。

*曾因使用宫内节育器而引起相关感染。*宫外孕的可能性将大增。

如果你具有以上的危险因素，请务必向医生咨询。早期诊断与治疗非常重要，不仅是为了确保正常的怀孕过程，更是为了拯救你的生命。如果是发生在输卵管的宫外孕，输卵管会逐渐长大膨胀，对输卵管造成永久性伤害，并且会引发血管破裂，造成大出血，危及生命。

何时该担心宫外孕？

以下任何一项症状发生都有可能是宫外孕，如果全部症状都有，那么就可以确定是宫外孕。

疼痛。几乎百分之百的宫外孕都会产生疼痛感，从一般的下腹疼痛到可能是某一侧接近胚胎植入输卵管位置处的下腹疼痛（很像阑尾炎，但左右两侧都有可能发生）。如果输卵管的血管已经破裂或即将破裂，孕妇会感到腹部剧痛、下腹痛如刀刺，有时疼痛会放射到同侧的肩膀部位。任何下腹部疼痛如果越来越剧烈，且有一侧特别疼痛，同时疼痛来得特别快时，一定要马上就医。

出血。出血本身并非宫外孕的特征（大约75%的孕妇，在怀孕过程中都曾有出血表现，但还是生出非常健康的宝宝）。在宫外孕引发大出血之前，通常只有一点出血甚至没有出血。如果出血的话，血量可能多也可能少，可能只有少量咖啡色血渍，也可能不断地流出暗红色的血液。出血可能在感到疼痛之前或之后发生。

恶心、呕吐伴随晕眩。疼痛越来越剧烈，疼痛的位置越来越确定是某一部位，出血量越来越多，颜色也越来越红，同时伴有恶心、呕吐及晕眩。孕妇会觉得越来越虚弱，脉搏跳动也越来越快。

盆腔检查时有剧烈疼痛。做盆腔检查时，因子宫颈移动而产生的剧烈疼痛，是检测宫外孕的一条线索。

输卵管部位感觉疼痛。在输卵管附近可能会有从轻微到剧烈程度不等的疼痛，医生甚至可以触摸到胚胎的存在。

有时候要分辨流产和宫外孕并不是很容易，但是一般来说，流产的疼痛没有那么严重，同时疼痛的部位靠近腹部中间，有点像月经胀痛。而宫外孕则痛得比较厉害，且偏向下腹部一侧，有点像阑尾炎的疼痛。流产时出血情况比较严重，同时也会伴有血块。而在输卵管附近的血管尚未破裂前，宫外孕的出血比较少，颜色也比较暗。

当你怀疑是宫外孕时，该怎么办？

如果你现在正感到疼痛，赶快找医生。如果你有上述宫外孕的特征，盆腔检查显示可能是输卵管怀孕，医生应该会给你做妇科超声波检查，检查结果可能是子宫内空无一物，或在子宫外发现小小的胚胎。如果超声波无法检测出宫外孕，同时也没有破裂出血的迹象，医生可能会连续检测你体内HCG的浓度，如果是宫外孕的话，这种激素的浓度会降低或不变。如果一直无法确定是否是宫外孕，医生可能会进行腹腔镜检查以便直接看到输卵管里面的状况。

这种手术的检查程序是：先在肚脐附近开个缺口，再把一种富有弹性、像望远镜的软管伸进体内检查。这种方式对腹部伤害最轻，复原情况也比较好。手术过程中会尽可能保留输卵管，保证以后还有受孕的机会。利用这种特殊医疗设备，大部分的宫外孕患者都可在大出血之前得到早期诊断与治疗。就算血管已经破裂并引发大出血，利用显微外科技术还是有可能修补输卵管的损伤。即使无法补救，只要另一侧的输卵管没有问题，还是可以顺利怀孕。此外，近年来有些宫外孕已经完全可以通过药物进行保守治疗。

宫外孕的感觉有如流产，胚胎在成熟之前就枯萎了，这两种情况都同样令人不好受（详见第89页）。

选择你要的分娩方式

在医疗技术日益发达的21世纪，对于如何迎接宝宝来到这个世界，准父母有着多重的选择。每一种方式都要付出不同的代价，有选择就意味着有相应的责任与可能的疑惑，而很多人都期待拥有完美的分娩。我们希望通过介绍一系列的分娩类型，引领大家选择最适合的方式。如果你与产科医生、护士、助产士交流过女人对分娩的准备，他们都会认同，知道越多的孕妇，分娩越容易。在你阅读过许多书籍和杂志，与朋友、专家谈过之后，你会发现最近十几年以来，生小孩的方式和以前妈妈们那一代完全不同了。

传统历史观点

要理解现在产科的变化，回溯一下历史相当有帮助。40年前，分娩就好像是一种手术。在那个年代，生个小孩可能就像阑尾炎开刀，孕妇就像一个病人，要先剃毛准备"开刀"，然后躺在手术台上，把双脚打开绑在两边。宝宝生出来后，医生们忙着给他喂婴儿配方奶粉，产妇则要从手术中逐渐复原。就算等到妈妈带婴儿回家之后，她还必须遵循所谓育婴专家的指示，如不可以太宠婴儿或让婴儿牵着父母的鼻子走，否则下场会很惨。这些专家建议"小孩爱哭就让他哭"，"按照一定时间喂食"，以及"不要常常与婴儿接触"，这些"圣旨"成为当时最标准的育婴指导原则。

随着新世纪科技与医学的发展，生育对母亲和婴儿来说，也越来越安全。20世纪60年代后期，社会运动风起云涌，历经时代巨变的美国女性开始质疑，对孕妇最好的分娩方式是什么。一种新的生育观点开始出现，很多孕妇开始参加生育讲座或准妈妈课程，"选择不同的分娩方式"和"有哪些方法可以取代传统方式"变成时髦的话题。20世纪70年代结束前，孕妇在分娩中扮演的角色开始转变，成为重心所在。很多医生开始了解到，在分娩过程中，让产妇对自己的身体有自主意识以控制疼痛，取代传统的利用高剂量的止痛剂控制疼痛，对妈妈和婴儿最好。于是，准妈妈变成分娩过程中重要的决策参与者。

时至今日，孕妇可选择站着、前倾、坐着或蹲着分娩，不同的分娩方式，配有不同的人手。近二十几年来，准爸爸可以进产房帮助自己的妻子分娩，同时也可以享受亲眼目睹孩子来到这个世界的喜悦。

医院对有关婴儿的建议越来越重视，产科病房也已经改进很多，分娩变得比较舒适，医生不再是"为你接生"，而是"参与"你的分娩过程。

如果威廉医生说他为3个小孩接生，玛莎会马上反对——虽然他真的接住了这3个宝宝，前两个是因为医生来不及赶到，另一个是威廉医生自己要求的——玛莎会很快地指出，因为她承担了所有的过程，所以当然是她自己将宝宝迎接到这个世界的。（于是威廉医生自称是"分娩参与者"，这总比"接住宝宝的人"来得好听吧！）

20世纪90年代以来，随着分娩观念的变化，母亲与婴儿之间所强调的"亲子依恋"（Bonding）、"母乳喂养"（Breastfeeding）及"温柔搂抱"（Babywearing），已成为现代育婴最重要的三大法则。医院现在不会立刻将刚出生、搞不清楚状况的婴儿与虚弱的母亲隔离，交由护士来照顾；现在只要婴儿的健康状况没有问题，通常都会马上抱给妈妈，把他留在妈妈身边。医护人员和学者都认为，将婴儿从妈妈的子宫转移到妈妈的怀中，有助于妈妈与婴儿发展彼此间的关系。这本身就是母亲自然而然想做的事，只是科学界用"亲子依恋"这个名词重新唤起了人们的注意。而母乳喂养这种"养育的同时也在传输营养"的方式，已经逐渐取代之前以配方奶粉喂养刚出生宝宝的错误做法；用摇篮摇宝宝的传统方式也落伍了，用背带把宝宝背在身上轻摇，已成为现代父母增进与婴儿之间情感交流的好方法。

时至今日，分娩理念、分娩参与者和分娩地点，都有许多不同于以往的选择，如选择医生或助产士，不借助止痛剂或利用无痛分娩（硬脊膜外麻醉就是无痛分娩中最常使用的）。孕妇们现在可以有更多的选择，当然每一种选择都有其代价。药物用得少些意味着疼痛就会多一点，药物用得多则意味着较少的疼痛、较高的风险，以及较难控制的产程；高科技的分娩过程和对疼痛的控制，意味着分娩过程也比较复杂；在家分娩让妈妈觉得安心与甜蜜，但在紧急状况发生时，也带来更多的风险。有太多太多的情况可以列举出来，有些做法让分娩既简单又安全，有些则让它变得复杂无比。

未来发展

随着全世界的女性了解分娩的过程越多，承担分娩的责任越多，分娩方式还会继续变革。

我们会介绍所有的分娩选择，包括各种最新的替代选择方案，你就可以作出对自己最好的选择。最新的不一定就是最好的，至少对每一个孕妇来说不是最好的。我们还会告诉你，避免一些仍在试验阶段、尚未通过安全检验，但已引起许多媒体注意的新方式。当你越来越了解分娩可以有多重选择时，你可能会发现许多从未思考过的问题，以及许多从未怀疑过的程序问题。也会发现分娩好像在点菜，必须前后平衡一下，免得选了这个，却与下一个冲突，这样才能选出一套满意的"大餐"。这一点，当然还是要根据你居住的国家、地区和提供的医疗服务内容而定，所以某些"菜单"上的项目你可能无法选用。了解你要选择的项目，和你选择了什么项目一样重要，与帮助你分娩的医护专

家讨论，确定在哪里生、由谁接生、是否有完备的分娩方案，并且这些信息应该让你确信你能实现真正想要的分娩方式。不要因为你和你的宝宝想要得到最好的医疗照顾而感到不好意思！

确定你的分娩小组

当怀孕的特权，转变成必须作明智抉择的责任时，第一个最重要的决定就是确认你的分娩小组成员。谁能够赢得你足够的信任，以帮助你有个健康的怀孕过程和安全的分娩过程？在你开始和可能的分娩医生谈一谈之前，先花些时间多了解一下自己。这样可以让你了解什么事对你最重要，并在开始告诉别人你的需求之前，清楚地知道你真正需要的是什么。

确立自己的观点

你要预先有自己的一套分娩观点，找一个你可以信赖的医生或护理人员聊一聊你的想法。但如果这是你的第一胎，对于要用什么样的分娩方式，你可能也不大了解。理想状况下，你应该先做些功课，搜寻有关分娩方式、各种分娩程序的利与弊、一些必要的检测和新技术等方面的信息。但实际上，你对于想要的分娩方式，可能只有一些模糊的概念，所有的相关知识可能来自家人、亲朋好友，

或是电视电影上的一些情节。有些初次怀孕的女性，还不太了解分娩过程就快要生了。对绝大多数的孕妇而言，通常是随着怀孕周数增加而知道得更多，而且大部分是由于医生提供的知识让她们了解更多。当然随着怀孕过程的发展，你对各类分娩方式的知识和你自己的需求，也就知道得更多。

没错，现在你需要一位提供照顾的人，能够在怀孕过程中，与你共同决定分娩的方式及提供各种你所需的帮助。如果这是你的第一个宝宝，或是你第一次上产科，可能你会发现很难决定一位适合你的医生。你怎么知道分娩的时候你需要什么协助呢？也许你知道你可能是哪一种类型的病人，但这可能没多大帮助，因为对大多数女性而言，怀孕根本不是病！就算之前有过住院的经历（比如说割阑尾），那时也不太需要所谓的"医疗想法"，因为你只要在一个设备完善的医院，让一个技术精良的医生，尽快割除那节发炎的阑尾就行了。现在的需求则比较复杂，你要有个很健康的怀孕过程，还要生出很健康的宝宝，你也要以最适合自己的方式，来处理因分娩带来的疼痛，并需要一些能帮助放松的技巧和产后感情的互动满足，让你的妈妈生涯有个美好的起点。

即使这并不是你的第一胎，你还是可能要重新选择。也许你对上次怀孕时的医护人员不甚满意，希望这一次能有所改善；也可能医生换了医院，或是你搬了家。但这次你应该知道该问什么问题，对于你需要什么样的分娩方式，也比较容易作决定了。也可能你的想法变得更加灵活，或是更容易听取别人的意见。

在你决定要得到什么样的帮助时，下面列出的一些问题能帮助你思考，以更加了解自己的需求是什么。

＊对于分娩过程，我是否已有确切的想法？我能不能将这个想法告诉医生？

＊我需要的是医生还是助产士？还是两个都要？

＊我希望在整个耗费体力的分娩过程中主导全程，还是交由更专业的人士来主导一切？

＊我希望通过药物控制疼痛的程度，还是希望由自己克服疼痛？

＊对医院的程序满意吗？

＊如果需要剖腹产，我会有什么反应？

＊有什么是我很害怕的？

＊我在乎主治医生的性别吗？

＊我希望尽可能知道所有与怀孕和分娩相关的知识，还是了解到一定程度就差不多了？

＊我希望我的丈夫对整个怀孕与

分娩过程的参与程度是多少？我对他有什么样的期待？

＊如果整个过程不像当初计划的那么完整，我的丈夫是否可以为我好好争取协调？

和你的好友、婆婆或妈妈聊一聊，她们的分娩经验让你可以大致对分娩有一些概念。找一些和你个性接近的朋友，问问她们之前有什么经历让她们感觉不错，如果下次再怀孕，打算怎么安排。尽可能收集相关资料，在决定分娩的方式与地点之前，最好很清楚地知道你到底要什么。

在了解自己的需求后，你已经准备好与医生见面，他将在怀孕与分娩期间，照顾你的健康状况。如果你已下定决心，在这场生育的大戏中扮演主角和导演的重要角色，大部分的医生都会乐意扮演一个顾问的角色，当然，你必须要为自己该下工夫的部分做好准备。从另一方面来说，如果你想要扮演主角，而让其他的人当导演，那么选择一个既专业又权威的人，就会让你觉得非常放心，这个人通常应该是医生而不是助产士。无论选择什么样的人扮演什么样的角色，希望你要为自己的分娩决定负责。不过你可以放心的是，当你认真阅读本书时，很可能就代表着你正负起该负的责任。

一个安全又令人满意的分娩组合中，孕妇与分娩小组都应该尽最大的努力来负起该负的责任。在这种施与受的关系中，每一个成员都能诚心地提供建议，表达自己的想法，同时也尊重其他人经验累积的智慧。一开始就做好完善的沟通工作，有助于避免"我的想法"和"医生的想法"之间的冲突，尤其在分娩的重要时刻，如果发生这种冲突就更严重了。即使是还在寻找最合适的医生和建立分娩观点的阶段，随着你怀孕知识的增加，这场戏的角色可能不像当初想象得那么美好，甚至剧情发展会在一夜之间急转直下。毕竟，分娩是没有办法预先排演的。

找一个合适的医生

问问和你个性接近的朋友，让她们推荐一些好医生。产科护士也是很好的信息来源，因为她们最清楚产科医生的状况。将获得的推荐名单过滤一下。在与医生见面之前，如果护士有空，也可以和她们谈一谈你最在意和最担心的事。

如果你和你的丈夫可以一起赴约，是比较理想的方式。如果医生一周只能有一次为孕妇做产前检查，或是很不巧你的约诊时间刚好碰上医生必须在医院为别的孕妇接生，请不要生气，他的病人当然是排在第一位（如果你变成其中之一，可能你就会很感激医生的这种态度了)。

把你必须要得到答案的重要问题列出来,切记要随身携带这些问题,随时想到什么问题就马上写下来(如果你刚好有怀孕的副作用——总是忘东忘西,这份备忘录让你与医生讨论时,不会忘记问题)。

观察医院周围环境。 早一点到医院,看看四周的环境,看看工作人员好不好相处,是否随和。因为如果你

从容不迫

时间还早,所以不要被太多选择吓倒。在哪里生孩子,上哪种分娩课程,怎么缓解疼痛,这些事都不必过早决定。现在你可能只想集中精神度过疲劳、呕吐的前几个月。把注意力集中在你身体内部的变化上,照顾好自己。跟分娩相关的各种决定都可以先放一放。不过,一定要尽早选好孕期的保健机构,因为产前检查是不能等的(需要的话,怀孕中期你可以更换保健机构),其他决定都可以一步一步来。随着孕程增加,你会整理好自己的想法,还能与照顾你的人一起丰富你的分娩知识,并巩固你的分娩计划。

选择了这家医院,就表示你可能会经常和这些人打交道。从他们身上,你就可以观察到许多重点。了解医生一般出诊的时间,休假的安排(搞不好刚好在你的预产期呢);医院有哪种医疗保险,收费状况,以及与其他医院的合作关系;还有,如果这个医院只有一位医生,他如果出了问题,谁能马上代替他。相信如果你先问这些问题,医生一定会感激你节省了他许多时间,而你也可以在正式与医生会谈时,完全专注在与怀孕和分娩有关的问题上。如果可能的话,和候诊室其他即将分娩的孕妇们聊一聊,可以大概知道这个医生对分娩的态度和过去的口碑。但别忘了,每个人的需求都不同,他人迫切需要的,可能是你并不愿意得到的。

了解你的医生。 初次见面的目的,是确认这个医生的表现是否符合你对分娩的期望。如果这是你的第一胎又是你的第一次就诊,你可能还不清楚自己对分娩的选择是什么,或还没决定你想要的分娩方式。你可以和这位医生先谈一谈,也许他可以和你一起讨论各种不同的选择,在决策过程中指导你,帮助你在有充分信息的情况下作出抉择。从这种施与受的讨论过程中,可以看出医生的能力和想法,同时也可以知道你能否放心地将产检与分娩的重大任务,交付给这位医生。

在就诊结束之前，确定你问清楚两件事再离开：**这位医生如何看待分娩和处理分娩？**试着了解医生对分娩的态度，他认为分娩基本上是健康又正常的过程，还是必须密切监测整个过程，甚至过程不如预想中顺利时，还必须积极干预？此外，你认为这位医生是否很刻板，或者他只是口头上赞成你的想法，但在你身心都无力与他周旋时，他就会照他自己的方式去做？

现在，大部分的孕妇都希望，医生将彼此定位成能沟通的合作伙伴。在理想状况下，医生会说一些类似这样的话："我认为一般的怀孕分娩是一种健康而不复杂的过程，我会尽量让整个过程越自然越好。但是，事情并不像我们预期或计划的那样时，我会提出一些替代方案让你参考。我会尽力保证你和胎儿的健康，我也会帮助你做对你最有利的事，使胎儿健康成长并让你顺利地把他生下来，这是一个好的合作伙伴应该做的！"

在你大致知道医生对怀孕与分娩的态度之后，确定他会如何处理分娩，这将关系到你想要什么样的分娩过程。在决定是否要让这位医生接生之前，你也一定想知道这个医生是温和小心，还是会选择比较激烈的手段来处理分娩过程中出现的问题。

就算你可能还没决定自己的分娩计划，仍然可以问些问题，让你对这个医生有个大概的感觉。例如，在阵痛和分娩时，这位医生会用什么方式支持孕妇，你要在完全自然的自我控制疼痛与医疗控制手段之间找一个平衡点。下列一些问题可以帮助你了解医生的分娩哲学。

*就你的经验而言，大多数的孕妇在分娩过程中是如何克服疼痛的？

*大部分孕妇以什么样的方式分娩？

*使用硬脊膜外麻醉的比例有多少？

*剖腹产的比例有多少？

*如果前一次分娩是剖腹产，在下一胎自然分娩的概率有多少？

*有多少孕妇，使用引产方式分娩？

医生对以上问题的回答，可以让你对这位医生的分娩观念有所了解。认识一位医生的分娩观点最重要的一点就是：在分娩过程中，他把准妈妈当成参与者还是病人？

你最看重的，就是希望能有一段安全满意的分娩经历，这一点要清楚地告诉可能的主治医生。这样做，表示你非常重视这个过程，你要选择最好的方式，然后就等着看医生的反应了。通常这么做会让医生想要努力向你证明，他绝对能符合你的期望。不要忘了，医生对你也像你对他一样不是很了解，最好坦白地告诉医生，你是个什么样的人、对你来说最重要的分娩需求是什么。正如之前提过的，你不太可能在做完验孕检测几天内，就把整个分娩过程计划好，但至少医生要能从你这儿得到一些线索，让他知道你期望的分娩过程大概是什么样子。同时，你也可以借此了解，这位医生倾听你谈话时，是不是非常投入？认不认同分娩也需要事先规划？他解释各项检验、技术及其他医疗选择时，是不是够认真仔细？你要告诉这位医生一些有关分娩的期望，或接受他的建议，你会不会觉得不太自在？

当你说出所有对分娩的要求之后，也许医生会泼冷水，可不要因此就退却。凡是有经验的医护人员都知道，分娩并不会和当初计划的一模一样。一个敏锐的医生从过去的经验就会知道，分娩通常不会跟着计划走。你自己也要有所准备，可能你会从医生那儿听到："我完全尊重你的愿望，但是出于对你和胎儿状况的考虑，在必要的时候，我必须保留医疗干预分娩过程的权利，同时我也请你相信我的专业判断。"和你一样，医生也要求同样的尊重与灵活性。

面谈中的一些注意事项：带有否定意义的开头不会留下好的第一印象，所以，不要用一堆"我不想"开始。（"我不想要静脉输液、电子监护仪"，等等。）用肯定句描述你想要的分娩过程，轻松进入谈话。不要成为那种只看过几本分娩书就想当然的人，她们把所有医生都不公平地描绘成敌人。即使当你进入医院时，你已在心中作了某种决定（虽然只有少数初次怀孕的女性可以在怀孕早期就有能力自己作判断），你还是应该为了自己和胎儿敞开心胸，有些问题你可能从未考虑过，但你的医生可是身经百战。话又说回来，你也不需要一边倒地认定医生所建议的事项绝对比你自己的决定好。如果对自己的妊娠不负一点责任，会让你个人的力量和这次分娩的特殊意义大打折扣。

琳达医生的经验谈：医生最常碰到的问题是，准妈妈们的要求过于严苛。她们要求一种完全无灵活性可言的"完美分娩"，到最后她们的严苛反而给自己带来了一段非常不好的经历。一段完美的分娩经历应该是准妈妈自己愿意保持灵活性，不固执己见，顺其自然。

玛吉是第一次当妈妈，她尽可能地让自己了解、阅读所有相关资讯，希望借此能增加拥有一段完美分娩经历的机会，她告诉我们她与她的分娩小组的合作关系：

我想完全掌握所有的过程——除非有必要，否则我不要任何药物或仪器设备介入整个分娩过程，但我还是想要专业医生给我必要的协助。我也要从护士和医生那里，知道所有发生的事和原因。我不想被遗忘在作决定的人群之外，但我也不想一个人独自承担作决定的责任。

这位准妈妈在分娩的过程中，得到了医生和她自己的最大帮助，当然，她也拥有了一段非常满意的分娩经历。

选择助产士

产科技术的进步，让分娩远比过去安全，历史上从来没有一个时代的技术像现在这样，可以让孕妇如此安全地生下健康的宝宝。现在，准妈妈们也可以选择一个同样安全但更为舒适的分娩方式——用助产士协助分娩。

在美国，大约有 95% 的孕妇由医生接生，但有越来越多的孕妇希望由助产士接生。在美国，大部分的助产士在医院或分娩中心工作，少数则可到家服务，她们需要持有助产士的合格证书。如果不是从正规学校毕业的助产士，也必须接受训练课程，同时根据美国各州法律的不同，可能需要领取执照。玛莎和威廉拥有多种分娩经历，3 个小孩由产科医生接生，1 个由家庭医生接生，其他 4 个则由助产士协助分娩。这些医护人员扮演的角色就像他们的名称一样，产科医生就是处理产科事件的人，助产士则是一直在产妇旁协助分娩的人。他们是不同的专业人士，所受的训练，扮演的角色，以及对分娩所抱的态度都不同，所以无法比较哪一种方式更好，只能说某一种方式可能更适合你的分娩状况。切记，产科的金科玉律（事实上也应该如此）是"绝不冒险"，产科医生受的所有训练都在强调这一点，而这也是你找他们为你接生的原因。不要把产科医生与助产士看成是一样的人，他们不应该像助产士，也不该被训练成助产士。

根据你所选的医院或产科的不同，也许你有幸可以同时拥有一位助产士、一位家庭医生或产科医生——在分娩时有一位分娩专家在旁照料和指导，尤其在发生并发症时，这个专家清楚地了解你的一切状况，可以及时采取措施。在许多欧洲国家，助产士与产科医生密切合作，这些国家的产妇满意度相当高，同时，分娩的结果也相当令人满意。当然，根据自己的分娩需求，你可以决定将哪一位专业人士列入你的分娩小组。

选择助产士的原因。很多孕妇对于有医疗手段协助的分娩方式表示很

可向医生询问的问题

虽然你不可能在第一次产前检查时就把下面这些问题一股脑儿全问完，但在怀孕的过程中，还是得把这些问题的答案陆续找出来。在你的分娩观逐渐形成并且和医生的关系有所进展之后，可以把它们提出来。

*你的医生属于哪所医院？某些医生可能会在多家医院工作。在与医生沟通过希望的分娩方式之后，他会建议你去哪里分娩？某些医院以高科技为特色，某些则擅长人性化的深入接触，有些则两者兼顾，想一想哪种对你最合适。

*询问医生的出诊时间。医生不在时，谁会代替他？代替的频率有多高？这些代替医生的分娩观点是什么？如果你的医生有一组工作伙伴，共同分担分娩的工作，在每次做产前检查时，你有机会碰到他们吗？

*怀孕时有哪些运动是安全的？运动的频率怎么掌握？当肚子一天比一天大，应该停止这些运动吗？

*在怀孕期间，如何健康地增加体重？医生会不会提供营养摄取方面的建议？

*医生建议做哪些产前检查？为什么？如果他建议做一些例行的检查，请医生更仔细地解释原因，你绝对不希望你的怀孕只是所谓的例行公事吧。

*医生建议你上什么样的产前课程？

*如果你想在分娩时再请一位专业的助产士，你的医生同意吗？他可否推荐几个人？

*医生建议采用什么样的产前检查时间表？

*医生对于分娩计划的看法如何？在制订这份计划时，他可以提供什么样的帮助？

*医生如何看待产妇的走动与分娩时姿势的改变？他是否乐意为你在分娩时临时决定的姿势，如站着、蹲着或侧躺着提供协助，还是会坚持让你采取平躺的姿势？在分娩时，如果你非常主动地参与，医生会不会喜欢这样的态度？

*对疼痛如何处理？你的医生对于硬脊膜外止痛、注射止痛等减轻疼痛的方式有什么看法？如何在自然方式和用医疗止痛方式之间取得平衡？

*了解在分娩中的常规步骤，如使用超声波、静脉输液及电子胎儿监护仪等方法。

*如果之前曾剖腹产但现在希望能自然分娩（VBAC），医生的成功率是多少？他会用哪种方式来增加成功率？你的医生相不相信你可以成功地自然分娩？

*其他问题：如何收费、保险范围、医生的休假安排、计划费用等。

满意，特别是当她们在怀孕或分娩期间可能产生并发症的情况下。在一个医疗技术水平较高的医院分娩时，很多孕妇对于药物止痛方式也觉得不错。但是，还是有一些孕妇希望医疗干预得越少越好。

有助产士参与的分娩过程，最吸引人的莫过于从子宫收缩开始到最后用力阶段，助产士都能以纯熟的经验为产妇提供支援。而产科医生在分娩过程中，除非到了最后的紧急阶段，通常只会间隔一段时间过来探望你一下，而且每一次都不会停留太久。助产士不只是协助产妇分娩，同时更要在一旁为产妇加油打气。她们耐心地参与并融入整个分娩过程，有时小心等待，有时鼎力相助，这能帮产妇减轻不适，甚至能加速分娩过程。

在助产士的陪伴下，准妈妈可以同时扮演主角与导演，整个剧情都将按照准妈妈的节奏安排。根据大多数的分娩实例，只要助产士提供正确的协助，整个分娩过程都不会有太大的问题。当然，助产士所受的训练，也可以让她分辨出一些比较复杂与棘手的分娩状况，因此更可以与产科医生合作，确保妈妈与胎儿的安全。因为所受的训练和所持的分娩观点，助产士会把分娩当成一个再自然不过的过程，除了告知信息、抚慰妈妈的情绪和协助她顺利分娩之外，整个过程并不需要太多的介入。相反，一个产科医生通常会做些"如果—怎样"的假设，所以他们更加注意是否会有不好的状况发生。根据孕妇状况的不同，这两种想法都有其好处。有趣的是，我们发现助产士拥有一项重要才能——她们的信念，她们相信恐惧是怀孕与分娩的头号敌人，这会增加分娩的疼痛，更会延长分娩的过程。在常常伴随焦虑恐惧的分娩过程中，一个有经验的助产士可是价值不菲，因为她的态度会感染到周围，她的冷静会影响到产妇，让产妇平静下来。

如果你所在的产科不太容易找到助产士，也没有关系，还有一种两全其美的分娩方式——拥有一个产科医生的同时，再自己雇一位专业的助产士（详见第 301 页"选择一位分娩助理"）。

助产士对你合适吗？ 如果整个怀孕过程相当理想，危险性很低，并且你喜欢与人接触多、医疗设备少的分娩方式，助产士就可能很适合你。当然，一切决定都得视你的健康状况、你对分娩的了解程度、自行处理阵痛的能力，以及你对于分娩过程中可能发生的危险所持的态度而定，同时也取决于你所在的地方提供的助产士服务程度。如果之前曾有分娩的经历，前一次经历也一定会大大影响你现在的决定。

你想从分娩中得到什么，也是决策的考虑因素之一。大部分女性不仅想有一个健康的怀孕过程并生下健康的宝宝，还想有一个满意的分娩过程。问问自己，你真心希望达到什么目标。如果同时拥有一个专业的产科医生和一个助产士，那么尽如你意的机会就大多了。

找出自己的真正需求。 在你考虑让助产士在怀孕与分娩时照顾你，以及寻找助产士之前，先问自己下面几个问题：

*你的健康状况如何？怀孕过程是相当正常，还是比较特殊？有哪些并发症需要特别的医疗护理，例如糖尿病或高血压？

*分娩过程中，是否有可能发生需要特别医疗护理的情况，例如早产、妊娠期糖尿病或毒血症？

*你所居住地区的医疗机构是否设有助产士参与分娩过程的环节？你的助产士不仅要拥有执照、受过专业训练，而且在不可预知的紧急情况发生时，她也必须具备与合格的医生共事的能力。

与助产士交流。 如果你决定去见助产士，同时考虑将助产士列入备选名单，应该问她所有你问过医生的问题（详见第42页），另外再加上下列问题：

*你在哪里受过助产士的训练？你也是护士吗？你有证书吗？哪个机构颁发的证书？你有执照吗？

*你正式执业多久？接生过几个宝宝？你可以列出几个妈妈的名字作为参考的咨询对象吗？

*谁是你的后备医生？请求支援时，他能赶过来的概率有多大？出现问题时，这位医生要花多长时间才能到我身边？在什么样的情况下，你会向这位后备医生求助？我有决策的发言权吗？在分娩之前，我有没有机会见到这位医生？如果他正忙着为其他准妈妈接生，谁会代替他来我这里？我付给你的费用，是否包括这位医生的费用？如果你必须请求医生支援，你是否可以待在我身边？如果我必须剖腹产，你会待在我身边吗？还有，打电话给这位后备医生，以确认助产士与他之间的合作关系。

*如果你正在休假或正忙于为其他的妈妈接生，那么谁会代替你？这些后备助产士也同样有执照和证书吗？她们的经验如何？

*你随身携带呼叫器吗？

*阵痛到什么程度，我就必须到你那儿去（或是你到我这儿来）？路上要花多长的时间？如果我要求，在整个分娩过程，你会不会一直留在我身边？

*在我这个年纪怀孕，你会建议我做什么检查？如果检测出来，我属于高危孕妇，你和产科专家可不可以一起照顾我？

*你能不能提供一些育婴常识或推荐一些能提供这些常识的人给我？你会推荐特别的分娩方法（如拉玛泽分娩法或布拉德利分娩法）？

*如有必要，在家分娩的我或孩子必须要转到医院，你会如何安排？你和医院协商过让你陪在我身边，或者与医生一起照顾我吗？

*你有为新生儿实施心肺复苏术的证书吗？当你帮我分娩时，你会携带什么心肺复苏仪器？

*如果胎儿是臀位，你有足够的经验可以帮他翻转吗？你会实施会阴按摩术或会阴切开术吗？

*你收费多少？

*你会提供产后照料吗？你提供哪些产后照料服务？

不要因为她是助产士，就认为她的分娩观点和技巧比你好。正如你要让医生了解一样，列出你所有的需求也让她清楚。

如果你正考虑同时找助产士和医生，那么多找几位谈一谈，不同人之间的差异就如同助产学与产科学的区别一样大，有时甚至更大。

对助产士的其他疑问

Q：在阵痛与分娩的过程中，护士会提供所有我需要的支援吗？

A：不一定。我们听过很多产妇在待产室大声呼叫护士，却得不到回应，这真的是各凭运气。你可能有幸遇到一个有经验又能协助你的好护士，但也可能会碰到一个资历很浅、没耐心，又对分娩过程觉得厌烦的护士；也有可能你很信赖的护士在你生出孩子之前，却要交班了；或是在大家都忙得不可开交的夜晚，你可能会被晾在一边，根本没人理你。一般来说，在整个分娩过程中，助产士总会在一旁协助你，而且只照顾你一个人，满足你的需求。当你有需要时，她会在你旁边时刻照料你；当你想一个人时，她又会在旁边安静地等待。

Q：我听说有助产士在场时，会大大降低剖腹产的概率，这是真的吗？那么这是不是请助产士的最佳理由?

A：统计显示，有助产士的产妇，剖腹产概率比较低的推论，可能是一种误导。因为选择助产士协助分娩的孕妇，通常其本身的分娩危险性较低，因而剖腹产的概率相对也较低。但是，有这样一个可以协助产妇的人（助产士或其他人），在分娩过程中，帮助产妇运用自己的身体，并在适当的时候以适当力量来促进分娩，的确会大大降低剖腹产的概率。

Q：如果在分娩过程中，我想借助药物来减轻疼痛，助产士会不会生气?

A：助产士的态度通常是倾向于不用药，不过如果你对是否用药摇摆不定，可以和助产士谈一谈，问问她对用药的态度与经验，不会有人因此而对你不高兴。但在分娩的重要时刻，大部分的助产士会鼓励你用其他方法取代用药。如果你坚持使用药物来减轻疼痛，照顾你的责任就转到医生身上了，因为助产士在没有医生的帮助下，通常是不会处理以药物协助的分娩过程的。

Q：我有一个正学习助产士的朋友（她是4个孩子的妈妈），她希望能在我分娩时协助我。我非常信任她，我可以让她协助我吗?

A：万万不可。她可能是个非常好的人，但除非她已有作为助产士的足够经验（不是学生、学徒或仅是自己身为妈妈），并且拥有后备医生人选。不然的话，你最好只把她当成非专业的协助者，而由其他更有经验的人照顾你。

Q：听说助产士可以给产妇莫大的鼓舞，那么，她们对产妇丈夫的态度如何?

A：这是个好问题! 助产士倾向于整个家庭都参与，同时家庭也能鼓励产妇做好分娩时必须做的事，这绝对需要丈夫的大力协助。一个好的助产士会很小心不要侵占了丈夫应有的位置，而且当丈夫不知所措时，她会告诉他该如何做才能让产妇比较舒服。助产士们最喜欢看到的莫过于整个家庭（妈妈、爸爸，甚至是爷爷奶奶和孩子们）都一起分享分娩的经历（详见第271页"选择在家分娩"）。

给宝宝一个健康的子宫

现在，当你对自己的身体作任何决定时，必须要考虑另一个人的存在了。你的习惯影响这个小人儿的程度，将远大于对你自己的影响。远在他出生之前，你就得担负起抚育这个小家伙的责任，要努力创造出一个健康的子宫，让小宝宝在里面顺利成长。

如果对于该吃该喝什么，或是一些特别的食物有疑问时，请教医护人员，当然，你的基本常识也是相当重要的。任何对身体有不良影响的食物，对胎儿的冲击会更大，因为胎儿的肝和肾尚未发育成熟，还无法像你的器官那样有效地去除不良物质。对妈妈好的东西当然也会对胎儿好，而对妈妈有害的食物，对胎儿的伤害将远大于对妈妈的伤害。在怀孕期间，胎儿和你通过血液共享你的所有习惯（通过激素，胎儿甚至和你共享你的情绪，详见第252页）。如果你可以避免使用或食用对身体不健康的任何东西，你和胎儿的安全与健康都会有保障。

医生证实了你在我的体内存在着，并逐渐长大，这是多么令人兴奋的事啊！尽量吸收养分吧，我的宝贝！我会竭尽所能，远离任何会对你造成伤害的来源。

妈妈，谢谢你不抽烟

假设你和未出生的宝宝将要进入一个房间，但在房门口你看到一个警告标志："此屋内含有4000化学单位的有毒气体，可能会损伤甚至危害宝宝的生命，同时增加流产的危险。"你会怎么处理？"为什么

妈妈吸烟等于宝宝吸烟

要问我这个问题呢？我当然不会带着我的宝宝进入这个房间！"大部分的妈妈一定会这么回答，但是当一个孕妇吸烟，或是吸入他人的二手烟时，上述情况却实实在在地发生着[1]。香烟的烟雾所含的众多有害物质中，包含尼古丁（一种会让人上瘾的物质，容易让血管痉挛）、一氧化碳（一个盗取氧气的强盗）、苯（一种致癌物）、氨、氰化物（常用于制作灭鼠药）和甲醛。烟对母亲和胎儿的有害影响随着每天吸烟数量的增

----

[1] 我们在此陈述的几乎所有吸烟的危险，同样适用于吸二手烟的情况。

加而上升。同时，新的研究结果显示，吸烟对女性造成的影响远较男性更大，这可能是因为女性的肺更小。

吸烟夺取胎儿所需的养分

许多研究结果显示，吸烟女性所生的婴儿较非吸烟女性所生的婴儿，平均体重较轻。母亲吸入的尼古丁，会进入血液循环中，使得输送养分给子宫的血管变窄，血液流入子宫的速度减缓。而胎儿是靠血液输送养分才得以健康地成长，流入子宫的血液较少意味着胎儿的供给养分减少，这会造成胎儿发育迟缓。根据一般法则，在一定范围内，越大的胎儿通常越健康，在出生之后，需要特别照顾的概率也越小。

新的研究也推翻了之前的看法，认为胎盘可以成为一个屏障，阻碍香烟内的有害物质进入血液接触胎儿。当研究者检验新生儿的脐带血时发现，在怀孕期间，不管是自己吸烟还是吸二手烟的妈妈，脐带血中都有致癌物存在。新生儿可以接收母体血液中50%的致癌物，而且在怀孕期间，妈妈暴露在烟中的次数越多，胎儿血液中的致癌物质就越多。

吸烟夺取胎儿所需的氧气

在怀孕时吸烟或吸二手烟，除了会减少流向子宫的血液，还会降低血液中的含氧量。吸烟的孕妇血液中一氧化碳的浓度，比不吸烟的孕妇高出六七倍，一氧化碳会阻止氧气，让血液中的红细胞无法携带足量的氧。研究者认为，香烟中一氧化碳的浓度相当于汽车尾气的浓度。吸烟会让子宫中的胎儿感到窒息，而缺氧会造成胎儿所有器官的发育受到阻碍。

吸烟会损害胎儿脑部

研究显示，胎儿脑部的发育不仅会因缺氧而受到影响，同时香烟中的有害物质可能会直接危害胎儿发育中的脑部。研究发现，如果妈妈在怀孕期间吸烟，尤其是一天超过一包时，她们的孩子与不吸烟妈妈的孩子相比，头围较小，智力较差，更容易出现行为问题，学习表现也较差。

二手烟也会伤害胎儿

研究显示，如果孕妇处于二手烟的环境中，她们的胎儿也一样会遭受烟的危害。这些胎儿同样也有体重较轻的危险，同时发生婴儿猝死综合征（SIDS）的概率也会增加。如果父母同时都有吸烟的习惯，发生婴儿猝死综合征的概率是只有妈妈吸烟的家庭的2倍。即使只有父亲吸烟，发生婴儿猝死综合征的概率还是大于无人吸烟的家庭。请你的丈夫、亲戚、朋友和同事尊重你肚子里的小生命，当和你共处一室时，不要抽烟。如果你的工作无法避免接触烟，你就有充分的理由要求重新分配工作，孕妇有权在一个无烟的环境下工作。

如果处在充满烟民的公共场所该怎么办？"我们都坐在非吸烟区"，你可能认为这样就没问题了。坐在非吸烟区当然是朝正确方向迈出的一步，但是，身处其中，还是会通过空气接触到许多污染物。污染能通过空气传播，为了安全起见，尽可能远离任何有烟味的地方吧。

戒烟

越早停止吸烟，你和胎儿就越可能更健康，最好是在你怀孕之前，就开始戒烟。在怀孕的前3个月，吸烟对胎儿的影响最大，但即使在怀孕后才戒烟，也比在整个怀孕过程中

进一步的警告

如果你正打算怀孕，在每个月容易受孕的几天中，最好戒除吸烟、饮酒和其他药物，想办法将出生缺陷发生的可能性控制到最低限度。同时如果你有吸烟或喝酒的习惯，在怀孕之前就要少吸或少喝一点，那么在你必须戒掉时，就会比较容易。

一直都吸烟来得好。本书中有许多你必须遵守的建议，其中之一就是：请戒烟！

当然，说比做容易太多了。吸烟不只是习惯，还是一种瘾。你可以很容易就改变一些习惯，特别是体内有个不断成长的小生命鼓励你改变时，但戒掉上瘾的东西就比较难了。你已习惯香烟造成的强大生理影响，所有的器官都受到尼古丁的刺激；你可能也在心理层面上，习惯了口腔中烟味的存在。你的身体可能要过一段时间才能习惯没有尼古丁的日子，戒烟可能会是你生命中最困难的事情之一，但你一定得试一试，下列是一些戒烟的建议。

说服自己认识吸烟的危害。如果你仍质疑，吸烟真的对怀孕和胎儿有害吗？有些不负责任的医生会告诉你"不用担心"。听着，吸烟有害的证据如果不是如此充分，各国政府就无法成功地抵制那些有钱有势的烟草公司的促销活动，并坚持香烟广告上必须包含警示语，说明吸烟对人体的危害。统计结果显示，怀孕期间吸烟的孕妇和不吸烟的孕妇比起来，吸烟孕妇的并发症较多，生下的孩子健康状况及智力水平也较低。对你或胎儿来说，这样的赌博是不公平的。

不要戒得太突然。熄掉手中最后一支香烟的佳时机，就是你的早孕

试纸呈现阳性的时候。有些孕妇做到了，有些孕妇则发现，在心理上和生理上马上断绝和香烟的接触，让她们感到非常焦虑，这种情况对胎儿也不好。对于这些孕妇，逐渐戒除会比较合理，有些非常幸运的孕妇，自然而然就开始讨厌烟味，这当然让戒烟变得更容易了。

设定目标。如果你无法在一发现自己怀孕时就戒烟，可以设定一个目标，逐渐减少吸烟量，比如说 10 天，然后在那天好好犒赏自己。算一算如果你不吸烟，一年之内可以省下多少钱，然后用省下来的钱，为自己或宝宝，好好庆祝一番。

更小心地选择"毒药"。换个牌子吧！有些烟的尼古丁和一氧化碳含量，像毒药一样，就是比其他牌子高。

减少吸入"毒药"的量。吸烟的时候，吸得浅一点吧！抽前半根就好（大部分的有毒物质集中在香烟的后半部）。最好不要深吸，这样可以减少尼古丁一半的吸入量。

让吸烟变得不方便。一次只买一包烟，同时，把它放在不容易拿到的地方，比如说车库里。

找出心理因素。想一想是什么让你想吸烟？一旦你能确认是什么心理因素造成生理的上瘾，你就比较容易戒烟或至少用比较安全的习惯代替。

试些较健康的替代品。如果你习惯握着东西，或是习惯让手忙着，试一试写东西、画画。如果你习惯嘴里有东西，试着吃水果、冰棒或糖果，嗑瓜子或嚼口香糖。如果你吸烟是为了放松自己，可以听一些轻松的音乐、阅读、花钱去按摩、散步或游泳。如果吸烟是为了好玩，那就让自己在无烟的环境下尽情地玩乐：看一场电影或在禁烟的餐厅好好吃一顿，逛街或是拜访不抽烟的朋友，等等。

消除诱因。如果你总是在见到某个人、身处某个地方或是当某种压力出现时，就会开始吸烟，请尽量避免与这些诱因接触，找一些其他健康的选择。例如，如果餐厅让你想吸烟，就限制自己只到禁烟餐厅吃饭。如果早上喝咖啡时想吸烟，就把咖啡换成果汁或药草茶吧。

把吸咽与不愉快联系起来。造成吸烟上瘾的原因，通常是它与某些愉快的想法或感觉有关，试着把吸烟的欲望和举动与一些不愉快的想象联系起来。例如，当你很想吸烟时，想象你的宝宝在肚子里拼命想要呼吸新鲜空气的模样。

试试恐吓战术。自行设计禁烟警示语，比如说，"吸一口烟，会损伤宝贝一个脑细胞"或是"吸烟会伤害甚至杀死我的宝贝"。把这些警示语放在你最可能吸烟的地方，最好把这些警示语包在香烟盒外面。

找个戒烟的伙伴。如果你需要找个同伴和你一起戒烟，找朋友或你的丈夫帮忙。当你非常想点烟时，打电话给这个伙伴，或是找个你们都喜欢的活动一起参加。

为自己打气。当你偶尔拿起烟来吸时，与其失去对自己戒烟的信心，倒不如为自己所拒绝的每一口烟而感到鼓舞。下定决心每一天都要有一点点进步！

寻求专业的帮助。如果两周后，还是没什么进展，可以和当地的戒烟中心联系，或寻求专业的帮助。如果对于戒烟这件事感到非常焦虑，你可能需要深入的心理咨询来协助。

对你的抉择感到喜悦。在怀孕期间持续吸烟的母亲，在产后也很可能继续吸烟，这样会让婴儿的健康状况更加恶化。吸烟母亲的孩子发生呼吸道感染、耳部感染及婴儿猝死综合征的概率都比较高。更重要的是，吸烟的母亲泌乳素分泌较少，造成乳汁分泌不足和孕期行为不稳定。吸烟的母亲容易出现哺乳问题，断奶时间也比较早（也许是因为泌乳素分泌不正常）。如果吸烟的母亲哺乳，婴儿体内的血液中将会出现尼古丁，这说明婴儿会通过母亲的乳汁接收烟草中的化学物质（不过，即使是一个吸烟的妈妈，能喂母乳也总比喂配方奶粉好）。戒烟能带给你的孩子3点好处：

第一，他不会从子宫中接收毒素；第二，在胎儿及婴儿时期，他都不会暴露在烟的毒害下；第三，他不会从你这儿学到吸烟的坏习惯。

威廉医生的经验谈：在我撰写有关婴儿猝死综合征的文章时，我终于了解为什么许多孕妇就算知道吸烟会对她们和胎儿造成伤害，还是继续吸烟。一般来说，一个孕妇根本不会做任何会伤害自己孩子的事情，可为什么怀孕期间戒烟这么难呢？因为吸烟真的是一种瘾，这种强烈的上瘾习惯盖过了母性本能的保护行为。很多在怀孕期间继续吸烟的母亲告诉我，对于医生耳提面命吸烟会伤害小孩之类的话一点也不感兴趣，因为她们接收到的信息往往是"吸烟可能会降低婴儿出生时的体重"这类不轻不重的警告，对去除烟瘾根本没有作用。所有人都应该停止这种不着边际的警告，明明白白地告诉孕妇："吸烟可能会杀死胎儿，让你流产、早产，产生妊娠并发症，或是导致婴儿猝死综合征。"

妈妈，谢谢你不喝酒

酒精对发育中胎儿的伤害，早在20世纪初就已经被证实。当时，医生观察到在某个欧洲国家的饮酒节以后9个月出生的婴儿，发育不良的人数增加了。很不幸，你饮用的酒精会进入胎儿的体内，浓度正如进入你体内的一样。

怀孕期间大量饮酒，会造成婴儿出生后患上胎儿酒精综合征（FAS），这是一种先天性失调疾病，包括程度不一的不正常发育。患胎儿酒精综合征的婴儿体重较轻，身体较短，头部较正常婴儿小。有时，这些婴儿的脑部发育不正常，也可能有智力发育迟缓。这些婴儿的面部有一些特征：眼睛比正常婴儿小、鼻子较短、上唇较薄。他们的手、脚及心脏发育也可能不太正常。孕妇在怀孕的前3个月里饮酒，对胎儿造成的伤害是最大的。研究显示，怀孕期间饮酒，常引起并发症，如流产、早产，以及出生时婴儿体重过轻。和吸烟一样，饮酒对胎儿脑部的发育伤害最严重。

除了直接对胎儿的成长带来伤害外，酒精只有热量而几乎不含营养，甚至会从母体夺取养分。怀孕期间饮酒对胎儿造成的影响，将持续一辈子。

与酒精有关的其他疑问

Q：在晚餐时偶尔喝上一杯，让我觉得很享受。但这样会不会伤害到肚子里的宝宝？

A：也许不会。但多少杯才是过量，恐怕没有一个人可以回答出来。每一种有害物质似乎都有所谓的最低门槛，超过这一门槛，就会带来伤害。以酒精为例，我们很清楚，大量饮用伤害最大，中等量对身体的影响相对较小，但是否微量对身体的影响也是轻微，则无从知晓，这个问题也许永远也不会有答案。

是不是完全杜绝酒精的婴儿会比那些接触一点点酒精的婴儿聪明一点、大一点呢？研究显示，经常饮酒（一次喝5杯以上，1杯表示30毫升纯酒精、240毫升的白酒或是一杯360毫升的啤酒）与定期饮酒（平均一天2杯）确实会伤害胎儿。而很明显，在怀孕的前3个月里饮酒比在怀孕36周时，风险更大，因为在36周时，胎儿的器官已经发育完全。在这个时间，仅仅一杯白酒或啤酒，不太可能伤到你的胎儿。

Q：在知道怀孕之前，我曾喝了几次酒，这样会不会伤害肚子里的宝宝？

A：可能不会。在怀孕的早期（在胚胎植入子宫之前），因为胎盘还未形成，酒精是不太会伤害到胚胎的。自受精到原先月经日期之间的2周（平均）之中，不会受到太大的影响。但如果你一次喝太多，或是受精后还是天天饮酒，可能就需要和医生讨论一下。如果不是的话，就放轻松吧。

无论如何，从现在起，请相信科学的证据与自己的常识，在怀孕期间，拒绝饮酒。少量饮用酒精类饮料对胎儿的影响，尚未被检测出来，但是，安全第一，小心为上。偶尔一小杯酒不太可能伤害胎儿，但酒精不是什么绝对安全可靠的东西，没有人可以确定这样不会有影响。如果你参加一个社交场合，那里提供酒精性饮料，请你像孩子一样少喝一点，因为你的确怀着一个小孩。点一些无酒精的饮料（例如番茄汁或橙汁，你还可以从中获得一些营养呢），或是一些开胃菜、点心等都可以。

如果你需要喝酒来放松自己，先问问医生，看看有哪些替代的放松方式（洗温水浴、喝温牛奶、菊花茶或静坐冥想等）。你很快就会发现，对于怀孕引发的疲倦，睡眠才是最有效、最吸引你的放松方式。

妈妈，谢谢你不服用禁药
海洛因、可卡因、快克、迷幻药与天使粉

当孕妇服用禁药时，腹中的胎儿也跟着服用。妈妈上瘾，胎儿也跑不掉，而且当孩子生出来之后，还会出现戒断症状（烦躁易怒和神经质）。孕妇在怀孕期间服用禁药，出生之后的宝宝照顾起来会更困难，对孩子产生的不良影响将贯穿一生。

在整个怀孕期间，母亲服用禁药都会危害胎儿，尤其以怀孕的前3个月最为严重。孕妇对药物上瘾，对发育中的胎儿产生的危害可能为生长迟缓、流产、出生体重低、智力障碍、早产，以及患婴儿猝死综合征的危险性增加（滥用镇静剂的孕妇，其胎儿出生后，患婴儿猝死综合征的危险性会增加20倍）。

研究者相信，镇静剂和可卡因类的药物会使胎盘中的血管收缩，降低血液中的含氧量，产生和尼古丁相似的作用，使婴儿窒息，从而间接影响胎儿的生长发育。可卡因让婴儿意识不清，从而导致"快克宝宝"应激反应过度。

大麻

直到最近，还没有足够的证据证明，孕妇吸大麻会对胎儿造成影响。但最新的研究报告表示，由于大麻含有活跃的THC成分（四氢大麻酚），同样会对胎儿造成以上提到的所有伤害。

安非他命

安非他命对发育中的胎儿同样会造成伤害，同时也增加了早产和胎儿子宫内发育迟缓的危险性。孕妇如果

吸食快速上瘾的安非他命，宝宝在出生后马上会出现典型的戒断症状（心跳加快和呼吸急促）。

如果你有药瘾，一发现怀孕后，请马上与专业人士联系，或是直接登记参加戒除药物课程。当然如果你在怀孕之前就能戒除药瘾，那就更好了。

咖啡因

在怀孕期间，最好戒除或是减少咖啡的摄取量，换成不含咖啡因的饮料，让胎盘不至于吸收含咖啡因的物质。对于怀孕期间摄取咖啡因的疑虑来自一份研究报告，它显示如果给怀孕动物提供咖啡因，产下畸形后代的比例相当高。这项研究尚未经过人体实验证明，但为安全起见，美国食品药品管理局（FDA）建议孕妇应戒除或限制含咖啡因食物的摄取量——咖啡、可乐、茶、可可、巧克力和一些治疗头痛的药。最近研究者发现，怀孕期间摄取含咖啡因食物，可能会造成比先前动物实验更严重的结果，可能导致流产和胎儿出生体重过轻。

这些研究显示的咖啡因的危害是大量咖啡因（一天 6~10 杯的咖啡）造成的结果。但最近的研究显示，在怀孕的前 3 个月，一天饮用 3 杯或以上的咖啡或茶，会使流产的概率高出 1 倍。就像对成人的影响一样，

身体的智慧

身体会找一个方式告诉你，什么东西对你不好。很多女性在怀孕期间，突然就对许多有害物质感到厌恶，例如烟味、酒精性饮料、咖啡因和有害的气味。但是不要完全依赖身体的警告，身体自然的防御信息并不是完美无缺的。即使某些物质不会让你感到恶心，也最好还是远离它们。

咖啡因会加快胎儿的心跳频率及新陈代谢速度。更严重的是，咖啡因在胎儿的体内会以更高的浓度停留更久，因为胎儿没发育成熟的肝脏无法像成人一样，很快地代谢掉咖啡因。咖啡因会加速肾上腺素的分泌，在理论上至少也会降低血液流入子宫的速度，因此也减少了胎儿养分与氧气的供给量。

无论咖啡因对胎儿可能造成的伤害是什么，它对妈妈也没有什么好处。怀孕期间，孕妇体内处理咖啡因的速度会降低，因此这种刺激性物质停留在孕妇血液中的时间将延长。咖啡因同时还会使孕妇身体中的钙通过尿液流失。

咖啡因有利尿的作用，容易让孕妇脱水，并增加上厕所的频率，而尿

频本身已经让孕妇很烦恼了。咖啡因还会妨碍铁的吸收，而铁是孕妇怀孕期间不可或缺的养分。

如果你习惯每天用咖啡来提神，下面有些戒除的秘诀，帮助你（和胎儿）在戒除咖啡因的过程中，不会因为缺少这样东西而感到难受，还让你自然地选择一些对身体有益的饮品。

* 不要让咖啡滤煮太久，茶也不要泡得太久。茶包泡 1 分钟比泡 5 分钟减少一半的咖啡因。一般来说，茶和咖啡煮得越久，巧克力的颜色越深，含的咖啡因就越多。

* 尝试一些不含咖啡因的药草茶。脱咖啡因的茶和咖啡仍然含有少量的咖啡因，但如果你一定要喝咖啡，试一试用水处理的脱咖啡因咖啡，因为化学处理的咖啡包含有害的化学物质。

* 在购买碳酸饮料之前，检查标签上的说明，或咨询一下饮料中咖啡因的含量。

* 如果你喜欢喝热的饮料，尝试喝热开水（可以加些柠檬）、热牛奶、热苹果汁或药草茶。

* 如果你发现自己早上没喝杯咖啡就会很不舒服，那么试着慢慢减少咖啡的摄取量，加一半脱咖啡因咖啡，再加另一半普通咖啡，然后逐渐减少含咖啡因多的咖啡的比例（只要少量的咖啡因，就可以减轻戒除咖啡因引发的头痛症状）。

环境中的危险因素

母亲天生的保护意识是从受精的那一刻开始产生的，一旦准妈妈开始想这充满污染、放射线及化学物质的世界对胎儿可能造成的影响，就可能会很担心。很多成年人不假思索就使用的有害产品（杀虫剂、清洁剂、建筑材料等）中，充满着可能导致胎儿畸形的物质，导致了胎儿出生缺陷。但你也不必过度担心，统计资料显示，如果你能回避前面的三大有害物——禁药、酒精、香烟，并摄取充足的营养，你会有 95% 以上的机会生出健康的宝宝。

何时该特别注意

在胎儿发育期间，有一段时间是特别危险的，在这段期间，胎儿对危险环境的抵抗力特别脆弱。一般来说，有毒（害）环境对前 3 个月的胎儿所造成的危险最大。在受精后的两个星期，你的子宫已差不多准备好让胚胎植入，在这段时间内，如果有某些有害物质侵入，让着床无法顺利进行，就有发生流产的可能。在胎盘尚未发育完全、脐带的血液供应系统尚未建立之前，胎儿不太容易因外来的有害物质进入母亲体内而受到伤害。但在胎儿着床完成、胎盘开始发育时，十分脆弱的时期就到来了，因为接下来的 10 周正是胎儿所有主要器官都在发育的时期。

在这段时期，环境中的有害物质最有可能对胎儿的主要器官造成伤害。但在第3个月结束之后，所有的主要器官大致发育完成，也开始运作，产生大缺陷的危险性会随着孕期的发展而减少。怀孕中期及晚期，主要是让胎儿重要的器官发育得更完整，在这段时期如果接触到有害物质，一般不会造成主要器官的重大伤害，但还是会对器官的发育有所影响。举例来说，怀孕早期接触一些有害物质，如禁药、香烟及酒精，会造成胎儿脑部的重大缺陷，但之后可能就只是较轻微的影响，比如智力与运动机能受到轻度影响。环境中的有害物质对妈妈可能只造成一点伤害，但对胎儿的伤害可能就相当大。

有害物质停留在胎儿体内的时间比在母体内的时间更久，浓度更高。在怀孕早期，胎儿的肝脏（分解毒物）与肾脏（排除毒物）的功能尚未发育完全到可以保护他自己的程度。怀孕晚期，这些器官才有可能发育得足够成熟来保护小宝宝。

幸运的是，空气中的有害物质并不一定都会直达子宫，正如你可能吸到汽车排放的废气、汽油味、路人的烟味或其他现代文明造成的污染物，但并不表示你的胎儿一定会受到损伤。如果你好好照顾自己，成长中的胎儿一定可以成为健壮的小宝宝。所以，请不要过于担心这些不可避免的污染源对胎儿成长的影响，担心这些反而会产生更不好的影响。但无论你是否怀孕，都应试着避免这些污染源，比如当你有机会超车时，就不要一直跟在排放废气的公车之后。但也不要认为，为了生出一个健康强壮的宝宝，就必须把家搬到一个法律规定不能有汽车存在的城市，这可能就有点小题大做了。

X光等放射线

放射线这个词，常带给许多人恐惧的感觉，其实，在怀孕过程中如果接受X光检查，根本不需要太担心它的危险性。首先，让我们先了解一下两种不同的放射线：离子化放射线与非离子化放射线。非离子化放射线的低能量波，是从收音机、电视机、微波炉、超声波仪器、电线和阳光等放射出来的，专家认为这些放射线无害。而离子化放射线则包括X光及其他较非离子化放射线能量要高得多的放射波。反复不断地暴露在这种高能量波的环境下，可能导致人体组织受损，但大部分的医疗操作所需的剂量都不高，所以不需要过分担心，原因如下：

避免不必要的风险

在怀孕过程中，你希望自己所做的一切都是对胎儿和自己最健康的。这样的渴望，可能会让你对带有警示标志的所有东西，都特别敏感。其实许多产科研究显示，胎儿缺陷与可疑的致畸物质只有统计上的关联，如果你了解这一点，可能会让你大松一口气。比如说，对摄取咖啡因与使用电脑的忧虑基于某些研究，这些研究显示，如果妈妈生活在这些存在潜在危险的环境中，胎儿就可能产生较多的发育问题。而其他与这项研究结果相关的因素，包括准妈妈日常的生活方式及遗传学上的坏运气这两个因素，却没有被考虑进去。换句话说，这些研究并没有证明，接触这些危险因素必然会造成胎儿缺陷，只是表明这两者之间似乎由于某种未知因素存在联系。再则，人们每天都要面临一系列的不安全因素，并不表示每个暴露在危险之下的人都会受到损害，更何况许多研究结果彼此间还存在矛盾。统计结果只是提醒我们可能的关联性，让我们有机会避免不必要的风险。

放射线来源

诊断性的 X 光最不可能伤害到你的胎儿。从医学上来说，X 光分为两种，一种为诊断性 X 光（如肺部 X 光检查及牙科 X 光检查），另一种是治疗性 X 光（如癌症的放射线治疗）。放射线的测量单位为拉德（rad），根据放射线权威机构美国放射学会的说明，放射剂量在 5 拉德以下，不会对发育中的胚胎造成威胁。也就是说，仅仅一次的诊断检查，不会危及胚胎的健康。用于腹部以外的诊断性 X 光对胎儿的辐射很小。

比如，胸部 X 光的放射剂量少于 0.05 拉德。而现代化的放射线仪器几乎不产生扩散现象，X 光只照射在必要的部位，也不会通过血液进入体内，扩散到全身。

即使诊断性 X 光照射腹部，其危险性仍远低于你应担心的范围，如果孕妇照射脊椎下部或腹部，腹中胎儿接收到的 X 光剂量大约是 0.4 拉德。但某些诊断性 X 光检查可能会有较高的放射剂量，因为它可能使用 X 线束。如果你需要利用诊断性 X 光做检查，其剂量可能会超过安全范围，你的医生会建议你做其他方式的检查，如超声波。

CT 扫描是一种电脑断层摄影技术（Computerized Tomography，简称 CT），它使用 X 线束以"切片"的形式摄取身体特定部分的图像，然后再将这些图像组合成三维的立体影像。由于这种扫描是利用 X 线束摄取影像，所以如果不是绝对必要，CT 扫描不会用在孕妇身上。出于对放射线安全性的考虑，大部分高剂量的放射性诊断方法都已被超声波取代，至少 30 年以上的实验仍无法证实，超声波对胚胎会造成有害的影响。

放射性造影剂也不适用于孕妇，因为它有可能伤害到胚胎的甲状腺。但某些放射性造影剂如氙，因为被认为即使在怀孕期间使用，也是很安全的，所以如果有必要，这种诊断方法还是可以使用。

考虑使用时机

如果你在知道自己怀孕之前做了 X 光检查，甚至是高剂量的 X 光检查，如果只是一次检查，同时你也知道剂量在上述的安全范围内，就不太可能伤害到胎儿。但为了安全起见，就算已经怀孕的概率很小，你还是要告诉 X 光机操作人员，让他为你穿上放射线防护铅衣以保护你的盆腔部位，或是采用其他的检查方法。如果射线的

放射剂量很高，对器官正在发育的胎儿（怀孕的前 3 个月）伤害最大。

权衡利弊得失

如果在怀孕期间，医生建议你做诊断性的 X 光检查，你要和医生研究一下做与不做之间的利弊，如果无法确定风险或是检查的必要性值得怀疑，就考虑不要做或延期到怀孕晚期，最好是分娩之后再做。但是，如果医生认为绝对需要利用 X 光确认或解决问题，并且其结果会影响医生对治疗的决定，如果不做 X 光检查就会很危险。你可以请教医生这样的检查是否有变动的空间（降低放射剂量，尽量缩小放射线辐射范围），以及是否可以由其他的方式代替，如诊断性的超声波。

你需要X光，胎儿却不需要

优良的放射实验室在做 X 光检查之前会询问病人是否可能怀孕，同时他们也会使用放射线防护铅衣以保护你的下腹部及盆腔。即使你自认只有极小的怀孕概率，还是要告诉 X 光机操作人员，并遵从所有的预防保护程序。事实上，为了降低对卵巢的潜在伤害，只要是接受 X 光照射的女性，请务必穿上放射线防护铅衣以保护你的盆腔（这种保护对男人并不是绝对必要的，因为他们可以不断地

制造精子，但女人在出生时，她一生的卵子就在身体里了）。

如果你的工作环境会接触到X光

如果你是 X 光机操作人员或是在 X 光机附近工作，当 X 光机运转时，请务必穿上放射线防护铅衣，同时务必随身带着 X 光放射剂量仪，并至少每个月统计一次剂量仪的记录。

电脑

电脑是否会对胎儿造成危害？早期的研究报告显示，长时间使用电脑（每周超过 20 小时）与流产之间，可能有关联，但最新的研究却一直无法确定是否有这种关联存在。电脑释放出的放射线属于非离子化放射线，临床实验并没有显示它像离子化放射线（如 X 光）一样，对分裂中的胚胎细胞有伤害。事实上，电脑所释放出的放射线，可能小于家中的电视机，甚至户外强烈的阳光。但即使是最新的研究也无法证明，在电脑环境中工作与怀孕安全问题之间的因果关系，所以仍然要考虑安全上的问题。有两个简易的预防措施可以降低这种风险，如果你必须处于电脑环境中，尽可能做到每周少于 20 小时，同时避免暴露在电脑的背面，因为那里会放出更多的射线。理论上，你接收的身后同事桌上的电脑辐射，可能远大于自己桌上的电脑辐射（该是移开某些家具的时候了）。

家中的危险因素

你可能从来没有想过，甜蜜温馨的家可能会是相当危险的环境。然而，每天你常常使用的，让生活更便利的东西，事实上可能是包着糖衣的毒药。既然你怀孕了，就必须认真看看四周的环境，为自己也为宝宝，尽可能地改善你呼吸的空气和使用的水的品质。下面是一些最常见的毒素来源：

自来水

你饮用的大部分自来水是安全的，但最好还是请人定期检查家中的水（即使是泉水）是否含有有害化学物质（比如铅）。比较旧的房子大多使用铅制自来水管，如果水在铅管中静止几小时后，水管就会释放出铅。如果水龙头 6 个小时以上没有使用，在使用前先让水流至少 2 分钟，以减少水中铅的含量。如果你所居住的地区水质有问题，最好饮用瓶装水或过滤之后的水。现在的过滤器功能相当完善，可以有效地过滤自来水中的铅及其他有害化学物质，就算你倾向于购买比较昂贵的过滤设备，还是比在整个孕期都喝瓶装水便宜。

清洁用品

请避免使用所有的液化气体喷雾器，烤箱和炉子的清洁剂，特别是有强烈气味的产品，如含氨和氯的产品。千万不要将漂白剂与氨、醋或其他清洁剂混用，因为这将会产生化学反应和有毒气体。其实你可以用"绿色"清洁剂来解决清洁问题，如发酵粉、醋及柠檬汁。

美容产品

化学产品可让你看起来精神焕发，但对腹中的胎儿却不那么安全。如果你怀孕了，请不要上美容美发店。烫头发的化学制剂和美甲用的洗甲水和指甲油的味道，对所有的人（大人或小孩都一样）都不好。如果可能的话，在家修剪头发，或是在人最少的时候上美容美发店，这时候烫发和美甲的人最少。怀孕时切记不要染发，虽然研究结果无法确定烫发与染发的危险性，但许多报告指出，这些化学制剂与胎儿出生缺陷可能有关联，所以没必要去冒这个险。注意空气流通，特别是当你涂指甲油时，最好将窗户打开或是干脆到户外去。

微波炉

对忙碌的现代父母来说，能很快地把食物解冻或直接烹调食物，真是莫大的幸事！微波炉就像是一种空间与时间的魔术，即使在你怀孕期间，还是可以使用这种既现代又方便的小家电。许多有关微波炉的骇人听闻的故事，大都是关于微波会伤害发育中的胚胎组织。但最新的研究显示，微波炉的辐射量很少，几乎不可能对成人的身体组织有任何伤害，更不用说是胚胎了。另一个问题是，在微波加热的过程中，是否可能让食物产生化学变化？这方面的研究结果也从未显示会有任何伤害。但为了安全起见，在微波炉启动时，还是不要站在它的前方。

宠物

狗对准妈妈应该没有健康上的危害，猫却是个问题！但是，只要注意一些安全规则，还是可以让孕妇与猫和平相处。人们常常担忧的是弓形虫，这种寄生虫寄生在某些猫身上，它会传染给孕妇，并通过胎盘传染给发育中的胎儿。事实上，这种情况发生的概率不高，大部分人在一生中，可能偶尔会碰到这种寄生虫，并因此产生抗体。大部分的猫也不会将这种寄生虫传染给人类。但是如果你养了猫，而你又很容易焦虑，那么就去做一次血液检查，看看你是否对这种寄生虫有免疫力，如果有的话，就不用担心了。第二个预防措施是，请兽医检验一下，看看你的猫是否带有弓形虫，

洗澡时的温度不要太高

在怀孕期间，你并不一定非得放弃泡热水澡的乐趣，可是，你需要把温度降低一点，泡的时间短一点，尤其是在怀孕早期。研究显示，在怀孕的前3个月，如果让身体温度持续超过39℃，容易造成发育中的胎儿发生脊髓缺损，在怀孕第1个月末，这种伤害的可能性会达到最高点。多高的温度才可能伤害到胎儿还无法确定，目前的研究都是以动物实验和针对孕妇在高温之下的统计数据分析为基础的，但对于母体的温度持续超过39℃会造成的影响仍存在争议。

如果你就喜欢躺在温暖的浴盆中放松自己，同时在发现自己怀孕之前也习惯如此，别担心——大部分女性在体温尚未达到39℃时，就会因过热而不舒服，自动起身离开热水。最新的研究报告显示，孕妇可以待在39℃的热水中长达15分钟，而体温不会上升到对身体有害的程度。其他研究显示，孕妇在剧烈运动45分钟后（对孕妇来说，剧烈运动45分钟好像也不大可能），体温也不可能上升到39℃。基于这些研究，建议孕妇运动时最多不要超过30分钟，尤其是在炎热潮湿的天气中。

只要小心使用，蒸气浴还算是安全的。在报刊上有时会看到这样的报道：在使用蒸气浴的习惯上，女性比较多，洗的时间比较长，温度也比较高。在蒸气浴十分流行的芬兰，孕妇会把洗蒸气浴的时间限制在10分钟以内，但与高温有关的胎儿畸形的发生率并没有提高。同时，虽然传闻与此相反，但研究表明使用电热毯和胎儿畸形之间没有任何关系。

如果你认为在怀孕期间，泡澡或洗蒸气浴可以让你身心放松，那就注意下面几点再尽情享受：

* 当你一感到不舒服，就赶快起来（当水的温度让你感觉不舒服时，就说明温度过高）。

* 热水浴或泡热水澡不要超过15分钟，水温也要低于38℃；蒸气浴不要超过10分钟，温度不要超过39℃。由于蒸气浴的蒸发和对流的冷却效果，使得身体比较不容易像泡澡那样过热。在泡澡时最好分几次短时间浸泡，这样比长时间全身浸泡更安全。坐在浴盆中，将大部分上身露在外面，会降低身体过热的危险性。

* 避免一口气做超过30分钟的剧烈运动，而在炎热潮湿的天气中，运动的时间要更短。

如果有的话，请其他人清理猫的排泄物，因为弓形虫是通过猫的排泄物传染的。如果你必须自行处理，当清理猫的排泄物时，请戴上一次性手套。

当然，应尽可能减少猫感染这种寄生虫与传染给你的可能性。因为猫通常是因为吃已被感染的老鼠、生肉或鸟，然后才被感染的，所以在怀孕期间，好好驯养一下随意走动的猫。当你在处理土壤、沙子，或是给猫排泄用的沙盒时，务必戴上一次性手套。要注意，邻居的猫也可能会在你家里排泄。平常不用沙盒时，最好将它盖起来。为了进一步减少感染弓形虫的可能性，最好不要吃生肉或饮用未消毒的牛奶。

杀虫剂

在怀孕期间，与其用一些有潜在危害的化学药剂杀虫，还不如把虫子留下来安全。如果你问一些除虫专家，是否有对你和胎儿都很安全的杀虫剂，最有可能得到的答案就是"我不知道"！让我们面对这个事实吧，如果化学药剂强到可以杀死一群虫子，那么对于发育中的胎儿可能就不大安全，这就是为什么杀虫的人老是带着面具的原因了。如果你一定得解决家中的虫害，最好离家几天。如果邻近公寓或上风处的房子正在喷洒杀虫剂，也请先离开一段时间，至少到

你再也闻不到味道为止。而用在地毯上的除跳蚤产品可能只以含氯化钠为主，对人类，即使对发育中的胎儿，也不会造成毒害。

除虫剂、除草剂及肥料

这些化学药剂对发育中的胎儿造成的影响，已知的并不多。对这些化学药剂作出的安全评估，也只针对成人，所谓的安全限度并不适用于发育中胎儿脆弱的身体组织，胎儿对杀虫剂更敏感，器官也没发育到足以将这些药剂排除出去的程度，所以请避免在家里使用这些物质。

在购买一些日常生活用品时，你要注意购买的食物或饮料，但不必过度紧张，只要采取一些简单的预防措施即可。当买回蔬菜和水果之后，先用安全、无毒素的制剂彻底洗净，并将外皮去除。最好买有机的、没有喷洒过农药的蔬菜和水果。

油漆与溶剂气味

请暂时忘掉为宝宝重新粉刷婴儿房和摇篮的想法，在怀孕期间，特别该避免的就是含铅和汞的油漆、除漆剂或油漆稀释剂，以及喷漆，特别是含有聚氨酯的产品。对孕妇来说，使用乳胶漆是比较安全的，但这种漆仍有可能引发呕吐。如果你找其他人帮忙粉刷，最好也远离现场，以避免自

呼吸干净的空气

虽然你的胎盘和肺会过滤某些物质以避免其直接接触胎儿，但它们的作用却不是绝对完美的。虽然我们并不要你对呼吸的每一口空气非常敏感，但最好还是做一些预防措施，以降低污染物接触胎儿的可能性。

* 如果你居住在繁忙的交通要道或工厂附近，或是空气污染严重的区域，为了你的胎儿和他的将来着想，你可能必须考虑搬家了。怀孕是改变目前生活环境，建立更健康的生活方式的好时机。

* 如果烟尘指数过高，在室内就最好将窗户关上，打开空气净化器。

* 尽可能避免开车经过拥挤的街道，或堵在排放大量废气的交通工具后面，如卡车和公共汽车。

* 最好不要自己去加油。在怀孕的时候，这又是个让别人为你代劳的活儿。

* 尽量不要让你的车排放废气，检查尾气排放系统是否有问题，同时不要在车库里热车太久。开车时把后挡板关好，在交通阻塞时，关上窗户和通风口，打开空调。

* 如果你有煤炉或是燃气灶，检查一下是否有漏气的可能。

* 空气污染严重时，不要做耗费体力的运动，有氧运动之后的大量呼吸，将增加污染物的吸入量。

* 营造无烟的家居与工作环境。

记住，人类和他们的后代已经在不同程度的污染环境中生活了好几十年，但大多数婴儿出生时都很健康。所以，不要因为担心你周围的环境状况而失去了宝贵的睡眠，采取合理的预防措施就可以了，放松一点。

已处于铅尘环境中，最好是在户外或室内通风处油漆家具。在怀孕的最后几周，即使你有强烈愿望想为宝宝"筑巢"，也请务必忍住。

另一个安全的选择就是，由你设计和布置婴儿房，但让丈夫完成粉刷及其他工作，当然，现在你可能已经习惯了授权。当进行粉刷工作时，你最好到户外，同时要让房间保持通风以尽快散味。一些溶剂、家具亮光漆和喷雾剂也不安全，同样，如果屋内正使用这些东西，在气味散去之前，不要进去。如果你热爱艺术，非得自己完成所有的粉刷工作，就请使用水溶性油漆吧。还有，别用标记笔，因为它会释放出刺激性气味，可能有毒。

铅

铅会穿过胎盘，直接侵害发育中胎儿的神经系统。一般环境中铅的可能来源有：旧水管、含铅汽油、受污染的水、陶瓷制品、建筑材料、木材保存剂、焊料、蓄电池和油漆。无铅涂料是近些年才出现的，旧一点的房子及重新粉刷过的房子都可能含铅，所以最好在怀孕期间避免刮落原有的漆料和重新粉刷房屋。如果你一定要重新装修旧房子或婴儿房，在刮墙皮及重新粉刷时，不要留在屋内，同时要求施工人员使用液体除漆剂，并在完成所有工作之后，以高效能空气过滤器除去现场所有可能含铅的粉尘。

如前面提到的，请检查自来水的水质，尤其是在饮用井水或居住的房屋比较旧的情况下，许多水管的接头可能用铅作为焊接材料，或根本就是铅制水管。如果水管中含铅量过高，请饮用瓶装水或将家中的饮用水用滤水器过滤，如果家中的陶瓷制品不是无铅制品，请不要用它盛食物。

除了铅之外，其他潜在的有毒物质还有汞，切不可食用遭汞污染的水域中所产的鱼虾。

工作场所中的危险因素

留心工作场所中呼吸的空气，就像前面提到的注意居家环境一样。如果你是发型设计师，特别留意你使用的喷雾剂、染发剂和另外一些溶剂中是否含有毒素。需要经常乘车的上班族，特别要小心汽车尾气中的一氧化碳和其他废气。在照相馆或印刷厂工作的人，要注意避免接触铅、显影剂和染色剂（及其气味）等。生产线上的工作人员要小心石棉、甲醛及工业化学品。管理员及清洁人员应避免吸入清洁产品的气味。医院的工作人员要注意放射线污染及实验室中化学物品的气味。根据法律，孕妇绝对有权利要求一个安全的工作环境（详见第155页）。

怀孕日记：第1个月

我可能怀孕了的最初征兆（例如乳房产生变化、害喜、疲倦）：_ _ _ _ _ _ _ _ _
_ _

第一个感觉是：_ _

最后一次月经的第一天是：_ _
我最可能受孕的日期：_ _
对受孕那一刻的记忆：_ _

妊娠检查呈阳性的日期：_ _
我的反应是：_ _

丈夫的反应是：_ _

我最关心的事：_ _

我最快乐的事：_ _

我最严重的问题：_ _

改变生活方式，必须戒掉的习惯是：_ _
_ _

我应该关心的事

我的问题有哪些？我得到的解答：_ _ _ _ _ _ _ _ _ _ _ _ _ _ _ _ _ _ _
_ _
_ _

先前的产科就诊／怀孕／分娩记录：_ _ _ _ _ _ _ _ _ _ _ _ _ _ _ _ _
_ _
_ _

先前的病历：_ _
_ _
_ _

第一次身体检查，我的感觉是：_ _ _ _ _ _ _ _ _ _ _ _ _ _ _ _ _ _ _
_ _
_ _

检查结果和我的反应：_ _
_ _

我的血型：_ _
我的体重：_ _
我的血压：_ _
我的预产期：_ _
我想象中宝宝的模样：_ _
_ _

宝宝，如果你听得见，我想对你说：_ _ _ _ _ _ _ _ _ _ _ _ _ _ _ _ _
_ _
_ _

第 1 个月的照片

（包括每个月你的侧影，看看你的身体有什么变化。如果可以的话，把胎儿第 1 个月的超声波照片贴上。）

感想：

第2个月的产前检查

5～8周

在这个月的产前检查中，你可能会做的项目包括：

* 腹部检查
* 子宫检查（宫底高度、胎位）
* 血色素及血细胞比容的检查（检查是否有贫血现象）
* 营养方面的咨询
* 体重及血压检查
* 验尿
* 与医生讨论你的感觉和关心的问题

第 **2** 个月

我真的怀孕了

大多数女性表示，在怀孕的第 2 个月里（怀孕的第 5~8 周），才会有已经怀孕的感觉，即使在怀孕的第 1 个月几乎没有任何怀孕症状的孕妇，现在也会出现轻微的恶心和疲倦感。从现在起，你的身体每天都会提醒你，体内正发生着奇迹。这些不舒服的症状之所以产生，是因为身体为供应子宫和胎儿生长而分泌的大量激素，导致生理和心理状况都受到影响。虽然在生理上可能会有些不舒服，但在心理上却会有种莫名的骄傲感油然而生。每天全世界都有那么多的妈妈怀孕，可是你怀的是独一无二、属于你自己的小宝宝呢！因此，当你一想到 9 个月之后，就会生下只属于自己的小宝宝时，种种的不舒服和不方便，也就显得不重要了。

情绪上可能的转变

不论是生理上还是情绪上，你的身体会本能地透露出已经怀孕的讯息给你，这是很正常的现象。在怀孕的前几个月，如果你够细心，就应该可以感觉到肚子里开始产生的微妙变化。就连你在忙碌工作的时候，也同样会感受得到，第一次怀孕的女性更是格外明显，毕竟这是她们生命中的第一次。几周下来，你会刻意去感受肚子里的种种变化，相比之下其他事情似乎都显得不那么重要了。

而你在怀孕第 1 个月时的许多心理感受，会在第 2 个月增强，并会变得不大稳定。一方面，你会为迎接新生命的到来而感到喜悦与期待；另一方面，你也会因为对怀孕后整个生活节奏可能需要重新调整而感到有些忧虑。这些错综复杂的情绪起伏，通常在怀孕的第2个月达到最高峰，你需要花些时间才能调适好自己的情绪。有许多过来人都会抱怨怀孕带来的不舒服和不方便，这时如果你也有同感，不要觉得对宝宝有什么愧疚。不管你是多么爱你的宝宝，这样的情绪反应都是人之常情，没有什么好大惊小怪的。

以我自己怀孕的经验来说，矛盾的情绪总是不断上演。比如，我可能一整天沉醉在当准妈妈的喜悦中，但第二天心情马上会跌到谷底，几乎忘了我已经怀孕。又比如，我可能前一天兴冲冲地去挑选孕妇装，但可能在第二天，看到我逐渐走样的身材就痛哭流涕！

易怒
这时你的精神很容易全部集中在怀孕时身心的种种变化上，因此，一旦周围有什么风吹草动，往往会因为神经过于紧绷而容易出现焦躁、易怒的情绪。也许过去你对丈夫一些不好的生活习惯总是能一笑置之，但现在觉得难以忍受，因而对他大发雷霆。比如，过去他下班晚了10分钟到家，你可能觉得没什么，可现在他可能才晚5分钟进门，你就受不了劈头痛斥他一番。只要你感到疲惫或不舒服，

什么样的生活琐事都可能拿来借题发挥。对周围环境提高戒备、清除令你感到不安的东西以获得一个更宁静的怀孕环境，这是一种本能的、很正常的反应。当然，这不意味着你丈夫就必须带着3岁的老大搬出去住几个月，你只是要提醒自己尽量放松，得到最充分的休息，这样一来，情绪上的起伏就不至于来得如此激烈和反常了。

对丈夫不满
当怀孕早期的喜悦与新鲜感，逐渐被害喜及生活节奏改变等现实问题取代时，你可能更容易对日常生活中的一些琐事感到不耐烦，而将不满的情绪往丈夫身上推。此时，丈夫未必能体会你的情绪起伏是多么剧烈，毕竟他没有怀孕的经验。他极可能对你两个月前还生龙活虎地吵着要逛街，现在却整天赖在床上感到大惑不解。而你往往也因为容易倦怠及身体状况的明显改变，性欲大幅减退，从而影响到性生活，使你们的夫妻关系不那么和谐。此时，你可以巧妙地提醒他，你现在正怀着他的心肝宝贝。尽管目前他从你的肚子还看不大出来，但你们可以一起感受小宝宝的存在。或者告诉他书上说的"如果耐心等上一两个月，你的感觉会更好"之类的话，给他一个期待新生命的希望。

平常和我丈夫在一起的时候，我总是活蹦乱跳的，但怀孕之后，我每天都觉得病恹恹的，整天都只想倒头大睡。这样一来，他总是会酸溜溜地拿话来刺我，好像我怀孕就有了不用上班、不用做家务，甚至不用做爱的免战牌一样。有时候我听了真想当场教训他一顿，我多么希望他能体谅我一点。

依赖感

过去不论在职场上还是在家庭生活里，你都可以轻易地扮演好独立自主，甚至是帮助他人的角色。而怀孕之后，你成为一个被照顾、被呵护的对象，角色与过去截然不同，自尊心难免会受到一些影响。

我实在受不了怀孕时，看到我母亲大老远跑来，照顾其他的孩子一连好几个星期，令我实在歉疚不已。为什么有些怀孕的妈妈就可以把家和孩子照料得好好的，而我连下床送孩子上托儿所的力气都没有，我实在恨透了自己这么不争气。每次看到母亲这么辛苦地奔波，我实在过意不去啊！

但千万不要忘了，你的身体正在为孕育一个新生命而忙得不可开交。因此，请暂时放下你过去扮演的种种角色，全力投入到"孕妇"这个重要角色中。要知道，这对于你的丈夫、你们双方的父母、小宝宝的哥哥姐姐及你的好友们来说，是一个让彼此成长的最佳机会。如果从投资的观点来看，大伙儿齐心协力的结果，最大的赢家自然就是肚子里的小宝宝啦！

生理上可能的转变

大多数有怀孕经验的女性表示，怀孕的第2个月，所有生理上的转变都会比第1个月更为明显。

害喜

一般来说，害喜最厉害的阶段，多半发生在怀孕第2个月。当你向过来人或医生请教的时候，他们多半会这样安慰你："害喜啊！这只是你的激素在作祟而已，表示你的小宝宝很健康呢！"这一点儿也没错，你就忍一忍吧。

倦怠感

在怀孕的第1个月，准妈妈通常会出现间歇性的倦怠感。这种情况到第2个月时会更加明显，有时甚至迫使你非休息一下不可，这是怀孕产生的倦怠感与一般疲倦的不同之处。许多过来人会将这种倦怠感形容为一种深入骨髓的疲倦。这也是一种正常反应，它以自然的方式迫使准妈妈把紧凑的生活节奏放慢，以储备较多的精力来全心全意孕育肚子里的小生命。因此，你会发现自己在走路时速度莫名地减慢，甚至出现喘不上来气的情况。看在肚子里小宝宝的分上，你可千万不要刻意与种种的变化相抗衡，最好还是顺其自然，一感到疲倦就立刻休息。当然，你也许会因为工作的关系，家里还有孩子要照顾等因素，有时候没办法想休息就休息。但你还是要设法调整一下现有的生活方式，比如早点下班、家务让丈夫代劳、早点让孩子上床睡觉等，替自己争取更多的休息时间。

我发现买任何人都可以处理的微波食品，可以省去不少的精力和时间。

在工作时，我逐渐开始觉得心跳加快，还有力不从心的感觉，我可以清楚地意识到身体对我发出的"休息"指令。我对这种突如其来的感觉有点惊讶，同时，我的睡眠习惯也开始改变，现在一到下午，我就觉得好累，常常倒在电视机前的沙发上一睡不起。而一到凌晨两点我就会醒，得对着天花板发呆好一会儿，才会再次沉沉睡去。

察觉乳房的变化

怀孕早期乳房的变化，通常会比下腹部隆起要来得早一些。一开始，乳房多半会有轻微胀痛的感觉，这与月经快来时乳房的胀痛感相似，只不过再稍微强烈一点。另外，在怀孕之后，乳房也会更加丰满。一般来说，到怀孕第3个月，乳房会比以前大一个罩杯左右，在怀孕的后几个月，还会再大一个罩杯（乳房最明显的变化发生在产后的2~4天左右，因为那时制造母乳的激素分泌量会激增，使乳腺明显胀大，让产妇感觉自己的乳房好像一夜就突然胀大了不少）。在怀孕时，乳房的胀大会使你的体重增加1千克左右，乳房的变化对于胸部较小及第一次怀孕的女性来说感觉更为明显。在怀孕的前3个月，乳房的触痛感最明显，像多数怀孕的不适感一样，之后就变得不那么烦人了。

乳房胀大的原理很简单，是因为怀孕之后，刺激乳腺生长的激素分泌量激增，导致较多的血液流入乳房滋养腺体。当这些激素不停地工作时，你甚至可以感觉到乳房有脉搏般轻微跳动的现象。此时，你的乳房可能会感到胀痛、温热或对外在刺激比较敏感，甚至可能会感到乳房出现间歇性抽动长达5分钟之久。同时，你还会发现乳晕（乳头周围颜色较深的部分）变大、颜色变深，而乳晕上细微的乳腺甚至还会分泌出微量具有杀菌功能的润滑液呢。这样一来，乳房看起来会比怀孕第1个月时更大，上面的静脉血管也会随着乳房的胀大更加清晰可见。

虽然分娩之后，你身体的其他部位都会逐渐恢复原貌，但是，乳房经过怀孕、哺乳等长达一年的变化，再也不会回到从前的样子。唯一可以确定的是，在哺乳期间，乳房会保持怀孕时的丰满。要记住，乳房的变化是因为怀孕、遗传和地心引力的作用，而且无论哺乳与否都会发生。因此，请以平常心来看待乳房的变化，如果你想恢复得快一点，可以多用温水淋浴的方式来按摩乳房。如果你担心怀孕时乳房的胀大导致日后下垂，可以在整个孕期穿支撑型胸罩，就连睡觉时都穿着也无所谓（详见第 161 页"如何选择合适的胸罩"）。

干痒

怀孕稍晚些出现皮肤干痒是很常见的现象，特别容易发生在隆起的腹部（详见第 183 页）。但许多过来人表示，这种现象在怀孕的第 2 个月就出现了；有些人说全身都有干痒的现象，有些人则是在身体的特定部位如手掌、脚底等才有干痒。如果你也有类似的困扰，建议你避免使用刺激性较强的肥皂、沐浴乳等，而以天然成分为主的沐浴产品洁肤。此外，你可以用泡热水澡来取代淋浴，因为热水持续地冲刷皮肤，很容易刺激皮肤而产生干痒症状。相反，有些孕妇喜欢淋浴，因为在水中泡得太久会除掉皮肤上的天然油脂保护层（详见第 185 页"怀孕时做好基本的皮肤保养"）。

怀孕之后，只要我的腹部皮肤碰到衣服，就会莫名其妙地痒得不行。因此，我尽可能把腰带系得低一些，以减少腹部皮肤与衣服的接触。

尿频

也许现在正是好好装饰你家厕所的大好时机！因为未来几个月里，你上厕所的次数会比平常频繁得多。这是因为此时子宫不断地生长、扩张，使得身为邻居的膀胱不断受到压迫，自然地发出了排尿的信号，结果就是你会莫名其妙地不断感到尿意而频繁如厕。这种现象会从怀孕早期一直持续到第 3 个月左右，待子宫扩张到高出盆腔之后才会缓解。因此，减轻这一症状的唯一办法就是每次如厕时尽量将尿液排得一滴不剩（详见 195 页"凯格尔运动"）。

除了尿频之外，你还会发现每次排尿的时间比平常要长一些。你不要大惊小怪，以为自己得了膀胱炎，这只是怀孕时的正常现象。膀胱炎的症状除了尿频之外，排尿时还会伴随尿急和尿痛，有时还会有灼热感。如果怀疑膀胱发炎，医生会对你的尿液进行细菌检查，以确定是否真的受到了感染。

唾液分泌量增加

唾液的成分和分泌量会因怀孕而产生变化。你会感到唾液的味道跟平常有点不大一样，分泌量也明显增加。对有些孕妇来说，唾液分泌增加可能会导致害喜，而对另外一些孕妇来说，害喜反而会增加唾液的分泌量，这是由于个人的体质不同。一般来说，唾液分泌量大幅增加的现象，大多会在怀孕的第 3 个月底减轻。如果唾液味道的改变一直困扰着你，可以试着在嘴里含一块薄荷糖。

口渴

怀孕之后，身体会本能地传送较频繁的口渴信号给你，提醒你随时补充水分来防止脱水，以免妨碍肚子里小宝宝的成长。而不断补充水分，自然也成为尿频的另一个主要原因。除了防止脱水之外，补充大量水分也有助于肾脏迅速将母亲与胎儿产生的种种代谢物排出体外。此外，怀孕时血容量会增加 40%，孕育胎儿所需的羊水也在不断增加，这些因素都会使你需要补充更多的液体。因此，只要一觉得口渴你就马上喝水，千万不要因为总得跑厕所而限制自己的饮水量，这样肚子里的小宝宝才会得到最妥善的照顾。

一般来说，一天水分的摄取量约以 8 大杯为宜（一杯约为 250 毫升），除了白开水以外，还应多摄取蔬菜汁，它比果汁更有营养。此外，你应该避免摄取含咖啡因的饮料，因为咖啡因具有利尿作用，还会影响你的睡眠。不过，如果你有严重的恶心现象，并影响到正常喝水时，可以用吸管吸，或是以吃冰棒来代替。另外在饮食上，你也可以多挑选一些含水量较高的蔬菜（如莴笋、黄瓜等）来食用，以补充足够的水分。

便秘

大多数女性在怀孕时都有过便秘的经历。在怀孕早期，这是因为激素抑制肠胃蠕动、减缓食物通过消化道的过程，生理学上称之为肠胃活动性减弱。而食物在消化道待的时间越久，水分就被吸收得越多（这也许是另一种本能补充水分的方式）。肠胃蠕动减少和粪便变硬共同造成了便秘。在怀孕晚期，由于子宫增大对大肠产生压迫，因此排便的通道会更不顺畅，于是产生了便秘。以下几种方式，可以帮助你减少便秘的发生。

＊多摄取富含膳食纤维的食物。由于膳食纤维不容易被肠道消化，而且会像海绵那样吸收水分，因此它会使粪便富含水分，从而较轻松地排便。

富含膳食纤维的蔬果包括梅子、无花果、桃子、杏、葡萄、胡萝卜、南瓜、黄瓜、芹菜等，其他食物如全谷物、豆类及玉米等。不过，由于膳食纤维在高温烹煮后会遭到破坏，因此应尽量生吃蔬果或少煮会儿，如果生吃担心有农药残留，请挑选完全不含农药的有机蔬果。

* 增加水分的摄取。如果你增加膳食纤维的摄取，就一定得随之增加水分的摄取，否则便秘的情况会更严重。因此，如果你有喝果汁的习惯，最好喝鲜榨的梅子汁、桃汁等，一方面可以增加水分，另一方面同时增加膳食纤维。不过，你每天还需要再补充6~8大杯水才行，同时，应避免饮用含咖啡因的饮料。

* 多运动。全身动一动，你的肠道也跟着动一动。规律的运动可以让你的生理系统运作得更规律，使你的肠道功能不致失衡。

* 想上厕所就马上去。现代人因为工作紧张忙碌，常有忍耐排便的坏习惯。但对孕妇来说，养成优先排便的习惯是相当重要的。如果你不尊重身体发出的排便信号，肠蠕动就会越来越慢，发出来的信号也会越来越弱，你的便秘情况一定会越来越严重（如何养成有利于肠胃保健的饮食习惯，详见第97页"一人吃两人补"）。

胀气与放屁

除了便秘之外，孕妇有时也深受胀气、放屁之苦。由于怀孕时子宫增大会压迫到大部分的消化系统，因此消化道内会本能地产生气体与之抗衡。减轻胀气现象的方法有以下几种:

* 时常让你的肠胃保持蠕动。这除了可以避免便秘之外，还可以减少胀气的产生（上一条的建议同样适用）。

* 细嚼慢咽。当你吃喝得很快时，很容易咽下许多气体。吞下的气体越多，肠胃的蠕动就越缓慢。避免吞下多余气体的不二法门，就只有细嚼慢咽了。

* 避免食（饮）用含气食物。许多食物或饮料会在消化道里产生气体，比如卷心菜、菜花、西兰花、豆类、青椒，以及一些碳酸饮料，如汽水等。

* 避免食用油炸等过于油腻的食物。高脂肪食物由于较难消化，因此停留在消化道的时间相对较久，很容易产生胀气。

* 少量多餐。像小宝宝一样少量多餐要比一日三餐更有利于消化。大多数孕妇对每天吃五六顿感到更舒服。

就像每次月经前的胀气一样，怀孕之后，我总是有胀气的感觉。尽管别人从外表还看不出我已经怀孕，可我还是会觉得挺难为情。

容易烧心

许多孕妇在用餐后不久，有时甚至在两餐之间，会有烧心、不停打嗝等不适现象。根据生理学的说法，这又是激素惹的祸（特别是黄体酮）。黄体酮会松弛消化道的肌肉、减缓消化道蠕动的速度，造成食物和胃酸在胃里滞留的时间较久。由于激素同时也会松弛胃入口的保护性肌肉，当胃收缩时，食物和胃酸就更容易返流至食道下部，这就是医学上所谓的胃食管反流（GER），从而让你产生烧心、打嗝等不适感。而当子宫越来越大，向上压迫到胃时，这种情况会更明显。以下几种方法也许可以帮你减轻烧心的不适感：

* 少量多餐。以少量多餐的方式来减轻胃的负担。

* 利用地心引力让食物加速通过胃部。饭后尽量避免平躺，如果能站立或走动至少半个小时，则可以加快食物通过胃部的速度，减轻胃的负担。

* 右侧卧位。除了运用上述地心引力原理外，以手抱膝的姿势向右平躺，可使扩张的子宫被暂时拉离胃部，以利于胃内食物顺畅地进入肠道，这样一来，自然可以减少反流的机会。

* 避免食用容易引起烧心的食物。比如辛辣、油腻的食物等。

* 避免食用高脂肪食物。高脂肪的食物较难消化，因此停留在胃里的时间也比较久。

* 饭前喝牛奶或吃低脂冰激凌。乳制品可以在胃壁上形成一层保护膜，因此可有效减轻胃酸的烧灼。

* 饭前服用含钙、低盐的制酸剂。

* 用餐时不要同时饮用大量流质。

大多数女性在分娩之后，上述的情况就不药而愈。这是因为分泌的激素减少到正常量，且子宫回到原先位置，不再压迫胃部。

腰围变粗

到了怀孕的第 2 个月，你会发现腰围有变粗的迹象，这是正常现象。虽然子宫增大的幅度并不明显，但因为肠道胀气及体重增加等变化，你会觉得裤腰比平常要紧一些。此时，有些孕妇会迫不及待地开始以孕妇示人，相反，有些孕妇开始为此大伤脑筋，不知道该怎么搭配衣服才可以掩饰逐渐隆起的腹部。

胎儿的成长（5~8 周）

第 5 周

到第 5 周末，宝宝的身长大概仅有 1 厘米，约一粒黄豆大小，将要变成眼睛、耳朵、鼻子、嘴巴的浅窝开始出现。手臂、双腿部分从躯体伸出来呈小芽状，桨状的手也隐隐显出指芽。肠已经发育得相当好，左右心房、支气管等部位的雏形也都出现。想象一下发生在体内的奇迹，你的小宝宝正以每分钟复制100万个以上细胞的惊人速度不断成长着。

第6周

此时宝宝的身长约为1.25厘米，通过超声波图可以清楚地看到心跳。此时心跳的速度，每分钟可达140~150下，这大概是母亲心跳数的2倍。手臂长了一点，肘关节也出现了，手指头也更加明显了。这时，脚从腿芽中分出来了，连脚趾头也若隐若现。隆起的头部较上周稍大了一些，看起来已经与身躯的大小不相上下，眼睛部分开始形成眼睑、虹膜、角膜、视网膜等，鼻尖也有稍微隆起的迹象。

第7周

此时宝宝的身长已达2.5厘米左右，跟一粒小橄榄的大小相近，肘关节、腕关节、膝关节已很明显，脚趾已经形成，手指长得更长了。眼睑已经覆盖在眼睛上，外耳廓也很明显。超声波可以显示胎儿身躯和四肢的移动。此时胎儿的头部较先前更挺直，脑神经细胞延伸出去相互连接，形成初级的神经通路。透过尚呈透明状的头颅，小脑叶的雏形也清晰可见。专家估计，此时每分钟约有10万个神经细胞在不断生成。

第8周

此时宝宝的身长约3.8厘米，大概跟一粒大橄榄一般大小，体重也有15克左右。先前弯曲的头部与佝偻的身躯都渐渐挺直起来，所有内脏器官也逐渐成形。心脏现在已经

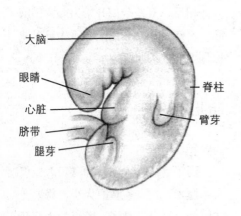

5周大的胎儿

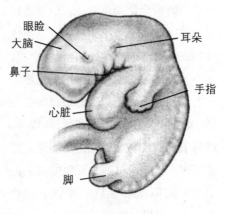

6周大的胎儿

分成 4 个心室。手、脚、手指、脚趾等四肢也完全成形。几个主要的关节部位，如肩膀、肘、腕、膝盖、脚踝等的外形已经清晰可辨。嘴巴、鼻子、鼻孔的轮廓也清楚了许多。此时耳垂已显现，眼睛的所有结构也已形成。外生殖器的雏形出现，但仍没有明显到足以分辨性别的程度。通过超声波可以更清楚地看到胎儿的移动。过去 7 周的"胚胎期"已告一段落，从第 8 周开始，由于人体完整的雏形已经清晰可见，宝宝进入了所谓的"胎儿期"。

你应该关心的事

睡不稳

你越感觉自己怀孕了，对睡眠的影响就越大。不论你有多累，你的身体和激素为了肚子里的宝宝，都在 24 小时不停地忙碌着。因此，尽管你已经很累了，但似乎仍无法沉沉地睡个好觉。怀孕时的睡眠方式与新生儿很类似，那就是所谓的熟睡，也称为"非快速眼动睡眠（non-REM）"的时间会减少，而浅睡，也称为"快速眼动睡眠（REM）"的时间会增加。在浅睡状态下，你能意识到环境的变化，从而更容易醒来。尽管很难想象这种变化的生理学目的，尽管它带来不便，但它确实让你为今后夜间照料婴儿这一现实做好了准备。做母亲并不是朝九晚五的工作，事实上，胎儿的新陈代谢并不会到了晚上就减缓，因此母亲的新陈代谢也无法像从前那样慢下来。

缺觉是孕妇一个不可避免的现象，而且产后你还必须半夜爬起来喂奶、换尿布。你必须接受这个事实，睡一整夜的孕妇就像睡一整夜的新生

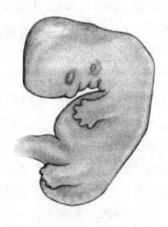

7 周大的胎儿

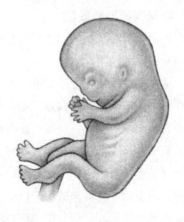

8 周大的胎儿

儿一样少见。不过，有以下几种方法，也许可以改善你的睡眠品质，不妨试一试。

随时保持身心放松

你白天身心状况的起伏，会直接影响到夜晚的睡眠品质。

适度的运动可以帮助睡眠，但如果在睡前一个小时才做剧烈运动，急促的心跳和激素变化，反而会妨碍睡眠。至于精神方面，保持轻松的好心情上床，绝对要比神经紧绷好得多。因此，如果你一直神经紧绷，可以试着听有助于放松心情的音乐来松弛神经。如果你已经学习了准妈妈课程（详见方框内容）的话，里面也有一些技巧可以帮助你放松心情。请尽量保持一种轻松的心情吧！

不要把工作带回家

如果你是一位职业女性，也许平常忙碌的工作已经让你喘不过气来。如今怀孕了，如果你下班后还要在家里挑灯夜战，那么过度紧张的情绪，一定会严重影响你的睡眠。

睡前吃些东西

在睡前吃一些含有诱导睡眠的天然氨基酸成分的食物，如全麦面包、乳制品、瘦肉（特别是火鸡肉）及一些水果，分量少一点即可，以免加重肠胃的负担及产生胃管反流的现象。这类食物里的复合碳水化合物还具有以下几个优点：第一，这类食物的能量释放较慢，因此，可以使你的血糖浓度在夜间仍能维持在一定的水平，以免你在深夜时突然感到饥饿；另外，这类食物对钙的补充可以减少你夜里发生肌肉抽筋的概率。你也可以试试喝上一杯菊花茶，因为它的天然成分具有镇静、安眠的功效。至于含咖啡因的食物、饮料，应该在下午之后就尽量避免摄取。另外还有一些过去你吃了之后感到肠胃不舒服的食物，也应该避免。安眠药也一样，除非经过医生同意，否则切忌服用。

最后要提醒你，不要在睡前喝酒，不论你上床时的心情是多么郁闷。没错，睡前喝酒可能会帮助你较快进入梦乡，但是酒精的副作用，不是让你半夜醒来再也睡不着，就是让你睡到日上三竿醒来后，还浑身疲惫不已。因此，睡前饮酒绝对是弊大于利。

避免摄取具有利尿作用的食物

如果你有半夜经常起床上厕所的困扰，尽可能在下午3点之后，避免食（饮）用一些含有利尿成分的食物或饮料，如含咖啡因的咖啡、茶、可乐等，或是红莓汁及芦笋等。

另外，上床前先多上几次厕所，或者是当你睡到半夜、感到尿意时马上爬起来排尿，不要憋尿。唯有如此，你才可能在下半夜睡个安稳的好觉。

选择舒适的床铺

长期以来，一般人总是认为，睡硬一点的床对身体比较好，但这点对孕妇来说恐怕不太适用。尤其到怀孕后几个月，还是尽可能挑软一点、大一点的床铺睡，让身体得到更大的伸展空间。至于枕头、抱枕方面，你可以购买孕妇专用的，让你可以恣意地枕着、抱着它们入眠。

我丈夫可是一个"抱枕狂"！我第一次怀孕的时候，他就开始对床上新添购的抱枕很感兴趣。现在我已经是3个孩子的妈妈了，而我们的床上，摆着一大堆各式各样、大大小小的抱枕，其中有一大半还是他专用的呢！

许多孕妇告诉我们，新鲜的空气可以帮助她们睡得更好。因此，打开窗，看看你是否能休息得更好。如果外面太冷或不方便开窗，暖气又很强，不妨使用加湿器，尽可能让房间的空气保持湿润，这样呼吸起来会觉得舒畅一些。

保持良好的睡姿

对孕妇而言，保持良好的睡姿是相当重要的。在怀孕早期，腹部隆起并不明显，因此，只要是自己觉得舒适的姿势，就算是趴着睡也无所谓。不过，如果你有胃食管反流导致烧心的困扰，右侧卧可以尽快排空胃酸，因此这样睡应该比较舒服。而到了怀孕的后几个月，左侧卧可能是较适当的睡姿。因为脊柱右侧附近有一条下腔静脉通过，理论上讲，如果能保持左侧卧的姿势，笨重的子宫就不会挤压到这条大静脉，造成胎儿血液的回流减缓。不过，其实你不必过于担心某种睡姿会影响胎儿的健康，事实上，大多数孕妇每天晚上睡觉的姿势都会变来变去，根本不可能一整晚都固定在同一种睡姿上。

放松心情入睡

睡觉是一件很自然的事，因此不要强迫自己，不想睡也非得上床。如果你真的睡不着，以下几种方法也许可以帮得上忙：

随意阅读内容轻松的散文、杂志。千万别在这个时候读那些血腥、暴力、惊悚、悬疑的小说！

轻松交谈一会儿。和丈夫轻松交谈一会儿，一些严肃的话题留到明天再谈，否则两人一言不和吵了起来，你哪还睡得着？

看部令人放松的电影。喜剧可以使人发笑从而松弛神经。看部至少是结局完美一点的片子。

入睡前放松你的身体

舒舒服服地泡个热水澡，或是请丈夫帮你按摩一番。

当然，如果在按摩的同时加一些爱抚的动作，效果一定会更好！

倾听放松身心的音乐

听些能使你进入梦乡的音乐。芭蕾和古典音乐都有缓慢升降的高潮和低潮，有很好的催眠作用；主题略显单调并有多次重复的乐曲也一样。你还可以听些声音单调、重复播放大自然中声音的音乐，如潺潺的小溪流水声，或是海浪拍打岸边的声音。

不要和失眠过不去

有时候当你觉得身体已经疲惫不堪，却怎么也睡不着时，千万不要生气、心急，否则你只会越急越气，越难以入睡。此外，你也不要杞人忧天，担心睡眠不足会影响胎儿的健康。如果你有失眠现象，就不要勉强自己躺在床上。爬起来读点书、放些轻松的音乐听听（如果怕吵到家人，你可以戴上耳机），或者喝杯温热的牛奶都可以。当你觉得心情比较轻松一点时，不管此时你想不想睡，再试着回到床上闭上双眼，也许很快就会进入梦乡。

怀孕前3个月的阴道出血

许多孕妇刚怀孕时，因为阴道出血而感到惊慌，其实这并不一定表示你的身体出了什么问题。因为当你怀孕之后，随着胎盘的生长形成许多血管，有时候一些微血管破裂，而使阴道有轻微出血的现象。

根据统计，大约有20%的健康孕妇，在怀孕前几周内有类似现象发生。

以下内容可以让你清楚地了解什么样的出血是正常的，什么样的出血可能就必须赶紧找医生诊断。

你不必担心的出血

你不必担心的出血多半是无痛的、短暂的、微量的，且没有其他不适的症状发生（不过你在例行的产检中，还是应该向医生告知出血的状况）。血的颜色应是深红色或粉红色，且不带有血块。以下是 3 种怀孕早期常见的正常出血状况：

着床出血。通常在胚胎进入子宫着床后的 2~4 周内发生。这可能会被误认为是月经刚开始，尤其是你的经期较不规律时。

月经出血。怀孕后持续生长的胎盘，会释放出激素以抑制月经的发生，不过由于前几周释放出的激素量，尚不足以抑制即将到来的月经，因此你可能在怀孕一两个月时还会有少量、短暂的出血现象。

性交后出血。这是孕期常见的出血现象，但通常不会对怀孕造成伤害（详见第 136 页）。

有问题的出血

可能有问题的出血通常会伴随着疼痛、痉挛、大量出血、血色较深或是有凝结血块等现象。如果有上述现象发生时，你就应该马上就医，因为这些现象可能是流产的征兆（详见第 87 页），也可能是宫外孕的征兆（详见第 34 页"宫外孕"）。

你该怎么办？

如果你偶尔发现内裤沾有少许粉红色或红色的血迹，但既没有什么疼痛的感觉又不持续，那么等到例行产检时，你再向医生告知出血的状况即可。如果是因为运动或性行为造成的少量出血现象，一旦停止运动、性行为后，出血现象也跟着停止，也可在产检时再告知医生。然而，如果排出任何组织样物质（灰色或褐色）而不是血液（红色或肝红色），你应将该组织块保留到干净的容器内（小塑料袋或瓶子都行）然后尽快就医。医生会根据组织块来判断是否发生了流产或是宫外孕。

如果你发现出血量多到让整条卫生巾都湿透了，而且流血不止，还伴随下腹部疼痛、痉挛，甚至有眩晕的现象，就必须赶紧就医。此时，你应该平躺下来，尽量保持冷静。当然，不要忘了将沾有血渍的卫生巾或卫生纸保留下来，提供给医生作为诊断的重要参考依据。在医生询问的过程中，你还必须保持冷静，以便清晰、准确地回答问题——开始出血的时间、是突发性还是持续性出血、出血量、出血时间的长短、血的颜色和性状（鲜红、褐红、粉红、有无血块）、是否排出组织块，以及伴随着哪些不适（疼痛、痉挛）等。这些信息都有助于医生在最短的时间内，作出最正确的诊断。

怀孕早期大多数间歇性的出血都不会妨碍怀孕和生出个健康的宝宝。

如果医生说一切正常，但你仍心存疑虑，可以再做个超声波检查，以确定胎儿的健康是否受到出血的威胁，相信这样你应该就可以安心多了。

害怕流产

如果你害怕失去腹中的宝贝，这种恐惧感其实是正常且可以理解的。

因此，如果你如厕的时候发现有阴道出血的现象，自然会很在乎，尤其曾有过流产经历的孕妇更是战战兢兢。从医学观点来说，流产可称为自发性堕胎，意味着胎儿在尚未有机会见到这个世界的时候，就在怀孕的过程中自然地流失掉。

对流产的其他疑问

Q：为什么会流产？

A：在所有早期流产（指怀孕12周以内发生的流产）的病例中，有超过一半的流产，是因为胎儿染色体异常所致。其他较常见的因素还包括细菌感染、激素缺乏（特别是黄体酮）及免疫系统异常（如母体对胎盘组织产生抗体）等。另外，孕妇长期暴露在有毒的环境里，如抽烟、吸毒等，都可能造成胎儿畸形而发生流产（详见第58页"环境中的危险因素"）。

至于晚期流产（指怀孕12周以后发生的流产），多半是因为母体子宫异常所致（如子宫纵隔），而不是胎儿基因突变造成的。不过你可以放心，上述这些异常现象的发生率不到1%。怀孕晚期还有可能因为胎盘位置异常、子宫肌瘤（良性瘤）、子宫颈内口松弛及感染等因素，而导致流产。

其实，在所有流产病例中，约有1/3流产的原因是个谜。不过，一般的日常活动，不论是性行为（详见第141页"怀孕时对性生活的其他疑问"）、一般的运动、提举重物、晾衣服、正常的工作和娱乐，甚至轻微地滑了一跤，还是压力、紧张、沮丧时，你都不用担心会因此而流产。

Q：什么时候最有可能发生流产？

A：大部分流产都发生在怀孕的前8周。你怀孕的时间越久，流产的概率就会越低。

Q：流产的概率有多高？

A：在正常情况下，绝大多数的怀孕都是从健康的胚胎开始的，都是在健康的子宫里孕育苗壮的。据统计，约有10%的孕妇最后可能会流产。在怀孕早期流产，由于流血量较多，有时候会让平常经期就较不规律，且经血量较多的女性，误以为只是月经而已。因此，更准确地推算下来，真正的流产率应该接近20%左右。

Q：孕妇如何降低流产发生的概率？

A：大多数情况下，之所以流产是因为基因、染色体突变等自然因素造成的，非准妈妈所能控制。不过，如果准妈妈能够参考"准妈妈守则"（详见第49~67页"给宝宝一个健康的子宫"），比如尽量远离烟、酒、毒品，不让自己长期暴露在有毒的环境里，应该可以降低流产发生的概率。

如果你已经出现习惯性流产的现象，则要请医生做些特别的检查，以查出确实的原因。在大部分的临床病例中，只要医生能够找出导致流产的原因，加以对症治疗，那么成功怀孕的机会就会增加许多。

比如，如果是子宫结构异常，可以通过手术加以矫正；如果是激素缺乏，则可以通过注射来补充。总之，现代医学已经可以有效处理大部分习惯性流产的原因。

Q：如何知道快要流产了？

A：流产已经发生或发生前的征兆主要有下列两种：

阴道出血。流产时流出的血液颜色，会因流产时间的不同而有鲜红色、暗红色的差异。大约有20%怀孕正常的准妈妈，在怀孕早期也会有一两次阴道出血。如果你发现阴道出血的量，跟月经时一样多，而且一连几天，可能就是流产的征兆。

痉挛性下腹部疼痛。这种疼痛与月经前的腹痛类似，有时还伴随着下背部疼痛。

若是晚期流产，阴道出血的现象会相当明显。这时不但流血量大，而且还会有凝结的血块排出，孕妇还会感觉到子宫强烈的收缩。有时候，上述这些征兆预示着即将流产，即所谓先兆流产，但不表示真的已经流产。一般来说，阴道出血的时间越长，伴随的腹痛现象越明显，流产的可能性就越大。如果你已经有先兆流产的征兆，医生通常会检查阴道，看是否已经有胎儿组织从子宫颈口脱出（这样的检查通常不会增加流产的概率）。通过超声波检查及HCG水平的检测，就可以判断出是否已经流产。如果经过一系列超声波检查，发现胎儿依然正常成长，且激素水平仍然很高，那么继续怀孕的可能性就非常大。

不过，不要因为每次微量的出血及下腹部疼痛，就以为自己可能要流产而忧心忡忡。许多健康的孕妇在怀孕早期，会因为胚胎着床产生所谓的着床出血，而有微量出血，这是正常的现象。

Q：如果怀疑已经流产了，该怎么办？

A：如果怀疑自己已经流产了，

比如大量、持续地出血，尤其是有血块或组织块排出，且伴随着骨盆强烈的疼痛时，请尽快到医院急诊接受治疗（你最好将组织块装入瓶子中带去，以供医生诊断是否有胎儿组织）。

此时，医生会用阴道检查或是超声波检查的方式，来确定你是否真的流产，以及流产的状况完不完全（不完全的流产，是指还有部分胎儿组织留在子宫里）。一般来说，怀孕 8 周之前的流产多半是完全的，而怀孕 8 周之后的流产则以不完全流产居多。如果医生确定你的流产状况并不完全，他可能会为你进行刮宫术，以彻底清除子宫内残留的胎儿组织。当然，很多原因都会造成阴道流血，因此在进行这项手术之前，医生会先通过超声波检查，来确定是否为流产。实施刮宫术前，要先进行全身或局部麻醉，然后医生会将你的子宫颈扩大，以便让残留在子宫内的胎儿组织排出体外。医生还可以借此机会，来检查子宫的结构是否有异常，他也会采集部分胎儿组织的样本，进行基因方面的化验与分析。

如果经过医生仔细检查后，确定你并没有流产，他通常会让你回家静养，或根据实际情况，为你做进一步的超声波或是血液检查。

Q：如果过去有流产经历，是否意味着再次流产的概率要比别人高？

A：不一定。如果这是你第一次流产，下一次怀孕时再发生流产的概率，仅比你没有流产过的情况略微高一点。特别是因为染色体的异常而流产，或是在怀孕早期发生流产，又或是你以前曾生过健康的宝宝，那么，你再次发生流产的概率真的不会高出常人太多。同样，就算你连续流产了两次，下一次怀孕再发生流产的概率，同样不会明显高过没有流产过的情况。比如，如果你已经有过两次不愉快的流产经历，当你下一次再怀孕时，你仍然有 65% 的概率可以将宝宝顺利生下。至于那些过去从没有过流产或是仅有一次流产经历的孕妇，她们顺利将宝宝生下来的概率大概在 80% 左右。但是，如果很不幸你已经有过 3 次流产经历，你下一次再怀孕时，保住胎儿的概率将下降至 50%。尤其当你连续经历了 3 次流产时，你应该明智地做各项相关检查，以找出连续流产的原因，并加以治疗。如果没有发现任何原因，你完全有理由相信自己仍然极有可能顺利地生下一个宝宝。

我实在很庆幸，医生能在进行刮宫术之前，先用超声波彻底地帮我检查一遍。结果，他发现我并不是真的流产，而是胎儿出了一些状况。现在，每当我抱着我的心肝宝贝时，就在想，当初如果医生误诊了，对我而言，后果真是不堪设想。

因此，千万不要因为过去曾有过不愉快的流产经历，而影响到你继续怀孕的信心与勇气。话虽如此，许多曾有过多次流产经历的女性表示，流产的阴影就如梦魇般久久挥之不去，直到最后终于顺利生下健康的宝宝，那种恐惧的阴影才会逐渐消散。而有过流产经历的女性，多半会在再次怀孕时保持低调，也不急着帮小宝宝取名字，以免高兴得太早，一旦又流产了，到头来空欢喜一场。而且，在所有的亲朋好友面前，难免还会受到二次伤害。尽管这样的忧虑似乎是人之常情，可是，希望你仍然可以保持乐观积极的态度，期待新生命的降临。否则，根据研究指出，如果孕妇整天担心自己随时会流产，而惶惶不可终日，到头来流产的概率真的会比作好心理调节的孕妇要高得多。

因为我已经有过两次不愉快的流产经历，因此，这次怀孕时我与丈夫达成协议，不告诉任何人，以免带给我无形的压力。

然而，我会对肚子里的小宝宝真诚相对，告诉他我是多么害怕再次失去他。虽然我不想让他也承受我所受的压力，但我却无法欺骗自己。毕竟我已经失去了两次机会，这次我一定会全力以赴。

在两次流产之后，我仍然相信这次怀孕的结果能够如我所愿，顺利产下健康的小宝宝。但是，我对于先前两次惨痛的经历，仍然久久无法释怀。

流产后的心情

相信没有经历过流产的人，永远无法想象流产后女性所承受的痛苦有多深！对一般人来说，流产似乎没什么大不了，再怀一次就好了嘛。可是，这对于承受丧子之痛的女性而言，却需要花上相当长的一段时间，待心情逐渐平复后，才可能有勇气再接再厉。你会对怀胎数月的过程有太多的不舍之情，不是说忘就可以马上忘记。因此，除非经过一段时间的休息，否则你的心情很难真的平静下来。千万不要在还没有作好心理调节前，就贸然地想再怀一个，以代替原先流掉的孩子。如果你有计划再怀孕，事先最好与医生好好沟通，经过专业、客观的评断，医生认为你真的已经做好准备时，你成功怀孕的概率自然会增加不少。

我们的第一次怀孕，只经历了11周就因流产宣告结束。我俩的心情，从刚怀孕时的兴奋、喜悦，到流产后的悲伤、失落、痛苦，那种从天堂摔到地狱的感觉，除了我们夫妇俩之外，没有人能够体会。我丈夫只是默默地接受这个残酷的事实（虽然他在哥儿们面前表现出悲伤，但对我只表现出支持与安慰）。然而，我们的第二次怀孕为时更短，只怀了10周又再次流产。我陷入极度恐慌的情绪中，总觉得是命运在捉弄人，不知道自己到底做错了什么，怎么会有这样的报应。于是，我开始愤愤不平地胡思乱想："为什么未婚妈妈生孩子就那么容易？""为什么有暴力倾向的双亲依然生得出孩子来虐待？""为什么大多数的女性怀孕都不会流产？"此时，包括我的父母亲在内，所有的亲朋好友都不知道该怎么安慰我们。我试着上些开发自我潜能的课程，将我的痛苦经历拿出来与同学分享，让我的情绪得以充分宣泄。后来，经过手术切除掉子宫肌瘤之后，我终于顺利生下一个健康的孩子。然后我一口气又接连生了两个，接着又发生了两次流产。现在，我正怀着11周的身孕，明显隆起的腹部，使我很难再向每天与我接触的人保密了。我相信如果又流产了，依然会一如往常难过好一阵子。不过现在我已经比以前豁达多了，而且，我一定会坚定目标、不轻言放弃，努力再努力，直到达到目标为止。虽然这是我怀的第8胎，但我实在没有把握，能否像前面其中3次成功的经历那样顺利。不过我可没时间想那么多，现在这3个小鬼，再加上肚子里的这个，每天已经把我忙得晕头转向了。（这位母亲后来顺利生下一个健康的男孩。）

35 岁以后怀孕

Q：我今年正好35岁。我听说高龄产妇在怀孕时好像更容易出问题，真的是这样吗？

A：有些人是这样的。你的疑虑的确有一定的科学依据。据统计，35岁以上的女性（十几岁的小女孩也一样），在怀孕时发生问题的可能性的确要高一些。高龄孕妇比年轻孕妇更容易发生流产、高血压及妊娠期糖尿病（应该正名为妊娠葡萄糖不耐受，详见第235页"葡萄糖耐量试验"）你也许听说过高龄产妇发生难产的概率更高，不过，专家学者们并不同意这种说法。因为过去针对高龄产妇所做的统计数据时间已太久远，在医疗技术突飞猛进的今天，自然无法客观地反映出现代高龄产妇的实际状况。由产科医生所做的最新研究报告指出，他们普遍认为，一位35岁身心健康的女性在怀孕时，除了发生染色体基因变异的概率较高之外，其他各方面的状况应该与年龄较小的孕妇没有太大差异。过去20年，超过35岁的高龄孕妇顺利生下的宝宝数量，比过去已经增长了1倍以上。

此外，在我们的实践中还发现，35岁以上的高龄产妇，事实上还拥有不少优势。这些女性已经有相当程度的社会经历，因此身心普遍较为成熟，这使得她们在怀孕时的自我保健、医疗诊所的选择、与医护人员的交流及照顾小宝宝等方面，都会比年轻妈妈要周到许多。在我们多年的临床经验中，当许多年纪较大的初次怀孕夫妇上门求诊时，从他们的问答之中，可以明显感受到他们用心之深。

由于现在产科技术的发达，许多年纪较大的女性，不但比年轻女性更懂得利用相关的医疗资源，也不再惧怕自己成为高龄产妇。（如果在35岁之前，已经有顺利分娩的经验，那么35岁之后，再怀第二胎的危险性将大幅降低。因为有了前一次的分娩经验，你不但可以提早从容安排所有应注意的相关事宜，调整身心状况，还知道如何照顾新生儿和应对各种紧急状况。）更重要的是，假使你过了35岁还有生育的打算，只要你能将本书从头到尾仔细读一遍，而且在怀孕之后能确实注意相关事宜，相信你怀孕时发生危险的概率将会微乎其微。

唐氏综合征

Q：听说35岁以上的孕妇，生下唐氏儿的概率比较高，这是真的吗？什么样的检验方式可以预先检测出胎儿患有唐氏综合征？

A：许多对于唐氏儿的统计资料的确反映出高龄产妇生出唐氏儿的概率比一般女性高。但是，如果能将这些资料仔细过滤、分析，就会发现这样的结论过于武断。的确，大多数的研究报告都指出，40岁以上的孕妇怀有唐氏儿的概率明显偏高，当然，35岁以上的孕妇，出现染色体变异的可能性已经有升高的迹象。考虑到这些因素，如果你已经超过35岁，到底该不该再继续生育，或者你现在刚好是高龄产妇，到底该不该做唐氏综合征检查，这些都可能是你现在最关心的事。

理论上，怀有唐氏儿（或其他染色体异常的胎儿）的概率，的确是随着孕妇的年龄逐步递增。后面的表格就是一份简单的统计数字。

不过，单从表面数字来看，极有可能被误导。就以35岁的女性为例，怀有染色体异常的胎儿的概率是1:192，相当于仍有99.5%的孕妇怀有正常胎儿，如果用这个数字来作比较，相信你一定会安心多了。

至于是否该进行产前筛查，你应和医生一起讨论利弊。当医生建议你做筛查时，不要因为自己的年龄而感到受歧视。受过专业训练的医生，的确有义务告知身为高龄产妇的你，做筛查的重要性。但是，他绝对不能强迫你，因为这是你的权利，没有任何人可以勉强你。你是否该做唐氏儿筛查，下列几点可以作为衡量的参考：

*你会不会因为检查后的结果不尽如人意而改变你的怀孕计划？

*你能不能因为提前得知胎儿有染色体方面的疾病，而做好迎接养育特殊儿童的准备？

*如果不做检查，会不会让你整天提心吊胆，深怕日后产下一名唐氏儿？

*由于甲型胎儿蛋白检查（详见第144页）检验唐氏综合征的准确度仅有60%~70%，唯有通过羊膜穿刺术（详见第147页），才可能达到100%的准确度。而如果你是35岁以上的孕妇，羊膜穿刺术导致流产的危险性相当于怀有染色体异常的胎儿的概率。这样一来，权衡利弊最好的方式，就是与医生好好沟通。你可以请教他对于羊膜穿刺术可能产生并发症（特别是导致流产）的看法。一般来说，因为羊膜穿刺术造成的流产率在1∶200左右（这与35岁孕妇怀有染色体变异胎儿的概率相近）。不过，这与医生是否具有丰富经验有关。因此，你需要多与医生讨论，然后再作决定是否进行羊膜穿刺术。

不过，许多女性之所以对生出唐氏儿如此恐惧，多半是因为对特殊儿童的了解不足。当然，也有部分女性，是因为过去家族或周围环境中，曾有养育特殊儿童的不愉快经历。其实你应该换个角度想，你可能因为对特殊儿童付出的那份特殊的爱，而换来更弥足珍贵的成就感。在我们的7个孩子中，斯蒂芬就是一个典型的唐氏儿。刚生下他时，我们根本没有做好心理准备（怀孕时，我们放弃了做产前筛查）。虽然他的病症是我们养育他的一大挑战，然而由于他的加入，全家人的生活更为丰富。在许多方面，唐氏儿的能力的确不如一般孩子，但在某些领域，唐氏儿的表现其实胜过其

母亲的年龄	怀有唐氏儿的概率	怀有染色体异常胎儿的概率
20 岁	1∶1667	1∶526
30 岁	1∶952	1∶385
35 岁	1∶378	1∶192
40 岁	1∶106	1∶66
45 岁	1∶30	1∶21

他正常的孩子。基本上，斯蒂芬是很惹人怜爱，也很聪明的孩子，他的许多表现常常带给我们启迪，告诉我们人生到底什么才是最重要、最值得珍惜的，我们从他身上学到了很多很多。今天，医学技术的进步、社会福利制度的发展及特殊教育制度的建立，像唐氏儿这样的孩子不再像以前那样被看成是负担。相反，我们总是对所有的孩子一视同仁，因为，他们全都是上苍赐给我们的最珍贵的礼物。

遗传咨询与诊断

Q：我的两位好友在生下小宝宝后，才发现他们都患有遗传性疾病。我很担心这样的不幸降临在我身上。医生建议，当我怀孕后，再考虑做与遗传相关的咨询与诊断。我不知道怀孕后再做会不会已经太晚了？

A：对于少数特定的夫妻而言，遗传咨询与诊断是必须做的（见下文）。而对于大多数表面上没有遗传疾病迹象的夫妻来说，遗传咨询与诊断所涉及的问题就复杂许多。比方说，如果遗传医学科技进步到将所有遗传病因统统挖出来，那么你做还是不做？如果你做了，会不会因为知道可能发生的遗传疾病，而改变原先的怀孕计划？你的忧虑是减轻了还是增加了？面对未来这些潜在的不确定性，你又该如何应对？同上面所提到的唐

氏儿检查一样，你有自主权，这取决于你的价值观和生活状况。遵从前面介绍过的决定步骤，按部就班进行思考，就可以得到答案。你怎样面对遗传学家提供给你的数据？你究竟希望多生几个，还是少生几个？你会因此而非常不安，还是反而松了一口气？

向遗传咨询医生请教，讨论潜在的风险与如何选择，会给你带来很多好处。因为这样做不涉及检验，不会给胎儿带来危险。你可以向专业医生坦白所知道的家族病史，以便他能够作出最佳判断，并提出最好的建议。这样才更有助于你对是否该进行遗传检查作出明智的决定。这不像一般例行的产检，而是为你与胎儿量身定做的诊断。当然，如果你有些犹豫，不知道到底该不该做检查，也许可以翻回前面的统计表再回顾一下。其实，45岁以下的孕妇，生出带有遗传疾病婴儿的概率仅为1%~2%。如果你还不放心，可以试着再与遗传学方面的医生谈谈，也许会使你安下心来。

我的第三次怀孕经历实在令人难忘。当时，我已经38岁，怀孕没多久，我那才13个月大的女儿就被诊断出有唐氏综合征的倾向——尽管到目前为止，她的表现都还算正常。但是，如果这一胎生出来的孩子又有类似的问题，那可不是闹着玩的。因此，

在逐一考虑过各项检查，并与遗传咨询医生充分讨论之后，我们决定采用羊膜穿刺术来做检查。整个检查完成后，静候结果的那段时间里，我们内心受到的煎熬非常人所能体会。如果检查出胎儿有唐氏综合征或其他遗传疾病，是生还是不生呢？幸运的是，后来检查的结果很好，胎儿一切正常，并没有什么异样。这样一来，又让我们得以重享怀孕的喜悦，并期待健康宝宝的来临。

有下列状况时，建议进行遗传咨询。

*你曾经生育过，或是你丈夫曾经有过遗传疾病的孩子。遗传咨询医生会告诉你，以后出生的孩子中患此病的可能性有多大。他还会建议你，如果有必要，该采取何种检查方法，才能提早预知。

*你担心肚子里的胎儿有特定的疾病。许多父母因为了解自己家族的病史，因此希望趁怀孕时，通过检查提早预知。此时，遗传咨询医生会根据父母担心的疾病提供建议。事实上，在宝宝出生前，许多疾病通过对父母进行血检就可以得知。

*因为伦理或地理关系，你属于可能携带某些遗传疾病基因的高危人群。比方说，中欧、东欧的犹太人就很可能遗传到一种名为黑蒙性家族

痴呆症的遗传性疾病（一种致命的酶缺陷疾病）。而通过对父母血检，就可以得知父母是否已经成为基因携带者。血检也可以检查出非洲人血统常见的镰刀型细胞贫血症。当然，对于地中海附近的人是否为地中海型贫血的基因携带者，也可以查出来。

*父母中有人患有先天性心脏病或肾脏病。这也是一些常见的遗传疾病。遗传咨询医生会告知你，胎儿遗传到这些疾病的可能性。不过，大多数先天性心脏病和肾脏病，都可以通过超声波检查出来。

*近亲结婚。由于遗传性疾病多半在家族中蔓延，因此，父母之间的血缘关系越近，就越有可能将一些遗传性疾病遗传给胎儿。

遗传咨询的最佳时机，应该是在你们计划怀孕之前，特别是当你们双方家族中任何一方有过已知的遗传疾病时。不过，如果你已经怀孕，但有这方面的顾忌，你最好先与产科医生讨论，他能解除你的忧虑或推荐一位遗传咨询医生。

单身妈妈

Q：我很高兴我怀孕了。但是，一想到我是个单身妈妈，就感到前途茫茫，不知道该怎么办？

A：怀孕本来就是人生中的一件大事。尽管这是件好事，但是，你仍

会感受到极大的压力，所以你会希望有人能陪你一起走这段路，这是很自然的现象。不管是环境使然，还是其他因素使你成为一个单身孕妇，你都会渴望找些伙伴，陪你一同度过漫长的怀孕时光。通常情况下，大多数的朋友或家人知道你怀孕的消息后，应该或多或少都帮得上一点忙，也许是倾听你的种种喜悦、忧虑，也许是陪你做产检、上准妈妈课程等。当然，她们也会给你各种鼓励，并提供一些建议供你参考。站在你的立场，你很可能希望能从这些朋友中，特别挑出一位，在怀孕和分娩时来陪你，在产后也可以帮助你。

不过，这样的朋友毕竟是可遇不可求的。因此，你也许可以试着认识几位单身妈妈，了解一些过来人的想法与做法，相信对你一定会有很大的帮助。人生有时候就是这样，过来人的经验往往是最弥足珍贵的。除了朋友之外，寻求家人的支持与关爱，也是很重要的。如果你实在得不到来自亲友的支持，也可以选择专业机构，协助你处理在怀孕期间遇到的一些较为棘手的事情。不要忘了血终究是浓于水的，不到最后关头，千万不要放弃寻求来自家人的支援。另外，既然你已经怀孕了，并有把孩子生下来的决心，就不要再对环境不满或对人情的冷暖抱怨不休，你应该更乐观、积极地面对这种不太理想的情况，尽你所能为孩子创造一个充满爱的环境。

当我打电话把怀孕的消息告诉母亲时，她惊讶得说不出话。现在，她都觉得她这个4岁大的外孙女是个奇迹。

搬家

Q：目前我与丈夫住在一间小公寓里，我相信一旦有了孩子，我们就必须换个环境。既然迟早要搬家，早搬是否比晚搬更明智呢？

A：搬家可以说是人生的一项重大决定，而且不要忘了，宝宝也是你们作决定的动力。但是，在作出如此重大的决定之前，请先静下来思考，你们俩坚持要搬家的真正理由是什么？是为了布置一间较宽敞的育儿室，以迎接小宝宝的诞生？是为了拥有一个较大的院子供孩子玩耍？还是希望预先帮孩子准备一个独立的房间？而一旦马上要背负庞大的房贷，你们是否已经做好准备？

其实，从小宝宝出生到1周岁的这个阶段，他可以很舒服地躺在小小的婴儿床里。对他而言，给他一个独立的房间是没有任何意义的（事实上他可能更喜欢睡在你的身旁），相信他对你精心布置的嫩粉色的可爱壁纸，应该也是无动于衷的。

当他长大到开始学习走路的阶段时，空间也不用太大，不论是客厅还是其他房间，都已经足够让他练习走路了。当然，也许你会想到，一大堆玩具不知道该堆在哪里，其实，你只要稍微动动脑筋，收进床铺底下就应该绰绰有余。就算床底下放不开，花点钱买个柜子，也比你换房子省时间又省力气。

如果你坚持非搬家不可，最好的时机应该是在怀孕的中期。因为在怀孕早期，你可能会因为严重的恶心和疲惫，而根本动弹不得；而怀孕的后几个月，那时大腹便便、准备待产的你，除了行动上明显不方便之外，在情绪上也很容易受到打扰，根本没有精力去应付找房子、贷款、请搬家公司之类的事情。怀孕早期也会有类似情绪上的困扰。

不过，当你度过害喜的前几个月，就比较容易静下心来做些搬家的规划。

首先，你应该思考，什么样的生活条件，对这个家庭来说是比较重要的。然后，你就可以开始针对新环境的社区安全、周围学校情况、附近的公园、交通状况、新家空间的规划、贷款是否付得起等条件逐一仔细评估。当你选定一两处理想的房子时，最好能在附近再多待一些时间，以确实感受这个新环境是否如你预期，而不只是走马观花地看看房子而已。这样一来，你才比较容易买到称心如意的理想房子。

当新家评估完成，而且决定搬家时，这时已经怀有身孕的你，就不要事必躬亲了。你应该放手让搬家公司、丈夫及一些亲朋好友来代劳，这才是明智之举。

最后再次提醒你，如果你坚持现在搬家，会对你的生活带来更多的困扰和压力。比如沉重的房贷、上班交通问题，或是花时间重新熟悉环境等，所以你一定要三思而后行。相信你的小宝宝，一定也不希望你们为了他而吃那么多苦。

产前检查的必要性

Q：我怀孕的整个状况都很不错，我不但能正常地吃、正常地运动，也有足够的睡眠，当然，我还看了很多与怀孕相关的书籍。我的工作尽管繁忙，但是问题都能迎刃而解，而不影响我的正常作息。这样来看，每个月的产检会不会显得没有必要？

A：就算你自认为已经具备足够的怀孕知识，还是应该接受定期的产检。对于许多孕妇来说，通过定期的产检，的确可以达到提早发现问题、提早治疗的目的。就算你的身体状况不错，而且已经熟读所有的怀孕书籍，你也应该记住，书籍和课堂是一般性的知识，而你的怀孕是独一无二的。接受定期产检，已经不仅仅是测量体重、血压、验尿而已。通过一次又一次的产检，可以让你准确地了解胎儿的现状，并以此来作为日后分娩各项准备的重要参考。更重要的是，可以在精神层面上，给你一种安定感，让你怀着喜悦的心情来面对怀孕期间的种种不适。

通常在怀孕的前28周，医生每个月会为你安排一次产检。到了怀孕的第28~36周时，产检的次数会缩短为每两周一次。36周之后一直到分娩前，医生会每周为你安排一次产检。当然，产检的次数与间隔时间的长短，会根据你的身体状况、过去分娩的记录及其他的特殊需要而进行调整（每次产检的内容，详见各章开头的介绍）。一般来说，产科医生会以门诊的方式为你进行产检。大多数的产检结果，应该都是相当正常的，说明孕妇和胎儿都在正常地成长和发育。有些变化则预示着一些非专业人员可能观察不到的并发症，这些并发症如果能在早期发现，多半都能及时治愈。总之，经过了一而再，再而三的产检，你未来顺利生下健康宝宝的可能性也增加了。

当然，养儿育女不是你足够用心，就可以保证孩子长大后一定会成龙成凤。但有些事父母做了就可能会对孩子更有利。怀孕时所做的定期产检正是如此，它可以让你生下健康宝宝的可能性大幅增加，你应该重视它。因此，对于新手孕妇来说，可以得到一个很有价值的经验——将自己照顾好，这样才能把肚子里的宝宝也照顾好。

一人吃两人补

在怀孕时，除了在身材、行动上要有所牺牲之外，在饮食上，也要考虑你和胎儿两人的需求。

对于行动较为不便，而且又容易感到疲累的孕妇，要求一日三餐照着各式各样的食谱和营养成分来精心设计饮食，可能是一种很大的负担。其实，只要遵照一些大原则，比如怀孕时应该特别补充哪些营养，以及改掉过去一些不好的饮食习惯，那么，不但不会增加饮食上的困扰，还可以轻松顺利地生下一个健健康康的小宝宝。

不论是否怀孕，人体内基本上都需要以下6种营养素：蛋白质、碳水化合物、脂肪、维生素、矿物质（主要指钙和铁）及水分。如何均衡吸收这六大营养素，才是怀孕时你要去面临的重要课题。一般来说，人体内的热量15%~20%来自蛋白质，50%~60%来自碳水化合物，

20%~30%从脂肪而来，另外还要摄入每日建议摄取的维生素与矿物质含量。以下就是均衡吸收六大营养素的重要性及相关注意事项。

脂肪

怀孕的身体需要补充脂肪。除了提供孕妇足够的体力之外，补充一些特殊脂肪（指必需脂肪酸），则有助于胎儿脑和神经系统等组织的形成与再生。因此，当你怀孕时，不要刻意像过去减肥时那样，自始至终忌食富含脂肪的食物。不过脂肪也分为优质脂肪与劣质脂肪，一般富含优质脂肪的食物，包括深海鱼类、坚果、酪梨及大多数蔬菜与种子提炼出来的油脂（如橄榄油、亚麻油等）。另外像乳制品，也富含一些虽不属于优质但仍为人体所必需的脂肪。至于肉类脂肪，它的成分比乳制品差一些，但仍然可以提供人体所需的部分脂肪。

至于一些所谓的劣质脂肪，则多为经过加工的人工脂肪。如果你在加工食品的标签上看到"氢化"的字眼，建议你还是少碰为妙，因为这些食物吃起来口感虽佳，但对身体健康多半有害无益。

玛莎护士的经验谈：为了增加奶油的优质脂肪，我在制作奶油的搅拌过程中，加了半杯芥花油，然后把这份奶油放在冰箱里冷藏了起来。

胆固醇一向是营养学界里的坏分子。但事实上，人一生中（至少在女性怀孕及新生儿这两个阶段），还得靠它多帮忙呢！因为胆固醇是胎儿的小脑袋发育所不可或缺的营养素。此外，怀孕时某些激素的产生和代谢需要有胆固醇的参与，因此，女性在怀孕时多摄取一些胆固醇是很自然的需求。

尽管如此，这并不意味着你就可以将奶油大口大口地往嘴里送。不要忘了，人体所需的热量中，只有20%~30%应由脂肪来供应，常人如此，孕妇也是如此。

蛋白质的重要性

蛋白质是孕妇与胎儿成长不可或缺的营养素。胎儿所有组织与器官的发育，都是由千千万万个蛋白质分子不断聚集而成的，直到这些组织器官充分成熟为止。

蛋白质是由许多微小的氨基酸组成的，大部分构成蛋白质所需的氨基酸都可以在体内自行合成。不过，有一些氨基酸不能在体内合成，需要从食物中摄取，我们将这一类氨基酸统称为必需氨基酸。如果这一类氨基酸摄取不足，身体的生长和某些功能就会发生障碍。而对于某些富含必需氨基酸的食物，我们称之为完全蛋白质食物，包括肉类、鱼类、家禽、蛋类及乳制品等动物性食物。蔬菜、全谷物食物、豆类（包括大豆、扁豆、其他脱水豆类及花生）等植物性食物也是极好的蛋白质来源。不过，与动物性食物不同，植物性食物（除了豆类）只含有部分必需氨基酸，不能称为完全蛋白质食物。因此，你必须将不同的蛋白质食物结合起来，才可能摄取到全部的必需氨基酸。比方说，你可以在食用全麦面包时搭配一些豆类，或是同时食用植物性和动物性食物（如蔬菜与乳制品、谷类与肉类）。以下的食物搭配方式，可以帮助你获取完全蛋白质：

＊全麦面包与奶酪（谷物与乳制品）

＊麦片与牛奶（谷物与乳制品）

＊全麦通心粉与奶酪（谷物与乳制品）

＊全麦面包与花生酱（谷物与豆类）

＊脆麦片与酸奶（谷物与乳制品）

＊扁豆汤与全麦米饼（豆类与谷物）

＊米布丁（谷物与乳制品）

＊豆类与大米（豆类与谷物）

＊通心粉与肉酱（谷物与肉类）

＊奶油西兰花（乳制品与蔬菜）

一般来说，一位孕妇每天需要摄取 100 克蛋白质。如果你每天能够均衡食用 3~4 份五大类食物（肉、鱼、家禽、乳制品与蛋），你和胎儿的需要大概就足够了。到了怀孕后几个月，补充的量才需要再多一点。因此，在怀孕的前 3 个月，你大可不用担心，害喜会让你无法摄取到足够的蛋白质。如果你不喜欢吃红肉，或者对乳制品过敏，甚至根本就是素食主义者，你可能就必须调整一下菜谱，以免蛋白质摄取不足，进而影响到腹中胎儿的正常成长（详见第 109 页，有关素食者在怀孕期间，饮食上要特别注意的事项。或是第 103 页中，乳制品替代品的介绍）。目前，一种常见的错误说法是，大多数人的蛋白质摄取量都远超过真正的需求量。事实上，大多数人——特别是准妈妈——往往摄取过多的碳水化合物，而忽略了摄取足够的蛋白质。

复合碳水化合物

一般来说，在有营养意识的人的观念里，一提到糖（碳水化合物），就会马上想到臭名远扬的胆固醇。不过当你怀孕时，每天全身需要的热量有 50%~60% 是由糖提供的，这样看来，糖可以说是人体能量的主要源泉。

此外,不同的糖营养价值也完全不同,比如由小分子组成的、营养价值较低的单糖,由于极易被人体吸收,并很快透过肠壁渗入血管,造成了血糖的迅速上升。此时,胰腺会分泌大量胰岛素,以抑制血糖的上升。因此,血糖有时候会产生明显的起伏,而在短时间内影响到人的情绪。一般常见的单糖为蔗糖和葡萄糖,它们多半呈颗粒状,在糖浆、糖衣或糖果里,都可以见到它们的踪影。由于准妈妈体内的激素会改变糖的新陈代谢,因此,过去对血糖升降不敏感的女性,怀孕时会变得极其敏感,可能就会在食用糖含量较高的食物之后,情绪骤然发生变化。

营养价值较高的糖类,是天然水果中富含的果糖与乳制品中的乳糖。这些糖不但提供人体活动所需的热量,而且不会像单糖那样刺激胰岛素的分泌,因此不会导致情绪骤变。

而对孕妇健康最有益的糖分称为复合糖。由于它的分子较大,吸收较慢,因而进入血管内的时间比单糖要慢得多,从而使血糖水平更平稳。这类复合糖一般统称为复合碳水化合物或淀粉。复合碳水化合物最好的来源为意大利面、土豆、谷类、豆类及种子类等。与单糖、果糖及乳糖不同,复合碳水化合物不但可以缓慢、持久地提供热量,也使血糖的水平比较稳定,总体上更健康。

补充额外的铁

由于胎儿成长的时候,至少需要几十亿个红细胞,才能维持整个身体组织的正常运作,因此,孕妇应该多补充具有造血功能的铁,以应对胎儿成长的大量需求。铁不足(贫血)会使孕妇感到疲倦。在怀孕第3个月末(此时正是害喜消退的时候),医生多半会希望你多摄取一些富含铁的食物,必要时还可以补充铁剂,以弥补从食物中摄取铁的量不足。一般来说,孕妇每天需要铁的量,约为正常时的2倍,大概60毫克左右。如果你贫血或是怀有多胎,铁的摄取量应该再增加一些。

如果你问:孕妇是否一定需要补充额外的铁剂?我想答案应该是肯定的。尽管你已经很注意在饮食中增加铁的摄取量,但是,单凭食物绝对摄取不到足够的铁。最好的方式,就是在刚怀孕的时候,就开始补充铁(如果能在怀孕前补充,效果会更好)。不过,也有些孕妇反映,当她们开始服用铁剂时,有时候不但胃会不舒服,还有便秘的现象。如果你也有这种情况,可能需要进一步请教医生,能否将服用铁剂的时间延后到害喜消失后,这样就不容易发生胃部不适的问题,因为铁需要

铁的最佳食物来源

食物名称（量）	含铁量（毫克）
肝脏（112 克）	8.5
生蚝（半杯①）	8
豆类（1 杯）	5
赤糖蜜（1 汤匙②）	5
麦片（添加铁，28 克）	4~8
大麦（1 杯）	4
扁豆（1 杯）	4
牛肉（112 克）	3.5
沙丁鱼（112 克）	3.5
泡菜（1 杯）	3.5
南瓜（1 杯）	3.4
蛤蜊（112 克）	3
杏干（半杯）	3
甜菜（1 杯）	3
豌豆（1 杯）	2~3
土豆（1 个，带皮）	2.7
金枪鱼（112 克）	2
虾（112 克）	2
无花果（5 个）	2
通心粉（1 杯）	2
葵花子（28 克）	2
西兰花（1 个）	2
樱桃（半杯）	1.6
葡萄干（半杯）	1.5
酵母（1 汤匙）	1.4
梅干（5 个）	1
鸡肉、火鸡肉（112 克）	1
面包（1 片）	1
坚果（28 克）	1
冻豆腐（84 克）	1

孕妇铁的建议摄取量：一天约在 60 毫克左右。

量最大的时候，是在怀孕的后半期。你也可以将一天一剂分为数次服用，以减轻肠胃刺激。

表中是一些富含铁且易为人体吸收的食物，在此列出来供大家参考。

＊你从饮食中究竟可以摄取到多少铁，除了考虑食物本身的铁含量之外，还得视饮食的搭配而定。有些食物有促进人体吸收铁的作用，而有些食物则会妨碍人体对铁的吸收。比如一些富含维生素 C 的食物（如柑橘、草莓、猕猴桃等），与含铁的食物一起食用时，就可达到促进铁吸收的功效。相反，像牛奶、咖啡、茶和抗酸剂等，则会妨碍人体吸收铁。为了有效促进铁的吸收，饭后来一杯橙汁或葡萄柚汁，都是不错的选择。

＊请注意，并不是所有食物中的铁都可以为人体吸收，菠菜就是一个典型的例子。没错，菠菜的铁含量的确很高，可惜，其中的大部分却无法为人体吸收。像菠菜这样的食物还有很多，这些食物中铁含量高，但是吃进去却吸收不了，我们将它们统称为"纸上的铁食物"。同样的情况也发生在其他蔬菜和蛋黄里，这些食物所含的铁都无法被人体完整地吸收。因此，当你看铁剂包装上的

---

① 1 杯约等于 0.28 升。

② 1 汤匙约等于 15 毫升。

铁含量时，不要被上面的数字误导，因为你要摄取的是所谓的"元素铁"，即指那些能够被人体吸收的铁。比方说，一片300毫克的硫酸铁，可能其中只含有60毫克的元素铁。因此，如果你对铁剂瓶子上的标示有疑虑，可以就近向药剂师或医生请教。上页的表内是一些富含人体容易吸收的铁的食物。

当铁的摄取量不足时，你会出现容易疲劳、生气、注意力无法集中及肌肉疼痛等现象，这可能是贫血的征兆。此时，医生会检查你的血色素与血比容，以确定你是否贫血。然而，尽管你的血色素与血比容都很正常，你依然有可能铁摄取量不足。因此，如果你仍然怀疑自己贫血，可请医生对血液中的铁蛋白含量进行检查，以更准确地检验出体内的铁储存量是否正常。如果铁蛋白含量偏低，就表示体内铁储存量不足。这不但对孕妇不好，也会影响到胎儿的健康。因为如果孕妇长期贫血，就比较容易产下体重过轻的婴儿或是发生早产。

由于怀孕后血液量增加，因此你的血色素与血比容可能会比你怀孕之前要低一些。这种因为怀孕而产生的现象，称为血稀释，这种贫血也被称为孕期生理性贫血。

注意钙的摄取

为了适应胎儿的骨骼成长及孕妇骨骼健康的基本需求，怀孕时所需的钙应为平时的2倍以上。这是因为胎儿的牙齿与骨骼在怀孕的第2个月就开始形成，到怀孕的第6个月，它们的生长速度要比第2个月时增加1倍。此时，如果钙质摄取不足，胎儿会本能地从你的骨骼中吸收足够的钙质，结果造成你骨质疏松。一般来说，你和胎儿每天的钙平均摄取量，应该在1600毫克左右。这比过去没怀孕时

钙的最佳食物来源

食物名称（量）	含钙量（毫克）
酸奶（224克）	400~450
牛奶（224克）	300
鱼类：带骨鲑鱼、金枪鱼、沙丁鱼（112克）	250
奶酪（28克）	200
冻豆腐（224克）	200
白干酪（224克）	150
赤糖蜜（1汤匙）	137
无花果（3颗）	80
杏仁（28克）	75
宽叶羽衣甘蓝（半杯）	74
大豆（半杯）	66
西兰花（半杯）	50
羽衣甘蓝（半杯）	47

一天 800 毫克的摄取量高出许多。最新的研究报告指出，孕妇如果能保持每天补充 1500~2000 毫克的钙，就可以降低 60%~70% 的高血压与先兆子痫的发生率。由于到了怀孕晚期，胎儿对钙的需求量大增，因此确保自己有足够的钙储存量是很重要的。幸运的是，除非你本身对乳制品过敏，否则从日常饮食中摄取到足够的钙应该不是件难事。大约 1 升的牛奶，就足以满足你一整天的钙需求量。在所有的食物中，富含钙且热量最少的优质钙补充品，首推酸奶。因此，如果你不大喜欢喝牛奶，酸奶应该是不错的替代品。而且，同样 1 升的酸奶，不仅钙含量比牛奶丰富，其营养价值也远超过牛奶。此外，奶酪富含钙，是另一种很好的牛奶替代品。如果你过去一喝牛奶就会拉肚子，可以试试酸奶。如果你对乳糖不耐受，也可以饮用富含钙的豆浆或米汤，或是在牛奶里放一颗乳糖酶一起饮用。如果你嫌乳制品的脂肪与热量高，也可以选择含钙量更高的低脂或脱脂乳制品。

适量的盐

过去很长一段时间内，当孕妇发生手脚肿胀的现象时，多半被判断与摄取过量的盐有关，如今，孕妇手脚肿胀已被证明与盐的摄取量无关。因此，除非医生有指示，否则千万别自已限制盐的摄取量。盐可使你体内保持更多的水分，而孕妇体内需要比怀孕前多出 1 倍的水分，来支持增加的 40% 的血液及保护胎儿的羊水。很早以前，农民就知道孕妇需要补充盐。如果去参观牧场，你会看到一些怀孕中的母牛，正在舔食农民为它们准备的盐砖。不过，这里所指的并非海盐，而是含碘的碘盐。因为你的体内也需要补充碘，以免在怀孕时，因为缺碘而造成甲状腺病变。总之，别忘了在你的菜里放些盐！

维生素的摄取

虽然孕妇对于蛋白质、钙、铁的需求比平时多得多，但在维生素方面，孕妇所需的摄取量仅比平常略高。由于大多数维生素散存在所有的食物中，因此，只要你能保持均衡的饮食，你和宝宝就不会缺乏维生素。这也是为什么许多产科医生并不会特别推荐复合维生素给孕妇的原因。

增加叶酸的摄取

叶酸是个例外，额外补充仍然是有必要的。虽然从日常的食物如生菜、豆类、坚果、肝脏、深黄色水果与蔬菜中都很容易摄取到叶酸，但由于它是胎儿成长时必需的一种维生素，因此，怀孕时的需求量要比平时多上 1 倍。特别是这种水溶性维生素无法储

及早作好营养规划

如果你已经有怀孕生子的计划，在你怀孕之前，最好开始提前改变饮食习惯，并补充怀孕时所需要的维生素。否则，怀孕早期的反胃现象，可能会让你无法充分补充各种营养素。改掉过去一些不好的饮食习惯并不困难，至于铁（详见第100页）与叶酸的补充（详见第103页），最好提前几个月就开始。研究指出，如果孕妇在怀孕前就开始补充叶酸，可以降低胎儿发生脊柱缺陷的危险。

存在体内，而且怀孕时排泄较快，因此其损耗量也会相对增加，这就是为什么需要额外补充叶酸的原因。一般来说，孕妇每天正常的叶酸摄取量，应在400~800微克之间。如果叶酸的摄取量不足，就很可能影响到胎儿中枢神经系统的发育，会导致脊柱裂。

根据最新的研究，孕妇在怀孕最初的6~12周时，如果按各人情况不同每天能保持摄取100~4000微克的叶酸，胎儿患脊柱疾病的概率就会大幅降低。另一项最新的研究报告也指出，因每个人的体质不同，叶酸的需求量也会有所不同，也许有些女性先天就容易缺乏这种维生素，因此当她

们怀孕时，叶酸的摄取量就应该比其他孕妇更多一些。不论你是不是这种情况，由于叶酸摄取不足在怀孕的早期就会影响到胎儿的健康，因此，所有的孕妇在知道自己怀孕之后，就应该马上开始补充叶酸。当然，如果能从怀孕前的几个月就开始补充，效果会更好。美国食品药品管理局在1998年就开始建议面粉、玉米片、米、通心粉等产品制造商，在产品内添加叶酸。当然，这些添加量仍不足以补充孕妇每日的需求量，因此，额外补充叶酸仍是必要的。而且，虽然胎儿脊柱发育异常主要与孕妇在怀孕早期的叶酸摄取量不足有关，但这并不意味着怀孕好几个月后，你就可以掉以轻心，不再持续补充叶酸。事实上，一些新的医学报告指出，如果孕妇在整个怀孕过程中出现叶酸补充量不足的现象，生出早产儿的概率就会增加。

补充维生素不要过头

也许你已经知道，孕妇每日所需的各种维生素的建议摄取量是多少；你可能也已经知道，维生素摄取量不足可能会影响胎儿的发育。可是也许你不知道，如果部分维生素摄取过量，对胎儿的健康可能是有害无益的。脂溶性维生素如维生素A、维生素D、维生素E等，如果摄取过量，不但会妨碍胎儿的正常发育，还会影

了解食物金字塔

为了改善长期以来，人们喜欢食用高脂肪食物的习惯，美国农业部在 1992 年发布了食物金字塔指南，以引导人们养成健康均衡的饮食习惯。有别于传统做法将食物分为等量的 4 个部分，它以金字塔的方式显示植物性食物应该是健康饮食的基础，将植物性食物（如谷类、蔬菜、水果等）列在金字塔的最下面 3 层，而将动物性食物（如乳制品、鱼类、家禽类、肉类等）列在金字塔的最上面两层。当然，人体需要摄取一些优质脂肪，因此用蔬菜油烹调或是在菜上撒种子，不但营养，还可以调味。

1. **谷类：面包、麦片、米饭及意大利面**。6~11 份（1 份 =1 片面包，半杯米饭、意大利面或煮过的麦片，半杯土豆或豆类，或是 28 克速溶麦片）。此外，尽可能食用全谷物食物。

2. **蔬菜**。3~5 份（1 份 =1 杯生的蔬菜，半杯熟的蔬菜或是 3/4 杯蔬菜汁）。尽可能选用新鲜蔬菜，当然，最好是有机蔬菜。

3. **水果**。2~4 份（1 份 =1 只中等大小的橙子、苹果或香蕉，半杯罐头水果或 3/4 杯果汁）。同样，尽可能选择新鲜水果，最好是有机水果。

4. **乳制品**。牛奶、酸奶和奶酪，2~3 份（1 份 =1 杯牛奶或酸奶，半杯白干酪，42 克奶酪或是半杯冰激凌）。

5. **肉类、家禽类、鱼类、蛋、豆类、坚果**。2~3 份（1 份 =84 克猪肉、鱼肉或鸡肉，2 个鸡蛋，2 匙花生酱或 1 杯煮过的豆子）。

注意：上述的食物金字塔组合与建议摄取量，适用于所有健康的成人（也适用于孕妇）。在每一层食物内，摄取的份数多少，要根据你日常活动量多少而定。如果你爱好运动，可能就必须食用最高的份数。至于孕妇，除了食用较高的份数之外，第四、五层动物性食物的摄取量，也应该酌量增加，比如多吃一点瘦肉，多补充一些低脂或脱脂的乳制品。

响母亲的健康。一份医学文献指出，如果孕妇每天补充维生素 A 的量超过 10000 国际单位，胎儿发生兔唇、腭裂及心脏病的可能性会增加 5 倍以上。摄取过量水溶性维生素时，由于它们很快就会通过尿液排出体外，所以对胎儿的影响并不大，但脂溶性维生素如维生素A、维生素D、维生素E

等却会囤积在人体内一段时间，过量摄取时，自然会影响孕妇自身的健康及胎儿的正常发育。最新的研究报告指出，摄取过多的水溶性维生素，可能也会影响人体健康。总之，最好向医生请教，请他为你制定各种维生素的摄取量，然后切实执行，过量或不足对你和胎儿都没有好处。

我过去似乎无法忍受柑橘类水果，每次吃下去就会感觉烧心。但最近，我觉得自己可能是维生素C摄取不足，于是就去超市买了一些草莓、猕猴桃等富含维生素C的水果，以补充维生素C。真神奇，当你怀孕时，身体就会自动告诉你到底还需要补充些什么。

多喝水

在怀孕时多补充水分，除了保证40%的额外血液供给及胎儿的羊水供应之外，孕妇和胎儿的新陈代谢，也需要大量水分参与，才能顺利完成。此外，多喝水可以让孕妇保持肌肤的柔顺光滑，减少便秘的发生；多喝水还可促进新陈代谢，因此孕妇上厕所的次数也会增加，这样一来，尿道被细菌感染的概率自然会降低许多。一般来说，每天需要喝8大杯水（1杯约230毫升），以保证你和胎儿的新陈代谢顺畅进行。同时，尽量避免饮用酒精类或含咖啡因的饮料（详见第54页和第57页），因为除了前面讨论过的问题之外，这些物质具有利尿作用，容易导致体内水分快速流失。此外，你最好养成用较大的水杯喝水的习惯，这样饮水量也容易不知不觉地增加。虽然一般的白开水就足以提供身体所需的大部分水分，但是，如果你偶尔觉得嘴馋，也可以用果汁、汤等来代替。

在用餐时可以喝点果汁来代替一杯奶（因为在用餐时补充维生素C，可以同时促进铁的吸收）。不过，千万别因此猛灌果汁，因为果汁的热量接近于牛奶，但营养价值却远不及牛奶。因此，果汁要尽量喝淡一点，或者在矿泉水里加上1茶匙①浓缩果汁，这样一方面可以解馋，另一方面也不至于摄入太多热量。总之，当你开始少量多餐的时候，就应该马上养成多量、多次饮水的习惯。

营养方面的其他疑问

以下是一些孕妇对于正确饮食的常见问题：

Q：为什么在怀孕时，正确饮食那么重要？是不是只要多补充一些热量，胎儿就可以正常发育？

A：研究显示，孕妇的营养补充

———————————

① 1 茶匙约等于 5 毫升。

得越充分，生下健康宝宝的可能性就会越大。

如果孕妇吃得太少或是必需的营养成分太少，就会增加胎儿发生早产、出生体重过轻或是发生呼吸、血液方面问题的危险性，严重一点，还有可能造成胎死腹中或是胎儿发育迟缓。另外，孕妇如果营养不良，还容易导致孕妇害喜、便秘、倦怠、烧心等症状加重，也会增加其他产科并发症如贫血、毒血症等，以及难产、剖腹产的概率。

想想看，怀胎十月的过程，可以说是一项浩大的育儿工程，你当然需要将热量转换成精力，来完成这项重要使命。脂肪和碳水化合物是能量供给的重要营养素；蛋白质、维生素、铁、其他矿物质及水分等也都各司其职，扮演着不可或缺的角色。虽然看起来挺复杂的，但你只要均衡地补充这些营养素就行了，至于这些营养素彼此之间如何分工运作，则交给你的身体和体内的胎儿安排。

怀孕营养小常识

也许你了解了上述种种营养素的补充与摄取在怀孕期间的重要性之后，可能会胃口全无，觉得无所适从，不知道到底该怎么吃才正确。其实，准妈妈要养成正确的饮食习惯相当简单，只要抓住五大营养素均衡摄取的大原则即可。另外，在怀孕时额外补充以下营养素：

* 每天 300~500 千卡的营养食物

* 25 克蛋白质

* 800 毫克钙

* 0.4 毫克叶酸

* 40 毫克铁

每天额外补充的热量、钙及蛋白质，只要通过多喝一杯酸奶及多吃170 克鱼肉的方式（或其他营养成分相当的食物）就可以达到上述要求。你还可以通过每天服用 1 片叶酸含量0.4~0.8 毫克的补充剂来补充叶酸，1片钙含量 500 毫克的补充剂来补充钙，以及 1 片 300 毫克的硫酸铁来补充铁。或者，如果你有恒心，自怀孕的第一天到分娩前，每天都吃些动物肝脏，也可以收到相同的效果。

总之，不要被前面所讲的一大篇各类营养素的建议摄取量吓坏了。除了保持正常的饮食之外，再注意补充上述营养素，你就不用担心胎儿营养不良了。

Q：怀孕时，该怎么调整饮食习惯？

A：由于怀孕时营养素的需求与平时不同，消化系统的运作也与平常有异，因此，自然应该对饮食习惯作适当的调整。当然，有时你的身体会发出提醒信号，让你主动补充适当的营养素，比如让你吃咸一点的食物，以补充较多盐分。但是，你的身体不是总能准确地提醒你该吃什么、不该吃什么。因此，你可能会看上一盘热乎乎的炸鸡而猛吃一顿（这种食物虽然让你吃得心满意足，但营养价值却令人不敢恭维）。因此，在这里再次提醒你注意一些正确的饮食习惯，应该对你会有所帮助。

怀孕时，你很可能会养成少量多餐的习惯。这有点像孩子，好像整天都吃不饱似的一直吃个不停。你不必为这样的改变而大惊小怪，因为一段时间之后，你就会发现，有些食物吃进肚子后安然无事，很快就消化掉，但有些食物却一吃就不舒服。另外，什么食物一次该吃多少，你应该也会有所体会。

Q：对于身为准妈妈的我来说，"均衡饮食"的真正意义是什么？

A：其实，对所有孕妇来说，保持均衡的饮食是基本原则。不过，每位孕妇因为消化吸收能力不同，在饮食的调整上也会有所差异。基本上，"均衡饮食"意味着摄入适当搭配的适量食物。

当然，这并不意味着你每天每一餐都得小心谨慎，才能符合均衡饮食的要求。每位孕妇都会因为对食物的偏好不同、食欲的变化、生活方式的选择及其他怀孕时发生的琐事等因素，而无法让自己每一餐都能保持均衡饮食的状态，这不可能、也没有必要。你的身体很聪明，它会自行调整，比如你也许前一天少摄取了某些重要的营养素，但只要后两天多补充一些就没事了。由于身体对你的饮食习惯了如指掌，因此，一旦你有机会补足了这些营养素，它就会设法将多余的部分储存起来（几种重要的营养素除外），以便下一次提供给你或胎儿使用。因此，不要以每天而是以每周为单位均衡地饮食。

Q：怀孕时究竟吃什么最好？该吃多少？

A：首先，这可能与你是否有运动习惯及你怀孕时的体重是否过轻、过重有直接关系。基本上，你每天应该额外补充300~500千卡的热量，以供你和胎儿使用。对于活动量较少的孕妇，也许一天额外补充300千卡的热量就已经足够；但对于那些还要照顾其他孩子的孕妇，一天可能就需要额外补充500千卡才够用。可不要以为300千卡、500千卡有多少，你可以从饮食中轻易摄取到足够的热量（300千卡热量约等于2杯低脂鲜奶加上1片奶油面包，500千卡热量则约等于3杯低脂鲜奶加上2片奶油面包）。

你怀孕时，对热量的需求量比平常要高出20%。而对某些营养素的需求量，则可能要比平常高出50%~100%。因此显而易见，你必须稍微多吃一点，但一定要更明智地选择食物，就可以满足你和胎儿在营养上的需求。说得更清楚一点，就是在食物的量上，你只需要增加一点点。但在食物的质上，你就要好好盘算一下，才可以收到事半功倍的效果。因此，怀孕时在食物的选择上，应该优先考虑营养成分较高，富含蛋白质、钙、铁而热量较低的食物。以下就是一些较受孕妇欢迎的富含营养的食品：

* 脱脂干白酪
* 脱脂酸奶
* 豆腐
* 鱼类（金枪鱼、鲑鱼）
* 豆类（菜豆、鹰嘴豆）
* 蛋类
* 鸡肉

Q：我一直都是个素食者而且感觉良好，我很担心怀孕时素食会不会导致胎儿营养不良？我需要改变饮食习惯吗？

A：世界上很多人都是素食者，身体健康状况良好的素食孕妇，自然能够顺利生下健康的小宝宝。不过，素食的孕妇的确应该在饮食上更加注意。为了胎儿的健康，有时你可能还是要牺牲一下，偶尔吃些肉，因为铁、维生素 B_{12}（多存在于动物性食物里）等，都不容易从素食中摄取到足够的量。此外，除非你得到足够的日照，否则也有必要补充维生素D（多存在于乳制品里）。另外像叶酸，虽然可以从绿叶蔬菜中获得，但是，就如同铁一样，人体可吸收的量毕竟有限。因此，素食的准妈妈们需要和一般孕妇一样补充铁和叶酸。

如果你是奶蛋素食者（吃蛋和乳制品，但不吃肉和鱼），维生素D和蛋白质的摄取量应该比较充足。不过，仍然需要额外补充铁和维生素 B_{12}。如果你不喜欢吃维生素补充剂，而愿意在饮食上作些牺牲，只要每天吃120克鱼肉（鱼肝油、鲑鱼、沙丁鱼、金枪鱼等），你仍可以在几乎保持素食的情况下，摄取到充足的营养素供给胎儿的发育。

如果你是一位严格的素食者（不吃蛋、乳制品、肉和鱼），在饮食搭配上就要格外注意。最好向营养师咨询，听取建议，以确保能够摄取到足够的营养素。以下这些做法也许可以帮上一点忙：

*同时摄取一些富含铁的食物和富含维生素C的食物（如柑橘类水果、草莓、猕猴桃和青椒等），以吸收最多的铁。

*明确告诉产科医生你是素食者，并至少隔一个月做一次血色素检查，因为你发生贫血的概率比一般孕妇要高。如果要更精确地了解铁摄取量是否充足，可进一步针对血液中的铁蛋白进行检测（详见第102页）。

*如果医生建议你服用铁剂，为避免不适，你可随餐服用较小的剂量。比方说，医生建议你每天补充300毫克的硫酸铁，那么，你在一日三餐中每餐服用100毫克，会比一次服用300毫克要舒服得多。为了促进铁的吸收，最好在服用铁剂的同时服用100毫克的维生素C。

*日照是人体形成维生素D的重要来源之一，但人们常常因为天气湿冷而多穿衣服，或是怕被晒伤而远离阳光。由于人体无法储存维生素D，因此，你可能需要每天补充。不过，人体不能马上将摄取过量的维生素D排泄掉，因此，摄取需要的量即可，一般每天的建议摄取量为400国际单位。

*维生素 B_{12} 可能也是你欠缺的营养素。你最好询问医生或营养师的意见，再决定如何补充维生素 B_{12}。除了动物性食物外，像酵母、麦芽及全谷物食品等，也都含有一些维生素 B_{12}。

Q：我只是不吃红肉而已，除此之外，不管是鸡肉还是鱼肉，我可是什么都吃。我和胎儿能得到足够的营养素吗？

A：可以。事实上，一般红肉所含的营养素，在鸡肉、鱼肉里同样也有。你可能会很高兴知道，鱼肉中所含的营养素远远高于其他的肉。而且，你也不用担心食用鱼肉会吃进大量的脂肪和添加剂（指激素与抗生素，常见于牛肉和鸡肉中）。相比之下，食用海鱼比淡水鱼要安全许多。因为淡水鱼更容易受到汞或多氯联苯的污染。如果可能，在你准备食用淡水鱼之前，最好能搞清这条鱼是从哪里来的。一般来说，野生鱼的脂肪含量会比人工养殖的鱼少，也好吃一些。

Q：我是忙碌的上班族，早餐经常是边走边吃，午餐是以快餐为主，晚餐则是买外卖食品回家和丈夫一起吃。现在我怀孕了，我很担心这样的饮食习惯会影响胎儿的健康。有没有什么办法，可以让我吃得又快又健康？

A：四大主要的营养素可不是指汉堡、炸玉米饼、比萨饼和炸鸡！对于忙碌的职业女性来说，怀孕可是人生中最重要的时刻之一，也是让你学会放慢脚步的大好时机。这时，就算你在饮食上仍然想保持平常的效率，恐怕也由不得你。不管怀孕之前的饮食习惯多么糟，怀孕之后你可不能再如此随便了，因为你还有另一张嘴要喂。你应该学着放慢脚步，好好将饮食习惯调整过来才是。

不过，快餐并非都是那么万恶不赦，现在许多快餐店或超市里，都提供半成品沙拉或自助沙拉。当然，你最好问清楚它们的营养成分（详见第113页"学会看食品标签"）。此外，你还可以在沙拉里加入你自备的橄榄油或健康醋等，以增添风味。当然，你偶尔也可以来个汉堡解解馋。总之，如何搭配食物决定了饮食是否健康。你可以去可以自选食物的快餐店。比方说，用全麦面包代替汉堡，然后在面包里夹上两层生菜和西红柿；用果汁代替汽水、用水果代替薯条、用酸奶代替奶昔。在烤土豆时，用少量的橄榄油、新鲜奶酪或低脂酸奶，来取代奶油。还有，你可以用水果盘来取代浇满糖浆的煎饼。至于饭后甜点，你可以挑个苹果或橘子就打道回府。最后，在工作之余，你也可以多准备一些水果、酸奶、葡萄干、坚果及矿泉水等。

Q：我和丈夫都很在意胆固醇的摄取，因此，我们会挑些瘦肉及一些低脂食物吃。但现在我怀孕了，我是应该一如往常地节制胆固醇，还是为了胎儿的健康多吃一点？

A：人的成长往往需要补充较多的胆固醇，有两种人最需要多摄取一些胆固醇，一是婴幼儿，另一种人则是孕妇。胆固醇是胎儿脑部发育不可或缺的营养素之一，身为准妈妈的你，体内也会自动多制造出至少25%的胆固醇，以供胎儿增加的需求。当然，你并不需要在饮食中刻意多摄取胆固醇，不过，如果接触到富含胆固醇的食物，就不需要像过去那样排斥，唯恐避之不及。

另一方面，你也不能因为怀孕后对胆固醇有较多的需求，而开始大吃特吃高胆固醇食物。这样一来，你很快就会摄入太多多余的热量和脂肪。如果你有嗜食高胆固醇食物的倾向，最好请丈夫或家人严格监督饮食。否则，一旦在怀孕时养成嗜食高胆固醇食物的习惯，分娩之后，恐怕一时之间很难改变。

Q：现在我怀孕了，我会尽量避免吃加工食品。但究竟食用哪些含有化学物质与添加剂的加工食品，会对胎儿的健康造成不良影响呢？

A：在怀孕时，你当然不可能吃

自己家里产的食物，但你也不能对食品标签放松警惕。没怀孕时，身体虽然对不需要的或是不安全的化学物质有一套出色的排毒机制，可现在你已经怀孕，再在饮食上漫不经心就不大明智了。事实上，很多加工食品在包装上都会标明"本产品所含的添加剂、色素经过检验，基本上不会危害人体健康"。但是，所谓"基本上不会"并不意味"绝对不会"危害人体健康。而且，在目前的科技水平下，人们对杀虫剂或一些化学添加剂对人体可能产生的影响，所知仍十分有限，更不要说了解它们对孕妇和胎儿的影响有多大。我们只知道一些主要问题是由于大量摄入这类化学物质引起的，但我们很少或根本不知道少量摄入会引起什么样的影响。虽然从表面上看，大多数可食用的化学添加剂不会马上对胎儿的健康造成影响。但是，由于胎儿体内的解毒功能还不像成人那样健全（因为胎儿的肝脏还没发育完全），因此，许多有毒物质可能就此囤积在胎儿体内，直到累积到一定量之后，才会陆续产生一些症状。总之，对于含有化学添加剂的食品，建议你还是少碰为妙。

Q：我怀了一对双胞胎，饮食是不是需要特别作些调整？

A：这点你倒不用担心，不要以为怀了双胞胎，所需要的营养素也必须跟着加倍。不过你的确需要更多的热量、蛋白质、维生素、钙和铁。医生或营养师会建议你如何补充适当的营养素。通常情况下，你可能需要额外补充250千卡的热量、25克的蛋白质、20毫克的铁和较高剂量的叶酸。

注意体重的增加

怀孕大概是你一生中，唯一一会因体重逐渐上升而感到喜悦的一段日子了。如果你还是一如往常，对体重的增加感到忧虑，那么你的心态恐怕要好好调整一番，要知道这种体重的增加，不是因为你又长了多少赘肉，而是因为在你体内，有个神奇的小生命正在茁壮成长。

虽然如此，相信你一定很想知道，怀孕期间体重到底怎样变化才算是正常。如果体重增加太多，不仅影响你和胎儿的健康，未来发生难产的概率也会增高；相反，如果体重增加太少，对胎儿的健康也很不利，孕妇营养不良也会增加早产的概率。

怀孕时最常见的体重疑虑

Q：怀孕时体重增加多少对我和宝宝才算正常？

A：一般来说，体重增加11~16千克都算正常。不过，这必须根据你

学会看食品标签

为了你自己与肚子里的胎儿着想，你应该学会看食品标签。一般来说，食品中的营养成分，会按照比重的多少逐一列出来，主要成分列在前面，次要的列在后面。其中，蛋白质、碳水化合物、脂肪、热量等的含量多少较为重要。它们有助于计算热量和蛋白质的量，还可以协助你更有效地控制脂肪的摄入。

请特别注意糖的种类。你或许会看到葡萄糖或是蔗糖的字眼，这些名称听起来虽健康，但它们仍然是糖。另外，玉米糖浆和高果糖玉米糖浆，也是一般常用的甜味剂。但相比之下，它们的营养价值比一般糖低得多。还有一些食品的成分表上列有两三种不同的甜味剂，如果你把它们的含量加起来，会发现糖成了食物中的最主要成分。

需要特别提醒的是，千万别被标签上强调的"纯天然"之类的字眼迷惑。它会使人想到"家庭制作"、"家庭种植"和"新鲜"这类字眼。实际上，它真正指的是，这些天然食物，经过传统的烹煮或其他处理过程之后，被包装成食品销售。而在许多标签上，你也常会看到"强化"、"浓缩"等字样，这多半表示该食物经过处理后，天然营养素已经流失殆尽，因此又特别加进了一些维生素和矿物质，以补足因加工所流失的营养素。如果你对牛奶过敏，你就应该避免食用标签中含有乳清、酪蛋白等成分的食品，以免过敏的情况再次发生。

总之，如果对于有些食物，你从包装上的标签看不出它所含的各种营养素及含量，建议你最好别吃。你应该选择最适合自己与胎儿的健康食品。

的体形及刚怀孕时的体重与理想体重相比的情况来定。高而瘦的孕妇，体重增加的幅度会比较小；相反，身材矮胖的孕妇，体重增加的幅度会比较大。至于身材中等的孕妇，体重增加的幅度，可能就会在 11~16 千克之间。

因此，如果你刚怀孕时，体重还达不到理想体重，当务之急就是应该设法将体重增加到理想状态。相反，如果你刚怀孕时的体重已经远远超过理想体重，此时控制体重的增加就显得格外重要。基本上，每位孕妇的体内，都需要适时储备一定量的脂肪，一方面在热量不足的时候可以应急，

准妈妈的营养箴言

1. 并不是所有热量都是有用的。不论哪一种食物都有其营养价值，只不过每种食物所含的营养素多少不一样。其中，有些是所谓的"空热量食物"（它们也就是"垃圾食物"），它们含有高热量，但对人体健康没什么益处。而许多食物属于所谓的"营养浓缩食物"，只要少量食用，就可以摄取到相当多的各类营养素和热量，不像垃圾食物那样，就算你吃了一大堆，身体依然无法从中吸收多少营养素。因此，对准妈妈来说，如何在饮食上最有效地补充足够且均衡的营养素，如何搭配各式各样的营养浓缩食物，以补充足够的营养素与热量，就显得相当重要（如何计算热量，详见第101和102页"铁和钙的最佳食物来源"）。

2. **依个人口味搭配食物。** 每个人对于食物的偏好都不大一样，因此，当你怀孕时，不要因为自己无法接受某些营养价值高的食物而耿耿于怀。事实上，从其他喜欢吃的食物当中，你依然可以摄取到足够的营养素。这就是为什么准妈妈多样化进食，比较容易摄取到均衡营养素的原因。

3. **多余的热量会转化成多余的** 脂肪。不管你吃什么食物，只要吃进了过多的热量，这些多余的热量就会转化成脂肪，囤积在你和胎儿身上。因此，你常常听到体重"超重"的说法，实际上就是体内囤积了许多不必要的脂肪（虽然肌肉发达也可能导致体重超重的现象，但这多半发生在运动员身上，而不是孕妇）。由于每个人都有最基本的热量摄取需求，即身体生长和发挥功能所需的最低热量。如果你摄取的热量低于基本的摄取需求，你的身体就会燃烧过去囤积的脂肪。相反，如果你摄取的热量持续超过基本的需求量，在你体内囤积的脂肪就会越来越厚。

4. **增重容易，减重难。** 可不要小看你吃的每一口食物。如果你有每天吃一块巧克力饼干的习惯（前提是你的热量摄取量已经过多），9个月累积下来，你至少会长出4千克以上的赘肉！更不幸的是，请神容易送神难，你可以一口接一口轻易地吃进很多热量，却必须通过至少一小时的剧烈运动，才可能消耗约500千卡的热量。也就是说，必须持之以恒，连续一星期每天一小时的剧烈运动，才有可能燃烧掉3500千卡、相当于 450 克脂肪的热量。

5. 除了健康饮食之外，运动也有助于控制体重。每天花一小时散步，不但可以让你放松心情，也有益于身体健康。运动是帮助你燃烧体内多余脂肪、控制体重的最好方法，这比你整天拼命节食减肥，绝对要健康、安全许多；运动还会刺激内啡肽的分泌，让你保持更稳定的情绪去面对未来。

6. 吃进过多富含脂肪的食物，会给身体带来过多的脂肪。1 克脂肪含 9 千卡热量，这比同样 1 克的蛋白质或碳水化合物含的热量多出 1 倍以上。因此，脂肪可以说是一种更高效

的"燃料"。体内脂肪是人体的燃料储存库，一旦热量供应不足，身体就会燃烧体内囤积的脂肪来供应。准妈妈需要的脂肪量的确要比平常多一些，但还是应该小心控制脂肪的摄取，否则，你吃进的多余脂肪如果消耗不完，就会以赘肉的形式全部往身上堆，相信你一定会感到很难受。

7. 食用富含膳食纤维的食物。由于孕妇的消化速度较慢，因此，多摄取一些膳食纤维，可以促使肠胃蠕动得更快一点（详见第 77 页对怀孕时消化功能会减缓的说明）。富含膳食纤维的健康食物包括生的水果和蔬菜、全谷物食品、豆类、梨和李子等。

另一方面在分娩后也可以成为产奶的能源。因此，如果你在怀孕前已经有这些脂肪储备，在怀孕时就不必增加太多；相反，如果你在怀孕前太瘦，就应该有计划地增加热量的摄取。

孕妇每个月体重变化的曲线，和婴儿体重的增长曲线一样，表示的是范围和平均值。如果你发现体重变化不规律，并不意味着健康出了问题。以下几点可以帮助你进行自我评估，看体重的变化是否在正常范围之内：

＊如果你刚怀孕时的体重保持在理想体重的范围内，怀孕期间的体重应该增加 11~16 千克。

＊如果你刚怀孕时的体重比理想体重略重，那么，怀孕期间的体重应该增加 9~11 千克。但是，如果你很胖的话，合理的体重增加值应该在 9 千克以下。

＊如果你刚怀孕时的体重比理想体重轻一些，那么，怀孕期间的体重应该增加 13~18 千克。

以上只是参考数据，真正重要的还是你自己的感觉。不管体重怎么变化，如果你觉得身体状况很好，外表看起来也很健康，饮食习惯上也用心去作调整（详见第 97 页"一人吃两人补"），你应该就没什么好担心的。

一般观察孕妇体重变化的原因，是担心孕妇体重发生剧变，而可能发生某些病变（比如毒血症）。有经验的产科医生都知道，体重的变化绝对是因人而异的，一位饮食习惯正常的孕妇可能在怀孕时，体重增加了16千克，可是一生下小宝宝之后，马上又恢复到原本苗条的身材。而有些饮食不太明智的孕妇的体重虽然看似没增加多少，但分娩之后，体重却降得非常慢。

Q：在怀孕的不同阶段，体重增加的速度应该如何？

A：根据一般经验，一位中等身材、刚怀孕时体重理想的孕妇，在怀孕时体重变化的情况大致如下：

* 怀孕的前3个月增加约2千克。如果孕妇的体重比理想体重轻，还可以加上0.5千克。相反，如果体重超过理想体重，则减去0.5千克。

* 之后每周增加0.5千克左右。如果孕妇的体重比理想体重轻，还可以加上0.1千克。相反，如果孕妇的体重超过理想体重，则减去0.1千克。

* 怀孕最后一个月是胎儿仍在生长但孕妇的体重增加得最少的阶段。有些孕妇可能会再重0.5~0.9千克，有些则保持原状，也有少数孕妇的体重可能还会略轻一些，这些都是正常现象。

大多数孕妇在怀孕第4~6个月时，体重增加的速度最快。这与胎儿在这一阶段体重快速增长相一致（胎儿体重从约28克增加到接近900克，几乎增加了32倍）。此时，大多数孕妇在怀孕第15~20周之间，会因为血容量的迅速增加以供给子宫和胎儿成长，体重快速增加2~4.5千克不等。通常，胎儿体重的90%是在第5个月之后才开始增加的，一半的体重是在最后两个月才加上的。

许多孕妇在怀孕几周之后，因为羊水、血液等增加的缘故，体重会快速增加4~4.5千克左右。当然，也有些孕妇在怀孕早期，因为严重反胃，结果造成体重不增反减。不过，大多数体重正常的女性，其实并不用太在意怀孕前3个月体重的变化。至于那些原本就比较瘦的女性，则应该注意在怀孕的前3个月，不要让体重再往下掉。

Q：我已经怀了4个月的身孕，现在，我终于有点胃口了。在前3个月里，我害喜十分严重，几乎食不下咽，体重是一点也没有增加。我很担心这会不会影响到胎儿的健康？

A：其实你不用太担心，因为很少有孕妇有本事在怀孕的前3个月，就做到均衡进食。事实上，到怀孕第3个月，胎儿还不到28克呢！根据研究指出，大多数孕妇的体重，在怀孕第4~6个月之间，才会明显增加。因此，这个时候孕妇饮食习惯的好坏，才会对胎儿的健康、体重等产生较明显的影响。当然你也千万不要以为，怀孕6个月之后饮食习惯就可以松懈下来，你还是应该保持良好的饮食习惯直到分娩，这才是上策。

Q：我有一位孕妇朋友正在减肥，因为她听说胎儿比较小会比较好生，这是真的吗？

A：大错特错。首先，胎儿较小会比较好生的说法，在医学上是站不

你的体重为什么会增加

你增加的体重的1/4~1/3是胎儿的体重，而其他增加的体重是重要的支持物，没有它们就没有怀孕和分娩。

胎儿	3.4 千克
增大的子宫	0.9 千克
胎盘	0.68 千克
羊水	0.9 千克
胀大的乳房	0.9 千克
额外的血液或其他体液	3.6 千克
额外储存的脂肪	3.2 千克
共计	13.6 千克

住脚的，因为有许多因素会影响到分娩是否顺利。其次，如果以剥夺胎儿吸收足够营养的权利，甚至影响到胎儿健康的代价，换来妈妈顺利分娩，相信也不是全天下妈妈们所希望的。从营养学角度来看，胎儿如果无法吸收到均衡的营养（称为"过轻儿"或"子宫内生长迟滞胎儿"），不但成长较为迟缓，发生各种病变的可能性也会增加。最新的研究报告指出，营养不良的孕妇，生出营养不良婴儿的可能性，会比营养均衡的孕妇高许多。

同样，有的国家在香烟盒上，常标示"孕妇吸烟会影响胎儿成长"的警示语，但并没有指出胎儿过小的危险性。因此有些孕妇有意继续吸烟，而没有意识到胎儿小并不意味着分娩容易。孕妇抽烟、减肥，只会让胎儿因为得不到足够均衡的营养，而严重影响健康。

Q：坦白说，我很想在分娩之后，尽快恢复原来的身材。那么，我是不是可以从怀孕起就开始做些准备呢？

A：产后身材恢复是快还是慢，不仅取决于孕期你对身体照料的好坏，还取决于怀孕时的生活方式。当然，如果你在怀孕前和怀孕时经常运动、合理饮食，自然要比怀孕时身材就已经完全走样、不爱运动、饮食习惯不良等的孕妇，在产后能更快地恢

复体形。

一般来说，在你分娩后，因怀孕增加的体重马上就会少掉一半左右(少了胎儿、胎盘、羊水等)。然后，在产后的头几周里，你还会陆续排出 1~2 千克多余的水分。当然，如果此时你能恢复规律的运动与正常的饮食，体重有望继续再降一些。如果你亲自哺乳，那么，在产后的 3~6 个月之间，你可能还会因为分泌乳汁，而再减少几千克体重。通常在产后的前 9 个月里，体重会自动再减轻 2~5 千克左右。因此，就算你在产前和产后进行规律的运动，并保持合理的饮食，你的体重恐怕还是会比怀孕前要重一点，身材也更丰腴一些。

Q 如果我怀的是双胞胎，那么，体重上的变化是不是和一般的孕妇不同?

A：通常情况下，如果你体重的增加比一般孕妇的平均值要多，是你有可能怀有双(多)胞胎的第一个迹象。在前面介绍的理想体重增加量的基础上，再增加 4~5 千克左右，大概就是怀有双胞胎的孕妇正常的体重。胎数越多，需要增加的重量也就越多。

Q：为什么我怀孕时体重会增加那么多? 这些重量都在什么地方?

A：也许增加的体重是你不想要的，但肯定是必需的。基本上，你增加的体重分布在 3 方面：最重要的部分自然是胎儿；其次，保障胎儿安全、支持胎儿成长的结构，如额外增加的血液、羊水、胎盘、子宫、乳房等组织也占去不少；最后，体内还会储备额外的脂肪以备不时之需(详见第 117 页"你的体重为什么会增加")。

Q：我不但饮食习惯不好，还懒得运动，更不用说要我少吃垃圾食品了。现在我怀孕了，希望生个健健康康的小宝宝，我是不是应该彻底地改变一番?

A：当然。要想生出健康的宝宝，你首先应该成为一位健康的妈妈，这就要求你要成为一名业余的食品营养专家。如果平常就保持正常均衡的饮食，当你怀孕时，在饮食上除了稍微补充特定的营养素之外，并不需要特别作什么调整。在本书里，我们所建议的健康饮食和健康生活的观念，基本上是放诸四海而皆准的。因此，如果你能在怀孕时，尽快养成良好的饮食习惯，相信你生下来的宝宝一定非常健康，全家人都会因为你的改变而受益。

Q：我刚怀孕的时候，已经超出理想体重 9 千克之多，我担心自己产后会胖得更离谱。有没有可能在不影响胎儿健康的前提下，在怀孕时减肥？

A：也许可以，也许不可以，这得看你从什么角度来看这个问题。如果你设计减肥餐，是以吃得更健康为原则，那也许可以；但是，如果你只是为减肥而减肥，那我们不建议你这么做。因为这样一来，胎儿可能会因为营养不良，而导致发育迟缓，增加出生时发生并发症的危险性。有几种安全的方法可以帮你去掉多余的脂肪，同时为你和胎儿提供所需的营养。切记，你去掉的只是脂肪，至于其他营养素，仍然维持正常的补充。

首先，你必须先计算出每天对热量最基本的需求量是多少。

当然，这必须将你的体质、体形、过去体重的变化等因素一并考虑在内（详见第113页）。想想过去你有没有在周末狂欢之后，体重马上就暴增的经历？你周围有没有那种明明吃得比你多一倍，但体重却纹丝不动的幸运儿？你是不是那种喝凉水好像都会胖的人？总之，每个人因为体质不同，对于热量的利用程度也有所不同。如果平常你就是那种容易发胖的人，在怀孕时就应该更当心一点。许多人总抱着"越瘦就越不怕胖"的观念，这句话并不适用于孕妇。如果你自恃身材苗条，在怀孕时不注意饮食，小心你也成为肥胖族的一员！

一般来说，孕妇每天平均需要约2500千卡热量（其中2200千卡供自己使用，另外300千卡用来供应胎儿所需）。如果你的新陈代谢速度较快，或是活动量较大，需求量应该再增加300千卡。相反，如果你的新陈代谢速度较慢，而且日常活动量也很少，需求量可能就应该减少300千卡。这样一来，一位孕妇平均每天基本的热量需求量，大约在2200~2800千卡之间。当然，如果你能向营养师咨询，就可以更精确地计算出你的基本需求热量究竟是多少。然后，请严格控制热量的摄取，不多吃也不少吃。

你也可以通过增加运动量来控制体重，这是几种常见的孕妇控制体重的方法里最安全的一种（比节食要安全得多）。因为运动可以燃烧体内多余的脂肪，但不会剥夺你和胎儿所需的营养（只要你的饮食健康合理）。每天只要做一小时的运动（最适宜的几种运动包括游泳、快步走、骑自行车等），就可以燃烧大约300~400千卡的热量。此外，运动还可以放松心情、稳定神经，因此，也许还会让你的意志力更强，而更能够抗拒美食的诱惑。

如果你每日三餐都能够严格控制热量的摄取，而且每天至少运动一小时，你在怀孕时战胜赘肉堆积的可能性就会很大。

以下这些小技巧，可以帮助你在不会吃进过量脂肪的情况下，摄取到足够的营养素：

*当你心情不好的时候，请不要用吃东西来发泄。切记，除非肚子真的饿了，否则千万不要想吃什么就吃什么（除非你的情绪坏到延误了正常的三餐，你才必须强迫自己多少吃一点）。其实，心情不好时，可以发泄的渠道还真不少，比如上街逛逛、打电话给好朋友谈谈心、读本好书或是看场电影都可以。怀孕是你享受搁置已久的爱好和其他活动的好时机。即将为人母的心情，可能会促使你去发现并做你真正想做的事。

*当你怀孕时，往往会有吃零食的冲动，准备一些营养价值较高的零食，放在容易拿到的地方。将没什么营养的零食放在家中最不方便拿的地方。一方面眼不见为净，另一方面如果你真的想吃，还可以让你多走几步路，多少燃烧掉一些热量。

*你还可以在烹煮一些肉之前，将带有脂肪的部位先处理掉（如去掉肥肉和家禽的皮）。千万不要嫌麻烦，这绝对要比你把它们吃进肚子后，再去瘦身要容易许多。处理过的肉在烹煮之后，最好再用些干净的纸，将油汁吸掉。

*尽量选用低脂食品（详见第113页"学会看食品标签"）。不过，

尽管许多食品的包装上标榜"低脂"，但你还是得看清楚再买，因为有些号称低脂食品的脂肪含量，对你来说仍然过高。

基本上，想要在怀孕时减掉额外的体重，是一件比较有风险的事，不过，也可以很安全地进行。请与医生和营养师一同讨论怀孕每个月体重的变化情况，然后，你可能需要视情况不同来调整运动量和饮食习惯。不过，追求没有脂肪的身材是不切实际的，怀孕时体内脂肪量的增加是正常现象，只不过需要你加以控制而已。因此，如果你在怀孕过程中，能够养成良好的饮食习惯和生活作息习惯，体重应该会合理地增加。

也许有一天，我可以重新穿上那些过去的衣服，不过，现在它们都静静地躺在衣橱的一角，好像在向我哭诉着："穿我啊！快来穿我啊！"

勉强把自己塞进牛仔裤里，可能会有一些成就感，但实际上这只是自欺欺人。

我的体重一直没有达到预期的目标，每个月称过体重后，我都觉得很沮丧。最后，我不再看体重秤上的数字。如果医生对我的体重没有什么特别叮咛，我就认为那是正常的。

怀孕日记：第2个月

我情绪上的感觉：

我生理上的感觉：

我对宝宝的感觉：

我在吃的食物：

胃感到最舒服的食物：

我偏好的食物：

我最关心的事：

我最快乐的事：

我最严重的问题：

我应该关心的事

我的问题有哪些？我得到的解答是：_ _ _ _ _ _ _ _ _ _ _ _ _ _ _ _
_ _
_ _

检查结果和我的反应：_ _
_ _
_ _
_ _
_ _

我的体重：_ _
我的血压：_ _
我想象中宝宝的模样：_ _
_ _
_ _
_ _

宝宝，如果你听得见，我想对你说：_ _ _ _ _ _ _ _ _ _ _ _ _ _ _ _
_ _
_ _

第 2 个月的照片

感想：

第3个月的产前检查

9 ~ 12 周

在这个月的产前检查中，你可能会做的项目包括：

* 子宫隆起部位及腹部的检查
* 子宫检查
* 血色素及血细胞比容的检查
* 验尿
* 体重及血压检查
* 通过多普勒超声波仪，听到胎儿的心跳声（胎心音）
* 讨论胎儿基因是否正常及超声波、绒毛膜采样、羊膜穿刺术、甲型胎儿蛋白或产前筛查等检查的必要性
* 对有肿胀现象的手脚部位进行检查（浮肿、静脉曲张）
* 与医生讨论你的感觉和关心的问题

第 **3** 个月

看起来像孕妇了！

过去两个月来，许多准妈妈身体上所受的种种折磨（极度倦怠、严重害喜等），到这个月时开始减轻。尽管此时下腹部隆起的现象还不明显，如果你想穿牛仔裤，也许会感觉紧了一点，但还是穿得进去（一般已有分娩经验的孕妇，感觉到腹部隆起的时间，会比没生过的孕妇早些）。不过，此时你可能对亲朋好友源源不绝的关心，感到有些厌倦。而因为倦怠、害喜等现象逐渐缓和，相对地心情上会轻松许多。

情绪上可能的转变

如同怀孕的前两个月一样，你此时的心情依旧是忐忑不安。值得庆幸的是，体内孕激素的分泌，到这个月会达到最高峰，这意味着怀孕引起

的种种不适，将随着激素分泌量的逐步稳定下降而趋于缓和。对大部分孕妇来说，大约到怀孕的第 12 周之后，怀孕早期发生的种种不适现象，都会在此告一段落。

在怀孕的前两个月里，我常常会一天到晚哭个不停。现在，丈夫会莫名其妙地问我："你又怎么了？为什么好久没哭过了？"

自信

怀孕前两个月对于流产的恐惧，随着时间的推移也会渐渐减弱。因为，流产高峰期往往发生在前 8 周。特别是如果你先前已经有过流产的不愉快经历，此时怀孕已经顺利进入第 3 个月，你可以松一口气，并让自己充分享受一下一直压抑在心中的怀孕的喜

悦、爱和希望。一般来说，绝大多数的孕妇，在怀孕进入第 3 个月之后，基本上都会开始感觉到自信，并做好迎接一个健康小宝宝的心理准备。

渴望独处

许多孕妇表示，大约到怀孕的第 3 个月时，会有强烈的独处念头。这可能是一种让自己放慢脚步，重新考虑自己状况的本能反应。也可能是因为你已经开始正视怀孕的事实，责任感油然而生，心态也随之转变。

我最近不但容易感觉到疲倦，而且也不大喜欢说话，我相信这一定跟怀孕脱不了关系。

担忧体重增加

到了怀孕的第 3 个月，你可能会比前两个月更担心体重增加的问题。也许你会很高兴，因为你能吃下去任何东西（怀孕前两个月害喜严重的孕妇，体重往往不增反减，直到第 3 个月才开始增加）。其实，你能够警觉到体重增加而开始控制饮食，未尝不是件好事。有部分孕妇，则宁愿身材稍微丰腴一点，也不要再受害喜的折磨。

怀孕时体重会增加，本来就是天经地义的事，因此，你应该放松，以积极乐观的态度，来面对体重增加的事实。

我仍然记得医生在看了体重秤之后，是怎样消遣我的："你看你，如果再不好好控制体重，你就快要变成汽油桶了！"但是，时间过得很快，当我怀第 3 胎时（6 年后），我再也不担心我到底又胖了多少。事实上，我比前两次怀孕还要胖一点，但是，我整天好吃好睡，快乐得不得了！（嘿！别忘了孕妇有吃的特权！）（详见第 112~120 页有关体重增加的控制及如何注意饮食习惯）。

担忧害喜持续不退

如果你与少数的准妈妈一样，到了怀孕的第 3 个月，害喜的现象仍迟迟未见缓解，你可不要心急，资料表明，再严重的害喜到了第 4 个月左右也会有所缓解的。因此，你就再忍一忍吧。相信你很快就会脱离害喜的苦海，而开始享受怀孕所带来的喜悦！

担忧没有怀孕的感觉

许多已经被证实怀孕的孕妇，总是会因为腹部还没有明显隆起及感觉不到小宝宝的胎动而着急不已，其实，这都是正常现象，你还是耐心等待吧！

在怀孕的第 3 个月末，我终于有了怀孕的感觉！不过，倒不是肚子里

不用担心

许多女性都有怀孕恐惧症。计划怀孕的女性，会担心自己迟迟无法怀孕；一旦怀孕了，又担心可能随时会流产；现在怀孕稳定了，你又开始担心胎儿是否健康和分娩时是否会发生难产（有时候，就算顺利分娩之后，你还会担心，不知道自己有没有能力胜任妈妈的角色）。如此一来，给自己的压力太大，不论吃什么、喝什么、一举一动，甚至连呼吸时可能都会患得患失，把自己搞得很不舒服。总之，你真正的问题，其实就是太过杞人忧天。

没错，怀孕时有不少事情是该操心的，但是，过分忧虑无济于事，而且，当你忧虑时，体内会自动释放出一些应激激素，结果反而让你更心烦气躁。

当然，要你完全不忧虑也不大可能。因此，一旦觉得心烦的时候，最好赶快提醒自己换个角度，多想想怀孕带来的喜悦与成就感，也许就会感到舒服一点。就算你属于高危孕妇，也应该以更积极乐观的态度来面对，至少在心态上先调整好自己。尤其是不要整天对一些生活琐事忧心忡忡，你真正该花心思的，应该是如何让自己吃得更健康、睡得更好。

如果上述做法，仍然无法让你走出阴霾，那么，请试着改变一下环境，比如逛逛街，好好去外面大吃一顿，甚至去度个假都可以。最后，别忘了提醒自己："我现在可是在做一件意义非凡的事——孕育一个生命！所以，一定得保持心情愉快，好好地把肚子里的小宝宝照顾好！"

小宝宝的胎动提醒了我，而是我的身材已经胖得完全走样。不久之后，我也慢慢开始感受到腹中小宝宝有移动的现象（此时你可能开始享受来自外界的多方关心）。

生理上可能的转变

此时，你体内的激素仍不断分泌，

肚子里的胎儿也不断地成长着。和前两个月一样，你仍然还会有恶心、呕吐、心悸、便秘等现象，只不过这些现象到了这个月底，多半都会逐渐缓和下来。此外，生理上的变化也会有所不同。

盆腔不适

虽然你并不知道发生了什么事，

发现自己的最爱

我们总是喜欢用一句过来人的话送给所有的新手父母："小宝宝最需要的，就是一个快乐的妈妈。"这句话也适用于怀孕时的准妈妈。也就是说，什么对准妈妈好，通常对肚子里的胎儿也好。因此，身为准妈妈的你，怀孕是一个千载难逢的机会，可以将你的所有喜好一一整理出来。

这通常在你刚怀孕时，就应该开始准备。比方说，你可以好好想想，什么样的工作最适合怀孕的你？你最喜欢吃的食物有哪些？你最喜欢什么运动？最喜欢的放松方式有哪些？当你不舒服或疼痛的时候，怎样才能让你舒服一点？将这些内容列成清单，贴在家中明显的地方，让大家（特别是丈夫）都可以看到。然后在怀孕的过程中，如果你的喜好发生任何变化，可以随时更新。以下就是一张清单的范例，供你参考：

* 我最喜欢吃的食物有：

* 我最喜欢的运动是：
* 最能让我疏解压力的方法是：
* 我最喜欢谈论的话题是：
* 我最好的睡眠时段是：
* 我工作效率最高的时间是：
* 我最喜欢的休闲活动有：
* 对我最有意义、最浪漫的日子是：

* 我最喜欢的衣服款式是：
* 我最欣赏的发型是：
* 我最喜欢的做爱方式有：
* 可以让我觉得舒服的最佳方法是：

* 我丈夫做得最好的事是：
* 我最喜欢阅读的内容是：

虽然人生不可能尽如人意，不过，最起码你知道自己该怎么做才能感到快乐。因此，如果在怀孕的大多数时间里，都能如上所述来执行的话，相信你一定会拥有一段最符合自己需求的美好时光！

但是，你会开始觉得盆腔的部位，好像有点怪怪的，或有点不舒服。此外，你也许已经开始感到下腹部有胀满的感觉。你可能会在身体突然变换姿势时，感到莫名的刺痛，比如原本躺得好好的，结果一坐起来就有刺痛的感觉。这是因为此时你的子宫扩张到了某种程度，结果附近的支持韧带被拉长了。这样一来，一旦你突然改变姿势，就有可能不小心拉扯到这些韧带，造成腰际两侧有刺痛感。因此，当你变换姿势时，速度放慢、力量放轻，

刺痛的现象应该就可以缓和许多。在怀孕的前3个月，子宫韧带所引起的刺痛，往往较为短暂、轻微，更像是一种不适而不是真正的疼痛。至于骨盆韧带疼痛的舒缓方式，你可以光脚站着，把疼痛一侧的那只脚抬起来，尽量保持身体的平衡，用双手反向顶着椅背，把脚保持在离地5厘米高度，然后停留10秒钟左右。这个动作请重复10次，然后换脚。

穿衣尺寸改变

一般到了怀孕的第3~5个月时，准妈妈在衣着上的搭配，往往会有一些困扰。此时，过去你买的衣服，可能不是穿起来太紧，就是根本穿不下，而正式的孕妇装穿起来又松松垮垮的。这时，建议你挑选一些比原来尺寸大一号的休闲服饰来搭配，并选择有弹性的腰带，这些会让你觉得好看又舒服。这些钱可不用省，因为你分娩之后，这些衣服可能还能派得上用场呢。

玛莎护士的经验谈：当怀孕刚进入第3个月时，我对于原本苗条、但正在逐渐走样的身材，并没有积极地调整心态。直到有一天早晨，我决定开始穿较为宽松的长裤，但心有不甘，于是我试着紧紧地系上腰带。才不一会儿功夫，我马上感到腹痛如绞，直奔厕所吐个不停。此时，我才不得不接受现实，为了胎儿好，我必须换上适合自己的衣服。

听到宝宝的心跳了

一般到了怀孕的第12周，你就有机会通过多普勒超声波仪，听到肚子里胎儿的心跳声。通常，胎儿的心跳速度比你的要快1倍。你可能会很惊讶，听到的心跳声是那么强而有力，其实，这只是仪器将胎儿的心跳声放大，以便让你听得更清楚一点而已。

我从来就没有想过听到胎儿的心跳声会有什么反应。结果，当我第一次听到那扑通扑通的心跳声时，竟紧张得差一点喘不过气来。不久之后，婆婆陪我去做产检。我压根没有想到，在她那个年代根本就没有超声波仪器可以听到胎儿的心跳声，因此，之前我也没有特别向她提这档子事。

结果，当她亲耳听到未来小孙子的心跳声时，竟然激动地流下泪来。那真是感人的一刻！

注意到更多的乳房变化

你的乳房会继续变化以适应分娩后的哺乳，在怀孕第3个月的月底，乳头也会明显变大、隆起，乳晕部分

感受子宫的变化

你可以在上厕所后，在床上平躺，将腹部的肌肉放松，然后感受一下大约在骨盆中央的位置，有没有什么不一样的感觉（如图）。

虽然子宫隆起的变化因人而异，但大多数孕妇子宫增大的模式，基本上大同小异。当怀孕进入第12周时，你可能会感觉子宫似乎上升到接近耻骨上缘的部分（如果过去有怀孕的经验，你应该可以很容易感受到）。此时，你或许可以摸到球状的子宫，而且你会因此期待着感受宝宝的移动。

到第16周时，你会发现子宫的隆起，已经从耻骨的上缘一直向上延伸到了接近肚脐的位置。到第20周，你应该可以更明显地感觉到，隆起的部位已经上升到了肚脐的位置。而每次产检时，医生也会帮你测量子宫大小，以大致了解胎儿的发育状况是否正常，或是观察你是否怀的是双（多）胞胎（如果你自己确定不了子宫的位置，可以请医生帮你把手放在子宫的位置上感受一下）。

如果，此时你还没有做超声波检查，那么，摸子宫是让你确信有个宝宝在里面的最简单方法（此时，你还无法感受到胎动，要有被胎儿踢的感觉，最起码还要等上一两个月）。

此后，你会开始喜欢不自觉地就将双手往肚子上放，因为，你知道自己已经快要做妈妈了！

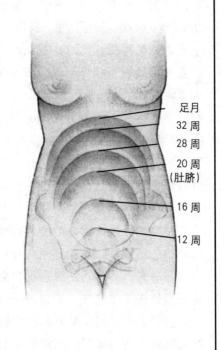

足月
32 周
28 周
20 周
（肚脐）
16 周
12 周

同时也有扩大、颜色变深等现象发生。据民间传统的说法，这些变化是为了让出生后的胎儿容易找到乳头吸吮。

此时，乳房明显的变化，也会让你显得更为笃定自信，心态上的调整势必也会更容易一些。

胎儿的成长（9~12周）

当怀孕进入第9周时，肚子里的胎儿也正式脱离"胚胎期"，进入"胎儿期"。此时，胎儿所有的器官都已成形，但还将在剩下的时间里继续生长发育，胎儿的肝脏、脾脏、骨髓，也在这个时候开始制造血细胞。此外，在怀孕早期负责生成血细胞的卵黄囊，此时因不再需要而消失。胎儿的牙齿也开始成形，通常到了第3个月的月底，胎儿的牙龈下，会长出20颗小牙苞。而手指甲、脚指甲、毛发也依稀可见。此时，胎儿幼嫩的皮肤仍呈透明状（透过皮肤可以轻易地看到血管和组织），在胎儿的腹腔里，肠子也清晰可见。至于舌头、声带等，也会在这时候慢慢形成。胎儿的循环系统已经开始运作，心脏瓣膜也逐渐长成，这就是为什么通过多普勒超声波仪就可以听出胎儿心跳声的原因。胎儿的肝脏此时会开始分泌胆汁，而胰腺则会开始分泌胰岛素。另外，泌尿系统也会将尿液排进羊水之中。通常，进入怀孕的第3个月时，胎儿的外生殖器依然没有明显差异，因此无法清楚地辨别出性别，不过，当怀孕到了第3个月的月底时，通过超声波，通常已经可以知道胎儿到底是男孩还是女孩。

怀孕第2个月时，胎儿的头部大约占整个身体的一半。当怀孕进入第3个月时，胎儿的头部已经抬起。一般到第12周，胎儿的头部大约占身体大小的1/3。此时，胎儿成长的速度很快，不论是身长还是体重，都呈倍数增长。胎儿的身长会从怀孕第2个月底的不足4厘米，在一个月里长到6~7厘米左右；同时，体重也会从大约14克增加到28克左右。此外，随着胎儿颈部和身躯不断地成长，原先看似蜷曲的头部与身躯，都显得更挺直了一些。另外，在这个月底，眼

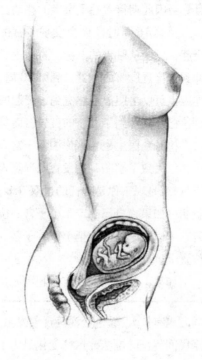

9~12周的宝宝

皮长了出来，胎儿也会有张开嘴巴、移动舌头、吞咽羊水、拳头开合、移动四肢，甚至打嗝等动作。胎儿的小脚丫此时可能正在踢着你的肚子呢，只不过你还感受不到而已。此时，胎儿不但在外观上已渐渐像个小人儿，整体动作也有模有样了。

你应该关心的事

鲜活的梦境

激素不仅在你清醒时影响你的情绪，在你睡着时也会发挥作用。了解怀孕时的梦境与平常有所不同，会对那些受梦境困扰的孕妇有所帮助。

怀孕时做的梦有什么不同

怀孕时的梦境，比平常做的梦要紧张、刺激、活泼而荒诞不经。不过，有时也会有很有趣的梦境出现。根据我们调查的结果发现，大多数准妈妈认为，怀孕时做的梦往往比平常要真实，一些平常在日常生活中忧虑的事情，在梦里往往会被夸大渲染。此外，怀孕时的梦境，除了更奇特之外，做梦的次数更频繁，起床后通常也会有比较深的印象。这可能因为怀孕时较容易被惊醒，且常常是在梦境刚结束时，这使你容易想起刚才做了什么梦。

自从怀孕之后，我夜里总是做梦。

与怀孕前相比，现在所做的梦可是真实多了。有一次我梦到对丈夫说，我不反对他和前任女友约会。此时，梦境突然急转直下，没良心的他最后竟然决定与她远走高飞。此时，我立刻惊醒，才发现这只是一场噩梦而已。但是，怒气未消的我马上摇醒熟睡中的丈夫说："你怎么能这样对我啊！"

为什么怀孕时做的梦会如此与众不同？

怀孕时做的梦，之所以会和平常有所不同，通常与睡眠品质的改变有关。特别是当你进入了怀孕后几个月，大多数时候都无法睡得很沉，结果，不但做梦的概率会增高，也比较容易被惊醒（因为你常常处于浅睡期）。当你睡得不沉的时候，虽然身体上处于完全休息的状态，但精神上也许正处于紧绷状态。不过，这倒不能全怪罪在激素身上，因为，有许多准爸爸也表示，他们在妻子怀孕期间，也有更逼真、更吓人的梦境不断出现。毕竟，期待一个小生命的孕育、成长，是家庭中的大事，这也难怪每一个准妈妈都战战兢兢了。

有一回，我梦到把两岁大的女儿放到我父母家而忘记去把她接回家。我想这个梦大概是想提醒我，一旦小宝宝诞生后，我可能会比较偏心而忽略老大吧。

梦境会随怀孕过程而变化

你在怀孕时做的梦，多半与你在不同怀孕阶段，心中所产生的不同顾虑有关。在怀孕早期，你比较容易梦到一些如盆栽、果实、种子、水、海浪等象征生命的内容。而当怀孕几个月之后，此时梦境里最常出现的景象，就是你幻想的小宝宝的各种不同的样子，或是一些像小马、小狗等小动物。这时候，也有些孕妇会梦到自己根本没有怀孕，结果，一觉惊醒而感到满头雾水。还有些孕妇会梦到自己是建筑师、艺术创造者等具有"原创"性质的内容，这可能反映了怀孕本身就是在扮演着创造者的角色。到了怀孕晚期，各式各样的噩梦全部出笼，不管是梦到生下来的小宝宝体弱多病、分娩时难产，还是刚生下来的小宝宝被人偷走等，这都是正常现象。此时，不管你梦到什么，梦境多半比怀孕早期和中期要焦虑许多。比方说，你可能会梦到丈夫失业或是调职等。不过，据大多数过来人表示，在怀孕晚期最令人感到不安的梦境，多半是与小宝宝相关的意外事件，如小宝宝想吃奶时乳房空空如也，或是因为你的疏忽造成小宝宝身体上的伤残等。另外，像小宝宝不见了，也是在怀孕晚期普遍会做的噩梦。

我不断梦到我的小宝宝是个畸形儿。医生告诉我，这是怀孕时常见的现象。这样一来，准妈妈在怀孕时，才会更小心地照顾好自己和胎儿。

别受梦境干扰而小题大做

请不要因为不愉快的梦境而影响到你的情绪、甚至日常的作息，因为梦境并没有预知未来的能力。况且，怀孕时因为睡眠状况不太好，不但做梦的机会多，而且也比较容易产生光怪陆离的梦境。不过，做梦（尤其是相同内容反复出现的梦）可以将原本深藏于你潜意识中的一些焦虑表达出来，而使你注意到需要解决的问题，因此具有疏解压力的效用。有些孕妇会把刚刚做过的不愉快的梦境写下来，然后，稍作修改，把它变成一个积极乐观的梦，让自己心情好转，听说这种方式效果还不错。如果你曾经梦到自己生下一个畸形儿，这表示你跟大多数健康的孕妇一样，会因此更加小心翼翼地照顾好自己和肚子里的小宝宝。

我很鼓励身为准妈妈的你，养成将反复出现的梦境一五一十写下来的习惯，通过梦境，你或许可以了解到隐藏的、需要解决的问题。当然，你也可以鼓励丈夫，将他的梦境开诚布公地和你分享；这也许也可以化解他做梦时的种种疑虑。

我常常会梦到我在家里发现一间从来不为人知的小房间。其实，我家已经够大了，不过，多一个房间当然是多多益善啦！朋友告诉我，梦到新房间，表示做梦的人在内心里已经准备好要接受一项全新的挑战。我真希望能如他所说，因为，我已经做好扮演新手妈妈的心理准备了。

享受怀孕期间的性生活

多数女性一旦怀孕之后，许多生活上的习性与偏好，不论是做饭还是做爱，都可能会有改变。至于怀孕时如何享受鱼水之欢，这还得视你和丈夫对性的态度及你的身心状况有没有明显改变而定。不论如何，我们可以向你保证：怀孕后的性生活绝对是与众不同的。对于许多准妈妈与她们的伴侣来说，怀孕时的性生活不但更为刺激、而且似乎也更容易、更快、更频繁地达到高潮。许多准爸爸也认为，妻子怀孕时是最美丽、也是最性感的时刻。不过，虽然有些伴侣会觉得怀孕时期的性生活是结婚以来最美好奇特的时光，但也有不少伴侣持完全相反的看法，而大多数的伴侣则表示好坏参半。可喜的是，大多数的伴侣都表示，如果怀孕时双方在身心上都能够作一些调整，那么多半能在怀孕的几个月里，尽情享受鱼水之欢的愉悦。一旦你们发现怀孕时也能享有美满的性生活（这也包括刚生完宝宝后），你们在身心上的调整也会变得容易许多。这与刚结婚时，需要双方都能多关心、了解对方的需要是一样的道理。

一般而言，在怀孕早期，由于准妈妈多半会有害喜、倦怠的现象，再加上你对于流产的疑虑，因此，对性生活会感到缺乏兴趣。到了怀孕的第4到第6个月时，此时也称为怀孕的"蜜月期"，由于激素分泌渐渐平稳，害喜、极度倦怠的现象都逐渐缓和下来，此外，对流产的恐惧也消失了。这时候，许多准妈妈也会像准爸爸那样，经过了几个月无性的生活之后，对重拾性生活充满着无限的期待。结果，据许多女性表示，怀孕中期的性生活，往往是她们人生中最值得回味的一段美好时光。

到怀孕的最后几个月，你也不要因为自己腹部膨胀、行动笨拙，无法充分享受到美满的性生活而沮丧。此时，你的身心多半已经做好分娩的准备，因此，到了这个时候，安全待产会比一时的性愉悦要重要许多，再者，就算你真的有所需求，笨拙的身躯也会让你自己打退堂鼓。

期待不同

对大多数孕妇来说，对性的需求是与身体状况成正比的：怀孕早期，由于身体状况较差，因此对性多半显得兴趣索然；而怀孕中期由于身体状况逐渐恢复，因此自然对性比较期待；而到了怀孕晚期，由于行动已经不便，对性自然又会显得比较没兴趣。

性器官的改变。 怀孕时基于未来哺育、分娩小宝宝的需要，孕妇的性器官会随着怀孕时间的增长而产生变化。结果，有些人因此而能够得到更大的快感、刺激，有些反而因此产生困扰和痛苦。让孕妇的身体做好分娩和育儿准备的激素也使身体对性生活的感觉发生变化。比方说，在怀孕时，准妈妈的乳房除了更为丰满之外，乳头、乳晕也都会产生扩大、颜色变深、更为敏感的现象。因此，当你在做爱时，流入乳房的血液会比平常多得多。此时，不论是胸部的外观，还是因为乳房碰触更为敏感，都更容易挑起丈夫的性欲。至于你本身是否也能同样性致勃勃，就得看你处在怀孕的哪个阶段，以及当时身体的状况是否良好而定了。

阴道部分的变化是为了让日后胎儿能够顺利产下，因此，对丈夫来说，做爱的感觉自然也会大不相同。此外，由于这部分的血液流量，也比平常要多，因此阴道也会比平常感觉胀满——结果，有些孕妇因此得以享受到更多的高潮，可也有些孕妇反而会觉得更不舒服。另外，阴道分泌物不但会增加，连气味也会改变，这对于平常性行为时分泌物较少、容易导致阴道疼痛的女性是一大福音，许多伴侣因此受惠不少。不过，由于阴道充血，结果有的丈夫会抱怨阴道好像变窄了些，造成性行为的不便。总之，怀孕时性器官的改变，特别是对于第一次怀孕的新手父母来说，在性生活上绝对会有很不一样的体验。

由于有较多的血液流入子宫颈，因此你可能会发现，在性行为后会有少许流血的现象。这可能是子宫颈部位的微血管，因为摩擦破裂所导致的出血，因此，你不用担心。当然，如果你想避免性交后流血现象的发生，可能要请丈夫采取一些阴茎较不容易深入的体位，这样一来，就可以减少子宫颈发生的流血的概率。如果在性交发生的同时就有流血的现象，你可能就要请医生检查，看看是否只是轻微的子宫颈微血管破裂出血？还是在子宫内发生了出血的现象？（至于准妈妈性交时所建议的体位，详见第301页）。

沟通方式也会改变。 在怀孕时你可能会发现，做爱时沟通的方式也会与平常有所不同。此时，你可能会更勇于将自己的感觉，比如怎么做会让你比较舒服，怎么做会让你感到不适，向丈夫表达出来。这可能是因为你的性器官随着怀孕时间的增加，每天都会有不同的变化。你可能今天在前戏时，轻微爱抚乳房就可以直达云霄，可没隔多久，因为乳房过于敏感，当他用同样方式爱抚的时候，可能会让你觉得疼痛不堪。总之，为了增加怀孕时做爱的愉悦，你的确应该勇于将自己的感觉表达出来。

你的态度也会有所不同

怀孕时身体上的一些变化，对有些孕妇来说，可以增进性生活的情趣，可对于另一些孕妇来说，则可能让她们性趣索然。

之所以有这么大的差别，与你对身体变化所持的态度有很大的关系。

在怀孕的前3个月里，因为激素分泌造成的种种身体不适，会让你自顾不暇，本能地对性生活敬而远之。除此之外，你和丈夫对流产的担心也会造成双方彼此尽量克制自己的性欲，以先求得胎儿的平安为最大的前提。

事实上，对于大多数孕妇来说，怀孕时的性生活应该是很安全的。怀孕时因为性生活导致流产、胎儿受伤的例子，在临床上少之又少（详见第143页"何时必须停止性生活"）。而怀孕时的性生活，其实应该要比平常轻松许多，你们夫妻俩再也不用像以前那样，因为害怕怀孕而整天提心吊胆，或是为了怀孕而做爱。现在，你们只要想做就可以做。这对于过去长期受到不孕困扰，因此对于为了怀孕需要，按医生编排的性爱日程表操练的夫妻来说，在心情上一定是轻松许多。

更为性感的身体

性感与怀孕并不是无法兼顾的。怀孕的准妈妈们，必须要重新调整怀孕时对性感的认知。事实上，你在怀孕时的外表、穿着上的调整，可能正反映出你对怀孕及未来身为人母之后，对于性感的认知差异。在结婚前，你可能追逐流行时尚，在装扮上会参考杂志上的名模造型，如何保持身材的纤细，更是你的终极任务；但在结婚后，你开始觉得，追逐流行造型，不如营造夫妻鹣鲽情深的氛围要更重要，有趣的是，你可能因此让人觉得更为性感。怀孕后，身体外观上明显的变化，与过去青春期的发育类似，到这时，你会好好静下来思考："我该怎么做，才能让自己看起来更性感？"

首先，如果从生理学方面来看，生儿育女既然是成熟女人的天赋，那么，怀孕的女性体态变化中所散发出来的成熟魅力，自然是毋庸置疑的。而就人类学方面来看，怀孕的女性正延续着人类传宗接代的神圣使命，这种圣洁的行为自有其巨大的魅力所在。不过，由于你在怀孕的前几个月，会有严重害喜、极度倦怠的现象发生，因此，你可能会觉得自己常常狼狈不堪，更谈不上有多少性感可言。

一旦你逐渐恢复正常之后，如果你还对自己的性感没有信心，那么，这个罪魁祸首很可能就要归结于多年以来，你受到芭比娃娃那种单一呆板的性感形象的影响，结果完全失去了自己的风格与自信。你会担心自己的身材，永远恢复不了怀孕前的样子，这样的顾虑是正常的。根据研究指出，大多数女性在怀孕时，有两项最令她们感到困扰的事，第一就是身体上的不适感；其次，就要算"怀孕时的焦虑"了。关于这点，你应该多向美国知名影星黛米·摩尔看齐，她在怀孕时依然勇于拍摄大肚照，将孕妇的性感与风韵表现得淋漓尽致，谁说怀孕时就性感不起来呢？

虽然社会的主流价值观，仍然视胸部丰满坚挺、身材苗条的女人为尤物，但身为孕妇的你，可以不去理会这些呆板的价值观，而沉醉在身体的种种变化上。因此，不要再和自己过不去，不管你多么向往拥有魔鬼身材，很抱歉，在有关孕妇的审美观点里，身材越是丰满浑圆，就越美丽性感。当然，这样的观念你一时恐怕很难接受，就算你听说过"为了生一个健康的孩子，一切牺牲都值得"这句

话，但你可能对走样的身材仍然会耿耿于怀，这种现象在新手妈妈的身上最为明显。也许，当你再次怀孕后，对于身材的期望才可能有比较明显的调整。

如果你实在无法接受身材上的变化，也许以下建议可以帮得上一点忙。

向你过去性感的身材告别吧！如果你觉得自己实在很难接受逐渐走样的身材，尤其是你根本还没做好怀孕的心理准备，那么，好好找个时间静一静，用各种可以让你觉得舒服的方式来向你过去美丽的身材告别。同时，以欢愉的心情，迎接另一种形式的性感身材。如果你还是无法释怀，可以向专业人士咨询，请他们提供协助。

乐观地向前看。以更宏观的角度来看待事情，多朝着你会有所得的地方看，而不是一直钻牛角尖着眼于你有所失的地方。想想看，你丰腴的身材不是也会让丈夫有更多可欣赏和抚摸的地方吗？如果你还是无法面对这样的事实，也可以向一些有经验的朋友请教，过来人的经验也许可以给你一些启发。因此，请站在镜子前面，坦诚面对并包容自己身材的变化，同时，也别忘了给自己一些掌声哦！

让自己看起来更性感。虽然你的身体日渐丰腴，但这并不表示你就应该看起来更难看。好好替自己设计个发型、改变化妆与穿着上的造型，让

给准爸爸的一些叮咛

亲爱的准爸爸们，你们可能听说过女性的性欲在怀孕时减弱的言论，实际情况是，怀孕时她对性的需求将会与日俱增（说白一点是她需要你的关心）。此时，你一定得开始更好地照顾和满足她，这是很重要的。

请记住，随时随地对你正在怀孕的妻子及她的身体，投注关爱的眼神。当她感受到，你因为她怀孕后身体产生的变化而对她更"性"致勃勃时，她至少会在怀孕中期身体状况比较好的时候，设法给你最好、最销魂的回馈。相反，如果她发现你对她隆起的腹部一直都感到性趣索然，那么，同样她对你也会感到缺乏性趣。一项针对 260 位孕妇所做的研究指出，她们在怀孕时提不起性趣的几个主要原因，最常见的依次为身体不舒服（占46%）、害怕伤到胎儿（27%）、做爱时觉得笨拙（17%）、医生建议克制一些（8%）等。值得庆幸的是，其中大约只有 4% 左右是因为丈夫对她提不起性趣，而导致性生活不美满。

此外，许多男人之所以对伴侣失去性趣，与伴侣怀孕时身材是否走样，并没有直接的关系。身为准爸爸，他同样也会担心，因为性行为而影响到胎儿的安全——尽管，这有点过虑了。

此时，许多准爸爸也在努力适应丈夫与爸爸角色的转变，而暂时无暇顾及性生活。对这些准爸爸来说，就像准妈妈一样，如何同时兼顾爱人与爸爸的角色，的确是得花上一点时间来做调整。

还有一种不安的感觉就是小宝宝是个入侵者。当身为准爸爸的你开始意识到，家中即将有个不速之客降临时，可能会感到兴奋不已，但也可能因此担心你们的二人世界将受到破坏。因为也许你会有些心理障碍，总觉得与怀有身孕的妻子做爱怪怪的。不少准爸爸表示，当他们在做爱时，如果突然感觉到胎儿的踢动（准妈妈感觉到也是一样），就会发生阳萎的现象。

从你妻子怀孕的第一天起，到顺利分娩一年之后，这段时间除了妻子身体外观上的变化之外，还因为有小宝宝的存在（想做爱时，小宝宝却哭个不停）、疲倦，以及妻子的乳房、阴道等性器官的变化等，让你的性生活绝对会与平常有些不一样。请不要抗拒、排斥这样的变化，你应该以更积极乐观的态度，让你们享受到更欢愉的性生活。

另外，不要因为妻子平常做爱时

看似被动，结果怀孕后再做爱时她如狼似虎的表现而感到惊讶。有些女性就表示，一直到怀孕时，她们才得以享受到真正的性高潮，结果，对性的需求自然有所提高。此时，有些准爸爸表示，对于妻子索求无度的举动大感吃不消，而感到愧疚不已。做爱时感到有压力会影响你的表现，但不要因此而退缩。事实上，在你妻子怀孕的前几个月，你对性的需求远超过她所能满足的范围，但到了怀孕中期，你就未必能满足她的性需求，特别是当你采取一些陌生的体位时。

你的阴茎有时候会比较不听使唤。另外，由于她阴道的充血量与液体的分泌量都有增加的现象，因此，

这可能一开始也会导致你的不举。当然，如果你的另一半到了怀孕中期，并没有产生如狼似虎的现象也不要有受骗的感觉，这可能是因为她的身体状况还是不甚理想，或是她太害羞或太疲乏所致。

当妻子怀孕到后3个月时，你的性欲也会随着她性需求的降低而跟着下降。因此，当她仍能应付让你享受到性高潮时，你大可欣然接受。但是，你也不要忘了用些别的方式来回馈她。夫妻本就应该相互体谅、体贴一点，把怀孕时双方的性需求想象成有淡旺季之分，双方应该彼此更为对方着想，这未尝不是怀孕生活的另一项收获。

丈夫耳目一新。

行为上更妩媚一些。社会学家研究指出，人类行为的变化，可以对心态、情绪造成影响。比如一个简单的微笑，就可以刺激脑部，产生令你感到愉快的物质，一时之间，你好像就会觉得心情真的不错。同样，如果你在行为上自暴自弃，不但你会觉得自己真得邋遢透顶，丈夫可能也会跟着恼怒起来，结果就会一直恶性循环下去。相反，如果你能在行为上更妩媚一些，那么，效果一定会出乎你的意料，你很快会吃惊地发现自己确实很性感！

自信更能吸引丈夫。如果你总是觉得，逐渐隆起的腹部会让丈夫丧失兴趣，那可就大错特错了。一般来说，男人不仅多半会对妻子怀孕的肚子感兴趣，对妻子的身材因为怀孕产生的种种变化，也会大感好奇。一旦你度过怀孕前几个月的不适期，搞不好你的丈夫可能会对你们孕期的性生活感到非常兴奋呢！

说出真心话。与丈夫分享你怀孕时对性感态度的转变与看法，并进一步听听他对你身材、心境变化的想法。双方都应该开诚布公地将自己内心真正的感受让对方知道，这样一来，双

方便可以清楚地确认，对方是否会因此而失去对另一半的性趣，或是用什么样的方式可以进一步挑起对方的性趣。总之，不要总是先入为主地认为，丈夫一定会对你性趣索然，相反，他可能正想与你共度良宵呢！

共享身体变化的感觉。 让丈夫因为你身体上的变化感到骄傲而不是退缩——比方说颜色变深的乳头、隆起的肚皮等。你俩可以专注地一起享受着你怀孕后身体种种变化的喜悦。你的乳房在分娩之前，完全专属他一人所有。另外，你们也可以一起脱个精光躺在床上，专注地感受腹中的胎动，这是新手爸爸从未有过的经历，相信他一定会觉得十分有意思。还有一种非常好的方式，就是要丈夫每个月都为你照些相片，将这个重大怀孕过程中你身体的所有变化用相片记录下来。然后，你可以用一些可爱的相框将它们框起来，甚至将它们制作成精美的海报，你的丈夫一定会对他的"海报墙"感到洋洋得意。

浪漫一下又何妨。 在宝宝出生前，经常定个周末约会。因为孩子出生后，你们彼此就没有太多的精力了。在怀孕中期，你可以在性生活上好好地满足、回馈他一番。其实，在整个怀孕过程中，你们的生活品质不应该被打折扣，偶尔约会一下，相信一定能增进你们小两口的生活情趣。

不要让他觉得你只是"性义工"。 许多女性在怀孕时，不论自己愿不愿意，仍然会卖力地履行夫妻义务。不过，可不要让丈夫觉得你只是应付差事，这样，他不但会感到索然无味，也一定会觉得很有罪恶感。

我家那口子喜欢在我怀孕期间，趁着我裸体的时候，用录像机将我每个月身体的变化拍摄下来。现在，我的身材又恢复到怀孕前的样子，但我还是很怀念那段怀孕的时光，那是我们的夫妻生活里，最值得回味的一段时光（详见第301页"享受怀孕晚期的性生活"）。

怀孕时对性生活的其他疑问

Q: 我过去有过两次流产的经历，现在又怀孕了，我很担心一旦有了性生活会再次流产？

A: 到目前为止，还没有任何科学证据显示，怀孕时的性行为、高潮与流产有任何关联。不过，由于高潮会导致子宫收缩，因此，一般医生会建议过去曾经有过流产经历的孕妇，在怀孕的前3个月尽量避免性行为。

因此，尽管没有科学数据可以佐证性行为与流产有何关系，你最好还是听取医生的建议。不过，由于怀孕的前3个月发生流产的概率最高，此时你多半会因为严重的害喜现象而感到缺乏性欲，因此，这时的困扰应该不会太大。一直到四五个月时，你的性需求才可能会逐渐增加，这时你发生流产的可能性也已经比前 3 个月要小许多了。

Q：我被医生告知因为子宫颈机能不全，有早产的危险，他建议我卧床休息，并暂时避免性生活。可是，我觉得我与丈夫都有这方面的需求，我不知道该怎么办才好？

A：医生提醒你避免性行为，并不等于不让你快乐。说得更具体一点，他是希望你尽量避免高潮与阴茎的直接插入。这样一来，如果你能与丈夫充分沟通，想想其他的办法，在不插入的前提下，让双方都可以达到最大的满足，那么有何不可。这时交流是关键，告诉对方什么使你最快乐。

不过，如果医生建议你避免高潮发生，你可千万不要以自慰的方式，来代替性交产生的高潮。因为，自慰高潮让子宫收缩的强度，远远要比性交高潮产生的强度要大得多。事实上，孕妇子宫对高潮的高反应性有时对孕妇有利——当医生认为子宫颈成熟，婴儿即将分娩时，性生活可能是诱发分娩的一种方式。

Q：有时候当我们正做爱时，常常会因为胎儿的踢动而大倒胃口，请问这是正常的现象吗？

A：在怀孕时种种与性有关的问题，有时候很难去断定什么是正常、什么是不正常的现象，这常常得视你当时的态度而定。不过，就这个问题本身而言，你们的反应自然是很正常的。因为，你们还不习惯在做爱时，有第三者在场，虽然他是在封闭的子宫里，那种感觉肯定也是有点奇特的。因此，你们在心态上也应该开始调整，因为等到小宝宝出生后，你们性生活的隐私权将更容易受到小宝宝干扰而被剥夺。

Q：我的医生基于早产的顾虑，建议我在怀孕的最后 3 个月最好避免性生活。请问，我是不是应该多听听其他医生的建议呢？

A：你可以多听几位医生的建议，但是，可能几位医生给你的建议都会有所不同。因为，高潮与早产之间的因果关系，目前仅限于学术上的研究（而且各派理论立场不同），因此，不同学派的医生坚持的立场，自然会有所不同。许多孕妇在高潮之后，会有强烈的子宫收缩现象，因此，有部分医生就会担心这会导致早产。最新的研究报告证实，性高潮与早产并没有直接关系之后，已经有越来越多的医生接受这种看法而建议准妈妈们大可安心享受鱼水之欢。不

何时必须停止性生活

对于大多数身体健康状况良好的准妈妈、准爸爸而言，怀孕时的性生活，基本上可以一直持续到分娩的前一天都不会有什么问题。不过，基于对准妈妈与胎儿健康的考虑，如果有以下这些情况发生时，可能就不宜进行性生活：

＊如果你或丈夫患有性病，在治愈之前，最好先停止性生活，以免病菌通过性交进入子宫传染给胎儿。

＊如果你在性行为当时或之后，发生阴道流血的现象，那么，你应该让医生检查一下。如果此时医生认为你有流产的迹象，他会建议你暂停性生活。

＊如果医生发现你有早产的可能，而性高潮可以进一步刺激子宫的收缩，为了避免发生早产，医生会建议你暂时避免性行为。

＊如果通过超声波检查，发现你的胎盘有无法与子宫紧密连接的现象，医生也会建议你暂时避免性行为，以免胎盘进一步与子宫分离。

＊如果你过去有流产的经历，医生多半会建议你，在怀孕的前几个月尽量避免有高潮的性行为，直到度过流产的危险期为止（虽然大多数的研究指出，性高潮与流产并没有直接关系，但是，已有流产经历的高危孕妇，还是应该听从医生的建议）。

＊如果你在怀孕晚期被医生视为高危孕妇（比如子宫颈机能不全或有早产迹象），医生通常也会建议你暂时避免性生活。

＊如果你的羊膜（充满着保护胎儿的羊水）有破裂现象，医生基于防止细菌进入子宫而感染胎儿的考虑，也会建议你暂时避免性生活。

当医生对你做出暂时避免性生活的建议时，你应该清楚地了解，是什么原因让他做出这样的建议、要避免性生活多久等。一般最主要的两大顾虑，除了高潮会造成子宫收缩外，就是阴茎插入所造成的细菌感染。对于那些已怀孕20周以上的孕妇来说，乳房的刺激也可能会造成子宫收缩，因此，也应该尽量避免刺激乳房。也许你觉得医生这样的要求，对丈夫来说太残忍，但你们仍应该以胎儿的健康为前提，设法以其他方式来满足性欲。

过，由于你的医生最了解你怀孕的状况（比如你可能有子宫颈机能不全），因此，最好还是听从医生的建议较为妥当。

一般而言，产科医生大多同意，没有产生高潮的性行为是不会造成早产现象发生的。同时，过去也有研究人员担心，性交后进入阴道的精子会释放出前列腺素，因此也会有刺激早产的可能。不过，最新的研究报告已经证实，精子的激素并不会刺激早产的发生（其他进一步说明，详见第143页）。

Q：我目前怀的是一对双胞胎，我该担心性的事情吗？

A：除非医生建议你避免，否则，你与其他孕妇一样，依然可以享有正常性生活，而不必因为怀的是双胞胎，顾虑就比其他孕妇多。的确，由于怀双胞胎的孕妇发生早产的概率比一般孕妇要高，因此在过去，大多数医生都会基于胎儿安全的考虑，建议双胞胎孕妇在怀孕的最后3个月里，尽量避免性行为。不过，根据上述最新的研究报告，这样的疑虑已经大幅降低了。

出生缺陷筛查

根据自然法则，总会有一些胎儿天生就带有一些缺陷，无法像其他大多数的胎儿那样健康。如果这种情况不幸发生在你身上，你可能很难接受这个事实。目前利用最尖端的产检技术，可以在胎儿出生之前，就预先得知许多胎儿的缺陷或疾病。但这些技术只能进行筛查而不是绝对的诊断。而这些结果，必须经过多次重复的检测，才会得出较正确的结果，这样一来，就算最后证明胎儿安然无恙，孕妇也已经饱受虚惊。关于这一点，我们在课堂上指导医学系的学生时，多半会有感而发："产检技术最大的问题，在于你必须被迫为所做的结果负责。"虽然大部分的产检不会造成孕妇和胎儿的伤害，但是，检测出来的结果，有时也会存在误差。话说回来，的确也有一些产检技术的检测准确度极高，但它可能对孕妇和胎儿带来更大的危险。在这里，我们将为你介绍目前最常见的一些筛查技术与方式，让你和准爸爸可以选择适合你们的检查。

甲型胎儿蛋白（AFP）检查

为什么要做这种检查？ 要检查胎儿是否有缺陷，最常见的检测莫过于AFP了。AFP是一种从胎儿肝脏里分泌出来的蛋白质，它会流入孕妇的血液里。因此，如果孕妇血液中AFP的含量过高，便表示原本应该流入胎儿脊髓的AFP，有许多都从胎儿开放

的脊柱流失，那么，就说明胎儿就可能有神经管缺陷（NTD）。这种缺陷包括脊柱裂(脊髓没有被封在脊柱内，可能导致胎儿下半身瘫痪)、无脑畸形（胎儿脑部严重发育不良或根本没有发育）等病变。

相反，如果孕妇血液中AFP的含量过低，胎儿就有唐氏综合征或其他染色体缺陷的可能。根据被称为"三联筛查"的最新产检技术（一般将这项筛查视为AFP的进阶检查），除了检测孕妇血液中的AFP含量外，还需要检测人类绒毛膜促性腺激素及雌三醇（这两种激素如果在母体的含量过低，胎儿可能有染色体方面的异常）。根据三联筛查的结果，准确度从只筛查AFP的25%，可以上升至60%。而三联筛查针对35岁以上的孕妇，检查出唐氏综合征的准确度更高达70%；对于35岁以下的孕妇，检查出唐氏综合征的准确度也有60%。

检查时机。AFP的检查时机，多半是选在怀孕16~18周之间，而筛查的结果在一周之内就会出来。有许多准父母，在前两次产检时，当医生提及AFP检查时，多半会迟疑不定，他们生怕检查出来的结果不如预期，会将怀孕的喜悦一笔勾销。此时，你应该相信医生的专业水平，该做什么检查就做什么检查。

如何进行？ 很简单，只需从母亲的手臂上抽取少量的血液做样本就可以了。

安全吗？ 验血对母亲和胎儿来说，都没有安全上的问题，不过，对这样的做法是否有用和是否明智还是存在一些争议。有些准父母和医生就认为，产检的大部分项目是出于对社会整体收入和便利的考虑，而不是出于对准父母和胎儿的危险和利益的考虑。

然而，许多孕妇会因为产检安下心来，尤其是那些很可能生下出生缺陷婴儿的孕妇。她们认为即使是坏结果，也会使她们做好准备面对未来的挑战。

不过，虽然这个检查不会对母亲和胎儿的身体造成任何伤害，却可能对孕妇的心理带来不必要的创伤。比方说，由于AFP检查仍有相当程度的误差，因此，误诊的结果自然会带给孕妇不必要的担忧与疑虑。如果第一次的AFP检查结果呈现有问题的阳性反应，你被建议再做一次，但也许第一次的结果根本是错的，这就意味着又一周的焦虑等待。如果第二次的结果还是呈阳性，接下来可能还有其他的检查，那么你一定会更加紧张、焦虑，却又无计可施。结果，孩子生下来完好无恙，你才发现从头到尾根本就是白紧张一场。

至于到底需不需要做这项检查，也许以下的建议可以帮得上一点忙：

*试问自己，检查对你来说是否需要？如果检查结果不尽如人意，你会因此打消继续怀孕的念头吗？检查结果能减少还是增加你的疑虑？如果你因此得知胎儿可能有缺陷，那么，这会将怀孕的喜悦全部打消，还是提早准备，迎接一个特殊儿童的到来？如果不做这项检查，你是否会因此整天疑神疑鬼、辗转难眠？其实，根据我们的经验，生出一位唐氏儿并不像一般人想象中那么可怕，回想我们的孩子斯蒂芬的出生过程就是如此。我们宁愿现在抱着乖乖躺在怀里的孩子，也不愿在怀孕的整个过程中，因为知道怀的可能是一个唐氏儿而整天愁眉苦脸、不知该如何是好。那种内心漫长的煎熬与折磨，是十分难受的（当然，每个人因为成长背景的不同，对特殊儿童自有其不同的看法与处理方式）。

*如果无论检查结果如何你都不会改变主意（比如你打算马上把孩子拿掉），这项检查对你来说可能就是多此一举。

* AFP 检查的准确度有多高，意义有多大？其实，这项检查是针对那些很少发生的染色体异常疾病所设计的，比如神经管缺陷，大概仅有 1‰~2‰ 的发生概率；无脑畸形的发生率，更是只有 0.14‰ 而已；至于腹壁肌肉缺损的发生率，则大约只有 0.033‰ 左右。另外，这项检查查出母亲怀有染色体异常胎儿的概率，一般也不到 1%（详见第 92 页）。

*至于筛查结果的准确度，一般来说，检测出神经管缺陷的准确度大概在 80%~90% 之间，检测出唐氏综合征这种染色体异常的准确度，则在 60%~65% 之间。值得一提的是，如果你怀的是双（多）胞胎，或者有糖尿病，你的 AFP 检测结果往往就容易失真而没有意义，而检测结果异常还可能会迫使你做更昂贵、危险性也更高的检测。讽刺的是，大约有 95%~98% 呈"高阳性"或"低阳性"反应的 AFP 结果，后来被证明是错误的（胎儿很健康，根本没有前述的染色体异常病变，也没有神经管缺陷）。

*你个人或家族中有遗传病史吗？你过去曾生过有缺陷的宝宝吗？如果你是适龄的准妈妈，而且已经生过健康的宝宝，你大概有 99.9% 的可能不会生下唐氏儿或是神经管缺陷儿。如果你符合上述条件，是否还是觉得不放心，坚持要做 AFP 检查呢？

检查结果的意义何在？ 假如你所得到的检查结果呈"阴性"或"低量"，你可能会稍微松一口气，但又不完全肯定。但是，如果检查的结果呈"阳性"，你势必会忧心不已。如果你检查的结果呈"异常高量"或"异常低量"，医生会建议你做进一步的检查，比如超声波检查或是羊膜穿刺术。根据我们的临床经验，大约有95%~98%的孕妇在进一步检查之后，会发现胎儿非常健康，根本没有一点问题。

羊膜穿刺术

羊膜穿刺术在所有产检的方式里，是属于"高风险、高回报"的一种。的确，通过羊膜穿刺术，可以获得准确度较高的胎儿基因信息,但是，羊膜穿刺术对于母亲与胎儿的危险性也相对较高。因此，你和丈夫与医生在决定是否要进一步检查时，都应采取更为谨慎的态度，经过反复、谨慎地商讨之后，再做出最后的决定。

为什么需要做羊膜穿刺术? 因为透过羊膜穿刺取样，可以取得大量与胎儿基因、染色体构成、胎儿的成熟情况（特别是肺）及胎儿是否带有遗传疾病等有关的信息。通常，在下面的状况下，医生会建议孕妇进行羊膜穿刺检查：

＊孕妇先前产下过有染色体异常的孩子，比如唐氏儿。

＊孕妇先前产下过患有新陈代谢方面疾病的孩子（羊膜穿刺术通常只能检测出所有胎儿基因与生化功能异常的10%）。由于其他个别病变的检查，如针对黑蒙性家族痴呆症或是囊性纤维化病变的检查，所需的费用更高，因此相比之下，羊膜穿刺术就显得比较经济实惠一些。

＊孕妇本身患有遗传疾病，特别是与性别有关的遗传疾病。比方说，如果母亲患有血友病，而且她怀的是男孩，这个男孩就有50%的概率会遗传到血友病。不过，羊膜穿刺术只能准确预测胎儿的性别，但仍然无法确知胎儿是否已经遗传了这种疾病的基因。如果有完整的家族遗传病史可供参考，将可帮助医生推算，胎儿发生遗传疾病的概率到底有多大。

＊孕妇之前产下过有脊柱缺陷的孩子。

＊孕妇的 AFP 含量出现无明显原因而持续偏高的现象。

＊经过三联筛查，发现胎儿有患唐氏综合征的高风险。

＊准父母双方都是遗传疾病的基因携带者，例如镰状细胞贫血，胎儿大概有25%的概率，会遗传到相同的疾病。

＊根据超声波检查，发现胎儿有严重的或足以致命的基因缺陷。

＊出于对母亲或胎儿安全的考虑，医生已有提前引产的打算。现在利用羊膜穿刺术，进一步检测胎儿肺

的发育成熟度，以评估到底是提前引产的风险高，还是等待自然分娩的风险高。

*孕妇已经超过35岁。

检查时机。羊膜穿刺术一般适用于怀孕12~16周之间，因为这时子宫已经有发育完整的羊膜及足够的羊水可供取样。如果医生有提前引产的考虑，则会在怀孕的最后8周之内进行羊膜穿刺术。一般来说，羊膜穿刺检查的结果，不论是染色体异常还是胎儿的性别，都要经过1~2周的时间才会知道。至于脊柱缺损、新陈代谢方面的疾病，例如亨特综合征、黑蒙性家族痴呆症等部分病变，则仅需1天时间就可以知道结果。

如何进行？首先，医生会要求孕妇平躺在手术台上，并消毒孕妇的腹部。然后，医生会针对孕妇的腹部施以局部麻醉，这个时候，麻醉针可能会让你感到有点刺痛。待一切就绪之后，医生会使用超声波来寻找、锁定没有胎儿和胎盘妨碍的采样部位，然后慢慢将采样针经腹部皮肤插进子宫内，采集一定量的羊水。这些羊水稍后会被送进基因与生化实验室，以做进一步的分析检验。整个羊膜穿刺术大概需5~10分钟，除了在针孔处会有轻微的不适感之外，整个检查过程，孕妇是不会有任何疼痛感的。

安全吗？基本上，羊膜穿刺术还是很安全的。当然，也有极少数轻微伤及胎儿器官、胎盘或是脐带的情况发生过（虽然通过超声波的引导，已经可以将误刺的风险降至最低）。不过，羊膜穿刺术最大的问题，就是有大约5‰的概率可能引发流产。当然，引发流产可能性的高低，与医生的临床经验多少有关，因此，如果你准备做羊膜穿刺术，可以事先打听这个医生过去的口碑如何。一般来说，如果医生过去没有做羊膜穿刺术的很多经验，也不敢贸然帮你检查，而会把你推荐给其他较有经验的医生。另外，羊膜穿刺术偶尔也会发生细菌感染的现象。

总之，在决定采用羊膜穿刺术之前，仔细与医生讨论种种的利弊得失，然后再做出对你和胎儿最明智的决定（详见90页"35岁以后怀孕"）。

绒毛膜采样（CVS）

与羊膜穿刺术相比，绒毛膜采样检查不但可以取得更多胎儿的基因和生化信息，而且可以在怀孕更早期做，因此可以更早知道结果。不过，绒毛膜采样检查导致流产的可能性，比羊膜穿刺术要高。因此，你的医生一定会经过十分谨慎的考虑之后，才会建议你进行绒毛膜采样检查。

为什么要做绒毛膜采样检查？与羊膜穿刺术的原理类似，通过绒毛膜

你必须知道的产检知识

不论医生建议你采用哪一种方式的产检，或者是你自己想要做某一种特定的产检，在决定之前，最好向医生问清楚下列几点注意事项：

* 这项产检的好处是什么？有什么危险性？对我的身体和胎儿会不会有伤害？是否会增加怀孕或分娩时发生并发症的风险？

* 我非做这项检查不可吗？从检查中获得的胎儿基因信息，真的有助于让我了解目前胎儿的状况，或是可以帮助我做某些医疗上的决定吗？

* 你过去从事这项检查的经历如何？是不是需要请更有经验的医生来执行？

* 这项检查的费用是多少？是否需要部分或全额自费？

* 这项检查会让我得到什么样的信息？我什么时候才会知道结果？检查结果的准确性如何？

* 有没有其他安全性较高的替代方法？这项检查会让我感觉到疼痛吗？我丈夫和我可不可以看到这项检查的过程（如通过超声波）？

采样检查，可以获得更多与胎儿基因相关的信息。

检查时机。 绒毛膜采样检查进行的时机，一般是在最后一次月经结束后的8~12周之间。这通常是想在进行羊膜穿刺术之前就获得更早期的诊断的情况下进行，因为羊膜穿刺术要在几周后才能进行。

如何进行？ 目前，绒毛膜采样的方式大致分为两种——腹部穿刺法与子宫颈穿刺法，医生的选择取决于哪一种对你的妊娠最安全。腹部穿刺法与前面介绍的羊膜穿刺术类似（详见147页），在超声波引导下，采样针会从腹部插进子宫内，然后从绒毛膜中采集少量的组织。这些在怀孕早期环绕在胎儿四周的组织，慢慢就会形成胎盘以供给胎儿养分。子宫颈穿刺法是在超声波引导下，将导管经阴道、子宫颈口插入子宫的胎盘形成处，采集部分组织。采样之后大概经过48小时，就可以得到初步结果。至于更确定的结果，大概需1周左右。

安全吗？ 虽然通过绒毛膜采样检查，可以比羊膜穿刺术更早获得胎儿基因的相关信息，但是，绒毛膜采样检查造成流产的可能性，却比羊膜穿刺术要高2~4倍。而绒毛膜采样检查，有时候还会造成阴道出血和痉挛的现象。另外，经过绒毛膜采样检查之后，孕妇大概要花一天左右的时间，身心状况才会完全恢复过来。这不像羊膜穿刺术，不会对孕妇造成什么不适。而最新的研究报告指出，绒毛膜采样检查可能会增加胎儿四肢畸形的危险。

此外，由于绒毛膜采样检查所采样的部分，并不一定都含有与胎儿相同的基因成分，因此采样的结果仍然有1%的误差率。如果使用羊膜穿刺术，就可以避免这种现象的发生。正因为伴随着较高的流产率与误差率，因此已经有越来越多的医生，逐渐不再鼓励孕妇进行这项检查。虽然这看起来只是采集胎儿身旁的一丁点儿组织，但其危险性却比采集约28克的羊水还要高，所以大多数医生会倾向于建议你多等几个星期做羊膜穿刺术，这比急着做绒毛膜采样检查要更合理。

怀孕期间的工作

对于身为上班族的孕妇来说，如何在怀孕时兼顾事业的发展与胎儿的健康，相信是你很关心的事。一般来说，如果你在怀孕早期害喜的现象并不严重，而且工作对你来说也很重要，那么做个快乐的上班孕妇也不是不可能。有些孕妇可以在怀孕后一直持续工作到临盆在即，才准备待产，但有些孕妇因为身体状况的不同，在产前可能需要一到几个月的时间来休养。至于那些有怀孕并发症的孕妇，则可能必须更早一点离开工作岗位，以确保自身和胎儿的健康与安全。不论你的身体状况与工作性质怎样，我会在这一节与你一起分享如何做个快乐的怀孕上班族的经验。

告知雇主

一旦你得知自己已经怀孕，你就应该开始规划一下，选择一个较好的时机，巧妙地将这个消息告诉你的直属主管。此外，你在怀孕时前4个月的工作状况与表现，将会成为你直属主管日后进行工作职务分配上的重要参考。

因此，如果你计划分娩后，亲自在家里带孩子，你应该提早让你的老板知道此事，以便让他有充分时间寻觅合适人选进行职务上的交接，以免影响到公司正常的运作。

如果你计划在产后回到原工作岗位，你可能要再想清楚一点。虽然法律上每一个人享有同等的工作权利，但在许多公司里，仍然对孕妇或是妈妈工作者的工作能力存在怀疑，这种偏见会导致孕妇受到有意无意的排挤，也影响了升迁。主管可能会以你身体不适为由，趁机将你掌管的一些重要职务交给他人；当然，也有一些主管颇能体恤你的状况，在工作上会尽量给你一些方便。此外，有些在工作场合一直与你竞争的同僚，这时可能会找机会来取代你。

何时该告诉你的老板

告诉老板与同事你已经怀孕的最好时机，应该是在有人已经开始怀疑，但又不敢确定的情况下。此时，你就应该主动向主管与同事证实此事。虽然你可能一怀孕就迫不及待地想将这个喜讯告知所有人，但大多数的过来人还是会建议，当你怀孕两三个月之后再说比较适合。以下就是一些过来人的经验谈：

我那年真是双喜临门，除了我怀孕之外，有几家公司先后对我表现出高度的兴趣。对我来说，我并不喜欢在怀孕时换工作，因为还得适应新的工作环境。但是，我并没有将我已经怀孕的事告诉他们。到了怀孕的第3个月，此时外面想对我挖角的消息，也传进了我老板的耳朵。因此，有一天他走进我的办公室对我说出了"我们真的不想失去你"之类强力挽留的话，当然，在薪水上也马上为我作了调整。这完全出乎我的意料。

我原本打算在分娩之后以兼职的方式继续留任原职。但我实在没有想到，原来暂时不把怀孕的消息透露出去，竟然也可以成为我工作上的谈判筹码！

当我怀孕的时候，我迫不及待地将这个好消息向全公司的人宣布，并接受同事们热情的祝福。结果很不幸，我在怀孕的第10周流产了。当然，身边的同事都来安慰我，并鼓励我再接再厉。但是，这种来自于同事的安慰和期待，反而带给我更大的压力。

当我向主管告知已经怀孕的消息之后，我马上就被"明升暗贬"地下放到公司的非主要部门。其实，我如果再稍微晚一点告诉主管，相信他一定不敢太轻举妄动，因为那样做有歧视之嫌。

在我想好产假计划之前，我就将怀孕的消息告诉了身边的几位同事。没有多久，我就被主管找去讨论产假事宜。结果，我才发现事情提早曝光，让我根本没有什么谈判筹码，向主管多争取一点福利。

看了上面这些过来人的经验，并不是鼓励你就此一拖再拖、尽量隐瞒怀孕的事实。如果你为了自身的利益而加以隐瞒，也会让主管觉得你不值得信任，而且缺乏团队精神。

如果你发现自己可能无法留任现

职，并想调动工作，你就应该早一点让主管知道。你一定不想让主管认为你不是一个好下属吧，尤其是在你需要他支持的时候。

在怀孕的第1个月里，我试图跟平常一样，以便让同事看不出来我已经怀孕。但是，说来容易做来难。首先，我得以更浓的妆来掩饰我苍白的脸。在穿着上，我依然系着腰带，只不过腰带系得比平常宽松一点。在工作上，我尽量全心投入，尽管这时，我常常会感到魂不守舍。

过去，我将这份工作视为一种挑战而全力以赴。现在，我竟然可以觉得这一切一点都不重要。我不知道自己为什么会变成这样，似乎工作只是为了赚钱，从而给肚子里的宝宝提供更好的未来。

一旦怀孕之后，想在工作上保持往常的水准，有时候会显得有些心有余而力不足。此时，最好向主管坦陈你的现状，看是否能将你暂时调任其他较轻松的职位。如果你不想因此失去现有的职位，也可以与主管沟通，看是否能在办公室工作半天、在家工作半天。或是灵活调整上下班时间，当你身体状况好的时候就工作晚一点，如果身体状况不佳，就早点回家休息，相信这样可以把对工作的不良影响降至最低。

确定产假

在你与主管讨论产假之前，最好事先做好万全的准备，以维护自身应有的权益。

先问问自己

先问问自己是否很清楚自己或家人要的是什么，而且你对自己的能力也要有自知之明。比方说，你要知道自己到底能不能一边工作一边待产，你想不想这样？你觉得半天上班、半天回家工作适合你吗？分娩后，你是希望马上返回工作岗位，还是先亲自在家带孩子一段时间？你愿意兼职工作吗？如果你真的很清楚自己要过的生活是什么样子的，相信你应该比较容易说服主管照你的规划来上班或休假。

其实，怀孕与工作是可以同时兼顾的。不论你是希望早点回家休息，还是尽量在办公室多待一会儿，只要你用心规划，就有可能获得一项对你自己、对胎儿和对家庭都好的计划。我们就遇到过这样一个妈妈，她是一位工作狂，可当她怀孕时，她觉得好好照顾肚子里的胎儿可能比努力工作还要重要。因此在与主管沟通后，主管决定批准她的请求，让她可以一边安心在家静养，一边以支取时薪的兼职方式，在家里继续完成她手头上的策划案。小宝宝生下来之后，她一边亲自带小孩，同时仍然每周挪出几个小时继续在家工作。当小宝宝6周大的时候，她开始抽出时间到办公室参加例行会议。当小宝宝满8周的时候，她再度与主管讨论在家长期兼职的事。结果，她以每周在家工作10~20小时的方式，在这家公司继续工作了4年之久。

不过，大多数公司恐怕不见得会允许你这么做。当然，如果你的专业能力在公司里少有人能一争高下的话，你自然就有比较多的筹码来争取想要得到的东西。如果你没有这么多筹码，可能就应该对胎儿健康、家里的财务规划、你们夫妻俩的观点等来逐一衡量得失轻重，以作出最明智的选择。现在已经不再是终身雇佣的时代，如果你现在公司的制度真的与你怀孕后的规划有所抵触，你就不应该再勉强工作下去。职业抉择不是只有一种，你可以选择继续工作、弹性工作、辞职或另外找一个新工作。

清楚你的权益所在

首先，你应该先了解公司对产假的相关规定（一般你在刚进公司时，都会得到人事规章或员工手册，资料内应该会清楚写明产假的相关规定）及相关的法律规定。如果先前已经有同事请产假，你也可以向她请教，也许她可以提供一些宝贵的建议给你。如果你手头上没有这些资料，应该向公司人事部门的主管索取（不过，人事主管可能会向你的主管告知此事）。如果你的公司根本没有关于产假的规章制度。你就应该身先士卒，趁这个机会建立起公司的产假制度。

如果可能的话，你最好在与主管沟通之前，多搜集一些同行业或其他公司的产假制度作为参考。

在查看公司产假制度之前，确定你清楚下列事宜：

＊你请产假时，公司是支付全薪、半薪，还是根本不支付薪资给你？

＊你可以获得保险津贴与补助吗？是全额还是一部分？

＊你每个月工资扣缴的医疗保险费用，是否符合相关的津贴与补助规定？该如何申请这些津贴与补助，是否需要医生出具任何书面证明？

＊公司能不能出具留职证明，以保障你的工作机会不受剥夺？

＊你有多长时间的产假？

＊公司是否允许你以其他的假（指病假、事假、年假等）来延长产假？

＊公司对于产假延期有何相关规定（支薪、不支薪、部分支薪等）？

＊你兼职在家工作的可行性如何？家里有传真机、电脑等设备吗？可以上网与公司、客户联络吗？

＊如果医生基于胎儿健康安全的考虑，临时要求你一定得在家静养，届时你会如何安排手头上现有的工作？

＊如果你产假延期，医疗保险还有效吗？补助的范围涵盖哪些？是全额补助还是部分补助？自付费用又是多少？

适合告知的对象

一般来说，你应该首先将这个消息告知你的直属主管或人事部门主管（反正你迟早还是得找他，因为他对公司休假、保险津贴、补助等相关制度比较清楚）。如果你还是想先听听同事的看法，一定要找和你最要好的，并要她们承诺暂时不要传出去。

如果不得不先告诉你的主管们，那就尽量挑选一位最通情达理的主管，作为最先告知的人选；至于哪些主管较好，一般来说，那些过去有过因为家中添了宝宝而面临辞职回家带孩子矛盾的主管，不论男女都会比较符合。如果是一位女性主管，最好搞清楚她孩子的年龄、她过去请产假的经历等信息；如果是男性主管，就了解一下过去他妻子请产假的经验。

如果你能够对主管为人父母的经历了如指掌，那么除了能提供你更多的参考经验之外，也可以让你预先洞见主管会怎样处理你的情况。

如何告知

已经挑选好适当的时机与人选（如果能趁当事人心情好的时候说就更好），剩下就全靠你的说话技巧了。基本上，告知的方式与技巧，要视你怀孕的身体状况、工作的性质、个人的想法、主管或同事可能会有的反应等而有所不同。

当然，在整个协商的过程里，你最好也能设身处地站在主管的立场来思考，提供他们迫切需要知道的信息，比如你请产假的时间、什么时候会重回工作岗位、在产假期间你的工作该做什么样的安排等，并做好回答这些问题的准备。当然，站在主管的立场，他通常会从公司运作、而非你个人的角度出发做整体考虑，比如他可能会盘算，如果你产假到期无法准时回到工作岗位上，他该怎么处理这种状况等（根据研究指出，如果公司提供完善的产假制度，而且公司里同事多已成家，并且彼此相处融洽，产妇多半都会准时销假，回到工作岗位上）。

另外，虽然主管可能也知道，请产假是你个人的权益，但你的主管也会根据你过去的表现，来考虑你是否具备足够的责任感，可以准时返回工作岗位。因此，你应该向主管拍胸脯保证（如果你过去的表现一直很好），让他觉得你会考虑到公司和你个人的需要来制订产假计划。因此，在谈话

给怀孕上班族一个安全的工作环境

当你怀孕时，除了必须考虑平常的工作量是否能够负担外，你更应该在乎工作环境的安全性是否良好。因为受到怀孕的影响，体内会有大量的血液涌进子宫，以供应胎儿成长的需要，这会使你容易感到疲惫。此外，由于孕激素分泌量的增加，让你的关节与肌肉比较松弛，结果，一方面会影响到你身体的平衡性而容易造成跌倒，另一方面也会增加你在举重物时拉伤肌肉的概率。

不过，要想同时兼顾工作效率与胎儿的安全，有时候是有些困难的。虽然政府制定了完善的工作安全法规，但有些公司并没有按法规执行。如果你觉得自己目前的工作环境对胎儿的健康、安全有不良的影响，你必须试着与主管沟通，看是否能够在短时间内将你调至安全性较高的工作环境。如果你的工作需要你长时间站立（根据研究指出，孕妇如果连续站立的时间太久，发生流产或早产的概率就会相对增加），你就必须要求能多坐一会儿，以减少你连续站立的时间。（如果工作需要你久坐，那么就要经常站一会儿、走一会儿或做做腿部和脚部的运动，详见第 203 页与 217 页"脚的改变"）这有助于你争取到在安全环境下工作的权利。

如果你目前的工作环境有危险性，请参阅第 67 页"工作场所中的危险因素"。此外，如果你的工作需要大量体能活动（比如举重物、长期站立或坐着），最好将你的工作现状告诉医生，让他给你一些专业的建议，来作为是否继续工作、要求换个职务、还是干脆辞职等最后决定的参考。

技巧上，一开始就尽量不要硬邦邦地拿政府法规或公司规定来压他，让他产生防御心。最好是简短地告知公司对产假的规定之后，马上将你的想法、做法清楚地向主管表达出来。当然，你也必须做出某些承诺，比如你会提前协助代替人来交接你的工作，并且产假结束后马上销假上班等。至于语气上，则视你与主管的熟悉程度而定，你也许可以用"我知道你以前也面对过这些决定，我知道你一定会尽全力来协助我！""你妻子过去有没有请产假的经验？她是怎么做到公私兼顾的？"等言语表述。如果你真的很有诚意向主管争取，也许可以让主管在他的权限范围之内，让你享有更多意想不到的福利与方便。

规划一套符合你需要的产假计划

全天下大概只有你自己才知道，多长时间的产假对你最适合；相反，大概也只有你的公司知道，你的工作可以多长时间没有你还可以正常运作。因此，与主管谈判筹码的多少，除了你的谈判技巧与诚意之外，更重要的在于你对公司的价值与贡献程度怎样。如果你的职务在公司是难以替代的，你当然可以有更多的筹码，否则，如果你的工作其他人也一样能做得很好，你想要多争取一些福利的筹码，相对就少了许多。因此，尽量务实一点，先评估自己在公司的地位，再决定谈判的底线。不过，一般公司多半不会在产假上太为难女性员工，因此，以下一些技巧，也许可以协助你争取到更多的福利。

承诺产假期间与代替人保持联络

如果你的项目正进行到一半，或者是你的工作专业技巧较高，代替人可能没有办法马上上手。你应该适时表现出诚意，表明自己在请产假时，也能够尽可能协助代替人来完成未完的工作。如果真有必要，你也可以告诉主管通过电话、传真机、网络等可

以找到你，给主管一种"随叫随到"的积极、负责任的感觉，相信你可以借此向主管争取到更优厚的福利。

主动帮助培养新人

这也是协助公司选拔和培养新人的最好时机。当然，提醒主管可以通过电话、传真机、网络找到你。如果碰上一些代替人无法解决的问题，通过这些通讯工具，你就可以随时给予他帮助和指导。

展现积极工作到最后的决心

不论你是想短暂还是长期离开工作岗位，在此之前，展现你想完成手头上工作或实现目标的强烈愿望，主管一定会对你另眼相看。

制订危机处理计划

身为怀孕上班族，你最好也设想一套完善的危机处理计划，以备不时之需。比方说，设想如果不幸发生孕期并发症，临时需要休养，或是分娩后，医生指示你需要一段较长时间的休养，那么在产假有限的情况下，你该怎么办？另外，如果你生下的小宝宝是一名特殊儿童，你又该怎么办？一般公司提供的产假多为 4 个月左右，然而，对于身为母亲的你与婴儿来说，几个月的时间并不能保证你可以得到足够的调养，也不能保证小宝

怀孕上班族应有的工作态度

尽管你已经怀孕，但你的专业能力与敬业精神可不能因此打折扣！因此，千万不要以怀孕为借口，来推脱一些在工作上应负的责任。当然，如果你总是以怀孕不适为由，想在工作上得到特殊对待，常会引起主管和同事的不满。你的一举一动，同事们可是完全看在眼里，因此你的行为就成了一种相应的示范。比方说，为了补充足够的热量，你可能必须在抽屉里摆上几袋巧克力棒之类的零食，甚至在开会时就吃了起来，但事后一定要打扫干净以示对同事的尊敬。你可能在午饭后需要午睡，但一定要保证准时工作。

选择诉苦对象的时候，你要知道那些曾在怀孕期间坚持工作的同事比没有孩子的同事可能更具同情心。小心选择能在你上厕所时暂时替你一会儿的同事，并对她们的帮助表示感激。你可以说"感谢你能理解并帮助我"之类的话。你可以用幽默感来反驳没有同情心的同事："你母亲怀你的时候可能也是这样？"也许对方就不会再加以辩驳了。

如果你发现怀孕后，已经逐渐无法有效率地完成工作，你最好先告诉你的医生，听听他的看法，然后再开诚布公地向你的主管坦陈此事。切记，虽然你的身体发生了巨大变化，但你的工作责任没有变。要尊重以前的承诺，但如果发现自己不能兑现，就真诚地与主管协商。

宝经过妈妈几个月的悉心照顾，就可以长得健健康康、白白胖胖。

威廉医生的经验谈：在美国，许多医生都愿意替刚分娩的职业女性出具延长产假的医生证明。不过，也有许多妈妈就因此请求医生一而再，再而三地出具产假证明。这种情况多半发生在有重男轻女倾向的公司里，一般医生也会基于人道原则，同意出具额外的产假证明书。

提出书面需求

你在与主管进行沟通之前，最好能先以书面的方式，将你所有的想法与做法一一整理出来。这样你的主管会因为比较容易了解你具体的需求，而进一步设法帮助你，甚至帮助你争取到更多额外的福利。

制订出你和主管都能接受的产假计划之后，把要点写出来。此外，如果你决定分娩后就离职，那么在家里少一份收入的情况下，你最好开始养成能省则省的好习惯。除了搞清楚哪些假支薪、哪些假不支薪之外，最好再与人事部门沟通一下，以争取最大的权益。

不论你多么认真地计划产假安排，你最好能将产假结束的日期在日历上划出来，以免临时有什么状况发生时，你可以马上知道该如何弹性调配假期。其实，有许多新手妈妈，常会因为产后带孩子而手忙脚乱，结果无法如期返回工作岗位。

衣橱内的改变：适时着装

自怀孕的第 3 个月开始（有时也许会更早一点），你会因为腹部的逐渐隆起而需要穿较宽松的服饰。当然，如果你不想这么早就让怀孕的消息曝光，那么如何保持平时的穿着，又不会让自己太难受，这可得动动脑筋。一般来说，选择松紧腰带、将纽扣外挪或是穿上大半号的上衣等，都可以让你尽可能保持平常衣着长达数星期之久。不过，到了怀孕的第 4 个月，多数孕妇平常的衣服可能就很难再穿得下了。

幸好，现在孕妇在穿着的选择上远比过去要多，就连许多名牌流行服饰也已提供多款孕妇装，供身为准妈妈的你来选择。当然，如果与一般的款式相比，孕妇装的式样当然显得少了一些，不过，你应该以如何让自己感到舒服，而非穿起来好看为前提。以下是挑选孕妇装的几点技巧，供你参考。

先借后买

你或许可以从已经生过小孩的好友家中，搜出一些不错的孕妇装借穿。其实，大多数女性在分娩之后，多半不知该如何处置那些没有地方摆的孕妇装。不过，借别人的孕妇装来穿，会有不一定合身或因为气候变化穿起来太暖和或太单薄的情况。

由于孕妇装可穿的次数实在不多，因此，如果你能向朋友借当然最好。如果有些一定要花钱购买，建议你可以到二手成衣市场去碰碰运气，也许你会看上一些经济实惠的孕妇装呢!

当我怀孕时，我就开始担心，不知道又要花多少钱来添置孕妇装。我总觉得这些钱应该省下来，日后来给小宝宝买衣服。所以，我开始留意身边一些已经到怀孕晚期或是刚生完小孩的朋友，看看有没有机会借用她们的孕妇装来应急。结果，没想到我一开口，除了那些先前已经答应借给别人穿的朋友，几乎所有的朋友都愿意将她们的孕妇装借我穿。因为她们花一大笔钱买来的孕妇装穿不到几个月就没用了，因此她们对于让朋友拿去再穿几个月，心理上反而会觉得划算许多。

自己设计

当然，你不大可能整件孕妇装都自己设计，不过，如果现有的款式你觉得不够满意，可以选购一些相关的配件，自行变装或请裁缝帮你修改。比方说，如果你穿不惯以合成纤维为材料的孕妇装，或许可以在里面加装一层棉质衬里，这样穿起来就舒服多了。

了解流行的款式

你可以多逛逛孕妇服装店，以感受一下时下最流行的孕妇装款式。一般来说，大多数孕妇都希望能够通过孕妇装来修饰身材——不论是剪裁、颜色、下摆的长度，还是垫肩的选用等，目的都是让你看起来能够显得高挑、苗条一点。

穿得舒适

舒适是选择孕妇装时最应优先考虑的因素。一般来说，宽松的服饰要比紧身的舒适许多。不过，有些衣服你穿了一周觉得还蛮舒适的，但可能到了下一周，就会有快穿不下的感觉，因此最简单的方式就是直接穿件最宽松的孕妇装。如果你觉得这样像穿件帐篷似的，就设法向亲朋好友借，不然就得破费了。

为了确保你真的能穿得舒适一些，你要在挑选孕妇装时，预先设想腰部、腹部、胸部、臀部等部位可能隆起的幅度到底会有多大。基本上，系宽的弹性腰带，会比系细的腰带让你感觉更舒服一些。

一旦觉得衣服紧了，就应该马上换穿尺寸大一点的，否则，过紧的衣着除了可能会让你感到腹部不适，对你的消化也可能造成不良影响。当然，如果你的衣着过于宽松，外观上就会显得笨拙一些，因此还是选用合身但略为宽松的衣着为宜。

此外，由于怀孕之后，你的皮肤可能会较为敏感，因此在穿着上尽量选择透气的棉质服饰，这样你穿起来可能会觉得舒服一点。另外，也不用担心透气的孕妇装在冬天可能会太单薄，其实，除非你住的地方真的很冷，否则，怀孕时由于新陈代谢速度加快、体内脂肪储存量增加，你应该比平常更不怕冷。总之，孕妇装的穿法，只要随着时令变化慢慢来作调整即可。

选择宽松服饰和弹性腰带

再次提醒你，在服饰上尽量穿得

宽松一点。如有必要，你可使用别针或暗扣来修饰，让衣服看起来不至于太过宽松。腰带方面，则应该选择有弹性的宽腰带，并随着腹部的逐渐隆起来调整。

其他配件

当然你也可以在其他配件上下功夫，以分散别人对你逐渐隆起的腹部的注意力。头饰、耳环、丝巾、项链、手表和帽子等的搭配，都可以让你成为最美丽的孕妇。

当我怀第二胎的时候，衣橱里的孕妇装大部分都已过时，虽然我那时已经不用上班，但我每个星期还是要外出参加一些社交活动。于是，我除了在二手服装市场买了一件名牌的孕妇装，以备参加所有的正式场合之外，剩下的就是以变换发型、耳环、项链、丝巾等方式，不断改变造型，好让人耳目一新。

借丈夫的衣服穿

随着上半身不断增大，看起来与下半身不成比例，你会发现在家借丈夫的衣服来穿，也是一种不错的方法。尤其是怀孕晚期，除非你丈夫的身材比你还瘦小，否则，他的衣服一定有机会派得上用场。

选择舒适透气的内衣裤

尽量选择棉质透气的内衣裤，这样不容易对你敏感的皮肤造成刺激，而且棉质的内衣裤也比较耐穿耐洗。袜子方面，对孕妇而言长袜比裤袜要舒服得多，只不过有些人会觉得，这种穿法看起来可能显得有些笨拙，你可以选择那些弹性比较好的裤袜试试。如果你的身材比较高挑，穿起裤袜来可能会觉得比平常短一截，你可以选择尺寸大一点的裤袜或孕妇专用的裤袜。

从怀孕的第 2~3 个月起，你可能就会发现，你该准备换穿尺寸较大的胸罩了。此时，有些孕妇仍然会选购一般款式、但尺寸稍大的胸罩，而有些孕妇则会直接选购怀孕型胸罩。目前市面上已有许多针对孕妇分娩的胸罩，你可以从中选购你喜欢的款式。当然，也有些孕妇更精打细算，直接选购哺乳型胸罩穿，这样她就可以一直穿到小宝宝哺乳完毕为止。如果担心产后胸部下垂，你可以选择调整型胸罩，这样可以让你的胸部曲线慢慢恢复过来（详见第 161 页"如何选择合适的胸罩"）。

选择合适的鞋

随着腹部的逐渐隆起，你身体的重心也会跟着有所改变。此外，由于体内保存了较多的水分，因此你的脚

如何选择合适的胸罩

怀孕时除了腹部会隆起之外，你的乳房同时也会慢慢胀大。到了怀孕的第 4 个月，大多数的孕妇必须穿上孕妇专用的胸罩，才会觉得比较舒适。以下就是一些教你如何挑选合适胸罩的小技巧。

舒适。胸罩穿起来是否舒适，应该是在选用孕妇型胸罩时最优先的考虑因素。另外，为了适应乳房的胀大，最好选用可调整的罩杯。所谓舒适合身的胸罩，在穿起来的时候，应该是能够与整个乳房紧密贴合在一起为宜。大多数的孕妇，在怀孕第 6 个月之后，乳房会有明显的胀大现象，你应该选用弹性较佳的胸罩肩带，以免造成不适。总之，在你怀孕早期选购胸罩的时候，应该以最紧的钩扣试穿觉得舒适为宜，为未来胸部的增大预留一些空间。

材质。基本上还是应该选择以较透气的棉质为材料的胸罩，而避免选购样式花俏、但可能会引起皮肤过敏的化纤材质。至于市面上流行的有钢丝圈的胸罩，因为材质较硬，明显会压迫已增大的敏感乳房组织，影响到乳房的血液循环，因此不鼓励孕期和哺乳期采用。如果你非买不可，请挑宽松一点的尺寸。如果你穿戴时已有疼痛的感觉，就不要再勉强自己穿着它。

背带。用心感受一下肩带在你身上的位置。在背部的位置应该是舒适地贴近你的肩胛骨附近；在胸部的位置不应该会让你有任何的不适感；最后，再试着举起手臂或耸耸肩，感受一下是否会有什么不适感产生。

肩带。最好是选用较宽、且有衬垫的肩带。这样当你的乳房逐渐变大的时候，它不至于陷入肩膀内，而让你产生不适感。

夜间型胸罩。有许多孕妇会在夜晚使用材质较轻的夜间型胸罩，给予胸一定的支撑，以缓解不适。

哺乳型胸罩。有些孕妇在怀孕的最后几个月，会买哺乳型胸罩来穿(这是一种方便哺乳的前开式或上开式胸罩)。如果你已经有亲自哺乳的计划，那么在选购胸罩时，尽量以较宽松的罩杯为主(一般乳房的尺寸在分娩后的几天内，会迅速胀大两个罩杯左右)。一次先买两套就好，因为等你分娩后，可能会发现所买的尺寸未必合身。你可以到商场的孕妇用品专卖店选购想要穿戴的胸罩款式。

掌可能发生肿胀的现象。

因此，如果现有的鞋穿起来已经让你感觉不大舒服，你就应该马上考虑买新鞋。此外，许多孕妇在怀孕的后几个月时，会希望利用穿高跟鞋让自己看起来比较苗条一点，但这样做不仅会因为重心容易不稳而跌倒或背痛，还常常会因为脚的压力过大而深受脚痛之苦。因此，平底、低跟及材质柔软的鞋，穿起来可能会比较舒服一点。此外，尽量选择那些可以一套就穿上的休闲鞋，免得让大腹便便的你还得每次辛苦地弯下腰来系鞋带。

而且，孕妇不要穿长度到膝的过紧的弹力袜，否则容易导致脚踝浮肿。

在我终于认清怀孕时体态会变得臃肿这个事实后，我的心情从郁闷转变成了开朗。我开始不断尝试改变造型，不论是梳新的发型、变换身上的小饰物，还是在化妆、衣着上做文章。总之，才胖几个月，我干吗整天跟自己的心情过不去呢！因此，现在我每天都快快乐乐的，想尽办法让自己看起来美美的。

怀孕日记：第3个月

我情绪上的感觉： _____

_____

_____

我生理上的感觉： _____

_____

_____

我对宝宝的感觉： _____

_____

_____

关于宝宝的梦： _____

_____

_____

我想象中宝宝的模样： _____

_____

我和谁分享了怀孕的消息？他们的反应： _____

_____

我最关心的事： _____

_____

我最快乐的事： _____

_____

我最严重的问题： _____

_____

_____

我应该关心的事

我的问题有哪些？我得到的解答是:＿＿＿＿＿＿＿＿＿＿＿＿＿＿＿

＿＿＿＿＿＿＿＿＿＿＿＿＿＿＿＿＿＿＿＿＿＿＿＿＿＿＿＿＿＿＿＿＿

＿＿＿＿＿＿＿＿＿＿＿＿＿＿＿＿＿＿＿＿＿＿＿＿＿＿＿＿＿＿＿＿＿

检查结果和我的反应:＿＿＿＿＿＿＿＿＿＿＿＿＿＿＿＿＿＿＿＿＿＿＿＿

＿＿＿＿＿＿＿＿＿＿＿＿＿＿＿＿＿＿＿＿＿＿＿＿＿＿＿＿＿＿＿＿＿

＿＿＿＿＿＿＿＿＿＿＿＿＿＿＿＿＿＿＿＿＿＿＿＿＿＿＿＿＿＿＿＿＿

最新的预产期:＿＿＿＿＿＿＿＿＿＿＿＿＿＿＿＿＿＿＿＿＿＿＿＿＿＿＿

我的体重:＿＿＿＿＿＿＿＿＿＿＿＿＿＿＿＿＿＿＿＿＿＿＿＿＿＿＿＿＿

我的血压:＿＿＿＿＿＿＿＿＿＿＿＿＿＿＿＿＿＿＿＿＿＿＿＿＿＿＿＿＿

当我第一次听到宝宝的心跳:＿＿＿＿＿＿＿＿＿＿＿＿＿＿＿＿＿＿＿＿＿

我的反应:＿＿＿＿＿＿＿＿＿＿＿＿＿＿＿＿＿＿＿＿＿＿＿＿＿＿＿＿＿

＿＿＿＿＿＿＿＿＿＿＿＿＿＿＿＿＿＿＿＿＿＿＿＿＿＿＿＿＿＿＿＿＿

＿＿＿＿＿＿＿＿＿＿＿＿＿＿＿＿＿＿＿＿＿＿＿＿＿＿＿＿＿＿＿＿＿

感觉我的子宫，我的反应:＿＿＿＿＿＿＿＿＿＿＿＿＿＿＿＿＿＿＿＿＿＿

＿＿＿＿＿＿＿＿＿＿＿＿＿＿＿＿＿＿＿＿＿＿＿＿＿＿＿＿＿＿＿＿＿

＿＿＿＿＿＿＿＿＿＿＿＿＿＿＿＿＿＿＿＿＿＿＿＿＿＿＿＿＿＿＿＿＿

第 3 个月的照片

感想：

宝宝在第　　　周的超声波照片

第4个月的产前检查

13 ~ 16 周

在这个月的产前检查中，你可能会做的项目包括：

* 子宫检查
* 检查是否有静脉曲张或皮疹
* 通过多普勒超声波仪听到胎儿的心跳
* 通过超声波看到胎儿的移动与已经发育成形的各个器官
* 如果担心胎儿有基因缺陷，可进行三联筛查
* 体重及血压检查（此时体重会有明显的增加）
* 验尿
* 通过超声波检查胎儿是否存在出生缺陷、确认胎儿的数目、胎盘的位置及胎儿的周数
* 与医生讨论你的感觉和关心的问题

第 **4** 个月

感觉舒服多了！

欢迎来到怀孕的中期！也许你还是习惯以月作为单位来衡量怀孕产生的变化，但医生可是根据怀孕的周数来进行各项不同的产检。当怀孕进入第13周，也进入了大多数孕妇所谓的"黄金时期"。虽然还是有一些孕妇偶尔会有害喜现象，但大多数的孕妇自第4个月起，在食欲、性欲上都逐渐恢复正常，因此，身体状况也会比前3个月要好得多。

自怀孕第13周起，我突然有种宛如新生的感觉。不但能吃能睡，而且还能够享受性生活、逛街，上班时也不会像以前一样整天昏昏沉沉的。

到怀孕的第4个月，你肚子里的胎儿开始快速地成长，你的体重也会开始更快地增加。这样一来，在外观上，由于腹部隆起更为明显，腰部也跟着明显变粗，因此你看起来真的是怀孕的样子。上个月你还感觉有些肥大的孕妇装，也许这个月穿上就合身多了。从这个阶段开始，你可能又必须对你的身心状况重新调整一番了。

情绪上可能的转变

大多数孕妇在进入孕中期后，在情绪上多半会比第一个阶段要稳定许多。此时，由于孕激素的分泌量已经稳定下来，因此孕妇的情感也稳定下来，生活节奏也跟着慢慢正常起来。许多孕妇都表示，在心情上可能会比怀孕的前3个月快乐许多。

心情放松
虽然怀孕到了第13周，仍然有

流产的可能，但毕竟已经安然度过前12周的流产高峰期，再加上害喜现象的消失，此时你的心情也会放松许多。虽然有些孕妇害喜的现象仍然没有消失，不过通常在程度上缓和了许多。

准备让大家知道

一方面由于腹部已经有明显隆起的现象，另一方面也因为情绪上较为稳定，因此，你会迫不及待地将怀孕的喜讯与亲朋好友一起分享。就算你先前并不愿意让自己怀孕的消息太早曝光，但是，明眼人多半从你的外观上已经大概可以猜出几分而开始私下里谈论了，因此，现在应该是公诸于世的最好时机。

责任感油然而生

由于腹部明显隆起，而且你已经有机会通过超声波听到胎儿的心跳声、隐约看到他的可爱身躯，甚至开始感受到胎动，因此，你会感受到自己真的已经怀孕。你与胎儿的亲密感逐渐增强，开始意识到他是你身体的一部分，责任感也因此油然而生。

在怀孕的第4个月，当我和丈夫通过超声波看到我们的小宝宝时，一开始我们都吓了一跳。虽然我知道自己已经怀孕几个月了，但没想到通过超声波可以看到小宝宝那么真实的景象，真是令人感动，实在太震撼了！

感到矛盾

虽然到了第4个月，你会开始有明显的喜悦感，然而，有时候你一想起后面还有好几个月的时间要等待，太多不确定因素可能又会让你觉得压力重重，而突然变得闷闷不乐。也有一些孕妇认为，她们有时候会突然失去耐性，希望能抛开这一切，马上重回原来的自己。不过，这些矛盾感会随着怀孕时间的增长而逐渐淡化。

感到疑虑

当你从外观上已经明显看得出是一位孕妇时，怀孕时种种的疑虑，又会再次浮上台面。比如，你是否真的做好了怀孕的准备？是否做好了调整生活作息、工作、婚姻生活等的准备？如果你是第一次怀孕，那么，你做好当母亲的准备了吗？当你觉得自己真的怀孕时，这些疑虑通常会再度浮现出来。因此，如果你不先考虑这些问题并预先调整与准备，届时你可能真的会有些措手不及。不过，这些疑虑都是正常的反应，你也应该积极地去面对它们。当然，如果说你是第一次怀孕，根本不知该如何解决这些疑虑的话，可以找几位已有分娩经验的好友，听听过来人的经验，或是直接听取专业医生的建议。

感到骄傲

虽然有少数孕妇会因为怀孕时身材走样或身体种种的不适，而整天感到焦虑不安。然而，大多数孕妇都会将怀孕视为人生的一大成就，产生骄傲的喜悦。事实上，怀孕的确是女人跨入人生成熟阶段的一个重要里程碑，因此你的成就感和骄傲感是天经地义的，你应该好好地庆祝一番！此时，你终于像你母亲、外婆她们一样成为孕育生命的妈妈俱乐部的一员，应该以积极乐观的态度来面对怀孕这个事实。

重享性生活

当你害喜的现象渐渐缓和下来，精力恢复了之后，你可能终于可以重拾压抑已久的性生活，当然，这还得视身心状况调整的快慢而定。由于性生活获得解放，因此，你往往会享受到久旱逢甘霖般的快乐，如果是你采取主动的话，你丈夫所享受到的快乐甚至比怀孕之前可能还要激烈一点（详见第135页"享受怀孕期间的性生活"）。

怀孕最令我感到愉快的事情之一，就是我终于可以在不用避孕的情况下，尽情地享受性生活。

担心你的魅力

许多妇女在怀孕时，充满着种种喜悦与成就感，但她们也担心因为身材走样，丈夫会因此大倒胃口。事实上，的确有一些准爸爸表示，他们需要花一点时间才能调整过来，但也有一些准爸爸认为这才是妻子最性感的时刻！（详见第135页"享受怀孕期间的性生活"）。

易怒

当你刚怀孕时，由于身边的好友并不知情，因此当她们拉你一起参加往常的一些活动，而被你以身体不适拒绝时，她们多半会觉得你好像怪怪的。不过，现在她们知道你怀孕了，就不会再像过去一样死缠着你，同样的情况也会发生在你丈夫身上。如今，他可以亲眼看到你那隆起的腹部，就知道了为什么你经常表现得很奇怪。当然，你希望他们的体贴能早点来就好了，因为前几个月你的感觉实在很糟。

你现在的一举一动，已经成为周围亲朋好友和同事瞩目的焦点。此时，由于你的心理并没有完全调整过来，因此可能会倍感压力，情绪也容易受到影响。事实上，一旦周围人习惯了你怀孕的样子，他们就不会再对你指指点点。而且，别人对你观感的好坏，往往也随你自信心的强弱而变化，因此，只要你对自己怀孕的模样充满自信，相信别人也会感受到这种信息。

当身边的人都知道我怀孕后，我就好像犯人一样，被迫接受周围人的指指点点。不论是我开始不吃某些东西也好，还是我偶尔小酌两口也好，他们都会感到大惊小怪并讨论个不停，这种感觉让我很不舒服。

当同事都知道我怀孕后，大家对我的态度都改变了。因此，我决定很客气地告诉他们，我和以前完全一样，宁愿讨论股票价格，而不愿讨论我的宝宝到底是男孩还是女孩。尽管我妈总是在旁边念叨个不停，让我注意饮食习惯、身体健康，以及如何养育孩子等，但我压根儿还没有做好接受这些建议和关心的准备。

生理上可能的转变

就像你适应了药物的剂量之后，所有的副作用都会慢慢消失一样，这时当孕激素的分泌量逐渐稳定之后，身体状况也会慢慢恢复正常。在怀孕中期，多数孕妇感觉身体比以前好，有些孕妇可能还会觉得体能比没有怀孕时还要好。

基本恢复正常

你终于感到自己又好像重新活过来似的——至少在某种程度上。此时，如果你与大多数的孕妇一样，可能会食欲大开，随时随地都会有想吃东西的冲动。

开始显出怀孕体态

如果这是你的第二胎或第三胎，那么，当你怀孕进入第4个月时，腹部隆起的现象会相当明显，这自然也会引起周围人的猜测。因此，这可能是向众人证实你怀孕的最佳时机。然而，这时在穿着上你可能会比较尴尬，因为一般的衣着可能已经太紧，但穿上孕妇装看起来又会显得松松垮垮的（详见第158页有关服装的建议）。

充满活力

随着害喜的现象日渐缓和，你可能会觉得体能似乎正在慢慢恢复正常。当然，每位孕妇体能恢复的速度与程度并不尽相同。

一般来说，尽管大多数孕妇都会觉得此时的体能状况有明显恢复的迹象，但仍然没有恢复到怀孕前的水准。不过，也有少数孕妇表示，此时她们的体能好像比之前任何时候都要好。

许多孕妇在怀孕的前3个月里受

了不少苦，她们现在想弥补失去的时光，但常常会因为心有余而力不足，感到有些生气。不过，孕妇都会懂得量力而为，许多事情如果真的做不来，也不会太勉强自己。事实上，如果你勉强自己去做一些超出现有体能的事，可能就会付出需要休息好几天的惨痛代价。

当你的体能逐渐恢复后，你的丈夫与主管可能会认为你马上就可以像过去一样了。但是请你别忘了，不论体能恢复得多好，现在你肚子里正怀有一个三四个月大的宝宝，要想在体能上完全像过去一样正常，是相当不容易的。而且，根据研究指出，对于孕妇来说，体能的供给与调配，在本能上绝对是胎儿优先，其次才轮到妈妈。

小便不再频繁

到了怀孕的中期，你可能会发现过去整天动不动就上厕所的现象也有所缓和。这是因为你的子宫已经逐渐自骨盆向上增长，因此不再直接压迫你的膀胱了。不过，到了怀孕的最后两个月，由于子宫增大与胎儿的下降，你可能又得常常跑厕所了！

体温稍高

当你到了怀孕的中期，可能常常觉得热。一般来说，孕妇的体温要比平常高1℃左右，就像月经来时体温会上升一样。这是因为孕激素日夜不停地持续分泌，你就像高速运转的生物机器，身体因超时工作而变热，而身体的自我冷却方式就是加快排汗。

为了加速散热，最好的方式就是多喝水，并尽量挑选透气的棉质衣服来穿，以加快排汗的速度。此外，你也可以挑选比较容易更换的上衣，一觉得热马上就脱下来，让自己舒服一点。当然，为了避免经常流汗带给你的不适与异味，只有靠勤洗澡和勤换内衣裤了。

我总是觉得热得要命！我发现怀孕之后，流汗量比平常多得多。就算是冬天，我也可以穿短袖而不觉得冷。就连晚上睡觉时，我也常会热得踢掉被子，就好像我肚子里怀着一个火炉。

阴道分泌物增加

怀孕时白带增加是正常现象，这有点像月经来临前的状况，只不过怀孕时白带的量更多，更持久。阴道分泌物增加的原因主要是孕期激素和组织血流量增加，这也是为了让阴道能够提早做好分娩的准备。因此，许多孕妇一天可能要换上好几条内裤或卫生护垫，以随时保持干爽与舒适。

阴道分泌物的增加在大多数情况下都是正常的，但也有部分是因为阴道感染造成分泌物的异常增加。如果你发现阴道分泌物呈黄色或绿色，像脓一样黏稠或是呈奶酪状，而且还带有难闻的气味，或者你觉得会阴瘙痒或有烧灼感，或是阴唇附近有泛红、肿胀或触痛的现象，或是排尿时有刺痛感等现象的时候，都应该请医生帮你检查一下，看是否已经被感染了。

以下是几种常见的阴道感染，供你作为参考。

念珠菌感染。这是最常见的由霉菌中的念珠菌引起的阴道感染。念珠菌是人体黏膜的正常寄生菌，多存在于肠道与阴道的黏膜上。基本上，除非在下列情况发生时，比如不良的饮食习惯、压力、激素分泌改变、体内残留抗生素等，否则此类型的细菌在未受特别刺激的情况下，是不会无缘无故引起感染的。当你怀孕时，由于雌激素一直处在分泌的高峰期，且阴道黏膜的细胞普遍含有较高浓度的糖分，因此，孕妇的阴道会比平常容易被念珠菌感染。一般来说，被念珠菌感染时并不会发出异味，不过，阴道会有瘙痒、红肿、分泌物呈乳黄色黏稠状（类似白干酪或豆腐渣）等现象，有时候在排尿或性交时，还会有疼痛的现象发生。

一般当你就诊时，大多数医生会根据有特征性的分泌物做出诊断。有时候，医生会采集你的阴道分泌物进行细菌检测，以确定你到底是被什么细菌感染的。大多数情况都可以通过医生开的口服药物或阴道用药，达到治愈的目的，但不是所有的药物对孕妇都安全。如果你怀疑被感染，还是应该尽快找医生进行恰当的治疗。

有些时候，念珠菌感染治愈之后，还有可能复发。当你的阴道受念珠菌感染时，基本上是不会影响到胎儿健康的，但胎儿在分娩时经过阴道会被感染到，因此出生后，婴儿的口腔黏膜会有鹅口疮的现象发生。一般来说，婴儿被感染的症状在产后第一周最为明显，而且当母亲亲自喂奶时，也会随着婴儿嘴部与母亲皮肤的接触，进一步感染到母亲的乳头，进而造成母亲的乳头有疼痛现象发生。当然，婴儿的皮肤也可能被感染，不过，你只要使用抗霉菌的药膏帮小宝宝涂抹，感染的症状应该很快就可以消除。

不过事实上，我们可以采取自助措施有效降低阴道被念珠菌感染的概率与程度。首先，在饮食中你应该尽量减少精制糖的摄取量。其次，多食用富含活性乳酸菌的酸奶、乳酸菌片或乳酸菌粉。另外，在洗澡时尽量用莲蓬头接近阴道口，以稍强的水流将阴道口的分泌物冲洗干净（这里并不建议你用很强的水柱来灌洗阴道，因为较高的水压可能会将空气灌入你的循环系统，而危害到胎儿的健康）。此外，你也应该以卫生护垫来代替棉条。

另外，也尽量避免使用任何会刺激阴道组织的护理喷雾剂。如果你不幸被感染，那么请穿宽松的棉质内裤，直到感染痊愈为止；同时，尽量避免穿紧身牛仔裤、体操裤或泳装等。

一般来说，当阴道感染了念珠菌后，你会觉得阴部附近有强烈瘙痒的感觉。此时，如果身边一时没有药物可用，可以先以冷水清洗患部或温水浸浴（水中加半杯小苏打），以减轻瘙痒的症状（避免浸泡在沐浴露泡沫中或香皂液中，这样会刺激阴道）。

阴道滴虫病。这多半是由性交传播的细菌感染，在孕妇身上较念珠菌少见。与念珠菌相同，感染到阴道滴虫病的孕妇有刺激症状，但不用担心会传染给胎儿。而从阴道分泌物来看，感染阴道滴虫病的分泌物呈黄绿色，而且带有一点鱼腥味。医生多半可以通过观察阴道分泌物，来判断你是否已经被感染了滴虫病，当然，最后的结果仍然需要进行细菌检测才可以断定。治疗的方式也很简单，可以口服药或是阴道用药。不过，值得一提的是，你丈夫要同时口服药，才不会又彼此互相传染。

其他的细菌感染。至于其他细菌的感染现象就更少见了。一般如淋病或是衣原体感染等，都是由性行为传染。这两种感染同样会有尿道灼痛、阴道分泌物呈黄绿色等症状发生。如果医生发现你可能感染上述细菌，他多半会坚持采集分泌物的样本，以进一步做细菌检测来确定病因。这是因为这两种细菌不但有可能在分娩时传染给胎儿，从而影响胎儿的健康，而且如果没处理好，甚至会造成母亲生殖器官的发炎和损伤，从而导致日后不孕的严重后果。

鼻塞

由于孕激素的分泌量与体内血液量不断增加，你的鼻黏膜不但容易充血，而且也比平常更容易流鼻涕。除了一般体质的孕妇常常会抽鼻子之外，对于有哮喘、花粉热等过敏体质的孕妇来说，更是因为可能会有哮喘发作、流鼻涕及流眼泪等状况，而感到十分不舒服。

此时，在未经医生许可下，千万不要自作主张到药房去买抗组胺、可的松等抗过敏药物自行服用，也不要随便使用鼻塞喷剂，因为对于正在怀孕的你来说，这些药物可能会对胎儿的健康造成危害。为了自然缓解鼻塞，除了可以使用脸部蒸汽机（一般在化妆品门市店可以买得到），利用热蒸汽的原理来舒缓鼻腔的充血、堵塞现象之外，也可以到药房购买鼻子专用的清洗器，利用生理盐水清洗鼻子，借以消炎消肿，以达到疏通鼻子的目的。

如果你流鼻血的话，多半量很少，而且在使用湿卫生纸塞住鼻子之后，一般在几分钟之内就可以控制住。防止鼻黏膜干燥能减少鼻出血的发生。

牙龈出血（妊娠牙龈炎）

你知道吗，孕激素除了影响阴道黏膜与鼻黏膜之外，对于口腔黏膜同样也会造成影响。当你怀孕时，除了口水明显增多之外（详见第77页），可能也会觉得牙龈较为敏感、肿胀、变软，刷牙时也比平常更容易出血。因此，到怀孕的第4个月时，建议你最好找牙医做检查，也许牙医会建议你使用抗过敏或是牙周病专用的牙膏，以减少牙龈出血的概率。由于女性的牙齿在怀孕时最容易出问题，因此最好在产检时也看看牙科，这样医生也可以完整掌握你的状况。不要担心，不论是洗牙、牙齿X光检查或局部麻醉，这些行为都不会影响到胎儿的健康（不过，如果当你怀孕时必须进行X光照射，就要提醒医生先在你的肚子上盖一件防止X光穿透的防护衣，以防止胎儿受到影响）。如果心脏有毛病，那么你需要在牙科治疗之前或之后服用抗生素，此时最好提醒医生你已经怀孕了。虽然在怀孕时服用抗生素通常是很安全的，不过还是谨慎一点比较好。

以下有几种预防牙龈出血的小技巧，也许可以帮你少跑几趟牙科，少受皮肉的折磨。

* 多吃富含维生素C的水果与蔬菜（富含维生素C的食物，详见第106页）另外，含钙丰富的食物，也有益于牙齿的健康。

* 每天用具杀菌功能的漱口水多漱口几次，漱完口后将漱口水吐掉，千万别把漱口水当饮料一饮而尽。

* 使用短软毛的牙刷轻轻刷牙，这样不易引起牙龈出血。

* 三餐饭后立即刷牙。你可以在包里随身带一套牙膏牙刷，以便随时都可以刷牙。

* 使用电动牙刷。一方面它清洁牙齿的效果比传统牙刷要好，另一方面它还可以按摩牙龈，增进牙龈的健康。

* 少吃粘牙的糖果或甜点。像太妃糖、牛轧糖等尽量少吃，以免残留在肿胀的牙龈间隙内。

小叮咛：你的牙龈边缘可能会长些小结节，因而在刷牙时产生流血现象，这种结节叫做妊娠性龈瘤。不过不用太担心，这个现象在分娩之后很快就会消失。当然，如果你还是不放心的话，就请牙科医生把它处理掉吧！

头痛

就像害喜一样，头痛也是孕妇最常抱怨的现象。在你怀孕的过程中，或多或少都会有头痛的现象发生。不过，怀孕期的头痛来得快去得也快，不论是偏头痛还是一般性的阵痛都有可能发生。如果你过去就有偏头痛的毛病，那么，当你怀孕时，发生头痛的频率和严重程度都可能增加。不过，也有些孕妇表示，她们原本有偏头痛的毛病，但她们怀孕后，偏头痛竟然缓和许多。另外，有些时候，头痛仅持续数分钟就消失了，可在有些时候，头痛起来可能会持续一整天还没完没了。根据研究指出，虽然怀孕时激素的变化可能会导致头痛，然而怀孕时身心的剧变也与头痛的发生有关。不过，这些由紧张、压力等因素导致的头痛现象，在压力得到疏解之后，自然也会逐渐缓和下来。

一般来说，在怀孕的早期和中期，头痛发生的频率最高，到怀孕中期快结束时，头痛发生的频率与强度就会渐渐舒缓下来。如果到了怀孕的晚期，你还有持续的严重头痛现象（尤其伴有视力模糊），这有可能是高血压的前兆，最好赶紧请医生帮你仔细检查一下。

此外，值得提醒的是，在怀孕过程中，可不要一头痛就马上服用止痛药，这十分危险。事实上，你可以试着在不吃药的情况下，用其他方法来舒缓头痛现象，以下几种方法供你参考。

了解头痛的原因。当你发生头痛时，要仔细想一下是不是因为你做了什么、吃了什么或在烦恼什么，结果导致头痛。你是不是常常将"这份工作真是烦死了"，"我一看到他就觉得头好痛"之类的话挂在嘴上？结果，你可能因此头痛起来，连带使肚子里胎儿的健康都受到了影响。

因此，如果你整天都心烦气躁、忧心忡忡的话，试着放松自己。静坐、睡觉等也许都可以帮助你疏解压力，进而减少头痛的发生。

缓慢改变体位。任何能改变脑部血流量的动作，都可能造成头痛。通常，当你从平躺到坐起来，或是从坐到站，血压都会因为地心引力的改变而产生明显变化，以供应脑部足够的血液。在你怀孕的过程中，由于胎儿所需的血液供应量很大，因此，在处处以胎儿为优先的本能之下，脑部的血液可能会因为临时一个姿势的变化而产生短暂不足的情况，结果造成你头痛、晕眩。这种情况在早晨起床时，或者从午睡的躺椅上爬起来时最容易发生。所以，为了让胎儿与你的大脑可以同时得到足够的血流量，请尽量缓慢改变体位。

保持血糖的稳定。血糖降低会导致饥饿性头痛的发生，因此，你可以尽量少量多餐，或是随时补充一些小点心，不要让自己饿着，就可以防止饥饿性头痛的发生。

常保持空气的流通。一般来说，常待在空气流通状况不好、闷热或有污染气体的房间里，容易造成鼻窦充血，而导致头痛发生。此外，你也应该避免待在充满烟味的密闭空间里。如果你在人多的公共密闭场所里，应尽量让自己接近门窗，以争取到比较新鲜的空气。另外，在冬天时，由于许多地方有暖气，这时，你也应该将最接近自己的一扇窗打开一点，以免因为空气过于干燥，而造成身体不适。如果你在密闭的办公大楼上班，可以尽量抽空往有窗户的厕所或茶水间跑，以多吸取一些新鲜空气。如果你的工作性质并不允许你这么做，你也许可以在座位旁边摆一台空气净化器。有许多孕妇都表示，在办公室内摆上一台负离子空气净化器后，办公室的空气品质的确有十分显著的改善。

在家休养。所谓预防胜于治疗，如果你平常很注重保养自己，头痛发生的概率一定会大大降低。但有些时候，尽管你平常都能保持稳定的情绪、正常的饮食及呼吸新鲜的空气等，但还是有可能发生头痛。这时，如果头痛的症状不是很严重的话，试着放松自己，在家里好好休养一下，也许症状很快就可以解除，你也不用特地跑一趟医院。以下就是几种可以在家自我放松的小技巧，供你参考。

*头部按摩。你可以放松平躺在舒服的垫子上，请丈夫在你觉得疼痛的部位以画圈的动作按摩，力量要足够使皮肤在颅骨上移动为宜。然后，你可以变换姿势，比如躺在他的腿上或是坐起来，让他再按摩按摩。如果你在怀孕的过程中，头痛频繁得难以忍受，你或许可以请专业的按摩师来帮你做头部与颈部的按摩。这时，最好请你丈夫陪伴在旁，也许他可以学几招，以后就可以帮你按摩。（虽然你也可以自行按摩头部，但效果通常不会很好，因为当你在自我按摩的时候，身体绝对是无法全然放松的）。

*保持鼻窦畅通。通常，孕激素的分泌容易造成鼻窦充血，尤其是冬天在密闭的暖气房里，这种现象会更为明显。你可以去美容用品专卖店，选购脸部蒸汽机回家进行热熏，如果再放点喜欢听的音乐，边听边做，相信难受的状况很快就可以消失。

*平心静气闭目养神。根据治疗偏头痛的经验法则，只要一觉得头痛，马上到安静、光线较暗的房间里平躺着休息，同时，你可以试着放松自己并采用想象技巧（详见第339页"如何放松"），或任何你从胎教课学到的技巧。

如果上述的方法你都试过，头痛现象还是没有舒缓，就应该向医生请教服用哪种头痛药比较安全。通常，一般在药房就可以买到的含麦角成分的各式止痛剂，并不适合在怀孕时自行服用。因此，无论如何，用止痛药前都应与医生讨论一下，以确保你与胎儿的健康不会受到影响。

头晕目眩感到虚弱

在怀孕到了中期或接近中期时，有时候你可能会觉得头晕目眩，其实这是正常的怀孕反应。除非发生的频率越来越高，而且越来越严重，否则，基本上对你与胎儿的健康不会造成什么不良影响。

怀孕时会发生头晕目眩的情况，通常是在你的身体动作变化很大的时候，比如你原本是坐着或是躺着，突然一站起来，此时由于地心引力的影响，会将你头部的血液快速往下输送，使得循环系统一时之间无法像平时那样马上给脑部补充足够的血液，结果就造成了头晕目眩的现象。这就是所谓"体位性低血压"（因为变换姿势造成的低血压），这主要也是因为肚子里的胎儿与你的脑部争抢血液的供应所致。

有些时候，如果你长时间坐着或站着，身体的血液可能大部分向下半身集中，结果造成脑部血液供应不足，产生头昏眼花的现象，这种现象就称做"直立性低血压"。通常，这种现象在怀孕后期，胎儿已经成长到相当程度时最容易发生。尤其是到了怀孕的晚期，由于子宫增大压迫到下腹部几条主要的大血管，使得该部位附近的血液向上半身输送的速度相对减缓，尤其是在你平躺或右侧卧时。在血液无法以正常速度向脑部输送的情况之下，自然就容易发生头晕目眩的现象。

不过，如果你在怀孕期间发生不正常的、需要立即治疗的头晕目眩现象，很可能是因为血糖过低（此时，你只要养成均衡的饮食习惯，并随时吃些零食，血糖就可以很快恢复到正常水准）、贫血或红细胞不足造成的（这时，你可以多摄取一些含铁量高的食物或服用铁剂）。与偶然的眩晕不同，如果你眩晕的次数十分频繁，就应该请医生检查一下，找出病因对症下药。

以下是一些可以减少怀孕时发生眩晕的小技巧，供你参考。

* 首先，请参照上述所有相关的注意事项与治疗方式。

* 定时少量多餐，吃营养价值高的零食。

* 定期做产前检查。这样你的医生就可以清楚掌握你整体的健康状况。此外，每次做产检时，也不要忘了测量血压是否正常，最好也定期进行血液中铁含量的检测。

*避免长时间保持同一站姿或坐姿。如果真的必须一直坐着，也不要一直坐着不动，你的腿部依然可以在坐着的同时，做一些简单的运动（详见第203页"不要一直坐着不动"）。

*在怀孕进入后半期之后，睡觉或躺下时请尽量朝左侧卧。

*不论从躺姿爬起来，还是从坐姿站起来，特别是早晨刚起床的时候，动作应该放轻放慢。

*如果你已经感觉到轻微的头晕，而且很想马上坐下或躺下，千万不要犹豫，能坐就坐，能躺就马上躺下。

*如果当你坐下后，眩晕的现象仍然没有明显的改善，可能的话，最好设法找一处舒适的地方躺下。此时，你的头部应保持平躺，并将腿部微微抬高。

胎儿的成长（13~16周）

在怀孕到第16周末时，你应该可以明显地感觉到在耻骨与肚脐之间，子宫已经长到葡萄柚般大小。在这个月里，不但胎儿的身长加倍，体重也增加4倍左右，因此，胎儿的身长①大

———————————
①胎儿身长的计算方法，是从胎儿的头部到胎儿的臀部为止，并不包括胎儿的腿部（因此也称为"头臀长"）。

约可以达到12~13厘米左右，体重则可达112克左右。此时胎儿的手臂变得更长，已经可以弯曲，甚至可以将手指头放进嘴里吸吮。腿长也明显增加，而且胎动的力量也更强，只不过你未必感觉得到而已。通过X光或超声波，胎儿四肢的骨骼此时也清晰可见。另外，胎儿会靠呼吸道及肺囊，开始将羊水吸入或呼出，因此，他也开始有能力将吞咽进肚子里的羊水排出体外。到了这个月底，胎儿的肠道也已经有能力制造排泄物，这就是一般俗称的"胎便"。另外，胎儿耳廓的发育也更为完整，此时他对于外在声音的变化，有时候也会做出反应。至于手指头上的指纹，也开始慢慢形成。透过胎儿透明的皮肤，可以看到胎儿的血管发育得十分迅速。由于此时胎儿的体内并没有囤积太多的脂肪，因此，小宝宝的身躯看起来还挺苗条的。如果仔细观察，可以发现小宝宝已开始长出一般我们俗称"胎毛"的头发与睫毛。

到了这个月，胎盘也已经发育完成，可以将你的循环系统紧密地连接在胎儿身上。此时，胎儿氧气与养分的供应，分别通过你的呼吸与饮食，经由胎盘传送到胎儿体内。另外，你身上的免疫系统，也要负责担当防止胎儿受细菌感染的重大责任。至于胎儿体内的废弃物，则会随着胎儿的血

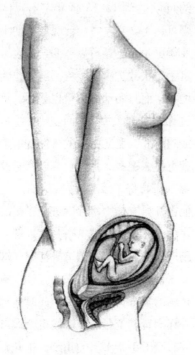

13~16周的宝宝

液进入胎盘，然后借由你的循环系统排出。怀孕到这个月的时候，你的胎盘也成为最主要的孕激素制造者；而与胎儿相连接的脐带，长度大概与胎儿的身长相近，胎儿需要的氧气与养分，都经由脐带进入胎儿体内。而胎儿的种种废弃物，则会由脐带运送回母亲的循环系统，交由母体排泄。

另外，环绕在胎儿四周的羊水，又比先前要饱满许多，让胎儿可以在羊膜腔内更随意地漂浮。此时，羊水的量也足以让医生在必要的时候，施以羊膜穿刺术。

你应该关心的事

皮肤的变化

一般来说，到了怀孕的中期，大多数孕妇的皮肤或多或少都会产生一些变化。不过，由于孕妇之间的个体差异，因此，每位孕妇在皮肤上的变化，可能还是会有明显的差异。

也许你猜得到，皮肤之所以会产生变化，一定与孕激素有关。此外，由于皮肤此时需要覆盖较大面积的腹部，而且由于怀孕时母体内造血量的急剧增加，因此皮肤（主要是面部）看起来可能会显得红润许多。同时，由于皮脂腺此时会分泌出更多的油脂，影响肤色变化的腺体也会增加色素的分泌，而汗腺也会加速汗液的代谢，种种因素结合在一起，你就会感觉到怀孕时的皮肤与怀孕前有所不同。通常如果你的肤色原本就比较黑，那么，由于雌激素与黄体酮会刺激皮肤色素组织产生更多的黑色素，因此你可能会看起来更黑一些。

不过，皮肤的变化就像怀孕早期的害喜、倦怠感一样，通常只是短暂的现象，当你分娩之后，大多数的变化都会逐渐恢复原状。至于妊娠纹，虽然无法马上消失，但它们仍然会逐渐褪去。因此，如果你能深刻认识到，皮肤上这些看起来不顺眼的短暂变化，都是为了让你日后能生出一个白白胖胖的小宝宝，也许就不会太在意它们了（详见第185页"怀孕时做好基本的皮肤保养"，以使自己拥有娇美的皮肤）。

容光焕发

由于怀孕时血流量的增加，你的脸可能会比平时要红润许多。此外，由于皮脂腺也会分泌出较多的油脂，因此，周围人可能会觉得你比平常要容光焕发。一些孕妇脸红彤彤的，与平常因为兴奋、哭泣、害羞或其他导致心跳加速（孕妇的心跳会比平常快）而造成脸红的样子是很相似的。

妊娠斑

通常到了怀孕的中期，你会突然发现脸上莫名其妙地长出一些黄褐色的雀斑（一般称为"妊娠斑"），这些雀斑通常会集中在前额、上颊、鼻头与接近下巴的部位。这是因为激素中的雌激素与黄体酮，会刺激皮肤组织增加黑色素的分泌。然而，由于脸部皮肤组织各部位产生黑色素的程度不同，因此某些黑色素较多的部位，就产生了恼人的雀斑（如果你先前有服用口服避孕药的习惯，你可能已经有过长雀斑的经历，这是口服避孕药常见的副作用）。一般肤色较深的孕妇们，可能会发现她们的眼窝附近，有像眼影的暗圈。虽然不论长出雀斑或

黑斑，都是爱美的你无法避免的，但你可以通过减少在紫外线环境下（如日晒）曝露的时间，防止已经长出妊娠斑的皮肤产生更多的黑色素。

青春痘再现

也许你已经好久没长过青春痘了，但当你怀孕时，可能或多或少又会长出一些青春痘。不过，这种现象并不会像青春期时那么严重，而且到分娩之后，这种暂时性的痘痘就会消失得无影无踪。由于怀孕时的皮肤比较敏感，因此如果你有长痘痘的现象，千万不要像以前那样，硬要狠狠地把它挤出来，或者用刺激性强的洗面奶或青春痘药膏涂抹，特别是一些标榜治疗青春痘的药膏（含有异维A酸与维A酸成分），可能含有导致胎儿畸形的危险成分。选用成分温和的洗面奶勤洗脸，应该就可以有效抑制脸上的青春痘。

黑纹

许多女性在怀孕之前，在肚脐到耻骨之间，会有一条极不显眼的暗纹。到了怀孕的中期，有些人暗纹的颜色会变深，成为一条清晰可见的黑纹。有些孕妇的黑纹，可能还会向肚脐以上延伸。如果孕妇的肤色较深，黑纹的颜色也会比较深一些。不过，等到你分娩几个月之后，这条黑纹又

会逐渐褪色为难辨的暗纹。

黑的部位更黑

如果你在怀孕之前就已经有痣或是雀斑，在怀孕之后，这些痣或雀斑就会看起来更为明显，同时你可能还会长出一些新的黑斑或雀斑（如果你觉得原先的痣或雀斑产生异状，或是一下子长出太多的黑斑或雀斑，可以请医生会同皮肤科医生，帮你检查一下）。

此外，你的乳头与乳晕的颜色也会变深，而且不像身体其他部位的皮肤，在分娩之后颜色都会回复原状。乳头与乳晕的颜色可能无法回复到怀孕前的样子，而仍然比你怀孕前要深一点。

红润的手心与脚心

到了怀孕中期，甚至早在怀孕的第2个月，手心与脚心的颜色会随血流量增加，看起来比平常红润，并且发痒。同样地，在分娩几个月后，这种现象也会逐渐消失（如果你觉得痒的话，详见第185页"怀孕时做好基本的皮肤保养"）。

蜘蛛脉

当你怀孕时，由于孕激素及血液量的增加，平常肉眼无法辨识的微细血管此时都清晰可见。这种现象同样会发生在分娩的时候，由于分娩时全身肌肉十分紧绷，结果造成你身上多处微细血管迸裂，而在脸上与眼球巩膜内（眼白部分）产生蜘蛛脉的现象（指这些血管呈蜘蛛网状）。通过适当的化妆可以掩饰它们，但蜘蛛脉需要很长的时间才会慢慢消失。

至于那些在孕妇身上或四肢上的蜘蛛脉，在产后不一定会自动消失。如果你深受其扰，可以向皮肤科医生求助，他们一般会使用注射的方式进行消除。

息肉

有些女性在怀孕的过程中，会在身上长出小小的息肉。一般容易长息肉的部位，多在与衣服有直接接触的区域，如手臂、脖子或是胸部与胸罩下缘接触的部位等处。息肉的成因，是因为皮肤的表皮层过度生长造成的，一般来说，在分娩几个月之后，这些息肉都会渐渐消失。当然，你也可以请医生操刀，将残留不退的息肉一一铲除。

痱子

你大概以为只有新生儿才会长痱子，其实，身为孕妇的你也会长痱子。

这是因为怀孕时体温本来就比平常要高，此外，由于皮肤新陈代谢的速度加快，容易大量出汗而使皮肤潮湿，皮肤此时又比较敏感，这都为痱子的生长创造了最好的条件。

而最容易生痱子的部位，首先就是乳房下缘、下腹部的皱褶处及大腿内侧（如何有效控制痱子，详见第186页的一些建议）。

皮肤瘙痒

有许多妇女表示，在怀孕中可以充分享受到抓痒的快感。这一方面是因为你身体某些部位的皮肤较为干燥、敏感，会产生瘙痒的感觉；另一方面，身体其他部位则可能是因为长痱子而让你觉得瘙痒。一般来说，比较容易觉得瘙痒的部位，多集中在腹部、臀部及大腿内侧。

丘疹

大约有1%的孕妇会在腹部、臀部、四肢等部位，长出红色块状有瘙痒感的丘疹。这种称之为妊娠瘙痒性荨麻疹样丘疹和斑块(PUPP)的症状，通常也发生在怀孕的后半期。同样地，当你分娩之后不久，它通常也会自动消失。因此，在止痒处理上，与上述其他常见的皮肤病没有什么两样。

头发的变化

头发也属于皮肤组织的一部分，因此就像皮肤一样，它也会受到孕激素的影响而产生变化。虽然变化的幅度因人而异，然而，到了怀孕的中期，一些变化多多少少还是看得出来。

头发变多了

由于孕激素可以防止掉发，因此当你洗头发的时候，可能会觉得头发掉得比以前少了，这可能是怀孕时为数不多的令人喜闻乐见的变化之一。

不过，尽管怀孕时掉发的现象明显减少，然而在你产后大约2~4个月内，掉发量会明显增加。如果亲自哺乳，掉发时间会更长。不过，在产后大约一年，你的头发又会慢慢恢复正常。

发质改变

虽然你在怀孕时，头发可能会增多，但是你的发质可能也会有改变。比方说，你原本干涩的头发可能会更加干涩，原本油性的发质可能会更加油腻。甚至你原本是直发，都可能会长出卷发，而原本卷发的，反而会长出直发。此外，你原本可能发质较粗，怀孕之后，发质可能比原来还要粗，如果你原本发质较细，怀孕之后的发质可能会比原本还要细一些。头发的颜色可能也会产生变化（详见第63页有关美发店方面的内容）。

不必要的毛发

当你怀孕时，你可能在脸部、隆

恼人的妊娠纹

通常到了怀孕的中期，你会开始发现，在皮肤膨胀较为明显的几个部位，如腹部、乳房、大腿及臀部等，会开始有暗红色妊娠纹的产生。这是皮肤组织（胶原纤维）被撑大到失去弹性所产生的现象。其中，有部分的皮肤组织已经完全撑裂到无法复原的地步，而其余的皮肤组织虽然也被撑裂，但日后可能还会慢慢恢复正常。至于皮肤组织被撑裂的程度，可以凭借激素、体重、遗传这3种因素断定。首先，孕激素会使韧带松弛，并减少皮肤的胶原纤维成分，结果使得皮肤比平常更为脆弱。其次，就连乳房与腹部正常的隆起，已经让相关的皮肤组织大大吃不消，此时如果你体重增加的速度超过正常孕妇，皮肤组织受损的情形将更为严重。最后，你的皮肤组织与体形还会受到遗传基因的控制，因此，妊娠纹形成或消失的情况，自然也与遗传有关。而由于妊娠纹形成的部位，皮肤组织受损程度有所不同，因此，不同部位在产后恢复的速度与程度自然也有差异。但不论如何，以下几种帮助你在产后消除妊娠纹的小技巧或许帮得上忙：

＊经常锻炼以防止赘肉产生。

＊控制体重的增加速度，逐渐增加必要的体重有助于防止皮肤的过度拉伸。

＊保持均衡的饮食习惯，多摄取富含维生素C与蛋白质的食物，因为这两种营养素有助于重建皮肤的胶原纤维。此外，由于皮肤及其皮下组织需要将人体吸收到的蛋白质作为营养囤积起来，因此，如果蛋白质的摄取量不足，胶原纤维就无法得到足够的养分，因此就易于断裂。

＊一般你所使用的润肤油或乳液，充其量只能防止皮肤的干燥与瘙痒，对于妊娠纹的消除效果很有限。当然，每天擦拭这些对皮肤有保湿作用的乳液，多多少少都会让严重的妊娠纹有些许改善。不过，如果你能够在产后的3个月里持续对产生妊娠纹的皮肤施以按摩，那么效果可能会比每天只涂抹乳液要更好一些。

大多数妊娠纹消失的速度十分缓慢。在分娩几个月之后，部分妊娠纹的颜色会慢慢褪到接近一般肤色的程度。当然，也有些妊娠纹永远不会褪去，而成为这场怀孕之旅中，在你身体上留下的母亲印记。

怀孕时做好基本的皮肤保养

怀孕时，孕妇的皮肤可能会产生种种变化，因此基于健康舒适的理由，孕妇的皮肤的确需要额外的照顾。以下就是一些针对孕妇的基本皮肤保健方法，供你参考。

避免长时间日晒。由于在怀孕期间，皮肤的黑色素本来就比较活跃，因此，你应该尽量避免长时间曝露在紫外线下，以免将皮肤晒伤。以下是几种避免不必要日晒的小技巧：

* 户外活动时，尽可能待在阴凉的地方。

* 戴上能够将你整个脸完全遮住的宽沿帽。

* 尽量避免在紫外线最强的上午11点至下午3点之间在户外活动。

* 选择防晒系数 (SPF)15 以上的防晒霜，并确实遵照使用说明上的步骤涂抹。如果你并未遵照说明涂抹，防晒的效果可能会大打折扣。一般来说，在日晒之前 30 分钟就应该涂上防晒霜。建议你在脸部使用温和、不刺激皮肤、以芦荟成分为主的防晒用品。如果你每天早晨都有化妆或是搽保湿乳液的习惯，最好选用同时具有防晒功能的化妆品和保养品。不过，基于安全考虑，请避免使用任何含有PABA（对氨基苯甲酸）成分的防晒用品。

* 避免使用任何含有香精或酒精成分的保养品，因为这些成分不但容易对你敏感的肌肤造成刺激，也会助长紫外线对肌肤的破坏力。

* 避免使用一些美容专用的人工紫外线照射工具，来伤害你的肌肤。

由于皮肤在分娩后约 3 个月内仍对紫外线高度敏感，因此分娩后要继续保护面部免受紫外线照射。（当然，最好是不论怀孕与否，都注意肌肤的防晒。）

滋养你的皮肤。皮肤能否随时获得充分的营养，与肤质好坏有很大的关系。因此，你最好能遵照第二章介绍的一些做法，保持均衡的饮食习惯。一般来说，维生素 C 与维生素 B_6 是皮肤再生最重要的两种营养素，因此，你每天可以补充 25~50 毫克的维生素 B_6 片（最好请医生推荐）。

另外，使用保湿乳液也可以使你的皮肤看起来更光滑柔顺。如果你的皮肤十分干涩，可以摄取较多含有亚油酸这种不饱和脂肪酸（一般常见于蔬菜及鱼类）的食物，来改善干涩的肤质。

皮肤保湿。你可以喝大量的水，或通过在暖气房里增加空气的湿度等方式，来避免怀孕时常见的皮肤干涩现象。如果你在密不透风的办公大楼上班，在办公室放一个加湿器，或尽量抽些时间到通风的地方，让你的皮肤能够多透透气。

舒适的穿着。尽量穿宽松、透气的棉质衣料，让你的皮肤能够无障碍地进行呼吸。避免合成纤维的衣料，因为其透气性与保湿效果都不大理想。另外，你也应避免穿裤袜，以免造成大腿内侧、臀部等部位的皮肤因透气不佳而长出痱子。此外，你也可以在穿戴胸罩前，在与胸罩接触的部位撒上一点不含香味的爽身粉，以减缓胸罩对肌肤的刺激。

细心呵护你敏感的肌肤。当你使用润肤霜的时候，以小面积画圆的方式比平常多按摩几次脸部的肌肤。另外，尽量避免使用油性的乳液、磨砂膏，或者是含有香精或酒精成分的清洁产品等，来保养或清洗脸部的肌肤，因为这些清洁用品或多或少都会刺激你那敏感的肌肤。

按摩你的肌肤。不论是专业的按摩师，还是你心爱的丈夫，通过按摩，都可以产生出所谓的维生素T(Touch)。这是一种让你的身心都可以感受到的心旷神怡的肢体接触，对怀孕的你来说，是不可或缺的一项活动。

正确选择沐浴露。一般来说，清水通常不会引起肌肤任何不良的反应，但是，过多的沐浴露则可能会刺激你柔嫩的肌肤。因此，在洗澡时，尽可能将身上的沐浴露冲干净。你也应该控制洗澡的时间，不要等到手脚的皮肤都皱起来之后，才想到要离开浴室。此外，如果你在怀孕之前就有湿疹，待在浴缸里的时间越长，就越会加重湿疹的症状。在肥皂的选择上，由于肥皂会将有益保护肌肤的天然油脂去除殆尽，因此应使用具有保湿成分的肥皂，而且肥皂的用量也应该越少越好。目前，市面上有一些温和且不会彻底除掉肌肤油脂的沐浴露可供选用。此外，尽量避免直接使用肥皂来清洗你的乳头及乳晕部位的肌肤。

在沐浴之后，趁着肌肤还湿润的时候，可以使用一些保湿乳液，让肌肤保湿的时间更持久。另外，如果你有刮腿毛的习惯，为了避免刺激皮肤，你可以先在腿上涂抹保湿乳液（而不是肥皂制品），然后再进行刮除。

减轻瘙痒。为了缓解皮肤瘙痒，你可以在洗澡水中加入一杯玉米淀粉和半杯小苏打，或者使用一些专业止痒用品来泡澡。你也可以用一升温水调和一大勺玉米淀粉和一勺小苏打，再用毛巾蘸着温水，对皮肤的瘙痒部位进行热敷，这能够起到很好的效果。

正确的化妆。许多女性平常是不大化妆的，可当你怀孕时，为了让自己的气色看起来好一点，打一点粉底是有必要的。当你在上淡妆的时候，应该选用水性且带有保湿成分的化妆品或是保养品。乳液方面，不要选择那些会凝固、黏在你手掌上的油性乳液。到了晚上，千万不要懒得卸妆，你应该仔仔细细地把妆卸下，让皮肤能够好好地透透气。

起的腹部、背部及腿部长出一些粗黑的毛发。不过，也有一些孕妇表示，当她们怀孕之后，腿毛生长的速度反而慢了下来。

指甲的变化与保养

你的手指甲与脚指甲，也像皮肤与头发一样，怀孕时可能或多或少也会产生一些变化。首先，孕激素也会加快指甲生长的速度，然而，新生的指甲由于比较软，因此断裂的概率也比平常要高。不过，也有些孕妇表示，她们感觉指甲比平时还要硬一些。以下就是一些怀孕时指甲保健的技巧，供你参考：

*平常多摄取一些含有胶质的食物或补充剂。基本上，多吃胶质并不会影响孕妇和胎儿的健康。

*勤剪指甲，尽量让指甲保持短短的，这样发生指甲断裂的概率就会大幅降低。如果你实在不习惯留短指甲，也应该看在小宝宝柔嫩肌肤的分上把指甲剪短一点，以免在照顾小宝宝时，不慎伤了宝宝的肌肤。

*在就寝之前，使用一些保湿防护乳液来保护手和指甲。

*避免擦指甲油。一方面，含有丙酮成分的指甲油刺激性很强，容易对敏感的指甲造成伤害；另一方面，它也可能挥发出有毒的气体，影响你与胎儿的健康。因此，如果你一定要擦指甲油，请挑选通风好的房间或到室外，以免吸入太多有毒的气体。

*不要直接用手洗碗。当你想使用清洁剂做家务的时候，不要忘了戴上手套，以免手沾到刺激性强的清洁剂，造成过敏或伤害。

不过，你的手就像头发一样，只是在怀孕的9个月里，顶多再加上产后的两三个月，会显得比平常敏感一些，之后它就会慢慢恢复正常。

妈妈运动胎儿壮

怀孕期间的运动安全

过去由于受到传统观念的影响，怕孕妇乱动动了胎气，因此都会严格禁止孕妇从事劳累的活动或运动。如今，现代的孕妇除了分娩时必须好好躺在床上之外，其他时间就跟平常一样，只要能动，爱做什么就可以做什么。不过，即使在怀孕的前3个月，

怀孕时头发的基本保养

以下是孕期头发的一些保健方法：

　　*选择合适的发型搭配你的脸型。如果你的头发比较厚，而且脸型比较饱满，你就适合留长头发，让你的脸看起来修长一点。如果你原本就留着长发，但是发质比较干燥，而且容易分叉或断裂，也许你就应该把头发剪短或是打薄一点，这样头发就会比较好整理一些。如果你留的是直发，头皮自然分泌的油脂可以让你的头发看起来更有光泽。

　　*试着换几种洗发水来洗头。如果你的头发比较干燥，可以减少洗头的次数，并使用少量成分温和的洗发水来洗头即可，这样就不会完全洗去头皮自然分泌的油脂。在洗完头之后，你也可以抹上一层保湿护发素，来保持发质的湿润，以避免干枯现象的发生。如果你的头发是油性的，可能就得洗得勤快一点。

　　*用毛巾将头发擦干，会比用吹风机吹干更对发质有益。

　　*淋浴时，别忘了用你的指尖轻轻地按摩头皮，以刺激头皮血液循环。

　　*电动脱毛器对头皮伤害不大，但是，使用化学药剂脱毛或染头发等，则会对皮肤造成很大的刺激。

　　*如果你看起来精神不是很好，可以换个发型，也许看起来会比较有精神。虽然最新的研究指出，在怀孕时使用化学药剂染发，对肚子里的胎儿影响不大，但是，一般医生仍然不会建议孕妇做这样的尝试。此外，有些针对动物的活体实验研究指出，染发剂中含有焦油成分的添加物，有导致癌症与染色体病变的危险。至少在你怀孕的早期，最好还是避免染头发，以免间接影响到胎儿的健康。

　　如果你实在受不了在怀孕9个月的过程里，头发的颜色一成不变，退而求其次，你可以使用暂时性的染发剂或染发喷雾剂，而避免使用强效、可以维持很久的染发剂（因为染发剂里所含的危险物质，可能会透过头皮渗入血管）。总之，为了胎儿的安全，你要忍耐一点，享受你的自然发色，等到分娩之后再让自己改头换面。

你心跳的速度还是会比平常快20%，这有点像是一种低水平的有氧运动，使你的身体一直保持在运动状态。事实上，如果你在怀孕期间一切正常，你依然可以从事一般性的运动（不过想休息的时候还是要休息）。就算到了怀孕的晚期，你还是可以保持适度的运动，一方面可以促进心情放松，另一方面也让自己保持最佳的体能状况，这样，你分娩的过程可能会比较顺利。

以下是几项注意事项，让你在运动的同时，确保你自身与胎儿的安全。

先向医生咨询

在你做任何一项运动之前，先向你的医生咨询，看这项运动是否会对你自身或胎儿的健康有不利的影响。特别是如果你有以下的疾病或现象，在运动时就应该更加谨慎：

* 贫血
* 心血管疾病
* 哮喘或慢性肺病
* 高血压
* 糖尿病
* 甲状腺异常
* 癫痫
* 体重过重或过轻
* 肌肉或关节受伤
* 曾经有自然流产的经历
* 曾经有早产的经历
* 曾经有生下多胞胎的经历
* 子宫颈机能不全
* 持续流血
* 胎盘异常（如前置胎盘）
* 过去就没有运动的习惯（只坐在电视机前）

了解你目前的体能状况。首先，你可能必须先自问：在怀孕之前，你是不是有经常做运动的习惯？怀孕之后，你是不是还持续运动？如果你的答案是肯定的，你的教练是不是知道你已经怀孕而调整你的运动量？事实上，尽管你已经怀孕，你依然可以安全地做运动。当然，此时你的体能状况可能大不如前，因为肚子里的小宝贝可耗损了你不少的精力与体力呢。因此，如果你过去一直有长距离慢跑的习惯，你或许应该考虑，将慢跑的路程缩短一些或者是以其他的运动方式来代替。比方说，你原本每天跑2千米，或许现在你可以用每天快走4千米来代替。当然，当肚子里多出4~10千克的重量时，你不要指望能和以前一样走得飞快。

如果你与大多数女性一样，平常就没有良好的运动习惯，那么，怀孕时是你最好的运动时机。不过，怀孕时所做的运动，是为了让自己保持身心健康愉快，而不是以减肥为主要目的。根据运动学家研究发现，如果孕妇想借运动来减轻体重，可能会导致孕妇体内脂肪燃烧所产生的有毒物质流入血管，进而影响到胎儿的健康。

弹性穿衣巧搭配

在穿着上，你应该以宽松的衣裤和有松紧的腰带来搭配。穿宽松衣裤的主要目的,除了让你觉得舒适之外,最重要的是让排汗能够更顺畅一些,以降低体表的温度。在鞋子方面,你也应该挑选宽松的平底鞋,这样不但穿起来舒服,也不会有跌倒的顾虑。在胸罩方面,如果你的胸部十分丰满,可以穿1~2件的调整型或是运动型胸罩。当然,如果你觉得运动时乳房很容易被胸罩内衬刺激而感觉不舒服,也许可以穿戴尺寸较大的慢跑型胸罩,或者你也可以在乳头上擦点乳液,以降低衣服对乳头皮肤的刺激。

规律的运动

一般来说,短时、经常、持续性的运动习惯对身体健康的益处,会比偶尔才做一次长时间的运动要大得多。如果你在怀孕之前没有养成规律运动的习惯,可以从每周3天、每天做两次10~15分钟的运动开始,然后再慢慢视体能状况将每次的运动时间延长到30~45分钟(如骑脚踏车、走路或是游泳等)。每次运动时间的长短,可视体能状况进行调整,但是,养成规律、持续性的运动习惯是首要的,不要把本来今天该做的运动,因为偷懒就拖到明天一起做,这只会加重身体的负担。所以,如果一天没做运动的话就算了,下一次再好好做,可不要把过去没做的运动量累积到某一天一次做完!

了解你的体能极限

通常,孕妇的运动量是否合适,要视其做该项运动时,是否会影响到腹中的胎儿而定。换句话说,如果你的身体已经承受不了运动的负荷,这表示你的胎儿也一定会觉得不舒服。一般来说,可以根据你的心率来判断运动量是否过量。根据研究指出,除非母亲在运动时的心率达到每分钟150次以上,否则胎儿的心率并不会明显随之上升。你可以利用以下3种方法,来判断运动量是否已经有过量的现象。

*脉搏测量。*你可以通过手腕或下颌下方颈部位置的脉搏,来自我检测脉搏速度是否已经太快(你只要轻按在脉搏上10秒,然后将计算的脉搏跳动次数乘以6,就可以得到每分钟的心跳数)。为了避免胎儿产生心率急剧上升的现象,你最好将心率控制在每分钟140次以下。因此,当你从事慢跑、游泳等有氧运动时,专家会建议你最好还是将心率控制在每分钟120~140次之间。当然,不同年龄在运动时的心率也会有所不同。心率升高到每分钟140次以上,不仅对胎儿不利,对你的健康也是有害无益。

*说话速度。*如果你在运动时一说起话来,已经有上气不接下气的感觉,就应该将目前的运动减缓下来,直到你可以保持正常的说话速度为止。

倾听身体要求停止的声音。如果你运动时有头晕目眩、头痛、呼吸困难、心悸、子宫收缩、阴道出血或漏尿，或者身体某些部位感到疼痛，应该立即停止运动。合理运动的关键，与以后分娩时的状况一样，你必须懂得倾听身体本能的呼唤，才能够确保自身与胎儿的健康和安全。

放松关节

由于在怀孕的过程中，孕激素会释放松弛韧带的激素，因此使你身体各部位的关节变得不那么稳固而易于受伤，特别是骨盆关节、腰关节及膝关节最为明显。因此，此时你最好减少让身体有过大的伸展与弯曲的动作，如弯腰或深蹲等。（详见第198页"肌肉伸展运动"）因此，怀孕时你应该停止任何与体操相关的运动。当然，你还是可以用约2千克重的哑铃来做做上肢和肩部运动。另外，那些可能会造成关节韧带拉伤的网球或壁球活动，也应该避免。

不要让胎儿感到摇晃

虽然胎儿在母亲羊水的保护之下，通常不会受母亲运动的太大影响，然而如果母亲有姿势急剧变化、动作快速停止、跳跃或突然改变方向等现象发生时，还是有可能让胎儿感到不舒服。因此，你应该避免在水泥或柏油等硬质的地上做运动，以减少运动伤害。一般来说，跑步之类的垂直负重运动，要比游泳之类的水平无负重运动，对胎儿心跳的影响大一些。另外，你也应该尽量避免上下跳动，因此从事游泳、骑单车等运动，就比慢跑、打篮球要合适得多。

留意身体的重心已经改变

由于乳房的增大及腹部的隆起，身体的重心已经改变，因此你很容易因为一不留神而跌倒。所以，要避免做要求精确平衡的运动（如体操）。如果你能抱着轻松的心情，去上专门为孕妇精心设计的舞蹈课，应该可以帮助你找回身体的平衡感。

避免脱水与空腹

为了避免运动时发生脱水现象，你最好在运动前后各喝上一杯500毫升的果汁或矿泉水，否则，脱水会让你的肌肉比较容易疲乏。另外，也不要在空腹或觉得饿的时候做运动。因为此时你的血糖已经偏低，如果你再做运动，会进一步消耗血糖，从而影响你自身与胎儿的健康。因此，你可以在运动前后吃一些零食，以避免自己或胎儿血糖过低。一般来说，水果、果汁，或是蜂蜜全麦面包、松饼等，都属于能够让你快速补充体能的零食。

控制你的体温

在怀孕的前3个月，如果体温长时间高达39℃以上，就有可能影响胎儿的成长（详见第64页"洗澡时的温度不要太高"）。为了避免让体温太高，应该尽量选择凉爽通风的环境做运动，而不要选在炎热潮湿的天气里做运动。如果你一直是在一个较封闭的空间内做运动（比如在室内踩固定式脚踏车），更应该选择通风好一点的地方，或是穿一些透气的运动服，以便更顺利地排汗。

如果你确实遵照上述方式来做运动，就不用担心体温会过高而影响到胎儿的健康。研究指出，一般怀孕中期的孕妇如果做20分钟的运动，并不会造成体温升高，如果持续运动60分钟，体温才会升高大约1℃左右。

热身运动与缓和运动

在怀孕的过程里，虽然体内会制造出更多的血液，但就像先前提到的，所有血液的补给，都是以子宫和胎儿为优先的。此外，体内循环系统的运作，需要花时间来适应肌肉运动的额外需求。因此，在运动之前，你最好先做5分钟的热身操，让身体肌肉慢慢做好最佳的准备；运动结束之后，再进行至少5分钟的缓和运动，让体内循环系统的运作能够慢慢调整到正常状况。否则，如果你没有做热身运动或缓和运动的习惯，肌肉突然运动起来或从急剧运动中突然停止时，都会造成血液大量潴留在运动的肌肉内，而可能影响到胎儿的健康（当然，如果你突然感觉到有第191页中所述的不适感时，就应该马上停止运动）。

选择合适的运动

基本上，游泳是对孕妇与胎儿最适合的运动（详见第196页）。另外，快走会比慢跑更不容易损伤关节，也比较不容易影响子宫内的胎儿。对于平常没有运动习惯的孕妇来说，每天只要能够快走半小时，这样的运动量就已经很理想了。至于骑脚踏车，这对处于怀孕早期的孕妇来说，是一项很好的运动，然而，当你进入怀孕中期之后，由于身体重心已经偏移，因此，骑车的危险性也随之大增。另外，在骑车的时候，避免使用过硬的坐垫和过低的把手，以免造成背部劳损。不过，在怀孕中晚期，你仍然可以踩室内固定式的脚踏车来做运动，只不过为了避免体温太高，你需要挑个空气流通好一点的地方才行。

总之，慎重选择运动项目是很重要的，因为此时你身怀六甲，无法再像过去那样，想做什么运动就做什么，比如打网球，由于会有许多突然停止的动作，因此很容易造成肌肉与关节的拉伤；同样的情形也发生在打壁球时，而且，由于壁球需要在室内进行，不流通的空气还可能让你的体温过高。

至于常常容易摔跤的滑水运动，危险性自然是更高了。由于怀孕到了中晚期，身体的重心会明显地偏移，为了避免跌倒，此时也不适合从事滑雪、溜冰等运动。至于篮球、排球等运动，由于有大量的跳跃动作，对孕妇来说还是太激烈了。骑马的风险更大，你不但可能有摔下马的危险，而且，在马鞍上摇摇晃晃的情况，可能让你的骨盆关节也会受不了。避免举重，因为容易拉伤肌肉和韧带，而且举重时屏住呼吸对胎儿是很危险的。

最后，需要大量耗用氧气的潜水运动更是万万不可，以免造成胎儿产生致命的缺氧危险。如果你非要潜水，浮潜会比背着水肺深潜要安全许多。

越来越运动不起来

到了怀孕的最后几个月时，胎儿及子宫需要更多、更大量的血液供应，此时就算你在休息，心率也会比平常还要再快一些。因此，身体肌肉的血液补充就不像过去那么流畅，结果你运动时的速度，自然也就快不起来。

此外，由于怀孕晚期你不仅体重持续增加，关节韧带松弛，还会产生脚部肿胀的现象。因此，不论你从事

何种运动，都应该开始降低运动的强度，比如慢跑或舞蹈运动就应该暂时停止，而以游泳或踩室内型脚踏车来代替。

别压着你的背做运动

在怀孕进入第 4 个月之后，你就应该避免躺着做运动，因为此时子宫已增大到足够压迫你背部右侧的大静脉与主动脉。因此，如果你要做的运动必须躺着做，最好也向左侧躺，以免减缓循环系统的运作，从而进一步影响到胎儿的健康。

其他注意事项

如果你过去在运动时有尿失禁的经历，那么你应该事先就准备好卫生棉垫以防万一。此外，由于孕妇更容易呼吸短促，所以如果你在运动过程中感到呼吸困难，应该放慢运动稍稍休息，等到呼吸顺畅之后再继续运动。如果你在傍晚往往会出现踝部肿胀的现象，你应该早一点做运动，让腿部多一点休息的机会。

怀第二胎的时候，我去买了针对孕妇设计的运动录像片来做运动。结果，我发现如果每周都能做两次以上的运动，我就会觉得神采奕奕。如果我一阵子没做，我的背又会开始痛起来。因此，怀孕时保持规律的运动，

让我受益良多。

怀孕时做运动的其他疑问

Q：怀孕时为什么要做运动？难道这样会让我分娩更顺利一些，还是会让胎儿比较健康？

A：关于这一点，事实上不同研究的结果仍然存有许多分歧。有些研究报告指出，多运动可以缩短分娩的时间、降低剖腹产的概率，并让你在分娩后，可以很快地恢复体能。然而，也有一些研究报告指出，运动与否与上述现象是没有关联的。另外有一份有趣的研究报告指出，孕妇如果有规律运动的习惯，将可以有效强化心脏功能，进而让循环系统可以更有效地运作，当然这也会间接对分娩有所帮助。不过，大多数怀孕运动的研究学者认为，孕妇运动与否和能否顺利分娩之间，似乎没有什么太大关联。当然，由于运动可以增强肌肉的力量，并且稳定情绪，因此仍然或多或少可以减轻分娩时的疲劳及心理压力。

所以，尽管大多数的研究报告并没有对孕妇做出必须保持运动的结论，然而许多孕妇都表示，在怀孕过程中保持规律运动好处多多，特别是在心情上的愉悦感超乎想象。这也许是因为运动会刺激脑部，增加分泌一种叫做内啡肽的激素以增强抗压能力、减缓痛苦与不适感。

Q：怀孕后做运动，在身心上会与平常做运动有什么不同？

A：有很大不同。比方说，你平常做运动时，只要想做，没有什么运动不能做，而且你可以穿任何衣服、在任何时间做任何运动。如果你觉得不够尽兴，可以一直运动到精疲力竭为止，然后好好洗个澡，接着大吃一顿等。可是，一旦怀孕，由于血液量增加了40%，因此心脏的负担比平常加重，就算你静静待着不动，心率也会比平常快。结果，你的循环系统也因此而24小时忙着"运动"。

在你尚未怀孕时，运动时体内有充足的血液来供给正在运动的肌肉，然而在怀孕之后，由于身体会本能地以胎儿和子宫为优先，因此，血液供给肌肉的效率就会降低。此外，只要你的心率因为运动而加快，胎儿的心率也会有急剧增加的可能。当然，如果你能够遵照前述的一些方法合理运动，控制你的心率不要增加太快，胎儿的心率应该也不会有太明显的上升。也就是说，如果你合理运动，就不用担心在运动时会影响到胎儿的成长与健康。

有助于分娩的运动

运动除了能够保持体能、稳定情绪之外，更重要的好处，在于通过运动，可以增强与分娩相关的肌肉与关

如何在怀孕时安全游泳

如果你能谨记以下几点，相信一定可以享受游泳这种最好的怀孕运动。

* 首先，水温最好能保持在30℃左右，一方面，在这种水温下肌肉不容易抽筋，也不太容易疲劳，另一方面，这样的水温也不会使你的体温升高。

* 为了避免入水前或出水后滑倒，最好能穿防滑拖鞋，到了池边才脱掉，或者出水后马上穿上防滑拖鞋。

* 别过度伸展你的关节。由于水有浮力，因此，你常常容易过度伸展关节而不自知。

* 千万不要潜水！

* 如果天气许可的话，尽量挑选室外游泳池。这样你不会被氯气的味道刺激而造成不适。当然，目前最新的泳池过滤系统，是用杀菌力更强、而且无味的臭氧来代替氯气。如果你能选择这样的泳池，就没有什么好担心的。

* 不论在游泳前还是游泳后，都要记得补充水分或果汁，就像做其他运动一样。因为游泳也是一种运动，尽管四周都是水，还是有可能发生脱水的状况。

* 如果你有一次游好几趟的习惯，最好随时做脉搏测量或了解讲话速度，以确定自己是否已经运动过量（详见第190页"了解你的体能极限"）。许多人到了水里，都不大知道自己的体能状况，如果经过测量，发现你已经有运动过量的现象，就应该减少运动量或干脆到岸上休息一下。

节的力量，让你在分娩时可以对胎儿产生较大的推力，而生得更顺利一些。许多孕妇在怀孕进入晚期后，会开始接受专为孕妇设计的有氧运动。你可不要小看这一类运动，一天可能花不了几分钟，但它可以强化你的"分娩肌肉"，让你在分娩时少吃一点苦头。

凯格尔运动

如果你在怀孕的过程中，实在找不出一项适合的运动，那么，你可以试试凯格尔运动。这是一位名为凯格尔的医生发明的运动，对于强化所有泌尿系统相关的肌肉颇有效果。

一般来说，当孕妇准备分娩的时候，骨盆底部的肌肉会呈现比较松弛的状态。不过，如果你骨盆底部的肌

游泳——怀孕时最理想的运动

许多孕妇都认为，在怀孕的过程中，游泳是让她们感到最舒服的一项运动。

特别是当你进入怀孕晚期时，由于身体过于笨重所产生的种种不适感，有许多都可以通过游泳来减轻。此外，在水中运动时，由于身体各部位的关节承受身体的压力减轻，因此受伤的概率自然也就降低许多。就算你在及胸深的水里垂直站立，你的下背部、臀部、膝盖、踝关节等部位因为水的浮力，也会比在陆地上承受的压力少。水的阻力可以让你达到运动的目的，同时不会伤及关节。这也比你从事其他球类活动，需要不停跳跃安全得多。特别值得一提的是，对于那些有下背部疼痛困扰的孕妇来说，可以借来回游泳、水中有氧运动，来运动下背部的肌肉，以达到舒缓、甚至治疗背部疼痛的目的，同时你的心情可能也因此放松不少。不过，如果医生认为你的身体状况并不适合游泳，你也不要太勉强。

每当我到了水里，就会觉得十分舒服。因为，我不但不用担心在水里运动会跌倒，也不会有行动笨拙的挫折感。我想这是怀孕时，我唯一能选择的运动。

游泳除了让孕妇觉得舒服之外，对胎儿也是很安全的，因为在游泳池中，你的体温几乎不可能会有过高的现象。而当你游泳时，可能也会感觉到肚子里的胎儿似乎也在游泳呢！

当然，如果你家或社区大到有游泳池，是最好不过的了，否则你可以到公共游泳池或是俱乐部等地方游泳。不过，你最好让医生知道这件事，也许他觉得某些游泳场所的公共卫生做得不好，并不适合你去，以免被传染到一些疾病。

至于泳衣方面，你还是应该以舒适与否为最先考虑的因素，不要为了让身材看起来比较好看，勉强自己穿上不舒服的泳衣，这就舍本逐末了。

由于不能向别人借泳衣，而且时间放太久或者泳池的化学成分等都会影响泳衣的弹性，因此，如果你决定在怀孕时以游泳为主要的运动，还是建议你重新买件合身的泳衣。

肉原本就比较缺乏弹性，一旦子宫增 大到某种地步，就会压迫到附近的肌肉与膀胱，可能造成尿失禁的困扰。这种失禁现象有时候在分娩之后仍然存在，因为这些部位的肌肉在推出胎儿时会被过度拉伸，而无法在短时间之内马上恢复过来。

因此，凯格尔运动通过增强骨盆底部肌肉的弹性，让它达到收放自如的境界。因此，不但能预防或治疗小便失禁的现象，也可以让你在分娩时更轻松顺利。另外，凯格尔运动还有另一项好处，就是可以增加阴道肌肉的弹性与敏感度，可以让你的性生活更美满。

至于如何辨别骨盆底部肌肉的位置，以及该部位的弹性是否良好，你可以在尿到一半的时候，试试看能否忍住，停止排尿，如果你能够很轻易、快速地做到，这表示这部分的肌肉弹性很好。如果你做不到，可以试做几周凯格尔运动，看看成效如何。

在分娩后，通过规律的凯格尔运动，可以帮助你较快恢复盆底肌肉的弹性。不过，在你怀孕时，最需要凯格尔运动帮你增强盆底肌肉的弹性，以免胎儿的头部在分娩时，被过于紧张的阴道肌肉卡住动弹不得。

凯格尔运动有好几种不同的形式，不过，每一种都有两个阶段，让你练习如何"收缩"或"放松"盆底肌肉。这两个阶段都很重要，你可不要一直练习如何收缩盆底肌肉，而不

做放松的练习，否则，你的盆底肌肉只会更加紧绷，那就适得其反了。下面是一些最好的方法，按难度顺序由易到难排列。

排尿练习。首先，你可以练习在排尿时，试试看能否随意停止四五次。这项运动充其量只能算是凯格尔运动的热身操而已，不过，对于那些初入门、还不知道如何控制盆底肌肉的孕妇来说，应该可以收到不错的效果。然而这种方式只能训练一小部分的盆底肌肉，而大腿、下腹部及阴道肌肉都没有办法训练到。

重复做。一开始你一天可以练习4次、每次重复10下收缩与放松盆底肌肉。等到比较熟练一点，每天依然做4次，不过每次可以增加到50下左右。

这样的运动可以在看电视广告的空当，或是在接电话的时候顺便做。

练习时间慢慢延长。你可以先练习收缩盆底肌肉，然后从1数到5之后放松。一次大概重复做10下就可以了。然后，你可以视情况再慢慢延长收缩的时间。

凯格尔运动的高级阶段。你能够收缩会阴肌肉的时间越长，这些肌肉的弹性也就越好。当你开始做凯格尔运动后，每次收缩的时间应在5~10秒之间，如果你能进一步收缩15~20秒的话，就已经处于凯格尔运动的高

级阶段了。

电梯式运动。这也是一种针对骨盆肌肉的收缩操，它需要精力完全集中，效果也十分显著。你可以将骨盆到阴道这一段长长的肌肉，设想成一层层的电梯，中间停 1 秒钟，然后你可以试着从下往上，逐层进行收缩运动。刚开始从第一层到第二层的时候，你可以将速度放慢，中间停 1 秒钟，然后慢慢地运动到第三层、第四层，最后收缩到第五层。现在，到了顶楼之后，再慢慢逐层向下，在每一层都休息一会儿，直到一楼为止。此时，你整个盆底肌肉又恢复到放松的状态。每当你收缩、放松到一楼的时候，记得多停几秒钟，以模拟想象实际分娩的状况。当然，你也不一定要分为五层，如果有可能，你设想十层来运动也无妨，一天要做 4 次。

波浪式运动。另外，由于部分盆底肌肉分别在尿道、阴道与肛门等部位形成回路。为了训练这些部位的肌肉，你可以使用波浪的方式，先从前向后收缩，然后再从后向前放松。

改变姿势。一旦你越来越熟练之后，就可以尝试用躺姿、坐姿、蹲姿等不同的姿势来进行上述运动。

肌肉伸展运动

除非马上临盆，否则，相信你也不知道采用何种姿势才能比较顺利地分娩，所以你最好锻炼所有与分娩有关的肌肉。一般的肌肉伸展运动，就是对你的腿部、下腹部、骨盆肌及相关的韧带加强运动，让你在真正分娩时能够更顺利、更舒服一点。

蹲姿练习。对大多数人而言，蹲姿是不太常用、也不舒服的一种姿势（如图）。你可以每天先蹲 10 次，每次以 1 分钟开始练习，然后，再慢慢增加练习的时间与次数。比方说，你可以利用清理冰箱、叠衣服，甚至看电视的时候，顺便做蹲姿练习。你可不要觉得这样做看起来好像有点蠢，事实上，这对于强化腿部肌肉及其他与分娩相关的肌肉有很大的帮助。

盘腿坐练习。相信你小时候，常常有盘腿坐着玩耍的经历（如第 199 页图）。当到了怀孕晚期的时候，想要再尝试长时间保持这种姿势，恐怕不容易。不过，你还是可以每天两三

蹲姿

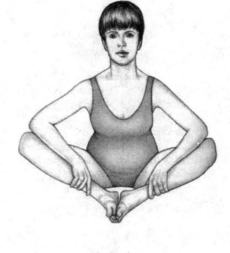

盘腿坐练习

盘腿坐伸展练习

次，每次用 10 分钟练习这种姿势，同时记得背部要保持挺直。你可以一边阅读、织毛衣、吃饭，一边练习。等到你习惯之后，再慢慢延长练习的时间。

盘腿坐伸展练习。 这种练习与盘腿坐练习不同的是，你的背部可以靠着墙壁或沙发，然后将盘坐的双腿抬起，让两个脚掌能够彼此贴在一起。然后，再将你的双臂自然放在膝盖上面（如图）。除非你的柔软度极佳，否则你并不需要太在意自己的腿是否能平贴在地板上。当然，如果你多练习几次，也许可以用双臂的力量慢慢将膝盖部位压低，以接近、甚至贴在地板上。不过，你可不要太勉强自己，特别是如果你曾有过膝盖方面的毛病，这样做是很危险的。

大臂绕圈运动。 当你做完盘腿坐伸展练习之后，可以起身做大臂绕圈运动。当你绕臂时，手臂要尽量放松一点。这种运动可以帮你放松肩膀与颈部附近的肌肉，这部分肌肉通常在分娩时会出现过度紧绷的现象（尤其如果你是第一次生孩子）。

骨盆翘起运动。 除了上述几种可以帮助你顺利分娩的运动之外，骨盆翘起运动则是一种可以舒缓下背部压力的运动。不论你是坐着、站着、躺着，还是四肢着地或蛙跳式，只要你保持下背部平贴在固定物上，并用双臂支撑着重心（如第 201 页图），就可以做这种运动了（详见第 201 页"怀孕与仪态"）。

不过，如果你采用四肢着地的姿势来练习，首先请尽量不要摇晃背

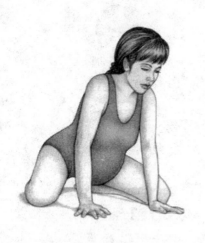

蛙跳式

部。然后在吸气时，抬起臀部，并维持3秒钟左右。吐气时，可以回到比较舒服的平躺姿势，然后慢慢吐气出来。一天可以至少练习4次，一次重复练习50下，当然，如果你经常背痛，就应该多练习几次。有些孕妇也会同时做前面提到的盆底肌肉运动。另外，也有些孕妇喜欢以这种姿势转动臀部，做骨盆摇摆运动(有些孕妇表示，这有点像摇呼拉圈)。通过这些运动，可以有效舒缓背部疼痛，并可以增加相关运动部位肌肉的弹性。

如果你采用蛙跳的姿势，大部分体重的重心将落在腿部。这样一来，你的膝盖应该分开一点，以稳定支撑身体的重心(不过还是应该以舒适为原则)。然后，以这种姿势翘起臀部10次。

如果你是站姿，应该参考后面介绍的"怀孕与仪态"里应注意的事项，以最正确的姿势站立，让背部尽可能垂直贴在墙壁上(同时，让你的脚跟与墙面保持约10厘米的距离)。当你开始做骨盆前倾的练习时，将下背部尽量向墙上顶(你可能必须挺起胸部一点，才好向后顶)。每一次运动保持5秒钟，然后重复三五次即可。

这种骨盆翘起运动，也可以用平躺的姿势练习，不过，这仅适合怀孕前3个月的孕妇。当你怀孕4个月之后，因为这种姿势可能会压迫到背部脊椎附近的大血管，影响血液输送到子宫的速度，对胎儿的健康不利，因此不适合在怀孕后期采用。躺着运动很简单，除了将身体平躺之外，你可以弯曲膝盖，并将脚掌平放在地面上，然后将头部稍微垫高一些(头部下方垫个枕头效果更好)，做个深呼吸，当你吐气时，将下背部顶住地板。经过几次重复练习之后，你可以改做前面的骨盆摇摆运动，将臀部微微抬起，用臀部画圈的方式来轻轻扭动。然后将膝盖分开并逐渐拉至胸部(注意不要压迫到腹部)，停3秒钟，再将脚放回到地板上。

膝胸伸展运动。这是一种消除下背部疼痛最有效的运动，也是多数即将分娩的孕妇认为比较舒服的运动。你可以先将双手撑着地板，然后以膝盖

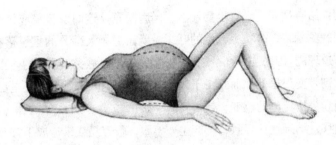

骨盆翘起运动姿势——平躺

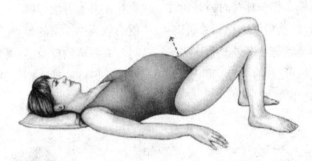

骨盆摇摆运动

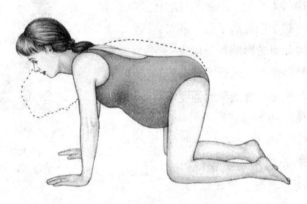

膝胸位

跪着面向地板，接着你可以在肘部与前臂处垫枕头，以方便将肘部与前臂放下来。准备好以后，你可以慢慢将头部放低，放在贴在地板上的两条前臂之间。此时，你的臀部应该微微抬起，使下半身的重量以腹部的肌肉支撑。每一次的伸展动作应以5分钟为宜。

怀孕与仪态

也许你怀孕之后，妈妈就会整天

对你唠叨：站有站姿、坐有坐姿，不要一天到晚驼着背。事实上，她的叮咛是很有道理的。因为当你怀孕之后，各关节的韧带变得松弛，而且由于体重的增加和身体比例的改变，使得身体重心偏移，结果往往导致背部产生不适感，因此你就容易不知不觉地驼背。如果能够在你一怀孕时就开始注意这种现象，做些可以强化相关肌肉、关节的运动，就能够有效改善这些不适的现象。以下这些有益孕妇的运动，在平时对你也同样有所帮助。

站直

尽量让你的下巴与地面垂直（也就是保持头部与天花板、地板垂直）。不过，由于有些孕妇有双下巴，或者下巴朝天，因此也会影响到身体重心的平衡。另外，你也应该让手臂保持自然下垂，并注意双臂摆动的幅度不应太大，以免拉伤下背部的肌肉（如果你够细心就会发现，如果头部保持正确的姿势，肩膀通常也会跟着放松，而自动呈自然下垂状态）。然后，慢慢将上身弯至腹部的位置，此时你应该避免背部摆动，臀部也不要翘起来。这个姿势不但可以让骨盆回到正确的位置，也可以帮助你将身体重心放回身体中心的臀部上。你可以背部贴着墙来进行练习，双脚离墙面约 15 厘米左右。然后，双脚站开与

肩同宽，这时，膝盖应该微微弯曲，以让身体大部分的重量落在大腿上。另外，再感受一下你的体重，是正确地落在两只脚掌上，还是都只落在脚跟的位置。如果你的体重都落在脚跟，很容易连带造成下背部肌肉的拉伤。虽然保持这种姿势，一开始可能会让你很不习惯，然而一旦习惯之后，就会成为你平常的姿势，这不是很好吗？（有些孕妇反映，如果穿上高跟鞋，就无法保持这种姿势。另外，到了怀

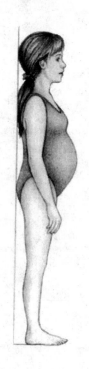

站直

不要一直坐着不动

对身为孕妇的你而言，长时间静止不动，不但可能会感到浑身不舒服，而且可能也会对你与胎儿的健康造成不良的影响。特别是当你怀孕到最后 3 个月时，你下半身的血液循环本来就要比平常差一些，因此，就算你只是短时间坐着不动，都有可能因为血液循环不良，而造成踝关节肿胀和小腿静脉曲张。

因此，如果这种现象持续下去，就会增加血栓性静脉炎的发生概率，这也是孕妇较常见的一种病症。

为了减少腿部肿胀的发生，你可以试试以下几种简单的方法。首先，当你坐着的时候，可以像一个坐立不安的孩子一样，尽量换姿势频繁一点。此外，你的脚部也尽量上下摆动，甚至连脚趾头也多动一动，腿和脚做画圈运动。还有，你也可以将双腿交互举起、放下，以促进腿部的血液循环（同样运动你的手臂、手掌，以促进上半身血液循环：将手指伸直，然后收回紧紧握拳，接着抬起双臂耸耸肩）。你最好至少每两小时就应该站起来，然后多走两步路，甚至上下爬爬楼梯也很好。如果你刚好在长途的飞机或火车上，你更应该每小时都起身运动一下；如果你只是在汽车里，也应该多利用停车的时间，下车来活动一下筋骨。

孕的晚期，也不容易做这样的练习。详见第 218 页关于穿鞋的建议）。

当孕妇站立的时间过久时，由于血液循环不良，容易导致孕妇踝部与脚部的肿胀与不适。如果你必须站一段时间，最好将一只脚放在矮凳上休息，然后隔段时间再换脚。另外，你可以通过运动小腿肌肉来促进血液流动，比如单脚抬起做脚踝运动，可以顺时针或逆时针转动脚踝。如果你的工作需要长时间站立，你应该向主管反映，暂时调派给你一个站立时间较短的工作。根据研究指出，长时间站立的孕妇，比较容易生出较小的胎儿（详见第 218 页关于如何照顾你的脚的建议，以及第 286 页"防止背痛"）。

坐得聪明些

椅子应该选择质地较硬、椅背笔直的。当然，如果有必要，你可以垫个枕头在椅背上来支撑背部。有些孕妇表示，如果双脚可以放在脚凳上，就更能减轻下背部承受的压力。如果你没有脚凳，应该挑选一张较低的椅子坐，以便让你的双脚能轻易放在地板上。有许多人坐着的时候，都有跷二郎腿的习惯，这些习惯都会影响到下半身的血液循环，因此应该尽量避免。至于如何在坐着的时候，保持下半身血液循环的畅通，你只要参照前面讲过的脚部运动来练习就可以了。如果你的工作需要长时间坐在办公室，你应该每半个小时就起身走几分钟，并在办公桌下摆张小脚凳或几本书，让脚抬高一些，以促进下半身的血液循环。

如果你必须待在车子里一段时间，应该让脚部有多一点空间活动。此外，你也可以在椅背上垫个枕头，以协助下背部支撑身体的重量。还有，你应该经常让你的小腿多活动两下。

正确的睡姿

基本上，你的身体会引导你采用最舒服的睡姿。一般来说，怀孕4个月以上的孕妇，应避免采取仰卧的睡姿，因为仰卧的睡姿容易使沉重的子宫压迫到脊椎右侧的大血管。除此之外，右侧睡也有相同的问题，因此也应该避免。虽然有些孕妇并不习惯左侧睡，不过从理论上讲，左侧睡可以促进胎盘的血液循环，因此你还是应该试试看。当然，也有少数孕妇认为，

当她们左侧睡时，有时会有胃食管反流与烧心的现象。在整个晚上，大多数孕妇的睡姿是随意变换的，怎么舒服就怎么睡，一觉得不舒服，就会马上变换睡姿。因此你也不用担心，一定非要左侧睡不可，因为要整晚保持一种睡姿是很困难的。

此外，起床的方式也应该注意。最好的方式是当你想起床时，先侧身让手臂支撑你慢慢坐起，此时脚也应该放在床边，当你觉得脚站稳后，再用手臂撑着床铺慢慢起身下床。这么麻烦的起床方式，虽然可能看起来多余，然而，这可以避免你的背部与腹部肌肉在没有"热身"的情况下产生拉伤。

慢慢地变换姿势

当你想要从站姿变换成坐姿时，可要慢慢地来。你最好先以双臂向后撑着，然后屈膝，将身体重心移向大腿，接着再慢慢地坐下来。这比你平常一屁股就坐下来，对下背部的伤害要小得多。如果你想要从坐姿变换成站姿，也应该将身体重心先移向腿部，待脚站稳之后，再慢慢地站起来。总之，不论你变换什么样的姿势，都应该比平常谨慎一些。

另外，你在步行的时候，应该穿可以保持身体重心平稳的鞋子。由于怀孕时，身体各部分的关节、韧带都

比平常松弛，因此，你可禁不起失去重心的后果。所以，在挑选鞋子时务必要慎重一点。

同样的情况也发生在举重物的时候。当你在举重物时，应该先蹲下来，让身体的重心低于重物的高度（而不是弯下腰），然后将重物以贴近身体的方式，慢慢地举起来（如图）。在举起重物的时候，你应该使用手臂的肌肉。另外，当你准备站起来的时候，也应该使用腿部的力量，来代替背部的力量。在举重物时，最简单的不伤及背部的自我保护方式，就是随时保持背部挺直，因为你的背部一旦弯曲，就很容易发生拉伤现象。此外，如果你想要举起的物品实在太重，千万不要勉强抬起（一般来说，超过15千克的物品，对女性来说就太重了），否则很有可能会造成背部与腹部肌肉的严重拉伤。

总之，当你从事任何体力活动时，只要你的肌肉、关节、韧带等部位产生任何的不适感，都应该尽快告知医护人员，他们一定会设法帮助你。

聪明地抱起宝宝

怀孕日记：第4个月

我情绪上的感觉：

我生理上的感觉：

我对宝宝的感觉：

关于宝宝的梦：

我想象中宝宝的模样：

我最喜欢的运动：

我最关心的事：

我最快乐的事：

我最严重的问题：

我应该关心的事

我的问题有哪些？我得到的解答是：_ _ _ _ _ _ _ _ _ _ _ _ _ _ _ _ _

_ _

_ _

检查结果和我的反应：_ _

_ _

_ _

最新的预产期：_ _

我的体重：_ _

我的血压：_ _

感觉我的子宫，我的反应：_ _ _ _ _ _ _ _ _ _ _ _ _ _ _ _ _ _ _ _

_ _

_ _

看得出怀孕的样子了，我的感觉是：_ _ _ _ _ _ _ _ _ _ _ _ _ _ _ _

_ _

_ _

第 4 个月的照片

感想:

第5个月的产前检查

17 ～ 20 周

在这个月的产前检查中，你可能会做的项目包括：

* 子宫检查
* 检查你的乳房和皮肤
* 检查手、脚有无肿胀和静脉曲张
* 体重与血压检查
* 验尿
* 听胎儿的心跳
* 必要时，可通过超声波看看胎儿（超声波胎儿筛查）
* 胎儿的活动力评估：肚里的胎儿多久动一次，以及你感觉如何
* 与医生讨论你的感觉和关心的问题

第 **5** 个月

孕味十足

对大多数孕妇而言，怀孕进入第17~20周之间，是最有成就感的阶段。你的一切感觉会变得十分美好，同时全世界也开始察觉到，你腹中正孕育一个小生命。那些怀疑你到底是变胖了还是有喜了的亲朋好友们，也得到了明确的答案。这期间，除了满心欢喜及拥有许多你并不想听到的建议之外，你也将在众人的注视下经历生命中最富戏剧性的旅程。更美妙的是，你会开始感受到肚中宝宝的胎动。而到了这个具有里程碑意义的阶段，不管你是否相信，怀孕之路确实已经走了一半了！

情绪上可能的转变

怀孕早期，内分泌系统会积极地制造出足够供应子宫与宝宝成长所需的激素。而到了怀孕中期，胎盘却成了产生这些激素的主要角色。这种转变足以解释，为什么你的身体会有较好的感受，因为胎盘产生激素的副作用，要比先前的孕激素小多了。虽然如此，你的情绪可能还是会比怀孕前要紧张。许多孕妇会惊讶地察觉，即使只是看到一则温馨的广告，自己似乎都很容易就被感动得掉下眼泪。不过怀孕第5个月的感受，通常都是向好的方向转变，至少矛盾心理会减少许多。

与众不同

现在，所有围绕在你身边的人都已察觉到，你是位准妈妈，而你对于这样的转变也能欣然接受。超市售货员会主动为你把所购的货品抬入车中，路人也对你投以羡慕和尊重的眼光。许多不经意的小事情，都可让这世界了解到，你正经历着人生中最神奇的时刻。而来自周围的注目、尊敬、关怀与疼惜，也让你意识到，自己正从事着世上最重要的工作——孕育新生命。

此刻我乐在其中，我的感觉好得不得了。丈夫对我照顾得无微不至，他每天都会用手抚摸我的肚子，还说我是他心中最美的女人。

惊讶

上个月，你已听到了宝宝的心跳声，或许也通过超声波看见了宝宝的样子。于是，你总算确定自己的身体中真的有个小生命正在成长。到现在，你已逐渐开始感觉到，宝宝在肚子中缓慢的动作。毫无疑问，你已是个准妈妈了。

我仍记得第一次感受到宝宝的动作时，直觉告诉我，真的有个小家伙在我的身体里了！虽然我早已了解自己已经怀孕的事实，但亲身感受到新生命在自己身体中活动，仍令我充满了震惊感。

宁愿躲在家中

筑巢本能是怀孕晚期的一种下意识的反应（详见第280页"急着想把事情完成"），通常在怀孕大约第5个月时开始出现。随着突如其来的精力回复，你会开始产生打扫家里的冲动，这种冲动有时会极端到想去做你从不曾想到的家务。（你曾想过要洗墙壁吗？）在往后几个月中，这种筑巢本能将会日益增强。

同时你也开始发现自己的社交生活会出现转变。当你看到、听到并感觉到肚子里的小生命后，筑巢本能会让你退回到自己舒适的家中。你也不再喜欢身边热闹地围着一大堆朋友，却只愿意与几位闺中密友来往。虽然许多孕妇会想办法让自己忙碌，借以度过怀孕期的焦虑。但即使是最忙碌的女强人，在怀孕后也会渴望拥有独处的时间，在熟悉的环境中与最亲近的人往来。无论你的个性多么活泼外向，在这个时候，你也只愿躲在家中不愿外出。

朋友总是劝我："当你还有机会出去看电影或吃饭时，赶快出去走走吧。一旦孩子出生，你就会被锁在家里了。"即使如此，我还是宁愿躲在家里，哪儿都不想去。

自省

正像你的身体孕育着新的生命一样，你的心中也日思夜想着这个待在肚子里的小家伙。此时，你会想要独处，以便将全部精力放在小宝宝身上。或许你很长时间什么事情也不想做，只想静静感受宝宝在肚中轻轻踢你的感觉。有时候，你会在不恰当的时刻，譬如开会或与人谈话时，不由自主地突然把注意力转移到小宝宝身上。这种分心是正常且必需的，因为这一过程能够帮助你对将为人母的事实做好准备。

心神不宁

玛莎将这种情形笑称为"孕妇的思维"——有时你无法表达出自己想要说的话，即使是简单的词语，你也会一时说不出口。忽然间，你的脑海中可能一片空白，或是暂时失去记忆。如果你先前没有察觉到这种现象，就应该开始重视，特别是当你无法确定你的思想是否能恢复到怀孕前的状态时（心神不宁的现象，会延续至产后的一段时期）。但如果你知道这种现象是正常的，就会允许自己偶尔心神不宁，甚至对此一笑置之。事实上，这种心神不宁或暂时丧失记忆，倒还不致影响孕妇的工作能力。许多孕妇在工作上的表现，仍如怀孕前一样杰出。

对蜂拥而至的建议感到困扰

在怀孕过程中，似乎所有人都想告诉你如何孕育宝宝。当你一怀孕，周围的人都会因此忙得不得了（等着瞧吧，宝宝出生后，情况会变得更糟）。有时候，你会因为亲朋好友对你的关心而感到愉悦；但有时候，你也会因此而觉得不耐烦，特别是当对话牵扯到"如果你不……小孩就会……"时，于是你得先准备一些应对之道，以便让这些过度关心你的亲友闭嘴。你可以表示"多谢你的建议，但让我先考虑考虑"，或者用医生来当挡箭牌说"我的医生说……"。怀孕时不稳定且易怒的情绪会让你过度敏感，所以即使是亲友对你或宝宝健康的好心建议，也会令你感到些许不悦。虽然这些你不想在现阶段听到的话的确会让你感到恼怒，但在日后这些建议却能为你与孩子带来不少帮助。目前，你应该学着如何对那些无益的建议充耳不闻，同时分辨出哪些人的话才是对你真正有益的。

恐惧感

在怀孕期间，特别是怀孕中期时，孕妇们会为了一些不可名状的原因而感到恐惧。她们会感到气短、呼吸困难、心跳加速（心悸），或者胸闷有窒息的感觉。半夜时分，甚至会因为这种无来由的恐惧感而惊醒。如果发生这种情况时，尽量先让自己放松，并说服自己"我很好"。这种恐惧感很快便会消失，但你也得告诉自己，

第一次感受小宝宝的胎动

你朝思暮想的感觉终于来了！至于何时才会感到宝宝开始轻踢你的肚子，或者这是什么样的感觉，则因人因时而异。

何时开始？ 在怀孕第 2 个月末，小宝宝已开始在你肚子里打转，只是这样的动作十分轻微，再加上宝宝还小，所以你暂时无法感受到他的动作。但到了第 18 周，小宝宝已经开始有能力将手与腿伸展开来，这样他便可以触摸到子宫壁。在这个时候，许多孕妇开始初次感受到小宝宝的存在，这便是所谓的"胎动初觉"。一般来说，胎动会发生在怀孕的第 5 个月，也就是第 18~20 周之间。有些孕妇会早在第 18 周之前便已感受到宝宝的动作，但有些则会迟至第 20 周之后才感受到胎动。怀第二胎以上的孕妇通常会早些感到小宝宝的动作，这是因为她们已有怀孕经验的缘故。身材较瘦的孕妇也会比较胖的孕妇早些感受到宝宝轻微的动作，同时也会有更为明显的感受。如果你感觉到宝宝动作的时间比预期中的早些或晚些，那么你的医生将会重新评估你的预产期。

当宝宝开始踢你时，全世界也只有你才会感觉到他的存在。对你来说，这是种很难与人分享的体验，也是只属于你自己的最甜美的秘密。通常在第 24 周之后，其他人才能开始分享到你的兴奋（有些准爸爸将小宝宝的第一踢喻为"开球"）。从此之后，小宝宝的每一踢，都会让你与他更紧密地结合在一起。

你的感觉。 别期待一开始就感受到宝宝剧烈的动作。事实上，宝宝的第一踢并不十分明显。毕竟，此时宝宝才只有 200 多克重，四肢也只有 5 厘米长，还无法给你较强的感觉。你所感受到的第一踢，很有可能只是心理作用而已。有时候，你也可能将内脏的蠕动误以为是宝宝在踢你。但不久之后，你会开始频繁感受到宝宝的动作，这是一种前所未有的感觉。你所感到的宝宝的第一个动作，是如此的细微却又弥足珍贵。这种只属于你的感觉，充满了奇妙与激动，无法用语言和其他人分享这种兴奋之情。

当我挺着大肚子躺在海滩上，轻轻地将细沙拨开挖个小洞时，我忽然感觉到体内的小宝宝在动了，这是我第一次感受到他的存在。

在往后的两个月中，小宝宝的力量会逐渐增强。因为宝宝的四肢变得更长，肌肉也开始生长，子宫的空间也因为宝宝的成长变得更挤。于是，有力的胎动开始以较高的频率发生。到了怀孕晚期，宝宝的动作逐渐强到会让你在半夜里惊醒过来。

发生的频率。随着怀孕月份的增加，宝宝的动作会变得更加频繁，这种动作频率会在第 7 个月达到高峰。此后，频率开始降低，但在最后两个月动作的力量会增强。在第 20 周时，宝宝胎动的频率会显得十分不稳定。一天 24 小时内，他踢你的次数有可能会多达几千，也可能只有五六十，但平均胎动的次数则大约在 200 左右。休息时，是你最可能感受到宝宝动作的时候（到了下一个月，你甚至可以亲眼见到宝宝移动的动作）。研究报告显示，晚上 8 点到翌日上午 8 点之间，是小宝宝在子宫中最为活跃的时候。白天，他在妈妈的肚子中休息。工作忙碌时，你通常因为分心而不会感受到小宝宝的轻踢。但到了下个月，即使你正为处理事情忙碌时，宝宝的动作有时也会意外地让你吓一跳。这就好像他正向你抗议："妈妈，你不要这么忙嘛，多关心我一点吧。"

我开始感到宝宝的移动了，这种感觉就好像是一只蝴蝶在我腹中轻舞，令我相当兴奋。在这之后没多久，我丈夫也开始感受到宝宝的动作。自此之后，每一天我都能感到宝宝的存在。我喜欢将双手放在肚子上，感受小宝宝轻轻踢着我的感觉。我真是迫不及待地想让肚子赶快变得更大，因为只有宝宝长得更大更强壮，我才能更确切地感受到他的存在。这是整个怀孕过程中，我最喜欢的一部分。

在大多数情况下，母亲吃的东西基本上不会影响小宝宝在肚子里的动作。但某些医学报告显示，当母亲吃了高糖分的餐点或饮料的一个半小时之后，胎儿的动作会更为频繁。有些孕妇在喝了含有咖啡因的饮料一个小时后，会觉得宝宝踢动的次数忽然增加了。这可能是因为这些食品或饮料，在某种程度上也刺激了宝宝。

我的朋友说："每次我喝可乐后，宝宝总是动得更厉害。"

胎动位置。在第 5~6 个月，宝宝的胎动是非常随意的，在小腹的任何一处，你都有可能感受到这样的轻踢。这是因为在这个阶段，宝宝在子宫内仍有足够的空间可以转动。到了怀孕晚期，如果宝宝的头是向下的（大多数的情况都是如此），胎动就会发生在你的中腹部或是肋骨右侧。大多数宝宝的姿势都是背对着母亲的左边，所以如果孕妇以左侧睡姿躺在床上，就会在右边的肋缘处感到宝宝的胎动。除此之外，有时你还会感觉到宝宝在打嗝，这种力量有时比胎动还大呢。

在你的怀孕日记中，记录下宝宝胎动的情况，并记下为何你能够越来越清晰地感到胎动的原因。这个感受的过程，将会是你怀孕中最值得回忆的一部分（宝宝就好像一个小球，在你肚子里自由自在地跳动着）。产后，当你看着活蹦乱跳的宝宝，再回忆起他在你肚子中的踢动过程，将会感到十分有趣。

在前几个月里，有足够的征兆和信息告诉你已经怀孕的事实。但只有到第 5 个月亲身感受到宝宝的胎动，你才会坚信，自己真的就要做妈妈了！

事实上并没什么好怕的。

生理上可能的转变

怀孕进入第 5 个月时，肚中的胎儿将开始快速成长。你的体重会增加 2 公斤左右，而宝宝的体重也将增加为原来重量的两倍。自然而然，你也会感受到自己身体上的变化，特别是在下腹部及乳房处。怀孕进入第 5 个月的孕妇会惊讶地表示："天呀，忽然之间，我好像吹气球般地胖了起来。"

大肚子更明显

许多因素会决定你何时开始显出肚子及肚子有多大：你的体形、增加的体重、怀了几胎、宝宝的大小、子宫的位置（详见 131 页"感受子宫的变化"），以及这是头胎还是第二胎。你遗传自父母的身材，将会由怀孕中的外观反映出来。高瘦的女性，怀孕特征会较晚出现，宝宝位置也会较高。而矮胖的女性，怀孕特征则会较早出现，宝宝位置也比较低。腰较长的女性有更大的空间供子宫增长，所以宝宝有较多的空间成长，因此肚子会比较晚才大起来。但无论如何，在第 5 个月结束时，不管你高矮胖瘦，绝对不会再有人怀疑你到底是有喜了还是变胖了。有些孕妇在第 5 个月时仍想把自己挤进标准身材的服装里，但这种努力通常是徒劳无功的。大多数孕妇都会在这时穿起孕妇装，骄傲地展示自己的身体，并摆出怀孕的姿势。

腹部皮肤瘙痒敏感

这时候，皮肤因拉伸会持续感到瘙痒，你可以抹一些润肤乳在痒的部位。从怀孕的后半期开始，你不会再想穿上任何束缚住下腹部的衣服，并开始欣然接受隆起的腹部，珍爱肚中的小家伙。

肚脐周围不舒服

在怀孕20周之后，膨胀的子宫会开始向外压迫你的下腹部。当你走路时，肚脐周围会偶尔感到稍许不舒服。同时，你的肚脐也会开始向外撑开，变得好像有点"凸肚脐"（在分娩之后，肚脐会回到正常状态）。

乳房改变

你的乳头会变得比以往更敏感，特别是晚上睡觉压到乳房，或乳头与衣服摩擦时。同时你也会发现乳头会产生金黄色的分泌物，这便是"初乳"，也就是将来小宝宝的最佳天然营养品。

痉挛

有些孕妇（特别是怀孕两次以上的）早在怀孕第5个月，就会在下腹部感到像月经来时的疼痛，但疼痛的程度要比月经来时轻一些。这种痉挛般的收缩，是一首热身前奏曲，因为这样的收缩通常发生在怀孕的最后3个月（详见第250页"布拉克斯顿·希克斯收缩"）。

韧带疼痛

此时由于子宫开始变得更大更重，子宫周围组织的负荷也更重，这使你的身体也产生了新的感受。子宫两侧各有一条与骨盆相连的韧带，当子宫增长时，韧带也会跟着拉长。这种缓慢且稳定的拉长动作本身并不会产生不适，但你正常运动时会为你带来意外的疼痛，而迫使你停止动作。当你突然改变姿势时，经常会有这种痛楚感。比如早上起床时，韧带拉紧会使你下腹部的两端，甚至背部，都会感到一阵苦不堪言的痛。虽然这种疼痛对宝宝毫无伤害，但会令你十分苦恼。

有些孕妇在运动、甚至走路时，都会感到这种韧带痛。在怀孕的第14~20周之间，是发生这种疼痛最厉害的时期。这是因为逐渐变大的子宫已经开始对韧带施加压力，但此时的子宫又尚未大到可以让骨盆承受它的重量。怀孕期间的女性在任何时刻都有可能会感到韧带痛，这也得视宝宝的位置与姿势而定。特别是到了最后一个月，当宝宝的头向下压时，这种疼痛就会变得相当明显。

为了减轻或避免这种疼痛，你可以尝试做抬脚运动（详见第130页）。另外也尽量避免突然改变姿势，特别是当你由坐姿变成站姿，如早晨起床时，需要更加小心。要躺下时，也应以身体一侧慢慢躺好。至于是由左侧还是右侧躺下，倒没什么关系，只要

乳头平坦要如何哺乳

如果你的乳头较为平坦或是向内凹陷，这对你将来哺乳会造成某种程度上的不便。如果你为此感到担心的话，必须早些与医生联络，他们将会告诉你该如何解决这个问题。在分娩之前，许多孕妇并不担心自己的乳头过于平坦。因为在产后利用吸乳器及宝宝天生吸吮母乳的吸力，自然会将乳头吸出来。必要时，你可以在怀孕晚期每天穿上特制胸罩（内含塑料罩杯衬垫可垫起乳房）几小时，这样能够将内凹的乳头稍稍带出，以便未来更易于哺乳。

你自己感到舒服即可。如果你需要其他方式来减轻疼痛，可以试试用热水袋热敷。随着怀孕过程的进展，当韧带已逐渐适应扩大的子宫后，这种疼痛也会相对减缓。

视力及眼球湿度的改变

怀孕及激素对全身的所有器官都会造成影响，眼球自然也无法例外。怀孕进入中期，许多孕妇都会发生视力改变的现象，通常来说，都是变得更差。体内液体潴留增加，会改变你的眼球形状，继而对视力造成影响。于是在怀孕期间，近视或远视加重的情况，都可能发生。这个时候，你会觉得似乎该换副眼镜了，或者戴隐形眼镜之后会感到不舒服。但产后，你的身体会恢复到怀孕前的状况，眼球的形状及视力也会恢复。如果你觉得无法忍受长达四五个月眼前一片朦胧的状态，就必须去找眼科医生，请他为你调整眼镜度数，或是更换新的隐形眼镜。

另一个在怀孕期间引起视力变化的原因，是雌激素的降低减少了泪液产生（干眼症），造成视力模糊、对光线敏感及红眼病。眼球如果过于干燥，会伤害角膜。要解决这种问题并不难，你可以到药店购买人工泪液以增加眼球的湿度。在这段时间，最好不要再戴隐形眼镜。曝露在阳光下时，请戴上太阳镜以保护你的眼睛。

轻微及逐渐的视力变化，是怀孕时期正常且暂时的不良反应。但如果视力急剧改变，就可能预示着严重问题，通常是高血压的征兆。因此当你发生视力严重模糊、产生盲点、暗影增多或是双重影像时，必须立刻与医生联络。

脚的改变

如果你感到脚也像肚子一样逐渐变大变重，这就对了，因为身体中不少水分汇集在脚踝和双脚里，特别是站了一天之后更加明显。双脚也会感受到全身韧带逐渐变松的作用，使得承受体重的关节拉长变宽。综合上述各种原因，难怪你的鞋子已经不再合适了。在怀孕的后半期，大多数孕妇需要买比原来大半号的鞋子，而其中15%的女性的脚型，将因此而固定，即使在产后也得穿这种大半号的鞋。尝试采用下列建议，可以使你的脚舒服些。

　*尽可能抬起双脚。

　*不要站立过久，要记得休息。

　*做脚部运动。收缩脚趾，然后踢出脚跟并将脚趾尽量张开。伸出双腿，脚趾朝上，让脚趾做画圈运动，同时也转动双脚与脚踝。当你站太久或坐太久之后，做这种运动对锻炼小腿肌肉也颇有帮助（详见第203页）。

　*脚部按摩。让按摩师用双手握着你疼痛的脚，然后用拇指在脚底按摩，并顺着足弓慢慢地以画圈的方式进行按摩。

　*在工作一天之后，把疼痛又肿胀的双脚泡在冷水中。

　*穿棉质袜子，这样才能让双脚透气。

　*穿合适的鞋。选择较宽的低跟鞋（鞋跟不要高过5厘米）。鞋底要有防滑效果，这样才能保障你的安全。最好穿没有鞋带的软皮鞋或是帆布鞋，因为在不久之后，你就弯不下腰了。最好在晚上买鞋，因为这时脚要比白天大。除非你对鞋子非常在行，否则尽可能听从鞋店店员的建议。鞋子太紧，你的脚容易痛；鞋子太松，走起路来就会不大安全。确定鞋头内有足够的空间，让脚趾舒适地伸展。不要忘了，怀孕会让你全身的韧带都变得松弛，脚部与踝部的韧带也不例外；所以这时买鞋要以舒适为首要考虑因素，必要时也得牺牲外形与美观。如果松弛的韧带造成你容易崴脚，那么穿系带的鞋会比穿直接将脚套进去的鞋安全，因为鞋口太大会丧失对脚踝的支持。毕竟在怀孕时期扭伤脚，可不是开玩笑的。

在工作一天之后，如果你的足弓感到疼痛，就要警惕了。这时尽量让你的双脚保持舒适，在穿鞋时可以试用一下矫形鞋垫。如果你是扁平足，怀孕后脚会变得更平些，所以你必须穿上更合脚的鞋才行。

怀孕期间，我的脚可真累坏了。不断增加的体重及追着正在学走路的儿子跑，都让我的脚跟痛得受不了。每当穿上那双耐用且装有气垫鞋跟的慢跑鞋时，就舒服多了。但每当早晨穿上正式的皮鞋后，我就知道整个下午及晚上都得穿上极为舒适的鞋以解除上午带来的痛楚。那年夏天，我几乎都没有光着脚的机会，因为我的脚需要持续的保护。

胎儿的成长（17~20 周）

在第 5 个月即将结束时，你会感觉到肚脐附近甜瓜般大小的子宫。这时，宝宝的重量大约为 340 克，身长约 20~25 厘米，这已是他出生时一半的身长了。此时小宝宝的腿大概就像你的小指头一样长，但随着他继续发育及肌肉的生成，你也将感受到宝宝的轻踢。你也可通过超声波看见宝宝细小但正在发育的手臂，你会看见他正在吸吮手指或是握着拳头。宝宝身上也开始出现毛发，最先会从头部、上唇及眉毛处长起。而他薄膜般的透明皮肤，也逐渐开始覆上一层脂肪。皮脂腺开始分泌出一种蜡样的物质，这种物质会和死去的皮肤细胞混合成为胎脂，这层像奶酪一样的物质能够保护宝宝，使他们的皮肤不致皲裂。覆盖于宝宝全身的胎毛能够拉住这层胎脂，使它们得以覆盖在宝宝的身上。宝宝的消化系统也运作得更好了，现在能够有规律地吸进羊水，也能将尿液排出。宝宝的中耳结构此时也已成形，这使得宝宝能开始听到声音。到了这个阶段，宝宝的肺部尚未成形，这也就是为何宝宝仍无法脱离子宫生存的原因。

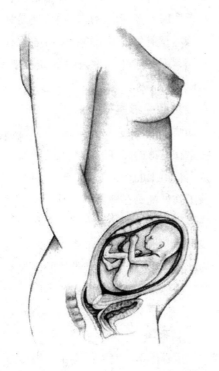

17~20 周的宝宝

你应该关心的事

随着肚子渐渐变大，你心里也产生了一些新的恐惧。在感觉到小宝宝的动作，并通过科学仪器亲眼看见之后，保护这个小生命自然而然地成为你生活的首要任务。当这种责任感在你心中产生后，伴随而来的是新的、真实的忧虑。你的身体是否能够继续支持工作、家务及照顾其他孩子？你如何缓和自己紧张的情绪？怀孕之后，由于你已将大半心思放在宝宝身上，你与丈夫之间的关系是否因此而有所变化？你的宝宝会不会有问题？这种担心怀了个畸形儿的恐惧不时地浮上心头。现在，就让我们来看看这些在怀孕中期孕妇可能会担心害怕的事吧。

跌倒

在怀孕的前3个月，宝宝都被肌肉厚实的子宫及骨盆安全地保护着。所以即使你不慎跌跤滑倒，对宝宝基本上都不至于造成什么伤害。然而到了第5个月，骨盆已不能继续保护增大到其上方的子宫了。虽然因为单纯的摔跤而引发的对宝宝伤害的概率并不高，但你在心里仍可能对此忧虑不已。现在有几个原因可能会使你更容易跌倒。首先，即使膨胀中的乳房并没有大到让你看不到双脚，肚子也会在短时间内遮住你的双脚。因此，当你踏出脚步或上下楼梯时，无法看清脚步将踩到哪里。其次，由于身材急速改变，你也无法继续维持原本优雅的平衡感。但除了优雅不再之外，未来几个月中，你的身手也无法如昔日一样敏捷轻快。

如果你不小心摔了一小跤，你大可不必过分忧虑担心。子宫肌、腹肌、羊膜及羊水这些天然避震器，都能够为你的宝宝提供安全的保护。即使发生了一些对母体造成严重伤害的意外，也不见得能够伤害到小宝宝。如果你想了解羊水及羊膜是如何保护小宝宝的，可以将水注入装果汁的玻璃瓶内，然后将鸡蛋丢入瓶中，将瓶盖盖好，用力摇晃玻璃瓶，你便能够看见玻璃瓶中的水如何对鸡蛋提供保护。事实上，羊水的结构比纯水更稠密，提供的保护自然也比纯水更强。

虽然宝宝并不会因为你的摔跤而受到伤害，但你自己却会因此受伤。不慎扭伤脚踝或膝盖，可不是吃几颗止痛药就可了事的，你可能会需要拍X光片或者做其他治疗，而这些是你应该尽量避免的事。再说，拄着拐杖走路，对怀孕中的你来说更非易事。所以，为了你的自身安全着想，当你在较为陌生或是危险的环境下行走时，请千万小心。另外，你也得特别注意在有冰的路面、不熟悉的小路或是人行道上的行走安全，还要留意小孩子到处乱扔在地上的玩具。上下楼梯也应尽量扶着扶手走路，并在每一步都确实地踏在下一个台阶上时，再移动身体重心。你得处处小心因宝宝成长给你带来的自然限制。

畸形儿

担心产下不完美的宝宝，当然是你无法避免的忧虑。也难怪许多父母在宝宝出生后，迫不及待地细数宝宝的手指与脚趾数。在宝宝出生当天，诸如胎记、皮肤上的斑及奇怪的头形（一般来说，在出生一两天后，便会恢复正常）这些小毛病，都会引起新父母的一阵紧张。极少数的宝宝生下来可能有某些主要畸形症状，例如腿部弯曲、兔唇、先天性心脏病、消化系统异常等，但概率微乎其微。

所以在怀孕期间，请坚定地告诉自己无需担心。正如老祖母常说的："过分担心，其实也无济于事。"现代医疗科技已相当进步，大多数婴儿的毛病都可以施以矫正或治疗。如果你在这方面仍有过度的忧虑，而忧虑的程度已对你的怀孕，甚至婚姻都造成了负面影响，建议你尽快找专业心理医生谈谈。

开车及交通安全

怀孕之后，坐在驾驶座的并不只是你一个人，还有肚子中的小宝宝，所以你对开车也有了新的忧虑。如同先前讲到的，宝宝其实是被你的身体安全地保护着，所以你该担心的，应该是如何在行车过程中确保自己的安全。

不要忘了，现在你是在孕激素的影响下开车，这可能会令你在行车途中容易感到疲惫、注意力降低，甚至会睡着；如果你感到头晕目眩（详见第 178 页），最好将开车的任务交给别人。可能的话，尽量在非高峰时间

及白天精神饱满时开车，并且不要长途开车。除此之外，千万要记得系上安全带。你可不想在意外发生时，飞出挡风玻璃吧（详见第 261 页"安全舒适的汽车之旅"）。肚中宝宝加在你身上的重量，会使你在意外发生时前倾的机会大增。如果你没有系好安全带，受伤的概率会非常高。

子宫中的宝宝在交通意外中受伤的概率其实很低，因为他被子宫肌及羊水安全地保护着。在高速撞击的车祸中，宝宝可能遭受到的最大危险便是，胎盘与子宫壁发生脱落。在车祸后，如果你察觉到下列征兆：阴道出血、羊水外流，子宫、下腹部、骨盆腔剧痛或有压痛，子宫开始产生收缩，胎动的次数和性质发生变化，要立刻就医。交通事故发生后，必须与你的主治医生联络。他们会为你进行一系列的检查，主要目的在于确定胎儿是否安全。这些检查包含了检查宝宝的心跳、下腹部的触诊。如果有必要的话，也会进行超声波扫描。

只要做好准备，就不要杯弓蛇影。大部分的孕妇会因为腹中有一位"贵宾级乘客"而特别小心谨慎，但多半孕妇都会非常安全地度过怀孕之旅。

与儿女沟通共同迎接新成员

怀孕期间，如果你还得同时照顾牙牙学语的儿女，这的确是项挑战，

也会耗尽你的精力。虽然如此，让儿女参与你的怀孕过程，却是件简单且充满乐趣的事。这里有几个方法，可以让儿女参与你的怀孕过程，使得你的怀孕变成全家的事，同时也让他们准备好迎接新家庭成员的到来。

言传身教

学龄前的孩子对于小宝宝在妈妈肚中成长这件事，可是完全没有概念的。因为他们看不见小宝宝，而你的任何解释也不见得能够帮助他们理解这个事实。即使到了临盆前的第9个月，你的肚子已到了最大的阶段，孩子们仍不了解大肚子代表的意义是什么。他们在乎的是，为什么不能再坐在妈妈腿上玩耍。

当你的肚子变得很大时（大概是第8个月时），与孩子们谈谈这个即将来临的宝宝，并表示宝宝也是属于他们的。让儿女们来感受宝宝的胎动，并请孩子们与宝宝讲话，唱歌给宝宝听，也鼓励他们轻抚你的肚子。给孩子看一些有关婴儿的图文并茂的书，并将内容讲给他们听。将孩子们刚出生时的照片拿给他们看，同时告诉他们，你曾为他们做的一切。

如果孩子已经2岁左右，可以让他们早些知道妈妈怀孕的消息。当孩子年纪越大，你就可以越早让他们知道你怀孕的事。年纪太小的孩子，在得知妈妈怀孕后的第二天却没见到宝宝，通常都会感到失望与不解。如果孩子年纪较大，已准备要读幼儿园了，那么你可以与他们多谈一些，甚至可用本书中的插画与图表，讲解宝宝成长的过程。当然，他们势必也会提出一些例如"宝宝今天长出什么"等让你吃惊的问题。

视孩子的年龄与理解的程度，向他们解释为何你会经常感到疲倦、不高兴、健忘、不耐烦及一些其他感觉，比如"宝宝的成长需要妈妈付出很多精力，所以妈妈才会感到很累"或"宝宝成长所需的激素会让妈妈看起来很好笑"。将宝宝在肚子里的照片拿给孩子们看，尤其是当你的肚子很大，而超声波拍摄出的宝宝照片更为清晰时。然后利用照片看图说故事般地对他们说："你看，宝宝正在哭呢。如果你跟他说话，他就会开始笑。现在宝宝还太小，所以他什么都不会做，也不会玩游戏。宝宝需要妈妈的照顾，就像你小时候，妈妈对你的照顾一样。"让孩子准备参与宝宝的相关活动："你可以帮宝宝换尿布、洗澡，并替他穿上衣服。"

有一天，4岁的马修见到我平躺在床上，他问我是不是宝宝现在需要休息。当他看着我的时候，他的眼神就好像是看到了宝宝一样。

当你的脾气开始不稳定，感到易怒或不耐烦时，要小心控制，可不要将这种情绪宣泄到家人身上。做点运动、泡个热水澡、小睡片刻、读书、吃些营养又美味的饼干、到公园散步，或者打电话与密友闲聊，这些都有助于舒缓你不稳定的情绪。只要是任何能帮助你宣泄情绪的事，就尽量去做吧。不要忘了，你那正在学走路的孩子可没要求你帮他生弟弟或妹妹。而你也别指望学龄前的小孩，能够为你带来什么帮助。

许多生活上的危机（赚钱、新工作、搬家、祖父母过世或是怀孕的问题等），必须远离孩子们的世界。对年纪较长的孩子而言，帮助怀孕中的母亲诚然是件应该做的事，但你自己也得把握住生活中的平衡点。不要因为他们无法让你开心或满意，而让他们产生自己是个坏孩子的错觉。

是让他们独立的时候了。 在怀孕的同时，还得花时间照顾学龄前或正在学走路的孩子，这的确会让你心力交瘁。但从另一方面来看，这正是让孩子学习如何独立照顾自己的最佳时刻。虽然这样一来，会让他们觉得自己不再是父母注意力的焦点，但这样会让他们变得更为成熟。这个过程称为"个体化"，这是孩子成长过程中必须经历的一段时光。孩子们会学习等待，当你忙碌时，他们会乖乖地待在一旁并减少对你的打扰。小宝宝成为家庭新成员后，他们也会主动帮你照顾，并尽可能协助你。

当孩子们逐渐踏入人生的下一个过程时，你也会经历作为父母来说最为重要的体验——孩子们即将展翅飞翔，而不再是襁褓中需要你呵护备至的宝贝。这种转换过程或许会让你感到恐惧，所以及早让孩子们学习独立，对克服这种心理障碍也会有帮助。记着，如果你因为让他们开始学习独立而感到焦虑，那么孩子在同时也会感到相同的焦虑。

有足够的爱去分享吗？ 对那些怀第二胎的孕妇来说，她们实在很难想象，自己是否能够像爱第一个孩子一样爱第二个孩子。她们会怀疑自己，是否能够再给老二和老大同样的爱。或者，新生儿是否会成为她们与第一个孩子之间的一道鸿沟？请你先不要在心中产生这样的恐惧，因为你当然有足够的爱去照顾你的第二个宝宝（甚至于第三个，第四个……）。但在拥有第二个宝宝之前，你将无法了解自己究竟会如何办到。爱，就像是几何级数一样，你付出越多，就会得到越多。

带孩子一起去产检。 3岁大的孩子到了医院，通常都已不会再那么调皮捣蛋，甚至会表现得很乖。所以当你去见医生时，尽可能带着他们同行。至于已经读书的孩子，当你进行一些特别产检，例如听宝宝心跳声时，最好带着他们一起去。因为这样，他们也会分享你的兴奋，而更容易参与到你的整个怀孕过程中。

让孩子亲自感受。通常在第5~6个月时，孩子们可以感受到妈妈肚中弟弟妹妹的存在。在清晨或黄昏宝宝动得最激烈的时刻，不妨躺下来，让孩子们感受你肚子里正在上演的好戏。同时让孩子们猜猜，现在宝宝正在运动身体的哪一个部分。

鼓励孩子与宝宝心连心。鼓励孩子开始与宝宝对话，或者与你共同谈论宝宝的事情。如果你已经替宝宝取好名字，那就尽量鼓励孩子开始用这个名字来称呼肚子中的宝宝。或者你也可以用孩子为宝宝取的绰号，来与他们共同讨论这位即将到来的家庭新成员。

宝宝在第23周时就能听到声音了，所以这时是孩子们与宝宝开始对话的大好时机，因为宝宝将可以更早一些认识自己的哥哥姐姐。在此之后的3个月内，哥哥姐姐的声音会被子宫中的宝宝所熟悉，而这种心连心的关系也将持续发展。研究结果显示，宝宝在出生后，会对他们熟悉的声音很有反应。

每天晚上，泰勒都会为宝宝献唱3首歌。在这个小妹妹出生后，她似乎能听得懂这些歌曲呢！在为妹妹取名字时，我们也让泰勒参与意见（但仅限于提供建议而已，最后的决定权仍在爸爸妈妈手上）。虽然如此，他还是为妹妹取了个十分好笑的绰号。

认识自己的极限。你必须了解，当你在怀孕时，势必无法像怀孕前那样照顾家人。孩子们早晚也将知道，自己将与另一位弟弟或妹妹共同分享妈妈的爱。幸运的是，漫长的怀孕过程让你和孩子有足够的时间，准备好面对宝宝到来后的一切改变。当宝宝还在肚子里时，先让孩子们习惯帮助你处理宝宝的相关事宜，以便让他们适应宝宝出生后对他们生活产生的影响。所以在宝宝出生前，孩子们就得先为这即将到来的弟弟或妹妹，花上好一阵子的心力与时间，以做好准备。

随着怀孕过程的继续，特别是到了最后3个月，由于你会自然而然地更注意肚中的宝宝，相对的，对大孩子也就不能兼顾。这个时候，你丈夫应该担当起更多作为父亲的责任，这也是他与孩子建立亲密关系的良好时机。另一个办法是，找个孩子喜欢的亲朋好友作为孩子的暂时保姆。

怀孕后，我开始对孩子的一些行

为无法忍耐。但后来我学会从两个方面来解决这个问题：首先，我给自己更多的休息与放松时间，并将工作量限定在我能够忍受的范围之内；其次，我将自己无法容忍的行为明确地定出标准。当这些行为标准变得相当明确时，我和孩子都知道了我的忍耐极限在哪里。规矩定下来后，我和孩子也都感觉到生活更加愉快。

和大孩子一起添购宝宝衣服。如果让孩子参与了许多怀孕与分娩前的准备过程，不仅可以强化你和孩子间的亲情，更可借此加深孩子和宝宝之间的亲密关系。你可以带孩子一起去为宝宝选购玩具与小衣服（这是孩子们喜欢的活动），这样一来，孩子们也会认为小宝宝也是个单独个体，也会有个人喜好。

事实上，这也是个怀旧的过程，你可以对孩子们说："喔，我还记得你小时候最喜欢这种玩具了。"通过与孩子更多时间的相处，也可消除你因为怀孕忽视孩子，而对他们产生的

成为孩子的模范

无论什么时候，你都应该尽量以正面和积极的态度面对一切。虽然你有足够的理由为你的行为或态度找出借口，但请不要过分使用这项特权。你得让孩子觉得，你的怀孕是让家中充满欢愉的喜事。不要总是把自己关在浴室或卧室中，这样只会让孩子害怕。如果让孩子见到你什么事都无法做，即使是年纪稍长的孩子，也会因此心生恐惧。见到你病恹恹的样子，也会加深他们对小宝宝到来的疑虑。对女孩而言，你更得让她们了解，怀孕与分娩是自然且正常的生理过程，而不是一种病。

我会克制自己口出怨言。有时候，甚至当我不舒服时，仍会在脸上挤出笑容。我不希望女儿会因为我的不良反应，而对怀孕感到恐惧。

我希望能将母亲对分娩与怀孕的观念，传递给女儿。由于我是老大，所以我有机会亲眼见到母亲怀弟弟时的乐趣。因此，当女儿问我："怀孕到底是什感觉？"或者"这会不会很恐怖？"等问题时，我总是对女儿说，怀孕是大自然专为女性特别设计的，所以你可以信任大自然的设计。

内疚感，同时也可降低孩子对于失去母爱的疑虑。在感到疲惫想睡时，与你的孩子一起打盹儿吧。当他们沉睡在你的怀中时，所有的不安全感也早已远离了他们稚嫩的心。

让准爸爸参与

男人对于妻子怀孕的投入程度，完全因人而异。有些准爸爸在得知妻子怀孕的第一秒起，就会变得超级体贴，将妻子照顾得无微不至。他们会积极参与怀孕的全过程，并对于即将成为人父感到十分兴奋。然而，有些准爸爸却只在乎一些他们即将失去的东西。在怀孕的前半期，他们被整天恶心呕吐的妻子所忽视。而到了怀孕晚期，他们在妻子心中的地位更排到小宝宝及将为人母的心情之后，落到第三名的位置。在这种矛盾情结之下，准爸爸还会替孩子出生后的费用支出担心。

其实大多数的男人对于妻子日益隆起的肚子及其中成长的小生命，都会感到兴奋异常。但也有些男人将怀孕视为神秘且复杂的过程，而这个过程是属于女性特有的隐私。这些男人看起来似乎与怀孕一事毫不相关，并且对他们所不了解的事感到害羞。当妻子感到疼痛或发生其他问题时，他们将显得更为焦虑，也会手足无措，不知道该如何解决问题。

许多报告显示，多数男人在妻子怀第一胎时，会显得兴高采烈并积极参与一切。但当妻子怀第二胎时，他们就没有第一次那么兴奋了。

我总是以为，当我肚子越来越大时，丈夫会更加关心和喜爱肚子中的宝宝。然而他却依然故我，似乎一切都和平常一样。这种情况对我们的婚姻的确是个压力，也让我感到怀孕似乎是"我走我的阳关道，你过你的独木桥"。到底我应该怎么做，才能让他更关心我和宝宝呢？

事实上，怀孕是你们夫妻二人共同的事情。以下是一些能帮助准爸爸感受怀孕乐趣的方法。

分享怀孕

当你与亲朋好友分享怀孕的喜悦时，也不要忘了你的丈夫。用"我们有了个小宝宝"之类的叙述，要比"我怀孕了"高明得多。如果你用后面的叙述方式，会很容易将丈夫排除在怀孕之外。

循序渐进

做任何决策或是购买任何东西时，不要只是你一个人作决定。在进行重大决定或是需要改变生活方式时，不必过于急躁，你可以慢慢地与丈夫好好商谈。你也必须注意，并想想以前他对生活方式改变的接受程度。如果他是那种对于变化容易感到忧心忡忡的人，你最好尊重他的特性，给他足够的时间来调适自己，以便迎接即将到来的所有改变。

态度积极

在感到害喜或是疲惫不堪时，不妨找些愉快的事情来做。照照镜子，好好看看你自己。想想看，你的丈夫每天见到的怀孕中的妻子到底是什么样子？如果你三天一小吵，五天一大闹，接着一整个星期都不停地抱怨，那么脾气再好、耐性再强的丈夫也会大感吃不消。你是个快乐的准妈妈吗？如果是的话，让你愉悦的情绪也感染你的丈夫吧！

有时候，可以找些闺中密友，将你恶劣的情绪向她们倾吐。不要全部丢到丈夫身上，他们还有更多的问题要处理。将情绪全部加在丈夫身上，只会让他们无法承受。这对他们来说，也并不公平。大多数男人在处理人际关系上的成熟度，增长得较为缓慢。丈夫对你的态度，有时会变得相当不可理喻。你或许会想，当他生病时，你对他付出全部的关心，而你感到不舒服时，他却无法相同地对待你。在这个时候，请你多些耐心，因为男人只有在当了父亲之后，才会展现真正

的成熟。

共同决定

对于产前所有重大的问题，你们必须共同作出决定，包括找哪一位产科大夫、参加哪些分娩课程、小孩将在哪里出生，等等。这些决策的制订，有些可依照固定的模式进行，有些则可依你与丈夫的喜好和兴趣而定。

虽然你的丈夫是如此的爱你和宝宝，他希望为你俩带来最好的照顾，但请你注意，有时让丈夫参与一些对检查或某些医疗技术手段的决策，结果可能会好坏参半。一方面，他可能对检查的安全性和必要性提供有价值的意见。但另一方面，男人十分醉心于先进的医疗科技及仪器，因为这些东西要比宝宝的成长神秘多了，而且也能满足他们的好奇心。因此，他们有时候会希望你去接受一些你并不想接受的检查，或是医疗仪器。尽管如此，只有让丈夫多多地参与决策，在你的怀孕过程中他才会更投入。

一起接受产前训练

你们应该共同参加产前训练课程。当丈夫得知你膨胀的腹部里神奇的变化后，相信他将感到异常的惊奇。在看过相关的照片与录像，并与一些老手爸爸聊过之后，连一些心不甘情不愿当上准爸爸的人，都会因此眼界

大开，或许还会为即将当上爸爸而感动。同时也会因为了解怀孕和分娩过程的艰辛，而对准妈妈产生敬意，更为贴心地照顾她们。

参加产前训练课程的另一个好处便是，你的丈夫会有机会与其他的准爸爸共同分享妻子的怀孕经验。与其他怀孕的夫妻共同经历怀孕过程，会对彼此都产生不少好处。虽然如此，你仍得小心挑选交往对象。你当然会希望找到模范准爸爸作为丈夫的学习典范，同时也要避免与有过恐怖分娩经历或事故的夫妻交往，他们只会吓坏你俩而已。

共同了解相关知识

协助丈夫了解你的感觉，以及为什么有这样的感觉和相应的行为。你们可以一起研究怀孕的相关知识，一起阅读本书。丈夫当然需要了解那些会改变你情绪的激素，以及支持宝宝成长的一切因素。

享受拍照的乐趣

在这方面，丈夫可以表现自己的创意，并创造新的乐趣。以连续剧的方式拍下你的怀孕过程，并以艺术般的手法呈现日渐隆起的肚子，这会是值得回忆与珍藏的摄影集。不要忘了在拍照时，穿上你那些合适又漂亮的孕妇装。这些照片的拍摄机会，只有

在怀孕时才会出现，可不要轻易地就让它溜走了。

请他轻抚肚子

让你的丈夫每天都轻轻地抚摸你的肚子，并告诉他你是多么喜欢且需要他的抚摸。在轻柔灯光及浪漫音乐营造出的气氛下，共同经营这段特别的时光。在这个过程里，丈夫自然会心醉神迷地沉浸其中，你也可以全然地放松自己享受抚摸，但稍微要注意的是，不要让这样的爱抚引起性兴奋。

对他的意义

怀孕过程已过了一半，这时候你会发现自己充满了活力，并且性感极了。你或许会以此向丈夫炫耀，而让他感到惊讶。这段日子是怀孕过程中最特别的浪漫时光，所以不要将它白白浪费了。

让他觉得你需要他

当妻子肚子里的小世界开始运转时，许多男人会有一种失落感。因为从这个时候开始，他们会觉得你已不再需要他们了。他们存在的唯一功能，似乎就是当你开始阵痛时，开车准时将你送到医院。事实上，他们应该了解，怀孕期间母亲的压力如果小一点的话，生出来的宝宝会更健康。另外，他们也得知道，虽然你可以独自供给

宝宝营养，但如果他对你细心照顾，小宝宝会成长得更好。

床上的仪式

在大约20周时，大多数的准爸爸都能感受到宝宝的动作了。通过超声波听见宝宝心跳声及亲眼看见宝宝，并不能让所有准爸爸都有真正的感动。然而亲自感受到宝宝的动作，仍然会给准爸爸带来极为强烈的震撼。

玛莎护士的经验谈：在怀孕过程中，我们十分享受晚上的"用手感觉宝宝"的仪式。大约在怀孕的第6个月初，每晚上床睡觉前，威廉都会将双手轻轻地放在我的肚子上，感受小宝宝的动作，有时他也会对宝宝说话。这种举动对于我有着双重的意义，让我感觉到他身为人夫及身为人父的承诺。

威廉医生的经验谈：对我而言，亲身感受到宝宝正在轻踢玛莎，这是最珍贵的一刻。一开始，对着我看不见的小孩不停地说话，这让我觉得自己像个傻瓜。但在这之后，我却十分享受这项在床上举行的仪式。而且，我似乎觉得宝宝也很喜欢这项仪式。我想，我大概永远也忘不了这样的亲密关系。

提出要求

少数男人在妻子提出要求之前，便可通过直觉知道她们想要什么。但对大多数的男人来说，如果妻子不亲口提出一些要求，他们就永远都不知道自己枕边人的心里在想些什么。除了要他到超市买些能满足你口腹之欲的美食外，你最好清楚明白地对他提出其他的要求：购买日常用品、帮忙分担家务或者照顾一下孩子，使你有较好的精神与体力，面对肚子里的宝宝及自己的身体反应。

丈夫必须了解，你对他的需要程度有多大。你并不是女超人，而怀孕也不是一件专属你的"额外工作"。当你正在照顾肚子里的宝宝时，丈夫可以做些家务。有时候男人就像孩子一样，当你提出要求后，他们才更愿意提供帮助。在语言方面，你可以用"我需要你帮我到超市买些东西"而不要用"我需要你的帮忙"这种语意不明的话。

三人一体的运动

尝试一起做运动。你可以在早晨或是傍晚时，要丈夫陪你轻松地散步半小时左右。这不仅对你的身体有所帮助，你俩之间也多了一次沟通的机会。

共同戒除坏习惯

当你们两人都有三大坏习惯（吸

烟、吸毒、酗酒）中的一项，而你因为怀孕戒除坏习惯，他却依然故我时，这对你来说十分不公平。不只你必须为宝宝戒掉这些坏习惯，他也必须如此，这样宝宝才会有个健康的爸爸。同样的，你们也必须开始共同培养较为健康营养的饮食习惯。不过你得注意，当你与丈夫在戒除坏习惯时，或许需要一些专业上的建议（详见第52页"戒烟"）。

预约产前检查的时间

当你去医院进行产检时，特别是进行一些较令人兴奋的检查，例如听宝宝心跳声时（在怀孕第 3~4 个月）或通过超声波亲眼见到宝宝时（通常都在第 5~6 个月），最好请丈夫陪你一起去，并共同分享这种绝妙的体验。请医生打印出宝宝的超声波照片，并建议丈夫放在他的办公桌上。

分享感觉

如果你不想当个业余的心理分析师，就将你对怀孕的感觉诚实地告知另一半，这是非常重要的过程。要他不要先下结论，而以关心及接受的态度倾听你的感觉，这样才能更拉近他与孩子，甚至与你之间的距离。如果你的丈夫是那种喜欢掌控一切的人，那么你得注意，不要因为他的态度就压抑自己的感受。

现在培养出一种互信互赖的沟通方式，在未来会显得更加重要。因为到了怀孕晚期，你与丈夫及宝宝，其实是三位一体的。如果你觉得与丈夫分享怀孕感觉是一件很困难的事，或者根本说不出口，那么你应该去寻求专业人士的建议，他们将有能力协助你解决这个问题。现在花些时间和精力，与专家好好谈谈（或许只需要几堂课而已），将有助于你和丈夫共同迈入为人父母的阶段。

当该说与该做的事都结束了，宝宝现在最需要的只是一对彼此信守婚姻承诺的快乐父母。请投入稍许努力，让丈夫愿意并完全投入你的怀孕过程，这是非常值得你去做的事。如果你不努力，或许他就会不知所措地孤立在你与宝宝之外。好了，现在你可以好好期待，当宝宝出生后，听见爸爸熟悉的声音而将脸转向他时，他脸上显现出的微笑与光辉——天呀，他真的已经做爸爸了！

检查与技术

超声波

超声波技术，对产科医学而言是一项革命性的突破。超声波就像是在子宫上装了一扇窗，让医生得以检视所有现存或潜在的毛病，以预先排除掉可能发生的病变，同时让准父母得以一窥肚子里宝宝的模样。换句话说，超声波能让母亲及医生在小宝宝出生前，将不可知的因素比率降至最低。这项技术大幅增加了准妈妈生下健康宝宝的机会，有时甚至因此能救人一命。但就像所有的科技产品一样，我们必须明智地使用它。

为什么要这么做？

通过超声波，我们能够得到更多详细的信息，从而帮助医生了解怀孕过程，也能让准父母通过电脑屏幕看到宝宝，并且可以将宝宝的照片（通常是模糊不清，不易辨别手脚位置）打印出来，摆在家里。第一次见到宝宝的样子时，你或许会感到震惊。但当医生指着屏幕上模糊的影像，并告诉你这是宝宝的头部时，你会开始相信真的已经有个小生命存在于你体内了。

到第 8 周，这影像看起来就像是带着脉搏的黄豆。看着电脑屏幕上跳动的生命，你会更确定小宝宝真的存在于你的体内。过了 15 周之后，超声波就能够显现出宝宝的主要器官了。对许多准父母来说，超声波让他们确定怀孕的事实，并相信自己真的就要为人父母了。另外，你也可以将宝宝的超声波照片拿给你们的爸妈看，让准祖父母（外公外婆）也开始与宝宝产生感情。随着怀孕过程的继续，你会通过超声波看到更多。

通常到了第 20 周时，超声波就可以确定宝宝的性别了。通过超声波，有时你甚至会看到宝宝正在吸吮手指。有时候，超声波会告诉你，你的肚中可能还不只有一个小家伙呢！

以下的情况，利用超声波检查可以得到很好的效果：

* 当一般的怀孕检查无法确定到底是否怀孕了，利用超声波检查能够给你明确的答案。

* 检查是否发生宫外孕。

* 当预产期与子宫大小不符时，可以利用超声波检查得到更精确的信息。如果为了妈妈或宝宝的健康，而必须选择早产或过期妊娠时，超声波可以帮助医生确定更精准的分娩时间。

另外，如果妈妈想知道最后一次月经或是卵子受精而怀孕的日子，超声波也可以帮得上忙，但这却不是必要的。在怀孕早期，超声波可以精确地估算出宝宝受孕的日子，误差大约只有 7~10 天时间。但到了怀孕晚期，就无法估算出受孕日期了。因此，最好选择在怀孕早期进行超声波检查，以便推算出妈妈怀孕的确切日期。

* 如果无法从子宫大小辨别宝宝的成长情况，可以利用超声波检查。用最近的超声波检查结果，与以前的相互比较，可以得到更精准的信息。

*确定不明出血的原因。

*如果在怀孕晚期，仍无法以临床诊断的方式确定宝宝在子宫中的姿势时(臀部朝下、横躺或是头部朝下)，用超声波就可以得到答案。

*如果孕妇的子宫膨胀速度过快，超声波可以检查是否怀了多胞胎。

*检查胎盘是否正常，例如胎盘前置(胎盘的位置过低或在子宫颈上方)或是胎盘早剥(胎盘过早与子宫分离，造成流血现象)之类的问题。

*如果孕妇羊水减少或无法再产生羊水以确保胎儿所需时，利用超声波可以计算出现有的羊水量。

*检查子宫内的任何异常，对于那些有过流产记录或是怀孕问题的孕妇，尤其需要这方面的超声波检查。

*检查小宝宝是否有异常，如脊柱裂。

*如果小宝宝的发育有异常现象，医生可以利用超声波查明异常的具体情况，并做好产前的准备工作。超声波可以事先发现包括心脏、肺及肠道等内脏器官的畸形。如果小宝宝的心脏有问题，你可以要求心脏科大夫参与你的分娩过程。这样小宝宝一出生，便可得到心脏科医生的及时医疗与照顾。一般来说，及时和提前的诊断与治疗，足以拯救小宝宝的性命。

*超声波同时也是外科手术及医疗过程中的有效工具。例如羊膜穿刺术(详见第 147 页)、绒毛膜采样(详见第 148 页)、臀位胎儿倒转术(详见第 326 页)、胎儿镜检及子宫内胎儿输血。

超声波能够使医生与准父母一同以平静的心情走进分娩室，将可能的意外降至最低。有了超声波的协助，你更能够确定宝宝的健康与你的安全。

何时才需要做？

在怀孕的整个过程中，一直到宝宝来到这个世界之前，你随时都可以进行超声波扫描。超声波检查可以在不同的时间，为了不同的目的而做(详见第 231 页"为什么要这么做")。

如何进行超声波扫描？

同它的名称一样，超声波这种技术利用的正是人耳无法听到的高频率声波。超声波扫描有腹部扫描及阴道扫描两种方法。

在腹部扫描中，医生会利用超声波扫描仪，在你的下腹部移动。涂在你腹部的一层胶状黏液，能够协助声波的传导。它的原理就像是定位海底潜水艇的声呐一样，利用声波从宝宝身上反射回来的道理，以确定宝宝在子宫中的位置。这种反射的回声，会被接收器侦测到，电脑随后会将这些声波转化为图形，最后将宝宝的样子显示在屏幕上，目前最常用的就是电子胎儿监护仪。至于听宝宝心跳声的多普勒仪，也是利用超声波的原理，只不过它是将声波转换成声音，而非影像。

阴道超声波扫描则是将管状的扫描仪以无痛的方式，插入阴道中子宫颈的下端。因为扫描仪此时更接近子宫，所以它见到的子宫内部结构，要比腹部扫描更为清晰。早在母体受孕两周半的时候，通过阴道超声波扫描就可以看到子宫内胚胎的发育情况。而大约在四周之后，便可探测到宝宝微弱的心跳，这要比腹部超声波扫描快一周半左右。

安全吗？

每种检查，就像每种药品一样，都有益处和风险。只有当利大于弊时，才值得考虑尝试，这自然也包括超声波扫描。超声波发展至今，全球有无数的孕妇与宝宝接受过这样的检查，但还没有出现任何明显的有害影响。

你可以在怀孕过程中的任何时段进行超声波检查，以得到你想要的有关宝宝的信息。重复进行数次扫描，在临床实验中也不曾有过任何不良反应的记录。一般来说，超声波比 X 光要安全得多。

在理论上，超声波撞击宝宝正在发育但脆弱的身体组织，以获得怀孕

信息，是另一个有关超声波是否安全的顾虑。超声波发射出的高频率声波对宝宝的身体组织而言，无疑像是一种轰炸，它会不断地摇动并加热细胞的分子，继而在细胞中制造出细微的气泡，这也就是所谓的"气穴现象"。这些温度与气泡对宝宝是否会造成伤害，至今尚未得知。但实验结果显示，这样的改变对宝宝健康的影响其实是微乎其微的。关于不确定性的问题，还是参考美国国家健康研究所的诊疗用超声波小组作出的评论："我们找不到任何证据显示，所有孕妇都必须接受超声波扫描的建议是正确的。从理论上可能存在风险的观点来看，如果超声波带来的好处，无法与理论上存在的风险取得平衡，那么超声波检查就是不必要的。"

有些医生喜欢用"诊疗用超声波"这种说法，因为这暗示着接受超声波扫描是个必要的过程。所有准父母都必须了解，任何检查都会有两个值得考虑的层面：第一层面是从科学的角度来看，你们会想要知道接受这种检查带来的好处与风险，并评估是否值得一试。第二层面则是从准父母的角度来看，你们会考虑到接受这种检查的感觉，检查得到的结果是不是你们想知道的信息，以及会不会影响到怀孕。准父母与医生必须共同参与决策过程。

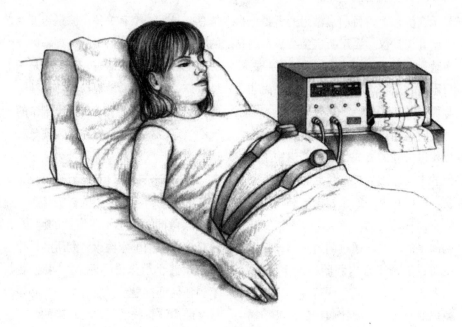

电子胎儿监护仪

对宝宝性别的好奇、想要得到超声波照片以和亲友分享肚子里有宝宝的喜悦，或者是希望与宝宝建立更紧密的关系，坦白说，这些都不是让你接受超声波扫描的充分理由。同时，你要避免那些将超声波照片商业化的"摄影师"。这些人会为你子宫中的宝宝拍摄彩色的超声波照片，而这一点好处都没有。彩色照片只会使你的宝宝暴露在更大能量的超声波中，如果你只是为了满足自己的好奇心而这么做，对宝宝来说是非常不公平的。

如果你想在自己的电脑屏幕上看宝宝，那么可以在进行超声波扫描前先自备一卷空白录像带，要求医生给

你一份拷贝。在第一次观看超声波扫描的时候，你很难在黑白屏幕中分辨出宝宝身体的各个部位。

所以在扫描的过程中，你最好向医生或技术人员询问：如何才能将宝宝看清楚？哪边是手臂和大腿？心室在何处？头部与脊椎骨的位置在哪？如何看到宝宝的心跳？

回家后，将这卷录像带播放给丈夫看，让他与你共同分享宝宝成长的喜悦。超声波扫描可以增进准爸爸与孩子间的关系，这可是科技带来的恩惠呢！

我终于松了一口气，因为宝宝看

起来是那么的讨人喜爱。宝宝在我的肚子里挥手、踢腿、张开手掌，还顽皮地翻筋斗。见到宝宝快乐活泼的样子，我才真正有了怀孕的感觉。

通过超声波看见宝宝，对我这个高危孕妇来说，真是一种自我激励。超声波也让我知道并确定宝宝的一切都十分完美，着实让我放下心来了。

我不知道超声波竟然能够告诉我这么多资讯。我看见了你的脊柱、你那小小的心脏各心室已经发育完好。我也看到血液正在你身体中顺畅地流动，也看到了你所有的器官。我会将这些超声波照片好好地保存起来，因为这是怀孕过程中最美好的一部分记忆。

葡萄糖耐量试验 (GTT)

怀孕过程中，女性尿液中含有糖分是正常的现象。这种分泌物的产生，是因为孕激素通常会促使胰岛素分泌，使得母体血糖升高，以提供更多的葡萄糖为宝宝增添营养。

宝宝的成长，有赖于葡萄糖长期且稳定的提供，这也就是为什么你要少量多餐，而且餐餐都得吃的原因了。

少数孕妇（大约 2%~10% 左右）血糖会较一般孕妇血糖的平均值高——这就是所谓的"妊娠葡萄糖不耐症"（一般称为"妊娠糖尿病"，但这个名词其实并不贴切）。在怀孕期间，孕妇是否患有妊娠葡萄糖不耐症，可以用葡萄糖耐量试验检验出来。

为什么要这么做？

怀孕期间如果孕妇一直维持高血糖的状态，医生会担心孕妇肚中的宝宝过大，而在临盆时造成难产、早产或是新生儿呼吸困难，虽然这只是一种理论上的推测，但也可能会发生。这种担心是基于糖尿病孕妇（特别是在怀孕期间没有妥善控制血糖者）的观察，她们总是容易生出巨婴，还有上述的许多问题。医生的另一个担心则是，宝宝长期处于高血糖环境会使得他自己体内也产生过高的胰岛素。这会让宝宝在离开母体后，血糖急速降低，而立即命悬一线。

在怀孕过程中，一旦发现葡萄糖不耐受，孕妇就必须立刻控制饮食，避免产生血糖过高的现象，并设法使高血糖降低。

对于身材较为肥胖、年龄偏大、有糖尿病家族史，或是前一个小孩的出生体重超过 4 千克的孕妇，发生妊娠葡萄糖不耐症的概率就会相对偏高，她们属于高危人群。

如何进行试验？

在医生的诊疗室中，接受试验的

孕妇得先空腹喝下一杯糖水。一小时之后，再回到检验室测血糖。过几个小时后，GTT的检测结果就出来了。通常在吃下这顿"试验餐"后，你最好先去做点简单的运动（比如散步），这样消化系统才会吸收你刚才吃进的糖分，吸收的程度也会比你吃饱后就一直坐着等待检测要好得多。

如果这种1小时试验的结果显示出你的血糖偏高，那么医生会要求你再做一次3小时的试验，以取得更精确的结果（据统计，在1小时试验结果异常的孕妇中，约有15%的人3小时试验的结果也异常）。如果3小时试验的结果还是显示出血糖不正常，医生会建议你在怀孕剩下的时间内，按照糖尿病患者的食谱进餐。

何时才要做?

通常来说，医生会在你怀孕进入第24~28周之间，建议你接受GTT检查。对于高危孕妇，医生会要求其在第32~34周之间，进行第二次检查。

安全吗?

并非所有的产科医生都会认同GTT检查的必要性与安全性，而近期的临床研究也开始质疑，就算事前先筛查出妊娠葡萄糖不耐症，又会有什么价值？根据一份在1990年针对1307位美国孕妇(533位没有接受GTT检查，而另774位接受了检查)的问卷调查显示，接受检查的孕妇在怀孕过程中会更担心与害怕，而且剖腹产率更高，较大婴儿的数量也没有下降。研究人员的结论是，接受GTT带来的担心超过了它的好处。

让人担心的另一个问题是，接受GTT在心理上产生的影响。怀孕期间，孕妇几乎不会空腹喝下50克的糖水。50克葡萄糖溶液对体重约45公斤的孕妇来说，产生的影响要比体重约113公斤的孕妇大得多。

有些孕妇并不习惯一次喝下这么多的糖水，这会对她们产生相当程度的副作用，例如头痛、反胃作呕，以及腹胀不适等。由于有这些问题产生，因此值得重新评估GTT的必要性。在怀孕过程中，你最好先与医生好好详谈，再决定是不是需要进行GTT检查。

怀孕日记：第5个月

我情绪上的感觉：_____

_____

我生理上的感觉：_____

_____

我对宝宝的感觉：_____

_____

关于宝宝的梦：_____

_____

我想象中宝宝的模样：_____

_____

我最关心的事：_____

_____

我最快乐的事：_____

_____

我最严重的问题：_____

_____

我应该关心的事

我的问题有哪些？我得到的解答是：_____

_____

检查结果和我的反应：_____

_____

最新的预产期：_____

我的体重：_____

我的血压：_____

感觉我的子宫，我的反应：_____

_____

全世界都知道我怀孕了，我的感觉是：_____

_____

第一次感觉到宝宝在动，我的感觉是：_____

_____

开始穿上孕妇装，我的感觉是：_____

_____

我去逛街时，买了哪些东西：_____

_____

第 5 个月的照片

感想：

第6个月的产前检查

21 ~ 25 周

在这个月的产前检查中，你可能会做的项目包括：

* 检查胎儿的尺寸和身高
* 体重及血压检查
* 验尿
* 进行葡萄糖耐量试验（糖水），来检测是否存在妊娠葡萄糖不耐症
* 做阴道分泌物培养及筛查，以确定是否感染B型链球菌（详见附录三第455页）
* 听胎儿的心跳
* 必要时，可通过超声波看看胎儿
* 与医生讨论你的感觉和关心的问题

第 **6** 个月

感觉到胎动

怀孕第 6 个月（第 21~25 周），是整个怀孕过程中最有趣的阶段。你的体重会持续以每周 450 克的速度增长，所以如果你的宝宝并未同时增长体重的话，就值得关注。在你增加的 1~3 千克体重中，有 450 克会长到宝宝身上。在这个月中，你的子宫会达到肚脐的上方，腹部会很明显地凸出，因此当你注视着镜中的自己时，会很诧异自己的腹部在这个月里大了许多，并且会经常强烈地感觉到宝宝的胎动，当然你的丈夫和小孩也同样能发现你的这些变化。

情绪上可能的转变

当你发现自己的腹部变得越来越大，且越来越常感觉到宝宝的动作及位置变换时，你必须为这个小生命负责的感觉也就越来越真实了。这样的领悟会使你开始产生对自己及人生的某些深层感受。

反思过去

怀孕这件事，通常会带你回忆过去的一些生命历程。你会重新回到童年中某些快乐与不快乐的情境，并开始思考你母亲过去的教导方式，会如何影响到你将来对待自己下一代的方式。你开始回想一些过去发生的不愉快事件——那些以前无法解决的问题或是生命中未曾丢掉的包袱。事实上，怀孕让很多孕妇对自己的人生有较深入的反思，甚至许多人都将怀孕视为一个心理治疗的机会。你也可以趁怀孕时回忆过去生命中的美好往事，进而思索，它们会如何影响你成为一个好母亲。不要浪费时间在过去的不快中，尤其不要挖开一些埋藏在心灵深处的伤痕，免得给你怀孕的喜悦蒙上一层阴影。

对某些孕妇而言，怀孕并不是探索内心世界的适当时机。也许有些人会用这段时期较兴奋的情绪，来作一些生命中的重要决定（如转变职业或改变生活的重心），但许多人发现怀孕时的情绪只会让她们变得消沉，或让她们幻想一些实际上并不存在的问题。如果你觉得自己已经太过钻牛角尖，请跟医生讨论你的问题，并寻求专家的建议。

在怀孕期间，你的心灵探索活动也可以带来一些建设性的改变，特别是家庭关系的改善及互动。当你开始以母亲的角色重新思考问题时，你会开始敞开心扉和自己的父母建立新的关系。如果你以前和双亲关系疏远，这可能是个和好的契机。如果你和双亲及公婆有良好的关系，你会发现，你可以通过和他们分享怀孕的过程来进一步加深彼此的关系。如果你过去在家庭中是个被动的聆听者，这也是个学着做自己主人的好时机；也许你权威的母亲或者好胜的姐姐会教你该如何当个好母亲，但真正的决定权在你，而不是家人。其实这也正好给你一个机会思考：什么是你身为母亲该做的？趁机思考你决定要当个什么样的母亲，以及希望小孩有个什么样的

童年，你将会惊讶短短几个月内的决定可能会影响未来。

急躁

虽然怀孕的过程已走过了一多半，前头却仍有一百多个漫长的日子。也许你还在享受怀孕时的每一项惊喜，但有时你只希望这一切赶紧结束，伴随着这种急躁情绪的可能是些许的无聊。工作及生活步调减缓使你的时间多了出来，试着利用这些时间多读书、散步或者休息。

怀孕是让一些平时忙碌的女性，学习享受优质生活的好时机。在这期间你可以保持忙碌，完成以前没时间做的事，或是去学习外语。请记得，你正在进入一个全新的生命阶段。学习去聆听大自然或你自己内心的声音，或者考虑学习静坐，因为未来你将要哺育一个小生命，这将会使你十分忙碌。接下来，照顾爬行的小婴儿，同蹒跚学步的小孩一起玩耍，这一切会来得比你预期中还快。如果你有一个平静的怀孕期，并且学会放慢生活节奏，你和你的小宝宝也会因此而更加健康。

分享身体的挫折感

在怀孕期间你必须非常注意吃的每一样东西，不可以随意服用平常的头痛药或者感冒药，而且还有一堆注

意事项会困扰你。你的身体中正怀着一个小生命，你可能很高兴自己部分的身体被这个小家伙占据了。然而，你有时也会怀疑为什么必须忍受诸多的不适，厌倦在晚上突然醒来，发现自己和另一半都无法好好睡，甚至会厌倦别人一直注意你或对你太好，害怕自己的能力就只是怀孕而已。而且你会十分诧异身体及心理上经历的改变，甚至有点被自己的身体在怀孕过程中的变化吓到。

玛莎护士的经验谈：我惊讶我的身体因怀孕而发生的这些不可思议的改变，就好像将我的整个腹部结构重新组合。我的身体已不再是我自己的，它已经被一种自然力量所改变，并不考虑这将如何影响我的生活。我只能站在一旁看着它发生变化，同时试着去了解，并和另一个生命分享身体的感受。

有时，这种感觉对我来说一点也不愉快。然而，这样的不适，只是为了迎接即将到来的小生命所付出的一点小代价。

生理上可能的转变

步入怀孕中期的末尾，肚子已慢慢变大到可让任何人看得出你已经怀孕，但又不至于让行动变得很笨拙，

所以这时候大部分的孕妇仍然会觉得舒服；但当你怀孕迈入最后3个月时，你可能会开始感觉到不舒服了。

需要放慢脚步

在怀孕中期的末尾时，不只理智告诉你要放慢脚步，连你的身体也会强迫你这么做。假如你每天都过度疲劳，你的身体就会自动提醒你。在忙碌了一天后的傍晚或转天，你会需要更多的休息，身体的筋疲力尽就是在提醒你：情感上和生理上都没有足够的精力，来继续维持忙碌的生活，再加上养育一个宝宝。假如你需要保持忙碌来度过怀孕期，那请试着用休息来平衡身体的疲劳，以平心静气地休养来平复心灵上的刺激。劳逸结合使你的上班时间轻松度过，生理和心理都会协调一致。

更多的胎动

如果先前微弱的胎动让你感到怀疑，那么现在毫无疑问，你正在感觉"生命"。上个月那些轻轻、小小的胎动，在这个月已变成非常有力的撞击。如果你觉得宝宝在同一时间里撞了很多地方，那表示这个小家伙已长好了肩膀、肘部、膝盖和手掌，并在仍有足够生长空间的子宫里伸懒腰。

如果你的大孩子尚未感受到宝宝的活动，可以把他好奇的小手贴在你

的下腹部。一旦他感觉到那些胎动后，可能会仍想再感受一次，或迫切地盼望宝宝的活动时间（通常是在你晚上上床前或早晨起床前）早些到来。为了能让你的孩子感觉到宝宝的活动，你可以握着大孩子的手压在你上次觉得宝宝有激烈活动的地方。如果你的小孩对宝宝的胎动不表示任何兴趣，那也不用担心，可能这种现象对他来说太抽象了，但并不代表他不喜爱宝宝。

每晚乔治和我都期盼能依偎着彼此，看着并感觉着我们宝宝的活动。在我们上床没多久，宝宝的胎动表演便开始了。有时候，我的肚脐都会随着每一次的胎动而凸出来。

汤姆和我都很喜欢我在晚上睡觉时，侧躺在他背后，这样他可以感到宝宝在他背部很轻巧的撞击。对我们3人而言，能一起拥抱着睡觉是一种很美妙的经验。

当我安静休息的时候，我们的宝宝会动得很厉害，所以在睡前我们都会有一个习惯性的仪式，称之为"晚安秀"。我们会一起躺在床上，注视并感觉宝宝的"表演"。

我很喜欢被宝宝的推挤唤醒。我把丈夫的手放在肚皮上感觉宝宝轻推的小手，他的脸上会绽放一个微笑说："我亲爱的宝宝。"

在我热切盼望了许久后，当我的丈夫第一次感受到宝宝的胎动（第23周）时，他终于产生了和宝宝血脉相连的感觉，这是我期待已久的。现在宝宝名副其实地参与了我们的生活，并让我们实际地感受到了他的存在。

当宝宝开始活动时，我突然意识到他是醒着的，而且在某种程度上是有意识的。我们开始思考，如果他是醒着的，他察觉得到我们吗？听得见我们的声音吗？是否感受到我们的一举一动？可以察觉我们的手，正按在他踢的地方吗？

除了可以感觉到宝宝更多的活动外，现在你还可以看到他。你可以坐在书桌旁并且每隔一段时间就朝下看，有什么东西在衣服下浮动。如果你仰卧着，可以看到如水桶般的腹部的起伏。把你的手放在宝宝踢过的地方，告诉他你的感受。到了下个月，这种神奇的状况会更加明显。

腿部抽筋

从怀孕中期的末尾开始，许多孕妇半夜会被小腿或脚抽筋给弄醒。这种抽筋可归咎于钙、磷、镁的电解质不平衡。另外一种解释是，因为腿部的肌肉供血减少。由于子宫压迫在主要血管上，长时间站着、坐着或躺着，都会减缓血液对下肢肌肉的供应，而产生抽筋。

预防腿抽筋。你可以用下列方法改善腿部肌肉的血液循环，以减少抽筋。

*整天穿长裤。避免长时间站立或坐着。

* 在上床前运动你的小腿肌肉（试着做第 203 页的脚部运动）。把脚趾朝小腿的方向往上拉，将脚跟往前推，这样能伸展最有可能抽筋的小腿肌肉。下面的抽筋舒缓活动也是很好的预防方法，左腿和右腿各做 10 次。

* 在上床前，先让丈夫按摩你的小腿肌肉。

*睡眠时将腿放在一个枕头上。

* 采取左侧睡姿（详见第 253 页"找个最舒服的睡姿"）。

缓解抽筋。腿抽筋会极度不舒服，而且经常让你痛苦地惊醒。抽筋时，可以按摩抽筋的肌肉或要丈夫摩擦肌肉以促进循环，但是起床活动是最有效的。走一走、站着，或以靠着墙壁的姿势，做下面的伸展运动。如果抽筋很严重，则可以躺在床上，抓住疼痛的那条腿的脚趾，保持膝盖伸直并尽可能地贴近床，然后将脚趾朝你的头部方向拉。记住要慢慢伸展，

避免猛然拉伸或缩回，否则只会使抽筋加重甚至拉伤肌肉。如果水桶般的肚子使你无法弯向前去抓到脚趾，那么请简单地伸直你的腿，压住你的膝盖使其贴近床，并向你的头部方向勾脚趾。

当腿抽筋时，以下的运动可以帮助你舒缓不适，如果坚持做这些运动，还可能会预防抽筋。

*站着伸展小腿。把抽筋的那条腿放在另一条腿后面。保持背部挺直，未抽筋的那条腿慢慢地屈膝，这样可以在保持抽筋那条腿伸直及脚跟踏到地板时，身体往前倾斜（前脚脚跟也要放在地板上），缓缓地伸展抽筋的小腿。

当你在做伸展运动时会发现，如果把你的手或前臂压在墙壁上，会比较容易保持平衡。

*推墙。把手平放在墙上，然后倒退直到手臂能完全伸直。保持脚踩着地板、背挺直的姿势，弯曲你的肘部倾向墙。你会发现，小腿肌肉正舒适地伸展开来。记得要站得靠墙近一点。

*坐着伸直腿。坐在地板上，把一条腿向外伸展，脚不用绷直。把另一条腿向内盘起来，脚伸向胯部的方向。挺直伸出的腿，并弯身向前去够脚趾。保持这样的姿态几秒钟，然后换另一条腿并重复以上的动作。不要

绷脚尖、把脚跟往回拉，因为这样会收缩痉挛的肌肉。

假如电解质不平衡似乎不是造成你抽筋的原因，运动也无法改善你的抽筋状况，也许你该试着补钙。向你的医生询问，是否要摄取更多的钾片或钙片（碳酸钙）。在最近的医学研究中显示，摄取镁片的孕妇较少发生腿抽筋。另外，除非你的医生建议，否则在怀孕期间采用低磷的饮食并不安全。

手部麻木与刺痛

另外一种怀孕的副作用是手部麻木及刺痛。通常大拇指、食指、中指及无名指的前半截，会有这种针刺及灼热的感觉，并且有时会伴随着从手腕到肩膀的疼痛。当你压迫手腕内侧时，有时会感到疼痛，这种情况称为"腕管综合征"。怀孕时母体累积的额外体液，也储存在手腕下的韧带内，这些过量的体液会造成手腕肿胀，继而压迫到韧带下方的神经，造成手部麻木或刺痛。

腕管综合征是一种常见的重复性劳损疾病，不论是否怀孕，这种病对常用手工作的人来说，十分普遍。经常使用到手腕的人（例如打字员、收银员或钢琴演奏员）更有可能出现这样的综合征；经常使用电脑键盘的女性尤其容易出现这种倾向。即使你不是高危人群，你仍然有可能患上这种疾病。所谓高危人群，是指有25%的孕妇在怀孕后半期会有手刺痛的情况。对孕妇来说，这样的情况特别恼人，严重时还会使你丧失手部的功能。腕管综合征常发生在夜晚，当你手腕里储存了一整天的液体后，或是当你早晨醒来，尤其是当你枕着手睡觉时，更易出现这种症状。

为减轻腕管综合征引起的不适，在白天时应尽量让手休息。避免那些会让疼痛加重的动作，如转动手腕倒东西，还要少做任何手腕上的重复性动作。如果你使用电脑，打字时让手腕自然平放，稍稍向下弯曲而不是向上弯曲着。可以使用垫子，来让手腕保持一个舒适的姿势。到了晚上，把手往上举放在枕头上，选一个自然的角度，用塑料夹板固定住手腕来减轻疼痛。如果是严重且持续的剧痛，专科医生可以为你定期注射可的松，就会立即缓解症状。

如同怀孕期间所有肌肉的疼痛一样，腕管综合征也会在产后消失。有些母乳哺育的妈妈需要继续使用夹板，直到大约产后4~6周身体的体液平衡，适应了哺乳期为止。长时间用同一姿势抱着小宝宝哺乳，可能会使这一症状加重。哺乳专家可以教你一些特别的技巧，例如使用枕头帮助你正确地抱着宝宝而不会压迫到手腕。

腹直肌分离

腹部中央有两大块肌肉（腹直肌），从肋骨一直到骨盆的位置。随着子宫长大，会拉扯这些肌肉并推着它们分离，你可能也会注意到在这些肌肉分离处的皮肤凸了起来。如果手指沿着腹部中央的肌肉间游走，你会感觉在肌肉已分离的地方隐约有一条沟，而且这种分离的情况会在怀孕晚期更加明显。在此，建议怀孕期间请勿做仰卧起坐，即使是在怀孕的早期。因为当这种分离现象开始产生时，你的腹部肌肉会没有力气。在分娩的几个月后，你的腹直肌会回复原位填满这个沟，但大部分的女性随着以后每次怀孕，腹部的弹性会越来越差。

尿失禁

你会发现每次打喷嚏时必须夹紧双腿，否则会有点尿失禁。这是因为当你打喷嚏、咳嗽或者捧腹大笑时，横膈膜会收缩并推挤腹腔，子宫也会下压到膀胱。如果当时膀胱是胀满的，或是骨盆底部的肌肉处于疲倦状态，就会滴出尿来。不要担心，这个问题将会随着宝宝的诞生而消失。为了避免这种窘状发生，请经常排尿以尽可能保持膀胱是空的，并请注意以下几件事：每当排尿时尽可能额外再压迫3次，这样可使膀胱完全排出尿液。另外，当咳嗽或打喷嚏时，确定嘴巴是张开的，这样可减少压迫到横膈膜的机会，嘴巴闭着将会使胸腔中的压力增加，加重对横膈膜的压迫。一旦你生出那个占了腹部很大一部分空间的宝宝之后，你的膀胱会有更大的空间去扩张。在这之前，纸巾及护垫将会是必需品。

为了加强控制排尿的肌肉力量，可以练习凯格尔运动（详见第195页）。在排尿时试着收缩肌肉几次，就像是要停止排尿一样。但是当你在做凯格尔运动时，请确定膀胱已将尿液完全排干净，否则可能会加重尿失禁的现象。

我的母亲告诉过我，如果我站着要打喷嚏或是咳嗽时，要弯着膝盖而且身体稍微往前倾，就不会有尿漏出来，这真的是个好方法。

直肠疼痛与出血

如果直肠内有静脉曲张的现象，这就是痔疮。痔疮会造成直肠疼痛及流血。怀孕时增加的血流量及因子宫增大而对盆腔产生的压力，容易造成直肠壁或肛门上的静脉曲张，肿大成豌豆或葡萄般大小，向外鼓起、流血、发痒且刺痛，特别是当有较硬的大便通过时。直肠内扩张的血管（称之为内痔）可能会流血，但通常都不会疼痛。除了直肠不舒服外，痔疮的一个初期症状是，你擦拭过的卫生纸上的红色鲜血。虽然这种直肠流血通常没什么要紧的，但它会刺激痔疮产生，所以你应该将这种症状告诉你的医生，他能通过检查来确认诊断。虽说痔疮随时都可能发生，但它通常都出现在怀孕中期的末尾，到了晚期则会更严重些。因分娩时过度用力，在刚分娩完后，痔疮的状况可能是最糟糕的，但之后便会收缩变小。

预防痔疮。当这些"屁股的疼痛"对孕妇而言已成为怀孕的一部分时，你可以通过以下的措施来预防。

* 避免坐太久，特别是不要坐在硬椅子上。也不要仰躺着睡觉，因为子宫的重量会压迫到背部的主要血管，使直肠的血液循环更加缓慢。

* 练习凯格尔运动（详见第195页）一天至少50次。缩紧你骨盆底部的肌肉，特别是那些环绕在直肠四周的肌肉，这样会强化肛门及其附近的组织，并可以防止这个区域的血液淤滞。

* 保持经常排便和排软便。吃含有较多膳食纤维的饮食，喝较多的水；如果需要，向医生咨询后吃一些能软化大便的物质（详见第77~78页有关减少便秘的几种方法）。

* 使用较柔软且无染料的卫生纸。必要时，也可以使用湿纸巾。

* 排便时，避免过度用力。便后轻轻地擦拭，而不是用力地摩擦。洗澡时，用莲蓬头轻轻冲洗直肠区域，千万不要用毛巾用力搓洗。

治疗痔疮。如果血管发生肿胀的情况，可以利用以下的处理方法。

* 冷敷。把冰块压碎放入干净的袜子里，冷敷在肛门处，这样会使血管收缩且减轻疼痛。躺在厚毛巾上，以免把床单弄湿。

* 为了止痒，短时间地浸泡在已加了半杯苏打粉的温水里（热水可以止痒，但也能使血管扩张并会加重出血，所以不要待在澡盆里太久）。

* 也可以使用医生建议的冰枕或冰棉球，可以防止痔疮，并且可帮助收缩及减轻不适感。

* 如果你发现痔疮发炎或痛得很厉害，采用膝胸位（详见第201页图）。当你正准备以冰枕或其他治疗方法来解除疼痛时，这样的姿势可以暂时性减轻肿胀血管的压力。

* 买一个救生圈放在你的座位上，或者你也可以坐在枕头上。

* 在你要使用非处方药时，先向医生咨询一下。虽然没有证据表明这些药膏会对宝宝造成伤害，但有时它们也会通过直肠组织被吸收进血液里。

下背部与腿部刺痛

你可能偶尔觉得，下背部、臀

布拉克斯顿·希克斯收缩

如果你突然觉得子宫在收缩，千万不要惊慌，你的阵痛尚未开始。从怀孕的第 3 个月起，即使你还没有感觉到，你的子宫肌肉就已经在收缩了。甚至当你认为子宫正在休息时，它也在一个小时内收缩了好几次。

有关最早开始感觉到这些收缩的时间众说纷纭。有些孕妇声称，她们早在第 4 个月时就能感觉到。大部分的孕妇会在第 6 或第 7 个月，才开始感觉到子宫收缩。这种子宫收缩是十分短暂的（通常不超过 45 秒），称之为"布拉克斯顿·希克斯收缩"（为纪念 1872 年首位描述这种现象的医生而命名）。

这种收缩通常是无痛的，但也有可能会感觉像轻微的月经痛。这种收缩间隔很不规则，通常当你很累时，尤其在一天结束后，它会发生得更为频繁。有些孕妇声称，在收缩时会觉得呼吸困难。有份关于布拉克斯顿·希克斯收缩的报告指出，在母亲以后的怀孕中会比第一次怀孕时，感觉更为强烈。

这些"收缩练习"被认为能够加强子宫的功能，以便应付即将到来的艰巨任务，有点像是分娩前的热身运动。当你的子宫增大后，收缩就会慢慢地越来越频繁而强烈，直到子宫大到能把胎儿推出来。在第 8 或第 9 个月时，这些不舒服的收缩可能频繁到让你怀疑自己是否要生了（详见第 292 页）。当收缩发生时，借机练习放松技巧，使这些强烈的收缩成为你的助手。一旦当你觉得收缩来临时，马上使用你在分娩课程中学到的放松方式。然而，请记住这只不过是演练罢了；这些收缩跟稍后即将真正发生的阵痛可不大一样。

部、大腿外侧及小腿会感到阵痛、刺痛或者麻木。这些现象的发生是由于你的骨盆关节变得松弛，小宝宝的头或者是扩大的子宫压迫到从脊椎骨经骨盆到小腿的神经。在臀部的一侧会感到突然而尖锐的刺痛，而且蔓延到小腿的背面，这是因为下背部坐骨神经受到压迫所引起的，因此叫做坐骨神经痛。坐骨神经痛会因抬腿、弯腰甚至是走路而加重。在大腿外部针刺般的麻和痛，是因大腿骨到小腿的神经受到拉扯所引起的。休息及改变姿势（试试膝胸位，可参考第 201 页图）可以转移骨盆的压力，从而减轻疼痛。

你还可以洗短时间的热水澡或在疼痛的地方冰敷，或者是躺在身体疼痛的一侧。这种痛苦会使一些孕妇感到虚弱。因为每个人的骨盆结构及形状不同，所以每个孕妇的情况也都不一样。

静脉曲张

静脉曲张是怀孕期间的不良反应之一，孕激素的分泌松弛了血管壁的肌肉而使静脉扩张。小腿更是特别容易产生静脉曲张，因为增大的子宫压迫它下面的主要血管，而且将压力施加在骨盆的静脉上，有时会引起小腿血液潴留。但是血管到处扩张时，你可能会发现沿着脖子甚至外阴部有小结节在凸起的血管上，这是因为增多的血量通常会累积在静脉瓣或其附近。痔疮也是一种静脉的扩张（详见第 248 页）。在怀孕时是否出现静脉曲张，可能与遗传因素有关。

不要揉或用力地按摩静脉曲张的血管，因为这样可能会引起静脉进一步损伤，甚至会引起血栓。如果你注意到小腿下半部可以看见血管的地方，已经逐渐疼痛、红肿、发热或敏感，就表示静脉可能已经感染了，这是一种可能导致血栓的血栓性静脉炎。抬高你的小腿并告知你的医生。

怀孕时大部分不想有但不可避免的静脉变化，在生完宝宝后的几个月内都会消失。为了减少其恼人的程度，

你可以：

* 避免长时间站着或坐着，坐着时不要跷腿。如果你必须保持不动，可借着腿部及脚部运动（详见第 203 页）来促进血液循环，而且定时到处走走促进腿部的血液循环。

* 坐着时尽可能地把脚抬高。靠左侧躺着或睡觉（详见第 253 页图）。

* 穿较宽松的衣物。避免紧身裤、束腰带、吊袜带、短袜及任何会妨碍你血液循环的衣物。

* 穿长袜保护腿部。在早晨起床前，请穿上护腿长袜。但不要穿高过膝盖的长袜，因为袜子上端的松紧带会阻碍血管回流。

胎儿的成长（21~25 周）

到了怀孕的第 6 个月末尾，胎儿的重量大约介于 560~680 克之间，长度大约为 30 厘米。多增加的脂肪都存在皮下组织里，因此胎儿看起来较为肥胖，虽然外表看起来仍然是皱皱的。这时候胎儿的指甲及睫毛都开始生长，头皮上的头发也开始增加，脸蛋也比以往更有婴儿的样子。现在整个皮肤都已完全被胎脂覆盖，它是一层又薄又白的黏膜。到了第 24 周，胎儿的鼻孔会打开，肺也会开始生长气囊，称之为肺泡，但在子宫外尚不足以维持呼吸。假如宝宝在此时就出

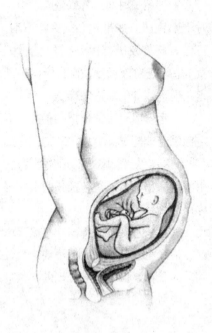

21~25 周的宝宝

生的话，在呼吸方面必须要靠机器协助。

你应该关心的事

与小宝宝建立亲子联系

如你想象的一样，你不需要等到抱宝宝时，才可以和你的宝宝沟通。新的研究证明，胎儿在子宫里完全听得见外面发生了什么事。更有趣的是，有证据显示胎儿会分享母亲的情绪。母亲对她们未出生的宝宝身体发展的

影响是明显的；而不那么明显，但同样重要的是，母亲对胎儿的心理发育也会产生影响。母亲通常都想知道，胎儿是否可以察觉到母亲的想法和一举一动。新的研究也发现，胎儿可听到及感觉到的比我们想象的还多。

几世纪以来，人们相信在母亲及胎儿之间有某种亲子联系，也正因为这个原因，母亲们尽可能会在怀孕期间维持良好的身心状态。民间一直流传有"母亲心里在想什么，胎儿就会表现出来"的说法，而这种传统的医学学说是对的——人们只是不知道这种沟通是怎么建立的。在最近的 25 年中，因为使用透视子宫的新科技使得"胎儿心理学"这个新领域的研究日益加深。目前胎儿心理学家已发现，上述假设的很多部分都是可信的，当母亲高兴时，胎儿是高兴的；当母亲焦虑时，胎儿也是焦虑的。

分享妈妈的经验

有许多经验指出，宝宝在以后的人生中，会回想起在母亲肚子里听到的声音。例如有位乐团指挥家表示，对妈妈怀孕时演奏的音乐有种无法解释的熟悉感；有位学步期小孩喜欢反复地说"吸气，吐气"，这也就是他的妈妈在上拉玛泽无痛分娩课程时常说的话。

甚至在药物的影响下，成人都可

找个最舒服的睡姿

假如持续增加的体重让你睡得不舒服，试试这种被证实过，让母亲能得到最充分的休息而对胎儿最安全的睡姿（如图）：侧躺左边，用至少5个枕头来垫着身体——两个放在头下面、两个支撑着上面的右腿、另外一个塞进后背和床垫之间（有时候如果在下腹和床垫之间再塞进一个小枕头，也会感觉很舒服）。如果侧躺会觉得身体不平衡，可以轻轻地转动身体，以使腹部朝下，然后向前移动右腿，直到不会再压到下面的左腿，并且让你的下腹挨近床垫。

琳达医生的经验谈：我常用解剖学教科书及大量的研究期刊，来帮助我入睡。当我越试着集中注意力在某些特别无聊且枯燥的事情上时，我就越容易入睡。

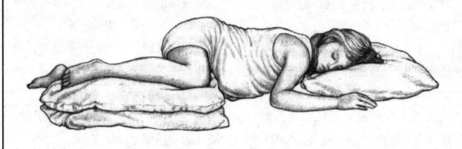

以很准确地回忆起自己在子宫内的最后几个月里听到的各种声音。一名男子曾生动地描述，他妈妈在怀他第9个月时参加一场宴会时的声音。

胎儿能听到什么

一名参加演奏会的孕妇宣称，她未出世的宝宝在听到鼓声时会跳动一下。事实上，至少从第23周起，胎儿的听力已发展到能对外界的声音有反应。研究胎儿的专家认为，至少从怀孕的第6个月起，胎儿就能察觉得到外界的一切并受其影响。（从第28周起，胎儿的头脑已发展到足以思考，这也就是为什么28周大的早产儿通常可以存活下来的原因之一。）胎儿似乎会因摇滚乐而摆动，当他们听到摇滚乐时就会发生剧烈的胎动；而听到古典乐时则会变得安静。同时人们也发现即使是只有5个月大的胎儿，也有一双能分辨音乐的耳朵。某个研究报告指出，正在胎动的胎儿在听到维瓦尔第的音乐时会安静下来，而对贝多芬的音乐则会有激动的反应。

研究也显示，6个月大的胎儿会随着母亲讲话的节奏而移动。或许最令人吃惊的是，未出生的宝宝可以被教导要在什么时候踢肚子。研究者借着发出大的响声，来刺激胎儿踢肚子。在这些胎儿习惯听到声音就踢肚子之后，研究者在发出声音后，立即放一个振动按摩器在妈妈的腹部上，很快这些聪明的小家伙就学会只有在振动时才踢肚子。换句话说，他们学着把感觉和声音联系在一起。

至少有一项研究显示，对育婴室的新生儿可用心跳声的录音带，让他们安静下来。而且有数不尽的历史证据显示，胎儿及大人可以用类似休息时的心跳声，也就是每分钟60~90下的节奏来缓和情绪。这意味着早在出生之前，宝宝已在子宫里熟悉心跳声了。

胎儿能感觉到的其他事

未出生的胎儿不只对声音有反应，也会对不同的味觉及视觉有感觉。在羊水里加糖，贪吃的胎儿会以两倍的速度吞食；加酸的东西时，胎儿会减缓吞食的速度。甚至早在4个月时，胎儿对外在实验性的刺激会皱眉头、眯眯眼及扮鬼脸。5个月时在妈妈肚子里的胎儿，可能被灯光突然一闪而吓一跳。

胎儿在想什么

胎儿在出生前会有自己的想法吗？胎儿心理学家声称这非常有可能。那么孕妇的想法会影响未出生胎儿的情绪吗？胎儿心理学家相信，母亲和胎儿的感受之间的确有一些联系，而且从第6个月开始，胎儿可以通过激素来分享妈妈的情绪。

虽然胎儿听不懂，但或许他们是随着母亲的音调而反应的。缓和的语气的确可以使胎儿安静下来，生气及紧张的语气则会使他们烦躁起来。母亲正负面的感觉，也会影响胎儿。研究指出，即使每次母亲只是有想点一支烟的想法，而无论她是否抽了烟，胎儿的心跳都会加快。

长期的影响

在胎儿心理学领域最具争议的课题是，孕妇的情绪和小孩个性之间的关系。焦虑的妈妈是否会生下焦虑的小宝宝？有关母亲的态度对小孩情绪发展关联性的研究指出：焦虑的妈妈有可能生出焦虑的宝宝。他们也指出：讨厌怀孕及对肚子里的小孩没有感情的母亲，更有可能生出情绪有问题的小孩；较少焦虑的母亲生的宝宝更讨人喜欢，而且情绪比较健康。

如果你担心一时焦虑或消极的想法，可能会对宝宝的情感留下长远的影响，请放心，目前无论是一般的常识或科学研究都不支持这种假设性说法。事实上，研究指出，怀孕期间短暂性的心烦及一时的焦虑，并不会伤害到宝宝。然而在怀孕期间长时间的情绪纷乱及无法解除的压力，则会导致小孩情感方面的问题（母亲的极度苦恼甚至会对小宝宝造成生理性的伤害，如早产及宝宝体重过轻等问题）。

统计报告指出，宝宝后天情绪不安，最可能是受到母亲情绪的影响，例如母亲是个婚姻的受害者，或是母亲自怀孕起始终都不想要这个宝宝而引发的负面情绪都会伤害到宝宝。好消息是，即使孕妇被个人或医学上的问题困扰，只要用快乐的态度去面对怀孕及心怀爱宝宝的情愫，就会生出人见人爱的宝宝。

母亲的情绪通过激素影响宝宝

是什么造成了这种母亲的思想与胎儿人格发展之间的联系？当然，母亲的情绪不会越过胎盘，激素却会。研究人员认为，当母亲感到压力时，会产生应激激素，称之为儿茶酚胺，这种激素会慢慢地影响胎儿的情感。从有恐惧感的动物身上提取出儿茶酚胺，再注入另一只动物身上，后者也会变得恐惧。科学家推论，这些化学紧张因子，会越过胎盘，然后使正在发展的神经系统感到恐惧。如果这种情况经常发生，达到某一程度后，胎儿就会慢慢习惯这种紧张的情绪。宝宝的神经系统会准备对外界的刺激作出过度反应。神经系统生来就紊乱的宝宝，容易表现出情绪上的不安及肠胃功能紊乱，通常可能有肠绞痛的症状。

对孕妇来说，除了得担心宝宝的安全外，另一个沉重的负担是对胎儿在生理上及心理上的健康负责。孕妇不仅要禁食不健康的食物，避免污染的空气，更要杜绝不健康的想法。请放松，不要让过度的担心成为忙碌生活中的另一个压力，用合理的方式来消除生活上的紧张，找时间休息、想些积极的事。毋庸置疑，胎儿心理学的研究目前都尚未成熟，而且研究方式也不一定正确。举例来说，研究人员通过对胎儿活动的研究，来判断胎儿的思想，他们假设，如果一个安静的胎儿为回应外在刺激而动得很快时，这代表胎儿一定是受到了外界刺激的干扰。但这也可能只是因为胎儿醒来，胎儿的活动也并不一定真的是因为情绪受到干扰而作出的反应。要逐一评估所有的因素是很困难的，比如遗传及父母的性格，这些都会影响胎儿个性的发展。请用你的常识来看待这些胎儿心理学研究就可以了。

尽管如此，你还是应该尽可能地让胎儿在心理方面有个好的开始。记住，不论是正面或负面的情绪，在怀孕期间总是比平常更强烈。不妨以积极的态度来消除压力，如果需要，请寻求专业人员的帮助。跟你的胎儿说话、唱歌给他听，并跟你的胎儿分享你深爱他的想法。若没有别的干扰的话，这么做会让你的怀孕旅程变得更美好，最棒的是会带给胎儿快乐的情绪。

新近一些胎儿心理学理论认为，在胎儿的个性形成方面，父亲也有影响力。爸爸的情绪状态虽无法直接影响胎儿，但会通过与妈妈的互动关系而间接影响到胎儿的心理健康。

事实上，如我们先前提及的，不愉快的婚姻对胎儿的情绪发展有危害。丈夫对妻子及胎儿的感觉是影响母亲的安全感及满足感的最主要因素之一。即使是在胎儿出生前，爸爸也可以通过对妻子表现出关心和爱恋，来影响小宝宝。

怀孕期间的旅行

如果工作或休闲活动需要你旅行，你可能会担心怀孕时该怎么办？其实大部分一般的旅行，甚至是乘飞机，都没有问题。但旅行之前，最好先咨询一下你的医生，以防万一。

关于旅行的其他疑问

这里有一些关于怀孕期间旅行的常见问题。

Q：在我们的宝宝来临前，丈夫和我想单独有个浪漫之旅。在怀孕期间，何时是旅行的最佳时机？

A：尽量在宝宝来临之前，邀请你自己旅行一趟，因为宝宝出生后，即使是精心设计的两人烛光晚餐，仍需要额外接纳一位小客人。在怀孕期间较安全及理想的度假时机，是第4~6个月之间。因为前3个月你可能会太累或太想呕吐，以致无法享受度假；而在怀孕后3个月你又可能会因身体太不舒服而影响兴致。

Q：我要出国办公，所以必须搭飞机。我要怎样做才可以感觉比较舒服？我需要为我的小宝宝事先做好什么准备？

A：因为你是两个人去旅行，所以请采取以下确保宝宝安全及使你自己舒适的方法。

*在你怀孕的最后一个月，不要搭飞机。美国国内航空法规定孕妇在怀孕的最后4周（从第36周开始）不得搭乘飞机（中国的航空公司规定孕妇怀孕35周后不得搭乘飞机，怀孕32周以上乘机须有医疗证明）。千万不要指望飞机乘务员是受过训练的助产士。如果你很容易被人看出怀了孕，

航空公司将要求你出示医生提供的预产期证明。如果你有在 25 周之后早产的可能性，最安全的办法就是不要去任何没有新生儿监护设施的地方旅行。

*让你自己有个舒服的姿势。要求一个飞机上较靠前的位子，不仅是因为前面的空气流通较好，而且上下飞机也比较容易。有些孕妇发现，靠窗的位子可以减少怀孕早期的呕吐现象；有些人偏好坐在靠走道的位置，因为去洗手间比较方便。许多孕妇希望坐在放脚的位置较宽敞的第一排座位（然而扶手的地方不能移动，会限制你侧面的活动，为了预防行动被限制，隔壁的位子最好是没人坐）。孕妇不可以坐在紧急出口处，因为坐在这些位子上的人，在紧急事故发生时有责任协助开启笨重的门。如果你想要接近逃生门，可以选择逃生门后一排的位子且前一排的位子不可以往后倾。如果你和其他人一同旅行，可要求换靠窗或靠走道的位子。如果飞机不是满载的话，你可以要求中间的位子空下来，让自己有更多的空间可以伸展伸展手脚。

如果你有能力坐头等舱，现在正是放纵你自己的好时机。头等舱的空气通常也会比较好。尽可能地抬高你的脚，并在飞行期间多走动走动，以防脚肿。在长途飞行时，不论你做了多少的预防措施，仍然可以预期你的脚会肿大。一旦你脱鞋后，很可能因为脚肿而无法再穿上，所以一定要穿宽松的鞋，穿拖鞋也行。

*坐在空气清新的地方。绝对避免坐在吸烟区的座舱里（中国国内的机舱全面禁烟，但有些外国的飞机则留有吸烟区）。即使机舱内分为吸烟区及非吸烟区，还是要试着让空气保持在无烟的状态（有关烟对孕妇及胎儿的影响，详见第 50~54 页）。

*多喝水。飞机上的空气会使嘴巴及鼻子里的黏膜变得很干燥，严重时甚至会导致脱水。因此在搭乘飞机前后及搭乘飞机时，应喝足不含咖啡因及酒精的水。

*保持空气湿润。飞机上空气的湿度大约只有 7%，如此干燥的空气，除了会让你的鼻子感到不舒服外，也会导致脱水。因此除了多喝水以补充水分外，可呼吸一杯热水散发出的蒸汽，来让鼻子保持湿润。你也可以使用一瓶盐水鼻喷剂，每小时喷一些到鼻子里，通常这种喷剂不需要医生开处方，可以在一般的药店买到。

*吃得舒服。假如你计划在怀孕的早期或是仍会害喜时出外旅行，在搭乘飞机时可以特别要求素食餐点，这是防止反胃的最佳方式。更理想的情况是，自己带一些已试吃过的东西上机，但请避免吃含有气体的食物，

因为机舱内的低压会造成肠内的气体扩张，而导致腹胀。在飞机上要时常咀嚼少量的食物，以保持胃部舒缓地活动，当有特别需要时就请求乘务员的协助。

*避免高海拔飞行。你可能也听说过，大部分的班机在高空时，会增加舱压以弥补较低的含氧量。一旦你到达海拔 2000 米的高度，空气中的含氧量就会随着高度的增加而下降。请特别避免搭乘短程飞机，因为大部分短程飞机的飞行高度较低，不会加压，尽管驾驶员可能会偶尔改变飞行计划（飞行高度超过 2000 米）。虽然在高度超过 2000 米的低压机舱里短时间内不大可能会危害到宝宝（因为胎儿在子宫内的需氧量通常比母体低），但会降低你血液里的氧气含量而造成轻微的头痛，这会降低你的思考及活动能力。即使在一个加压的机舱里，空气含氧量也可能随时变化，所以当你觉得有点头痛或眩晕时，应要求供应氧气（孕妇应避免在高于海拔 2000 米的地方旅行）。研究报告指出，住在较高海拔地区与宝宝出生时体重较轻之间，的确有统计学上的关联。

*寻求帮助。孕妇就像是老人一样需要协助，搭乘公共交通工具时应该有人让座，或是由别人协助拿行李。

然而许多人或许是因为担心帮助你会影响到女性的自尊心，他们常常不敢主动地让座给你，因此你要勇敢地主动开口要求让座。请特别注意不要伸手去拿头顶置物架上的沉重行李，以避免不必要地过度使用某些肌肉，因为怀孕期间并不适合做肌肉的拉扯动作。尽量照顾好怀孕的自己并允许别人帮助你，因为你需要别人的帮助。

*旅行前先向医生咨询。和医生讨论以确定你没有任何早产或其他症状的危险，例如：先兆子痫、高血压、控制不佳的糖尿病、多胞胎、子宫颈机能不全、习惯性流产等。许多产科医生都不鼓励过去有上述症状，或多次早产情况的孕妇在怀孕的最后 3 个月搭乘飞机，或是做任何长途旅行。

Q：我担心机场的 X 光安全检查会伤害我的宝宝。请问它对宝宝安全吗？

A：大部分机场内的掌上型安全扫描器或步行通过的安检机器，都会散发出低量的超声波，或非电离辐射波，它们并非像医院的 X 光机那样含有潜在危险的电离辐射波（详见第 59 页）。虽然这些扫描器的辐射波和超声波可能是安全的，但正确的说法应该是，没有什么事是绝对肯定的。为了安全起见，你可以要求女性安检人员利用贴身检查来取代使身体暴露在安检机器之下的检查方式。

Q：我们想要在宝宝来临之前搭乘游轮旅游，但是我怕会晕船。

A：对怀孕的夫妇而言，搭乘游轮旅游可能是最轻松浪漫的旅行方式。所有的饮食及娱乐都在咫尺之间，而且你不需要像在陆地上旅行那样收拾好行李从这家旅馆换到另一家，然后还要再打开行李。为了确保你的海上生活舒适，试试下列的海上之旅小锦囊。

＊慎选旅游行程。如果这是你第一次怀孕而且是第一次搭船旅行，长途海上之旅可能是不明智的，试着在较平静的海上做个短途旅行。

＊选择大且新的船。大一点和新一点的船有稳定装置，可以减少左右晃动。事实上船越大你越不会感觉到上下震动及左右摇摆，在许多新船上你甚至会忘了自己在大海中。

＊船中央不大容易晃动，请选择靠中央的船舱。

＊选择有阳台的舱房。大部分新型船只的舱房有落地窗可以通往阳台，走到空旷的地方呼吸新鲜空气，可以帮助你避免有空间狭窄或是受到限制的感觉。

＊用餐时要求远离吸烟区的位置，尽可能常在户外吃东西（万一晕船时，详见第25页所列的做法）。

Q：我平常旅游比较容易腹泻，而当我怀孕时我不敢服用任何药物。请问我该注意些什么？

A：旅游时的腹泻，除了对母体不好，基本上也对胎儿有害。因为腹泻会耗尽身体的基本养分、盐分及水分，而在怀孕期间比平常更需要这些。长时间的严重腹泻会让母体脱水并减少输给宝宝的血液。为了在旅行时避免食入会造成腹泻的食物及细菌，请留心以下的状况。

＊只喝煮过或瓶装的水。瓶装水是最安全的，因为在一些自来水净水的过程中使用的高含量的碘可能会危害到宝宝。另外，只食用由瓶装水做成的冰块。

＊只食用加热杀菌过的奶制品。

＊在一些环境卫生不佳的国家旅游时，避免食用未煮过的水果及蔬菜。只有当你用干净的水清洗过且剥皮后，才可食用新鲜的蔬果。

＊避免食用未煮熟的肉类及鱼类。不要吃被汞污染过的水里的鱼。

＊只选择卫生条件较佳的饭店或是餐厅用餐。

假如在做了许多预防措施后你仍然不幸腹泻，接下来最主要的目标就是让自己不要脱水。以下是一些治疗腹泻的方法：

＊如果腹泻状况很严重（一天超过6次的水样大便），可少量多次服用口服电解质溶液（这是一种含糖液体，可以补充你腹泻时可能流失的盐

分及矿物质，不需要医生处方就可以在药店购得），逐渐增加到一天1~2升。请告知并咨询你的医生。

*有些不需要医生处方的止泻药在怀孕时服用是安全的，有些则不然。含有水杨酸盐及铋的止泻药并不适于怀孕期间服用，某些动物研究报告显示，这些药会对胎儿造成伤害。需处方的止泻药中，含有阿托品及麻醉药成分的药是绝对不安全的。你可以询问医生哪种止泻药在怀孕期间服用是安全的。

*在旅行前，先询问你的医生在怀孕期间服用哪种止泻药是安全的、该携带哪种药，以及该如何防止脱水。

Q：我已怀有4个月的身孕，而且必须要坐飞机到国外。我很担心要求接种的疫苗会危害我的宝宝。

A：很幸运，目前到大多数的国家旅行是不需要接种疫苗的。事实上，许多国家的法律已很少要求接种疫苗，充其量也只是建议罢了。但是根据各地区域性疾病的流行情况，对疫苗接种的要求也会经常更改。请与当地的卫生机关联络，以取得最新的资讯，说明你是孕妇及在这段时间内要到哪个国家去，有哪些疫苗是建议接种及硬性规定要接种的。

你可能要衡量一下下面哪一种情况风险较大，是可能会患上一种特别的疾病，还是在怀孕期间接种疫苗造成的伤害？如果可能的话，避免在怀孕最初的3个月注射疫苗，避免注射活性疫苗，避免注射伤寒、霍乱、黄热病或是风疹疫苗。

如果绝对需要的话，孕妇可以注射下列疫苗：破伤风、白喉、猩红热及注射性的小儿麻痹疫苗。怀孕期间，在医生的指导下注射丙种球蛋白、乙型肝炎疫苗也是安全的。值得注意的是，疟疾对孕妇及小宝宝伤害特别大，千万不要去疟疾流行的地方旅行。

Q：我已经怀孕6个月了，想去欧洲度假两个星期。但我担心一旦患病不能接受治疗，我必须采取什么预防方法？

A：首先，询问你的医生需要特别采取何种预防措施。最好在出发前多了解这些预防措施。再者，可以通过询问当地的领事馆或办事处了解你目的地的医疗设施。你从国际旅行者医疗救助协会(IAMAT)可以取得进一步讯息。你也要向你的保险公司确定旅行时保险是否有效，有些保险公司对海外旅行会要求额外的费用。最后，如果在怀孕期间出现过特别的并发症，更要随身携带医疗记录。

怀孕期间旅行，你如果想过得像在家一样舒服和健康，就要特别注意以下几点。

安全舒适的汽车之旅

想有个安全舒适的汽车之旅，可以试试以下的方法：

*系上安全带。不要担心发生碰撞时，安全带会挤压子宫而伤害到小宝宝，羊水会保护小宝宝。研究显示，在碰撞中正确系好安全带的妈妈及小宝宝会更有可能存活下来。所以一定要系上安全带。

*确定你椅背上的头枕垫在头部的位置。头枕不只是能舒适地靠着，而且在意外中可以避免头部扭伤。

*长途旅行时至少每两小时停车一次，伸伸腿，散散步。而且，经常要停车上厕所。

*将座位往后移让腿伸展开来。

*可以练习"久坐的运动"（详见第 203 页）。

*使用靠枕。

*携带一些零食。

将腰部的安全带尽可能下移至子宫下方宝宝的下面，并紧贴大腿及髋骨。如果安全带压得你突出的骨盆不舒服，放一个小枕头或垫子在安全带与大腿之间。把肩部的安全带放在你的子宫上方及两乳房之间，但不要太高而伤到脖子。

第一，吃健康卫生的食物（详见第 259 页的饮食注意事项）。

第二，聆听你身体的信号。当你想上厕所时就立刻去（即使上厕所可能不像在自己国家那么方便）。不要憋尿，避免便秘。放松你的身体。

第三，避免风险。在陌生的地方，更容易发生意外。现在你有另外一个生命要担心，所以要做个聪明的旅行者。

分娩时的选择

选择分娩课程

你阅读本书是希望有个完美的怀孕过程，同样的，你也应该报名参加分娩课程，知道得越多，就越会对你的怀孕及分娩过程有信心。而且，愉悦的分娩过程将会让你的母亲生涯有个自信的开始。此外，有的课程会让你有机会和别人分享你的怀孕生活。

何时报名

大部分的分娩老师，都会为怀孕中期末尾的孕妇安排正规的课程。有些课程会上 6~12 周，并正好在你产前一周左右上完，所以当你临盆时，这些知识仍很鲜活地停留在脑子里。我们建议，可以考虑在你怀孕的第 1~2 个月时去上准妈妈预修课程（详见第 82 页"准妈妈课程"）。

你会学到什么

除了帮助了解许多现有的分娩选择，形成你个人的分娩观念之外，完整的怀孕课程还应该包括下列几点：

怀孕期间每个月的身体变化。通过图解说明，你会学到体内奇妙的生理机能及解剖知识，以及将要发生的奇迹（在玛莎开的分娩预修课程中，房间里整齐地摆满各阶段的怀孕过程及分娩时的照片。你可以想象家中那些好奇的孩子会提出的问题）。

怀孕期间需要的营养。对大部分准父母来说，这将是他们生活中首次上的营养课，而且是第一次主动想知道如何吃得健康。

明智地使用产前检查和相关技术。好的怀孕课程，应教导准父母们如何成为明智的消费者：了解目前有什么产前检查、什么时候该做检查、为什么要做，以及如何决定是否要做。这些课程应教导你该问医生哪些问题，以及如何确定自己是否对这些回答感到满意。

怀孕时的运动。你会学到何时该做运动、做什么运动，以及该做多少运动。

分娩的步骤。你会学到如何分辨分娩的每个阶段中身体的信号。

放松及应对疼痛的方法。分娩课程并不能保证你拥有无痛的分娩过程。但你会学到，分娩时的疼痛是有意义的，它是一种要做些什么的信号，代表着你应该做一些改变。好的分娩课程不仅会探讨放松的技巧及自助方法，也会讨论到止痛的方式，所以当你进入分娩阶段时，你已拥有整套应对疼痛的策略和常识，足以使你选择及使用最适合自己的方式。

一个专业的分娩讲师，不会把分娩过程形容得如同一场比赛，看看孕妇可以忍受多少痛苦。取而代之，她会建议孕妇聪明地使用自然的或药物的止痛方法。宝宝的双亲选择使用药物来帮助分娩，不应该被认为是失败了。有些孕妇发现分娩课程把药物说得太好了，有些则认为把药物讲得太可怕了，最好的是一些公平合理的说法。

你的分娩教练通常就是你的丈夫。很多准爸爸上第一堂课时通常会被询问来上课的原因，他们老实地说："是为了取悦老婆。"不要担心，如果你的丈夫刚开始并不是自愿参加课程也是正常的。根据经验，当准爸爸们了解到，妻子的肚子里有了小宝宝是怎么回事，他们会变得更有同情心和乐于帮助妻子。同时，他们也会从其他怀孕夫妇那里得到一些启示。

如何哺乳。能够成功哺乳是因为有一个好的开始，对哺乳知识了解得越多——特别是正确的姿势及技巧——会使哺乳变得越容易。

产后注意事项。你会面临是否该

让宝宝保持身体的完整或是割包皮，如何及何时介绍宝宝给家人，对你产后的身体该有何期待，甚至是新生儿护理的基本知识等问题。好的分娩课程，不只是让你有个更安全满意的分娩，也会帮助你适应新生儿带给家庭的许多改变。

或许在分娩课程中最有价值的一课，就是会学到如何突破恐惧—紧张—疼痛的循环。非药物分娩领域的先锋英国医生格兰特利·迪克指出，这种循环是许多孕妇需借助药物分娩的主要原因。为了消除分娩的恐惧感（特别是无知的恐惧感），可通过告诉孕妇分娩时身体的运作及为什么她们会有这种感觉，来教导她们放松的技巧，减轻恐惧产生的心理紧张及肌肉紧张；也可示范分娩时如何借力使力，而不是去抵抗自己的身体。格兰特利医生指出，大部分的孕妇并不需要忍受很大的痛苦，或使用大量的药物帮助分娩。

分娩课程也可为你提供一个支持小组，帮助你克服个人问题及介绍产后可以聊聊天的朋友给你。你可能也可以从班里有经验的妈妈身上，学到她们过去的经验及她们这次想要有什么不一样的改变。分娩课程有趣的一个部分，就是能够彼此交换心得。

如何选择课程

离家较近或者是课程时间适合你，这些因素固然重要，但除此之外，你更应该选一个和你分娩观点相同的课程。在你报名前至少做个分娩观点的自我测试（详见第281页），这样是会有帮助的。你至少要读一些相关书籍，并向别人学习一些怀孕经验。参加准妈妈课程是另一个方法，可帮助自己确立分娩想法，以便在你怀孕的最后几个星期选择分娩课程。在选择课程前下点功夫，会使你选到适合自己需求的课程。

就像有人选择产科医生而有人选择助产士接生一样，不同的孕妇会选择不同的分娩课程。在美国的分娩教育课程体系中，有三所著名的学校，在这些学校中有多种分开或合并的课程。其中的任何一种课程不一定比其他的好，每一种都各有不同的方法，以满足具有不同需求及不同分娩观点的人们。分娩教育观点的不同主要集中在两方面：一是对疼痛的处理方法；其次，就是是否让孕妇全盘接受目前的医疗手段（是采用目前的医疗手段，还是寻求其他选择）。

ASPO/拉玛泽。现在美国最流行的分娩方法是ASPO/拉玛泽。ASPO/拉玛泽方法源自前苏联，是从巴甫洛夫创立的教学观点中独立出来的。巴甫洛夫曾提出"条件反射理

论"，训练小狗在听到铃声时就分泌唾液。后来由一位法国的产科医生拉玛泽发扬光大，将条件反射的训练方法引进欧洲，并加入呼吸法及分娩助理（指经过严格训练的分娩帮助人员），发展出"拉玛泽法"。这套方法原本称为"心理预防法"，着重于让母亲利用她的心智来控制身体，对疼痛作出最适宜的反应。这套方法后来传入美国，使用的医生在美国创办了美国产科心理预防协会（ASPO）。这个组织即以"ASPO/拉玛泽"闻名，而教师则是众所周知的"ASPO认证的分娩教师"，或是简称为ACCE。在美国，最多的分娩课程就是 ASPO/拉玛泽课程。

拉玛泽与其他分娩课程最大的不同，便是控制疼痛的方法。经过学习所谓的"节奏呼吸法"，以及将注意力在想象与现实间转移，拉玛泽课程旨在教孕妇如何从疼痛中转移注意力，以便让她从心理上认为身体真的一点也不痛。在分娩的 4 个阶段里，要配合几种不同的呼吸节奏，这种呼吸法是相当巧妙且多样化的。除非孕妇能确实地做好练习，并训练自己集中注意力，像个机器人般呼吸，否则通常这套呼吸法会造成相反的效果，不仅无法放松，反而会造成紧张。在过去 10 年里，ASPO 已传授了许多种控制疼痛并强调放松的技巧。学习

拉玛泽法的学生，也同时被告知各种止痛法的优缺点。上过拉玛泽课程的人，也因此能选择无药物治疗（即不用止痛剂或麻醉剂的方法）。有些孕妇采用拉玛泽法分娩，是因为她们不想体验"完整"的分娩过程，只想在指导下舒舒服服地分娩，然后带着健康的宝宝回家。

布拉德利法。也叫做"丈夫执教分娩法"，这个方法是在 20 世纪 40 年代，由美国产科医生罗伯特·布拉德利发明的。布拉德利法对于疼痛更强调是生理因素，而不是心理因素。布拉德利医生相信，孕妇阵痛时投入更多的情感而不是去逃避，将会是一个更健康的方法；疼痛是一种值得注意的信号而不是个该去除的问题。布拉德利法的理论及教授这个方法的人都很热心地告诉孕妇，要信任自己的身体。他们相信在适当的指导及支持下，大部分的孕妇可以不用药物就拥有安全及令人满意的分娩经历，超过 90% 使用布拉德利法的孕妇表示，这种效果是可以达到的。比起利用分散注意力来控制或掩饰分娩的情绪，使用布拉德利法的产妇被鼓励放松自己，听从身体的本能，与身体合作（大部分是通过分娩时姿势的改变），进而发现自己分娩时最舒适及最有效的方法。布拉德利推荐的呼吸技巧比拉玛泽法更自然，而且较少受到条件的

限制。布拉德利课程比其他方法更仔细且时间更长（通常是 12 周）。

国际分娩教育协会 (ICEA)。这个组织训练及颁发证书给那些分娩课程讲师，该组织的座右铭是"通过了解而有选择的自由"。ICEA 对准父母及分娩教育者而言，是个可信赖的资讯来源。另外，协会还集合了杰出的医护人员编写并发行育儿小手册，并经营父母必读及怀孕知识类图书的邮购业务。

选择最适合自己的课程。许多分娩讲师综合了拉玛泽、ICEA 及布拉德利法的理论，再加入她们自己的分娩经验，创造了一套独一无二的教育课程。这些个别教学者，并未局限于某种固定的方法，因此他们乐于弹性地修改课程以符合个体的需求。在教授分娩课程时，玛莎发现最有用的方法是整合式的——取各种方式的优点，然后设计出最合适的课程。

在你作最后的选择之前，可以先去问问有经验的人或是试上一些由不同教师讲授的课程。记得询问以下的问题：

* 讲师自己是否曾有过分娩经验？她的个人经验是否对教学有益处？她是否有些个人的偏见，导致你潜意识中对你的医生产生反感？

* 她对医院的运作情况是否熟悉？特别是那些你选定的医院。

* 班级规模是否足以让讲师能给予每个人单独指导（最好每班不超过 8 对夫妻）？她是否使用一些视听辅助教材以使学习更容易些（洋娃娃、海报、图解、电影、录像带及讲义）？

* 除了提供她的经验、个人见解及指导外，她是否也能接纳其他想法以帮助你得到想要的帮助？

* 她是否强调放松及自助技巧？在课程中，她是否花时间帮助学生练习这些技巧？放松不仅是无药物分娩的关键（又称为"纯粹分娩"），也是靠药物辅助分娩所必需的。分娩课程中最管用的部分在于练习克服阵痛及模拟分娩时的各种姿势。

* 她是否留有足够的时间来做小组讨论并回答问题？

为了能有一个满意的分娩经历，你要多读一些资料、多到现场看看，并多打听比较，以便选择对你最有利的课程。必须认清，一连串的课程价格会有很大的差异。有些医院提供的课程可能已包含在你的分娩费用中，或者是另外计费但相当便宜，因为上课的人数很多。衡量你的预算，并了解可以获得的东西，一个好的课程是值得花高一些的费用的。

我从分娩课程中学到的最有价值的东西是，如何成为一个更好的决策者。

丈夫就是最佳分娩教练

在过去，拉玛泽及布拉德利两种方法都强调，丈夫就是分娩教练。但很多男人会对这种角色感到不舒服，而且很多女人认为丈夫这种玩玩的心态没有任何帮助。不过，大部分的分娩课程仍然强调丈夫在分娩时的重要作用，也重新将丈夫定位为心理上的支持者，而将教练工作重新指派给专业助产士（详见第 301 页）。

威廉医生的经验谈：我是一个非常棒的棒球队教练，但我觉得当一个分娩的教练很不自在。我第一次当分娩教练是在 30 年前，即使预演了所有的呼吸及数秒练习，当玛莎第一次阵痛时，我仍感到惊慌失措。在她阵痛的高峰时，我完全忘了在课堂上学了些什么，只是很本能地做了我最擅长的事——爱我的妻子。当我卸掉了教练的角色，而成为爱人的角色时，整个过程对我而言变得更自然，对妻子来说也更好。

选择分娩地点

确定了替你接生的人选之后，地点的选择也是很重要的。

你选择的医生可能只在一家医院里接生，然而你有许多可选择的医院。

我们的一位朋友莉兹对她的助产士感到非常满意：

我丈夫对第一胎在家里分娩感到非常紧张，但我真的很想有一个助产士。很幸运，我们居住的城市有几个和医院有合作关系的助产士组织。我的助产士在我到医院之后来了，那时我的羊水已经破了，而且阵痛来得非常急。我的子宫口并未扩大，而且还剧烈地呕吐。当她建议使用药物缓和一下时，我感觉自己像个失败者。我不想有外来因素介入，这也是我一开始就找助产士的原因。但事实是，助产士的建议比起医生的更容易让我接受。她是正确的，我的阵痛变得有用了，而且很快地我被支撑了起来，一只脚放在助产士的髋部，一只脚在护士的髋部，开始尝试分娩，会阴部的按摩也很有帮助。5 分钟后，我的宝宝出生了，而且就放在我的怀里，助产士和护士还教我如何哺乳。当我把胎盘排出时是抱着宝宝的，而且当我休息时，我们依偎着超过一个小时之久。

选择医院

时至今日，女性对许多领域的产业发展有着重大影响，分娩业也不例外。最近10年来，医院强调回归家庭式的亲切感。事实上，在美国已经有些医院的产科病房改名为"家庭分娩中心"，用以不断强调医院是个生小宝宝的好地方。过去，当妈妈在一个房间阵痛后，就被推到另一个房间分娩，然后又被推到下一个房间等待康复，而小宝宝又到了婴儿室，爸爸只能被困在等待室，这样的时代已经一去不复返了。

现在凡是想做宝宝生意的医院，都倡导"乐得儿"(LDRP)观念：从阵痛(labors)、分娩(delivers)、恢复(recovers)到产后(postpartum)都在一个房间，宝宝和母亲可以在一起，除非有医学上的并发症，要求母子短暂性地分开(有些医院只提供LDR，所以母亲们产后就会到其他的房间)。这些分娩中心的内部装潢，会比医院本身还好，以便营造一个家的气氛。事实上，大部分的分娩中心看起来都很像是舒服的宾馆房间，里面有摇椅、窗帘、漂亮的床单、色彩柔和的壁纸及摇篮，整体让人感觉很愉快且富有魅力。甚至，有的房间也会为你的丈夫准备浴缸和床。第一眼看去，产床和一般的床并无太大不同，但实际上它是可以调整的，适用于分娩的各种姿势。所有产科器材都完整无缺地放置在房间里，却不会让人感觉到突兀。只要按一个键，大灯就会从天花板上降下来、橱柜也会打开，所有紧急情况要用的必要器材全在里面。在这同一个房间里，当孕妇阵痛、分娩及产后与宝宝在一起时，父母亲及兄弟姐妹也全都可以在场(若是LDR的医院，则要到产后房间去)。当然，宝宝也和母亲在一起。在阵痛及分娩过程中，宝宝的父亲在不在场已不再是可有可无的，爸爸陪产已被视为理所当然。

当你在选择分娩的医院时，千万不要被分娩中心的样式影响了决定。医生的技术和态度，对你和宝宝的健康与福利来说，比那些床铺和窗帘是否相配要重要得多。

未来新趋势——理想中的五星级医院

目前五星级的分娩设备只存在于我们的幻想里，从过去的经验来看，虽然各国情况不同，但医院终究会满足产妇所有的需求。以下是我们希望未来医院能够具备的理想形态：

＊妇产科医院要拥有LDR套房，且以家庭为中心。那是一个美好的场所，是你阵痛、分娩，及享受与宝宝共度第一天的地方。

＊特大号的分娩浴盆。在许多自然分娩方式中，这是一种最新发明以减轻阵痛的工具(详见第342~346页有关水中分娩的介绍)。

＊产床用于分娩及睡眠时都很舒适，并可作调整以适合分娩的各个阶段及各种分娩方式。

＊使用最新型且最不具侵略性的技术，特别是新型的电子胎儿监护仪。通过这种监护仪，可以监测宝宝心跳的改变，妈妈再也不必只待在床上或是被线圈捆绑在床边的机器上了。

＊最新式的静脉技术和方法。装有盐或肝素的仪器在有医疗必要时可随时使用，且允许妈妈走走路，并在附近徘徊（而不像旧的静脉仪器，要求妈妈在静脉输液时要连上管子，使其被迫待在床上）。

＊拥有特殊护理体系，或是提供新生儿监护室。

这种体系有必要提供给新生儿高品质的护理及相应设备和人员，万一新生儿生病的话，包括为呼吸问题准备的换气辅助装置及新生儿 24 小时专家紧急咨询。小宝宝在出生的那一刻是否需要特别的照料，这时一个新生儿专家的意见是重要的。拥有必要的设备，也可以节省将生病的新生儿转移到其他设备上的时间，而且也不用把妈妈和宝宝分开。

＊有麻醉专家。医院有麻醉专家或是麻醉护士 24 小时进驻，以防剖腹产或是其他产科的紧急情况发生。

＊护理助产士。在产科体系里，助产士是多功能的参与者，她们既可以作为护士长、分娩的支持者，又可以在低危险不复杂的分娩中当个主要的护士。或许产科可雇用助产士，或允许助产士在医院接生，因为医生与助产士所受的训练各不相同，可以互补。

＊有合格的哺乳顾问（或是有此执照的产科护士），帮助哺乳的妈妈有个正确的开始。

＊有灵活的分娩观点。对大部分产科而言，要同时顾及自然和医学两种层面似乎不大可能。不过对理想中的五星级医院而言，他们知道 90% 的分娩，其实没有那么复杂。医护人员帮助产妇度过分娩全程，鼓励使用任何对妈妈来说最舒适的姿势，以及对宝宝健康最好的方式，随时愿意遵照产妇的希望和计划进行分娩，只要它们对母婴最有利。换句话说，医护人员有能力判断是否有未曾料到的复杂情况要发生了，或是高危险的病人要分娩了。

选择分娩中心

分娩中心与医院的最主要不同，不在于产房看起来如何（一开始产房看起来都很像），而在于分娩的观念。分娩中心全是产妇主导，且通常助产士会根据产科医生的指示，来照料所有产妇正常分娩（当产妇需要转到医

选择你要的医院

很少有医院具备孕妇想要的一切，而且你所处的地区或国家、你的保险支付计划，或是你自己的需要（特别是如果你属于高危人群）可能限制了你对医院的选择。如果你真的可以选择医院，用这张检查表来比较一下。

　　*是有分娩床还是老式的分娩台？

　　*是否有你可以舒适分娩并能住上一两天的LDR室？

　　*谁可以使用LDR室？几年前，只有"低危产妇"可以使用LDR室。然而研究显示，高危产妇如果可以在像家一样且无菌的LDR室分娩，会降低危险（研究也显示，一个剖腹产危险较高的产妇，如果被放在一个看起来像手术室的分娩室，则更有可能需要剖腹）。

　　*是有足够的LDR室可用，还是你可能被困在普通的分娩室？如果你刚好要在一个忙碌的夜晚最后一个分娩，那么医院有何对策？

　　*医护人员的分娩理念是否与LDR室同样吸引人？行政管理制度是否可以支持个人的分娩计划？护士是否亲切而不会有威胁感？她们是否知道产妇的需求并愿意帮助她们？

　　*医院是否一天24小时都有麻醉专家，或只是麻醉师在医院外待命？

　　*照顾新生儿的水平如何？医院应该有全职新生儿专家提供完整的监护服务，且不会把生病的新生儿转到别的医院［或许也有一些医院有相关人员及设施，可以提供简单的治疗，但是更严重的情况就必须转往别的医院。新生儿专家可能只是在医院外待命的，也有的医院没有新生儿专家（虽然可能有一个顾问），而且没有任何设施可以照顾有呼吸问题的婴儿］。

　　*是否雇用助产士？

　　*在你阵痛时，产科护士能提供多少支援？她们做些什么？是否允许你自由地雇请你个人的专业助产士？能否提供给你选择的名单？

　　*是否可以如愿采用你想要的分娩方式？

　　*有关静脉注射的规定是什么？如果你需要进行静脉输液，是否可以为你使用肝素帽，以便你输液时可以随意走动？

　　*有关电子胎儿监护仪的规定是什么？是否普遍使用？是否使用最先进的无线电子胎儿监护仪，还是在做监测时一定要你待在床上？

＊LDR 室里是否有舒适的分娩浴盆，以便可以利用水的浮力来减轻你的阵痛？

＊在你分娩时，是否可以随意喝饮料或吃点心？

＊产后宝宝是否马上就可以抱到你怀里？

＊宝宝是否得在婴儿室里接受观察？能否得到充足地喂食或是在需要时就喂奶呢？是否鼓励妈妈在夜间把宝宝留在身边看护呢？

＊以什么样的方法来协助你和宝宝有个好的开始，婴儿看护课程？哺乳专家咨询？还是经过合格认证的母乳喂养顾问？

＊对拍照或摄影是否有任何限制？

＊提供哪种基本的亲子互动形式？母亲与婴儿完全在同一个房间可以么？如果宝宝必须转往特护婴儿室，你是否可以随时去探望呢？

＊医院的花费是多少？有哪些是额外的费用（如电话费或电视的费用）？确认一下你的保险会支付哪些项目。

＊关于访客的规定有哪些？谁可以参与分娩？产后有谁可以探望？兄弟姐妹何时可以来看？是否有年龄限制？

＊医院是否会派护士或母乳喂养顾问到你家探访你和宝宝的情况？

院时也作为后援）。在分娩中心，助产士的主要工作是协助产妇，并帮助她们实现想要的分娩方式。分娩中心信任自然，而对科技十分小心，并认为大多数情况都会是正常的（而医院的观念则是假设会出什么事）。反对分娩中心的人担心，产妇会把自己和宝宝置于不必要的风险中，因为紧急救护只有在医院，而无法在分娩中心立即获得。拥护分娩中心的人则反驳说，由于应用较自然的方式来克服阵痛及帮助分娩，所以产妇很可能不需要紧急救护。

专业人士完全相信，相对于在医院分娩，分娩中心是一个较安全的选择。在 1989 年，最受尊崇的医学期刊《新英格兰医学杂志》报道了在美国的 84 个分娩中心里的 12000 名孕妇的阵痛与分娩研究结果。在这项研究中，有 4.4% 的孕妇是剖腹产，远低于全美国的平均数。而且，没有产妇死亡，新生儿的死亡率也低于平均值许多。有 25% 的头胎产妇必须被转送到医院去，只有 7% 的非头胎产妇需被转到医院治疗。这份研究的结论是，对于那些低风险的孕妇们，分娩中心是一个安全且可接受的选择。所以，如果你是低风险且曾有过自然分娩经历的孕妇，那么可以考虑在分娩中心分娩。如果你是低风险但头胎分娩的孕妇，仍然可以考虑分娩中心，但必须了解一下相关的医院情况，并知道万一要转院时的后备产科医生的情况。当需要转院时，你可以结合两者的情况与分娩观念，找出令你满意的分娩方式。

选择在家分娩

在 1900 年的美国，至少有 95% 的分娩发生在家里；而到了 20 世纪 90 年代，则有超过 95% 的产妇在医院里分娩。这是否代表着进步，要看你是否有产科医生、助产士的协助，或是其他各种分娩组织的协助。对大部分女性来说，在现今的分娩医疗体系下，在家分娩既不适合也不实际，但有些女性的确想要采用这种方式。我们希望这些女性能知道并了解有关在家分娩的种种事项，然后非常慎重地选择分娩的地点。

在家分娩的其他疑问

这里是在家分娩的产妇常常面对的共同问题。

Q：我正在考虑在家分娩，但是我担心如果遇到麻烦，可能会发生危险。在家分娩是否安全？

A：你应注意的一个重要问题是，在家分娩对你是否正确及安全。在欧洲国家，在家分娩是惯例而不是例外，欧洲的有关部门研究显示，如果妈妈已经过筛选（也就是她已被合格的产科医生及助产士认定为"低危"），而且在家分娩有专家的参与（合格的医生或助产士），那么在家分娩会是安全的。北美地区在家分娩的安全性，则是另一个问题；这指的并不是在家分娩本身不安全，而是目前北美地区的产科护理分娩体系使得大多数孕妇，在家分娩并不安全。

在欧洲，在家分娩很普遍，而产科医生与助产士是一体的；产科医生与医院是助产士的后援，并且有一套紧急时必要的接送系统。在大部分的北美地区，对在家分娩所建立的后援系统目前并不安全。

许多产科医生认为，在家分娩的观念是很好的，但他们既不想推广在家分娩的观念，也不提供在家分娩的支援系统。以产科医生的观点来看，提供在家分娩后援的问题在于，他们必须接受助产士带来的复杂情况，然后又要对后果负责。

在写这本书的同时，我们有机会和许多地区的产科专家交谈，甚至有机会拜访了一些在欧洲地区的专家。我们的结论是，并不是分娩的地方决定妈妈及宝宝的安全，而是产科护理

评估分娩中心

如果你正在考虑在分娩中心分娩，可以衡量下列条件：

* 分娩中心是否有合法执照？

* 助产士的资格如何？她们是否有执照？她们是否是有合格证的护理助产士？

* 中心是否和产科医生有特约合作关系？是否有充足的产科预备设施，以防怀孕或分娩时不可预料的复杂情况发生？到时你可否得到合适的支援医生的帮助？

* 询问在分娩中心分娩的条件。你的产科检查结果是否允许你在医院以外的地方分娩，或是如果你在医院以外的地方分娩，是否你有危险因素，会危害到你自身或是宝宝的健康？

* 分娩中心会将产妇转到哪个医院？他们是否和这个医院经常往来？分娩中心的转院率（也就是产妇刚开始是在分娩中心分娩，但是后来转到医院分娩的比例）是多少？转院的条件是什么？转院的程序是什么？

* 如果你需要转院，谁会在那里照顾你？是作为分娩中心后备的产科医生，还是在分娩中心陪伴你的助产士？在医院时，分娩中心是否会有人和你在一起？

浏览一下分娩中心。打听有谁最近在中心分娩，而且和她们谈谈，看看你在这种条件下分娩是否会感到安全舒服。

的整体系统，才能保障分娩的安全。不鼓励在家分娩的组织声称，即使是低危孕妇，万一有无法预见的复杂情况发生时，在医院分娩会是更安全的。分娩改革者则辩驳，在家分娩是更安全的，因为较少受到外来干预，不太容易发生复杂情况。而对每对夫妻来说，因为各有其风险，在医院分娩及在家分娩要考虑的因素一样多。

有关在家分娩的统计数字，可能不适用于你的国家或地区。如果你提起在家分娩这话题，请明智地选择你的对象。有些人会认为，这样的选择对你和宝宝的健康会有伤害，是愚蠢的。另外一些人可能更富同情心，认为你是明智的消费者，想要做对你和你的宝宝最有利的事情。

怀孕日记：第6个月

我情绪上的感觉：_____

_____

我生理上的感觉：_____

_____

我对宝宝的感觉：_____

_____

关于宝宝的梦：_____

_____

我想象中宝宝的模样：_____

_____

我最关心的事：_____

_____

我最快乐的事：_____

_____

我最严重的问题：_____

_____

我应该关心的事

我的问题有哪些？我得到的解答是：_____

_____

检查结果和我的反应：_____

最新的预产期：_____

我的体重：_____

我的血压：_____

感觉我的子宫，我的反应：_____

_____

当我感觉到宝宝在踢时，我的感觉是：_____

_____

当爸爸感觉到宝宝在踢时，他的感觉是：_____

_____

我去逛街时，买了哪些东西：_____

_____

我们在哪里上分娩课程：_____

_____

我们的老师是：_____

我们选择的分娩方式是：_____

因为：_____

我们决定在哪里生下宝宝：_____

因为：_____

主要帮助我们分娩的人是：_____

我希望陪在待产室帮忙的人有：_____

第 6 个月的照片

感想：

第7个月的产前检查

26 ～ 29 周

在这个月的产前检查中，你可能会做的项目包括：

* 检查子宫大小与高度
* 检查皮疹、静脉曲张、水肿等项目
* 体重与血压检查
* 验尿
* 如有必要，检查血色素及血细胞比容
* 检查你的饮食习惯，必要时，与医生讨论你的体重变化
* 听胎儿的心跳
* 必要时，可通过超声波看看胎儿
* 与医生讨论你的感觉和关心的问题

如果你的主治医生认为有必要，可能会要求你在第7~8个月，每两周做一次产前检查。

第 **7** 个月

享受带球跑的日子

情绪上可能的转变

　　怀孕中期结束，你已经进入怀孕的最后 3 个月，也开始想到分娩的事。在这个月中，宝宝的体重至少会增加约 450 克，你的体重则大约增加 1~2.5 千克。子宫也会增大到介于肚脐和肋骨中间的位置。宝宝长大了许多，当然会让你注意到，因此，你可能因为半夜肋骨附近被打了一拳而醒过来，或者发现自己痴痴地看着腹部那有如篮球大小凸出的圆丘。

　　到了第 7 个月，不管你愿不愿意，身体都会要求你改变生活习惯。有些孕妇会受到影响，因此工作效率大不如前。孕妇走路一摇一摆的风韵，不知道从什么时候开始也变成你的特色。弯腰系鞋带变得困难，连穿丝袜都像在健身房运动一样辛苦。

　　到了这时候，想必你已经发现所谓"典型"的孕期情绪变化的情况已经消失。在怀孕早期和中期，每个孕妇都会经历独特的情绪变化，情绪会比怀孕前更强烈、更有意思、更鲜明、也更善变。怀孕晚期也一样，只不过比起前面，这时候的情绪在许多方面算是比较容易处理的。在这个阶段，你应该体会到怀孕虽是无以言喻的美好旅程，但同时也可能会面对难以想象的挑战，不过你应该已经能从容面对这些复杂的情绪了。因此，怀孕带来的生理与情绪的"成长痛"，对你来说都已经成为过去，接下来的情绪变化大都直接跟分娩有关。下面就是你在这个月里可能有的感觉。

幸福感

就在你一摇一摆地走在街上,边走边展现你怀孕体态的同时,你会很自然地感觉到以前从不曾感受过的高昂情绪,觉得自己既特别又骄傲,恨不得全世界都了解你是多么重要。毕竟,人类就是靠着像你这样的女人才能够延续下去。有时候,甚至连续好几天,你会完全忘记过去几个月以来的不舒服,以及即将到来的分娩痛苦。

我感受到前所未有的好情绪。我跟丈夫又重新恋爱了,我对生活感到非常满意,而且很高兴自己怀孕。我现在简直爱死这个世界了。我妈妈一直警告我不要太习惯这种幸福感,她说当妈妈不是无忧无虑的。不过,我暂时还是宁愿将为人母的日子看得十分美好。

好好享受这段无忧无虑的时光,你本来就应该有段情绪上的假期。因为迟早肋骨上的一拳、腰际间一股刺痛,还有不知道哪里一阵难忍的瘙痒,或是突然出现的烧心都会把你从怀孕的天堂,拉回到做母亲的现实世界中。

健忘

很多孕妇因为老想着怀孕与即将来临的分娩,常常会发呆或做白日梦。你可能会忘记一些重要的事情,比如某人的生日或是和朋友的约会。你也可能发现自己话讲到一半突然接不下去了,因为你忘了自己想讲的重点是什么。更让你惊讶的是,你根本不在乎,反正重点是什么也不重要。跟怀孕比起来,其他任何事都显得微不足道。虽然你现在有上天赐予你的最好借口来解释你为什么变得糊里糊涂,但是不管怎么说,日子还是要过下去。你还是要去学校接小孩,还是要让老板满意,还有生活中其他必须做的事。虽然这些事好像不如生孩子重要,但还是需要你去关心。你可能必须每小时查阅一下自己的日程表,或是把便笺贴在自己一眼就能看到的地方,如车的方向盘上、冰箱或是浴室的镜子上。也许这些正常的健忘现象只是提醒你要专注在宝宝身上,同时也让你了解,许多其他的事根本不值得你花时间去记。

我丈夫都叫我"傻妹"。我虽然记得按时去看医生,却会忘记缴电费。有时候我会把一罐牛奶忘在桌上,直到它发酸。还有一次我让朋友在电话另一头等了很久,因为我跑去上厕所,出来之后就忘了打电话这回事。对这些事我本来都一笑置之,一直到前几天开车经过巷口居然忘了注意两边的车辆,我才赫然警觉到自己不能再这么糊涂了。

想要逃避

如果这本书所谈的各种大小症状你都经历过，那么你会有想要逃开这一切的想法，其实是很正常的。虽然你已经够辛苦的了，但是往后还有很长的路要走。有这些想法并不代表你就是个坏妈妈，把这些感觉当成是为将来为人父母的低潮期做预演吧。等你当上妈妈，你一定会有想要放弃的时候，虽然那已经是不可能的了（其实就算有可能，你大概也不愿意）。

急着想把事情完成

你可能会想："我最好趁现在还有体力的时候把事情做完。"很多孕妇在这个月里，会再度出现想把手头上的工作完成的欲望，比如把工作告一段落、整理相簿、清理橱柜。筑巢的本能在本月会再次出现，你会想要给婴儿房贴上漂亮的壁纸或是彻底整理房子等，不过有些孕妇要到第8~9个月才会出现这种欲望。没错，你现在会比最后的两个月更有体力，但是不要做得太过火。别忘了，你的首要任务还是要确保有足够的体力来照顾自己和孕育小宝宝。因此，你必须学会授权。你可以从现在开始就把部分责任分配给你的丈夫。因为在宝宝出生后的前几周，有丈夫的帮助才能使你安心调养。

我每天都更急切地想把事情做完。我已经开始列清单，把希望能在宝宝出生前完成的事记下来：清理宝宝的衣物，全部洗过后收好；把婴儿推车准备好，屋子里也还有很多地方要整理。我知道我所剩的时间不多了，可是有很多事我都没准备好。我真想把所有的事都处理得井井有条。当然，我有时候也会想："我真的能够全部完成吗？我有没有办法好好照顾宝宝？"这些想法让我觉得压力好大。

被有关分娩的问题压得透不过气来

你可能一直到分娩课程上了一半以后，才开始认真思考自己的分娩观点，也才开始考虑到跟分娩有关的各种问题。你很可能已经被各式各样的选择搅得昏头涨脑，更何况还得作决定，真是一大压力。或者，你也许会发现自己到了半路，突然想更改分娩计划。不过，随着重要日子来到才出现的"后见之明"，其实也是人之常情（详见第281页"建立一套自己的分娩观"）。

生理上可能的转变

宝宝好大哦！这么小的一个人居然能在你的腹部占据一个篮球那么大的空间。你势必会感受到每天带着他

建立一套自己的分娩观

你怎么看待分娩跟怎么看待人生有很大的关系。建立自己的分娩观，然后随着情况的改变再作必要的调整，这对你的分娩(和人生)绝对会有很大的帮助。你也许已经有了一套自己的分娩想法，也许还没有；你甚至可能还不确定到底这是什么意思，也不知道为什么要有自己的分娩观。就像人生观一样，所谓的"分娩观"就是你希望的分娩方式：你觉得什么最重要？哪些事你会优先考虑？你愿意为这些目标付出多少？为了拥有你希望的分娩方式，你必须做到哪些事？你该读些什么书？有问题的时候，你应该问谁？分娩除了最终成果之外，整个过程也是很重要的。

拥有一套自己的分娩观表示你参与了宝宝的出生及相关的决策。这同时也表示你对怀孕和分娩过程很重视，而不是只在乎最终成果。分娩是你女性特质最充分的表现，也是你一生中最难忘的回忆。除了生出小宝宝，你当然也希望这是一次有积极作用的经历(对不同的妈妈会有不同的意义)。

怀孕和分娩的过程是生理性的，而不是病理性的。这是生命中正常的历程，许许多多的女性都已经经历过，

而且其中有很多人都选择再次尝试。建立自己的分娩观还可以排除掉部分对分娩的恐惧感，你对分娩了解得越多，你就越会发现你能掌握的比之前想到的还要多。

如果你到现在还没有自己的分娩观，也许下面这些秘诀会对你有所帮助：

想象理想的分娩情况。你可以把这个活动当做一项练习，写下自己希望的分娩情况(当然你必须了解不是所有的分娩愿望都能成真)。只要你知道自己想要的分娩是什么样子，就更可能有机会实现愿望。你可以列一张"我要/我不要"的表格，随着怀孕过程的进行随时调整表上的内容。

加强知识的吸收。随着怀孕的进展，不但身体和宝宝在成长，你的脑袋也会装满越来越多的信息。学会利用这些信息与各种选择，来获得自己理想的分娩方式。

信任自己的身体。成千上万的孕妇已经证实，你绝对可以相信你的身体是为了分娩而造的。如果你了解身体是怎么通过分娩过程来生出宝宝，以及懂得如何配合身体的运作而不是对抗它，你就很容易可以获得一次安全、满意的分娩经历。

积极思考。多跟有积极观点的分娩讲师请教分娩的相关事宜。如果书上或他人的观点不当，你很可能会陷入一大堆"万一"之中，成天想着可能发生的不利状况，反而忽略了其实绝大多数的分娩都是顺顺利利的这项事实。你越是相信你的分娩会一切顺利，就越有可能顺利产下你的孩子。

在决定助产人员和分娩地点时，一定要选择跟你有相同分娩观点的人。如果你想要高度人性化、尽量少有科技介入的分娩，那么你找的医生也要有相同观点才行。如果你希望或是需要接受由医护人员主导的分娩，你一定要参与分娩相关的决策。建立自己的一套分娩观也会影响医生对你怀孕期照顾的态度，以及决定在协助你分娩时自己应扮演的角色。另外，你在选择分娩课程的时候，要选择最适合自己分娩观的课程，而不是只知道推销他们自己理念的课程。毕竟不是每个孕妇都想要尽可能"完全体验"分娩过程，有很多妈妈其实就只想要一个宝宝而已。

建立一套分娩观也意味着你在建立妈妈哲学观方面比别人领先了一大步。你为了能健康地怀孕及顺利分娩所做的许多心理练习，可以让你对将来当妈妈必经的心路历程有所准备。你会更加信任自己，对各种意见也更能有自己的见解。你同时也会了解身体的完美设计不但是为了分娩，更是为了让你当个好妈妈。

阵痛和分娩都是相当值得你回味的宝贵记忆，当然最好也能成为你一生珍惜的经验。而这段回忆的内容是你可以自己做主的。

四处走动受到的影响，你会发现又大又硬的肚子对你的日常生活会是多大的障碍。

心悸的感觉

你已经知道在怀孕期间，体内的血容量会稳定地增加，以满足身体对氧气及营养不断增加的需求。到了怀孕晚期，你的血容量会比一开始增加了45%之多。因此你的心脏也需要更努力地工作来输送多出来的血液；你的心跳大概每分钟会增加10下，而每一次心跳输送的血液也比以前多了30%。这些改变在怀孕中期达到高峰，所以你很可能会感觉到心脏负荷增加。很多孕妇在怀孕后半期甚至会感觉到心悸，尤其是活动后或是突然变换姿势时特别明显。

心脏偶然地怦怦跳是怀孕期间循环系统重大改变造成的，虽然这是心脏正常的反应，但是这同时也等于告诉你，心脏目前的工作很繁重。因此，你的身体越强健，心脏对怀孕期间的额外工作量就能适应得越好。如果你在运动时心脏怦怦跳得很厉害，你就应该慢下来。你从躺的姿势坐起来（或是从坐到站）的时候也要慢一点。心悸的感觉在产后几周内就会消失，因为你的心跳会减慢，循环系统也会回到怀孕前的状态。

呼吸短促

怀孕期间因为必须"一人呼两人吸"，因此呼吸系统会发生巨大的变化，帮助你吸进更多的氧气。你的肺活量会增加，胸廓也会增大好几厘米。你可能还会注意到怀孕期间呼吸比平时稍微快一点，但是你大概不知道其实怀孕期间呼吸的效率也更高，你每次一呼一吸的空气量都比以前多。怀孕期间你有时会觉得上气不接下气，甚至还会觉得吸进的空气不够。这些喘不过气来的现象，并不表示你或宝宝体内缺氧，只不过是表示你的肺没有足够的空间扩张，所以你的身体在抗议而已。在怀孕期间，循环系统和呼吸系统一样有相当高的效率，以确保你和宝宝得到足够的带氧血液。

也许你并没有注意到自己现在呼吸得更深，但你可能偶尔会发现自己在叹气，这是身体帮你进行额外深呼吸的另一种方法。

到了怀孕晚期，喘不过气来的频率和强度都会增加，这是因为子宫的膨大限制了肺部每次呼吸时的扩张能力。为了弥补肺部下方被挤掉的呼吸空间，孕激素会刺激你多呼吸，并更有效率地呼吸，这样才能确保你和宝宝都获得足够的氧气。

下面这些方式可以增加你呼吸的效率和容量，同时能帮你减轻怀孕晚期上气不接下气的问题。

* 一旦觉得喘不过气来，马上改变姿势。

* 发现自己上气不接下气时，就把动作放慢。如果你太勉强，身体会给你一些信号。听从这些信号的指示，放慢动作节奏。

* 试试利用呼吸运动来抬高胸廓、促进胸式呼吸（深度腹式呼吸很显然随着子宫的增大会越来越困难）。站起来（这样可以减轻横膈膜的部分压力），然后深深地吸一口气，同时两只手臂先向外伸再向上举。慢慢地吐气，同时把手臂放回到身体两侧。配合呼吸，头部向上抬再向下看。确保你吸进胸部的空气要比进入腹部的更多，你可以把手掌放在胸廓的两侧，观察它的扩张程度。在你深深吸气的同时，让肋骨把你的手掌向外推。注意这种深度胸式呼吸的感觉，这样等到你的子宫挤压到肺，造成腹式呼吸困难的时候，就可以随时转换成胸式呼吸。

*练习分娩呼吸法：缓慢、有深度、放松地呼吸，不要用浅的喘气方式（如果你是利用布拉德利法，那么整个分娩过程你都要用这种方式呼吸；如果你采用拉玛泽法，那么在整个分娩活跃期你也要用这种呼吸法）。

*经常运动。怀孕早期即开始进行有氧运动，可以增加呼吸和循环系统运作的效率。

*尝试各种坐姿或卧姿，找出有助于你呼吸顺畅的姿势。用正确的姿势在椅子上坐直（挺胸、肩膀向后）比起在躺椅上瘫软着，肺部会轻松一些。采取半躺姿势入睡，可以靠在枕头上。或者采用侧睡姿势（详见第253页），并在头下面多垫一个枕头来抬高头部。

如果这些正常的喘不过气来的现象只是偶尔才会出现，那你就不必担心。到了第9个月，宝宝会下降到你的盆腔，横膈膜的压力就会消除，你的呼吸就能够比较顺畅了。

如果你发生突发而严重的呼吸不顺畅的情况，同时伴随胸部疼痛、呼吸急促、脉搏加快，或是深呼吸时胸部剧烈疼痛等，都应迅速就医。这些现象表示可能有肺栓塞出现。这种情况虽然很罕见，但是却很严重。

脸部肿胀

如果你发现自己早晨醒来，脸部（特别是眼睑）整个肿起来，不要太担心。怀孕期间多余的水分会累积在较薄的组织下方，造成脸部肿胀，这是正常现象。到了白天，地心引力就会使脸部多余的水分排掉。但是如果眼睑肿胀的同时体重也快速增加，全身各处都有过度肿胀的现象，则应该立刻告知医生。如果没有这些伴随的症状，那么你的肿胀就只不过是怀孕造成的众多无害的身体变化之一，你也就不必大惊小怪。

手、腿、脚部肿胀

有额外的水分滋养身体所需，你的怀孕过程才会是健健康康的。怀孕时激素会自然引起口渴的感觉，让你想多喝水。这些激素也会让你的身体利用这些多余的水分来补充羊水、增加血液里的水分（让你的肾脏比较容易排掉废物），同时还可以满足小宝宝身体成长所需的水分。由于水分需求很强烈，因此如有必要，你的身体会从肠道吸取水分，结果就容易造成便秘。到怀孕结束的时候，你体内大约会多出9升的液体。

即使是在孕期，身体相当健康的大多数孕妇，多少还是会有液体累积的现象，尤其是在后期特别明显。大概从怀孕第5~6个月开始，你就会发现手、腿、脚部比以前要沉重，这是因为地心引力一整天发生作用，造成了液体滞留。除了地心引力，增大中的子宫也会减缓腿部的血液循环，这就难怪很多女性孕期结束后鞋子要穿大一号的了。

正常的肿胀。有些孕妇滞留体内的液体比较多。下面这些现象表示肿胀是属于正常范围之内的。

* 肿胀程度会随着地心引力而改变；在一天的不同时间，身体肿胀的部位也不同（这就叫做"重力性水肿"）。如果你把脚抬高一小时，腿部和脚踝的肿胀就会减轻。

* 你的体重增加情况正常。而体重没有原因的突然增加，就表示可能有问题发生。

* 你的饮食均衡适当。

* 你的血压在正常范围内。

* 产检时的尿检没有检查出尿蛋白。

基本上，如果你觉得自己情况良好，你的身体和宝宝都正常地成长，这就表示体内所含的多余液体量正好满足你和胎儿的需要。

不正常的肿胀。每次产检，医生都会检查你身体水肿的程度。因此，如果你担心自己体内的水分含量不正常，可以请教医生。液体滞留过多或是增加太快可能是出现问题的征兆，例如先兆子痫或是妊娠毒血症（详见附录"你应该知道的产科专有名词"）。如果你还同时出现下面的症状，那就更要注意了。

* 腿部过度肿胀——用手指按压肿胀部分，会遗留下明显的凹陷（称为"凹陷性水肿"），而且就算你把脚抬高一个小时，肿胀也不会消失。

* 体重增加太多、太快。

* 血压过高。

* 你的饮食不正常。

* 尿检显示有过多的尿蛋白。

* 常常会觉得不舒服或宝宝的发育不正常。

减轻肿胀的不适感。即使是正常的肿胀也会让你不舒服，而且一天下来也会让你感觉疲倦，特别是腿部和脚部的疲劳。试试下面的方法：

* 避免长时间坐着或站立。如果你必须持续站立或坐着超过一小时，动一动你的腿和脚（详见第203页介绍的运动）。坐的时候避免交叉双腿，因为这样有碍下肢的血液循环。

* 最好在忙完一天回家休息时，将肿胀的双腿抬高一小时，这样应该可以消除部分肿胀。

* 坐在摇椅上放松身体，同时把双脚放在小板凳上，这样可以促进双腿的血液循环。或许宝宝出生时，你会想买张摇椅，所以不妨现在就去买，还可以早一点开始享受。

* 走路、游泳、骑脚踏车，这3项都是促进手臂和腿部血液循环的绝佳运动。

＊避免仰卧睡姿。侧睡（详见第253页的“找个最舒服的睡姿”）可以解除沉重的子宫对主要血管造成的压力，有助于腿部血液流回心脏。

＊穿宽松衣物，避免有松紧带的长裤、袜子或其他衣物，因为这些衣物会妨碍血液循环。

＊白天用小板凳把双脚垫高，夜间则用枕头。

＊坐着的时候可以抬高双手。

＊养成健康的饮食习惯。每天至少喝8大杯水（每杯250毫升），特别是在天气湿热的季节更应如此。饮食中必须有适量的蛋白质（一天摄取100克），利用盐来调味。除非因特殊情况，得到医生特别建议，否则饮食中不必刻意限制流质或盐的摄取。少喝水并不会减轻水肿现象，而怀孕中的身体也需要盐分来维持健康。你唯一需要做的就是多运动、经常改变姿势，以及上面提过的各种方法。切记在征询医生同意以前，不要随便改变饮食习惯。你可以留意尿液颜色，来判断每天是否摄取了足够的水分。如果你的尿液是无色或是淡黄色的，表示摄取的水分足够；如果尿液颜色比较深，呈茶色或苹果汁的颜色，表示你可能有脱水的现象。

背痛

“噢，我的背好痛！”是半数孕妇在怀孕后半期几乎会天天抱怨的症状。背部肌肉在怀孕期间会遇到三重困难：你的韧带组织因为要让宝宝比较容易通过骨盆，逐渐在放松，而松弛的韧带会造成肌肉负担过重，尤其是支撑脊柱的那些肌肉。过度伸张的腹部肌肉迫使你必须依靠背部来支撑体重，而因为你身体前面较重造成了姿势的改变及脊柱弯曲度的改变，更增加了背部肌肉的工作负担。尤其在怀孕晚期，一些工作过度的肌肉和背部韧带会因此产生疼痛。

我已经出现了“怀孕摇摆症”。走路的时候，两只手臂会在身体两边摆动，而我的肚子则有它自己的节奏，好像跟身体其他部分分开似的。我自己没有发现，也没有去校正姿势，结果走路时背部晃动得很厉害，肩膀也往前弯。这样的姿势造成背部和髋部的疼痛，所以我现在都尽量缩回骨盆，双肩尽量保持平正。

防止背痛。治疗背痛最好的方法就是预防。你可以练习怀孕的正确仪态（详见第201页），同时多做运动以增强腹部和下背部肌肉（详见第199~200页所教的跪姿和平躺的骨盆翘起运动）。

简单的有氧运动如游泳、骑脚踏车也可以增强腹部和下背部的肌肉。

下面是一些必须注意的事项：

* 穿合适的鞋子。高跟鞋和完全平底的鞋子都会造成背部肌肉紧张。穿正式服装可以搭配宽的低跟（不超过 5 厘米）鞋，平常的便服则搭配休闲鞋。

* 避免在坚硬的路面上慢跑，比如水泥或柏油路，以避免过度震动脊柱。你可以在天然的路面上快走，比如草地、土地、沙地等，这对肌肉和关节会好一点。

* 不要扭转脊柱。不管你是站着或是躺在床上，肩膀和臀部要保持在一条直线上。避免姿势变换幅度过大的不当动作，例如从衣柜上面把很重的箱子搬下来，或是把熟睡的小孩从车中座椅抱起来。如果你要做的事情需要这些幅度大的动作，你应该先想一想怎么进行。比如先把小孩的安全带解开，然后把座椅转向面对你，最后再把小孩抱起来。

* 避免长时间的站立或坐着。坐的时候可以用板凳把脚垫高，让膝盖高过臀部一点，这样可以解除对下背部的压力。如果你必须要用同一个姿势站好一阵子，你可以一只脚向前，把身体重量放在这只脚上几分钟，然后再换到另一只脚上。如果能把前一只脚放在板凳上就更好。

* 采用侧睡姿势（详见第 253 页），每次醒过来就更换姿势。

治疗背痛。通常只需要让疲劳的肌肉休息一下，疼痛就会减轻。另外，你也可以尝试泡泡热水澡，或是淋浴的时候用热水冲疼痛的地方。很多孕妇都强力推荐在疼痛的地方冷敷或热敷（或者两种方式换着用）。如果是宝宝压迫脊椎造成的疼痛（这种情况在怀孕最后一个月特别常见），你可以试一试膝胸位的姿势（详见第 201 页的图片示范）。

你也可以请丈夫帮你按摩背部，现在就练习背部按摩，可以让他在不久的将来成为你得力的按摩师，帮你减轻分娩引起的背部疼痛。丈夫们可以试试"I Love U"（我爱你）的按摩技巧：

* I：沿着她的脊柱两侧，利用拇指按压的方式，由上往下按摩。

* Love：接下来，继续沿着她的骨盆上缘按摩下背部两侧。

* U：最后按摩肩膀，揉捏她的颈部和肩膀肌肉，然后往下按摩脊柱，并横向按摩她的下背部。

笨拙感

笨重的身体、松弛的韧带，再加上一颗健忘的脑袋，你可能很容易就绊到路边的石头、踩到地上的玩具，或是饭吃到一半餐具就掉下来。你的失态不能完全归咎于增加的庞大体重，你摇摆笨拙的体态，也是因为手、骨盆、腿等关节的韧带松弛水肿所引起的。你要知道你会暂时失去脚和手指的灵敏度，因此应特别小心。例如，到了陌生环境、使用剪刀、抬起热锅、抱着小孩下楼梯等，你都应该格外注意。

我最喜欢逛街了，不过最近我开始走路跌跌撞撞，还会丢三落四。我丈夫都笑我，还叫我最好不要去瓷器店。还好，他没有说我像头大笨牛。

髋部疼痛

在怀孕的最后几个月内，你可能还会注意到在走路的时候，髋部和耻骨附近会感到不太舒服。为了准备让宝宝顺利分娩，你的髋部和骨盆的韧带会受到牵拉，软骨也会更软。这样的牵拉和软化不但会造成走路时不舒服，也会让你的髋部松垮，这也就是为什么你走路时容易一摇一摆的原因。

胎动更频繁——新的胎动

夜间的"踢舞庆典"还会照常进行，宝宝的节目单内容更精彩了，当然你也会更不舒服。研究显示，宝宝踢得最频繁的时期是在第 7 个月，而且半夜和清晨（从午夜到清晨 6 点）踢得最多。现在宝宝的四肢更长、更强壮了，动作也变得更有力。你不用

担心像这样对肋骨时断时续的撞击，在未来几个月里会越来越严重。因为子宫的空间越来越挤，所以可以抵消掉宝宝活动的力量。研究也显示，宝宝在最后两个月动得比这个月要少。

我们一向很喜欢宝宝晚间的体操活动，他总是有办法引起我们的注意。但是我发现他的活动已经渐渐受到限制，好像原来的奥运标准游泳池变成了儿童游泳池。

有时候我正在开会，小宝宝就会在那儿踢啊踢的，或是跌跌撞撞，我真是被逗得哭笑不得。这是我们之间的小游戏，真的是很有趣。

胎儿打嗝

除了你喜欢的宝宝活动以外（虽然未必非在凌晨 3 点发生不可），你可能会在怀孕晚期一开始的时候感觉到宝宝打嗝——在你腹部下方出现一时的短暂痉挛。宝宝的每个嗝都很短暂，但是一次打嗝最长可以连续 20 分钟。有时候当你喊出："亲爱的，快来摸摸看！"结果等到丈夫终于来到你身边时，宝宝已经不打嗝了。不过宝宝每天打嗝的时间大都差不多，所以你应该很容易就可以感受到宝宝的下一次表演。这些新出现的痉挛可能会让你觉得很惊讶，不过却不会对宝宝造成任何危害，很多孕妇只觉得

很好玩。

有些孕妇发现，如果宝宝对某种食物敏感，就会在子宫里一直打嗝。甚至有个孕妇发现她只要一喝牛奶，一个小时之内宝宝就会打嗝。这种观察让这位妈妈在宝宝两周大的时候，成功地发现宝宝肠绞痛的原因是喝牛奶造成的。

常见的轻微不适

很多你怀孕初期经历过的身体感觉，在怀孕晚期会再度出现，同时也会出现一些新的不适。

小便频率增加。因为子宫增大造成对膀胱的压力增加，所以你更常常感到想要小便。记得每次一有尿意，一定要去上厕所，而且每次上厕所一定要排干净。千万不要憋尿，因为这样容易引发尿道感染，或是造成宫缩过早开始。

乳房变化更大。乳房持续增大，你可能会开始流出一点浓稠的黄色物质，这就是初乳。

阴道疼痛。偶尔在阴道附近会出现一阵剧痛，这是正常现象，主要是因为子宫颈承受了巨大的压力。

骨盆疼痛。你可能会在骨盆附近出现剧烈的疼痛和压力感，尤其是你抬起腿准备下床或是准备穿上内裤的时候特别明显。这些疼痛很可能是因为准备让宝宝将来可以顺利分娩，由

骨盆发生的变化及附着在这些骨骼上的韧带松弛造成的。怀孕的次数越多，这类骨盆疼痛的感觉会越明显。

腹股沟疼痛。在你笑、咳嗽、打喷嚏、转身、改变姿势，或是伸手拿东西的时候，你会感觉到腹股沟处一阵突然的剧痛，这是因为联结子宫和骨盆的韧带受到牵拉造成的。只要调整或是改变姿势，就可以减轻疼痛。

更容易口渴。你会总是觉得很渴，这是身体在告诉你要多喝水，以满足身体在怀孕晚期所需的大量水分。喝到你不渴为止——然后再喝一些。

头晕。你在活动或站立稍长时间之后，或是突然站起来时，都可能会出现类似怀孕中期感觉到的眩晕现象，这时候你应该立即坐下或躺下。血糖过低容易造成这种头晕现象，所以你应该经常吃一点零食。要减轻这种眩晕的现象，你应该多休息、多吃有营养的食物，并避免突然变换成直立的姿势。

阴道分泌物增加。你可能会出现许多白色的阴道分泌物，排出量可能会多到你需要经常更换卫生护垫的程度。

烧心。你在怀孕最初几个月出现的烧心现象在怀孕中期会比较缓和，但是现在这种现象会再度出现。只不过怀孕晚期的烧心主要是因为增大的子宫向上产生的压力所引起的，而不

是受孕激素的影响。你睡觉的时候可以把身体垫高，尽量少量多餐，吃过东西后保持上半身直立，应该都有助于减轻这种现象（详见第 79 页关于烧心的处理）。

便秘。你的子宫不断增大，里面的房客也在长大，会把你的肠子往旁边挤，所以容易造成便秘。同时，因为你身体的其他部分需要更多的水分，所以会从肠道吸取水分，这也就是造成便秘的原因。因此，切记每天至少喝 8 大杯水（每杯 250 毫升），同时试一试各种缓解便秘的建议（详见第 77~78 页）。

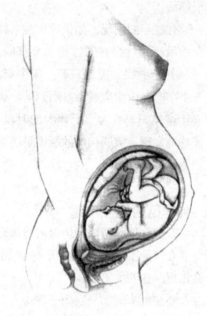

26~29 周的宝宝

胎儿的成长（26~29 周）

到了这个月底，胎儿体重大约是 900~1300 克，身长约 35 厘米。宝宝这个月长得很快，体重大约增加 450 克。因为宝宝体内脂肪储存量增加，之前的一些皮肤皱纹会变得平滑一些，让宝宝看起来比较丰润。宝宝的四肢也变得更长、更强壮了，因此你的腹部会出现更清楚的胎动。这时宝宝的眼皮也能睁开了，看、听、嗅、味觉也已经出现。宝宝的骨髓从现在起取代脾脏，开始制造红细胞。在这个阶段，宝宝动得很有活力，而且也会对声音和触摸有反应。在这个月里，宝宝会因为神经系统有了重大变化，而变得更聪明。神经纤维也会被脂肪层包裹起来，这层"髓鞘"可以让宝宝的神经冲动传导得更快。大脑的发育也非常快，开始形成皱襞，也产生很多称为"脑回"的凹痕。这些脑回是人类大脑的重要特征。在本月初期，宝宝也会有一项重要的发育，让他对子宫外的呼吸生活开始有所准备。那就是快速发育的肺泡（宝宝肺里的气囊）的上皮细胞，开始产生一种滑腻的物质，称为表面活性物质，它类似于促使肥皂泡扩张的那种物质，可以防止这些气囊萎缩。如果宝宝肺泡的发育和表面活性物质的分泌良好，就算宝宝此时出生，应该也

数胎动

感觉到宝宝胎动会让你高兴得想大笑出来；如果长时间没有感觉到宝宝的动作，你可能会开始担心。其实，宝宝活动的频率和力量的大小，多半是他的性格使然，而不见得与他的健康状况有关。更何况，宝宝也需要休息、睡觉。许多研究的重点和孕妇担心的焦点，都在于想知道到底多少胎动才算"正常"。不过，因为胎动是孕妇用来了解宝宝健康状况的最简易的方法，医生可能会要求你每天数一数胎动次数，特别是在你本身具有可能危及宝宝健康的危险因素（如糖尿病或高血压）的情况下，更是如此。

数胎动的理论是基于一个简单的想法，认为好动的宝宝一定是健康的。不过，这并不表示文静的孩子不如活泼的孩子健康。但是如果宝宝的活动习惯突然完全改变，你就要通知医生，因为这可能表示宝宝出现问题了。医生可能会进行一些检查，来确定胎动的改变是不是出了问题。下面就是计算宝宝胎动的方法。

* 选择一段方便观察胎动的时间。对一般孕妇来说，最好的时间是晚饭后或是睡觉前。左侧躺下，然后放松。

* 利用"从 1 数到 10"的方法，算一算感觉到 10 次胎动需要花多少时间（只算大的动作，小的轻的都不能算）。像这样数一星期左右，你就可以得到宝宝活动的平均值。研究显示，感觉到 10 次胎动平均需要 20 分钟左右。

* 因为每次怀孕时的胎动都会不一样，所以医生可能也会针对每次的状况，告诉你哪种胎动计算法比较有效。因此，要不要记录胎动及应该怎么计算，都需询问医生。同时也要问一问医生，胎动有怎样的改变算是有问题，什么情况下你应该通知他。一般的原则是，如果在宝宝一天之中最喜欢活动的时间内，你持续 1~2 小时没有感觉到任何胎动，就该问问医生了。

简单的胎动记录表

根据医生指示的方法和次数，记录宝宝的胎动。你的记录应该大致上与下面这张表的数据相仿：

日期／时间	胎动次数／时间
5 月 21 日晚上 8：00	10 次／20 分钟
5 月 22 日晚上 8：15	10 次／22 分钟
5 月 23 日晚上 7：45	10 次／28 分钟
5 月 24 日上午 8：00	10 次／18 分钟

能适应在空气中的呼吸及子宫外的生活。在第 7 个月以前，大多数的宝宝都喜欢保持臀位，因为这样他们比较容易在梨形的子宫内舒服地休息，但是大多数的宝宝在第 34 周前会翻转成头下脚上的姿势。

你应该关心的事

布拉克斯顿·希克斯收缩还是早产

正常的布拉克斯顿·希克斯收缩（详见第 250 页）的强度和频率在怀孕晚期都会增加。这些收缩会变得让你不大舒服，甚至怀疑自己是不是会提前分娩。真正的分娩宫缩有确切的规律，你可以利用"1-5-1 原则"来判断自己是不是将要发生早产：如果你的宫缩每次持续至少 1 分钟，宫缩间隔为 5 分钟（或更短），而且这样的情况持续至少 1 小时，那么你很可能已经进入分娩状态了（这表示你应立刻就医）。布拉克斯顿·希克斯收缩的来来去去则没有任何规律（详见第 394~395 页"分娩前宫缩"和"分娩宫缩"），你可以利用这些早期宫缩练习放松和呼吸的技巧。

我常有轻微的子宫收缩现象，我甚至每天都期待着出现这样的官缩。我知道离分娩的日子越来越近了，这些收缩只是在帮我为最后一刻做热身。这些官缩都很短暂，如果是在走路的时候出现，我就会坐下来，然后官缩就消失了，如果我原来是坐着的，我就会站起来走一走，这样官缩就会停止。这也是为什么我知道时候还没到的原因，不过也快了。

关于早产的问题

大约 90% 的孕妇都是足月分娩（也就是至少怀孕 37 周），因此你有很大的概率也是足月才产下宝宝。大多数早产的原因都是你无法控制的，例如子宫颈机能不全、胎盘异常，或是子宫敏感等。你的医生应该也已经跟你讨论过一些比较常见的危险因素——子宫的结构异常、多胞胎、母体的慢性病，如糖尿病和高血压等。

但就算是没有危险因素的孕妇，也可能发生不明原因的早产，不过这类早产通常可以利用药物预防。而且就算你真的早产，现代的新生儿监护技术已经相当发达，因此只要宝宝满 28 周，都有很高的存活率。

要预防早产，下面是一些值得你注意的事：

* 按期进行产前检查。

* 不要吸烟，最好在怀孕前就戒掉。

* 尽可能不饮用含酒精的饮料。

* 饮食注重营养均衡，适量增加

体重。

　*避免服用禁药，未经医生许可，不要自行服用非处方药。

　*避免怀孕期间长期处于压力之下。

　一旦出现下列早产的征兆，应该立即就医。

　*羊膜破裂。指的是羊水从阴道滴出或冲出。

　*你原来以为只是布拉克斯顿·希克斯收缩，但是强度逐渐增加，也变得越来越有规律（详见第292页"布拉克斯顿·希克斯收缩还是早产"）。

　*下背部突然开始出现疼痛或是在骨盆出现痉挛性的压迫感，而且是你从来没有过的感觉。

　如果上面早产的征兆出现，要立刻放下手边的事情，马上就医，同时在等待医生或是采取下一步行动时，先坐下或躺下休息。

高危妊娠

　"高危"未必一定很可怕。你听到这个词的时候，可能会自然而然地感到困惑：究竟有什么危险？

　"高危"是产科医生用的医学名词，用来指在怀孕或分娩时比一般孕产妇更可能出现身体健康方面问题或是生出问题宝宝的孕妇。常见的危险因素包括：胰岛素依赖性糖尿病、高血压、先兆早产。要知道，这只是统计上反映出你怀孕过程或是宝宝可能发生问题的可能性，并不是绝对的预测值，所以你很可能一点问题也没有。

　我的医生送我去看专科医生，这位专科医生认为我的怀孕是属于"高危妊娠"。我实在是不喜欢这个词，不过我还是愿意尽一切所能保持自己的身体健康，同时生下健康的宝宝。

　我们比较喜欢用"高度责任妊娠"这个词。这个词的含义不仅指专门、悉心的医疗护理及配备高科技设备的医院，同时还隐含了你必须对自己及分娩决策负起更大的责任。你不应该屈服于"高危"这个标签而自我放弃，当个被动的病人，并把所有的分娩决策都留给医生，你应该要求自己成为一个有高度责任感的妈妈。

　在整个分娩过程里，你应该表现得更积极主动。如果你被贴上"高危"的标签，你和医护人员间的合作绝对是最重要的。你应该比普通孕妇了解更多的情况，更要负起责任，而且更积极地参与决策，同时你还应该更小心地照顾自己。

　一旦你被归类为"高危孕妇"，你应该问医生的第一个问题是：我应该怎么做才能降低危险性。

卧床休息

在怀孕当中，你随时有可能因为出现并发症，而被医生规定要卧床休息几天、几星期，甚至是几个月。虽然有些孕妇很喜欢这种医生强制性的休假，但是对大多数的孕妇来说，完全不工作、不娱乐，只能休息，实在算不上是假期。

我好期待让大家看看我怀孕的样子，可是现在医生说6星期内我只能待在床上。

在怀孕前半期如果出现无原因出血或是可能即将发生流产等并发症，孕妇往往必须卧床休息。如果是在怀孕后半期，最常见的卧床休息原因则是因为有可能早产。医生规定在怀孕后期必须卧床的其他原因还有高血压、先兆子痫、子宫颈机能不全、早期破水及慢性心脏病等。

医生认为妊娠过程中出现了问题而必须卧床休息（医学上称为"治疗性姿势"）的原因还有许多。平常不太喜欢活动的孕妇，子宫活动力可能也比较差，卧床休息可以减轻宝宝对子宫颈的压力，这样可以降低过早发生子宫颈拉扯和子宫收缩的可能性。休息可以增加流向胎盘的血液量，因此可以输送更多的养分和氧气给宝宝，也有助于高血压孕妇降低血压。

大约有20%的孕妇在怀孕期间必须要待在床上一星期以上。很多孕妇（及她的雇主）听到必须卧床休息时都感到相当震惊。可能在看过医生以后，你必须暂时放下手头所有的事情几天、几周，甚至几个月。即使你刚好搬家或是工作上有一个大项目正在进行当中，你还是得立刻卧床休息，因为情况实在是很危急。

其实，接受医生的指示卧床休息对我来说并不困难，因为我根本没有选择余地。我考虑当时的情况之后，就决定要尽一切努力生出健康的宝宝。

因为做羊膜穿刺术出现并发症，我必须卧床12个星期，那时候只有我最信任的姐姐知道我怀孕了。但是我丈夫没办法请假，而姐姐自己就有3个孩子，所以我只好告诉妈妈和另一个姐姐我怀孕的事，因为我需要有人帮我照顾小孩。

结果本来独立、健康的我，一下子变得需要依赖所有的人。卧床对我来说并不算难，但是却很寂寞。一个星期以后，超声波检查显示一切正常，我不再需要卧床了。两个星期以后，羊水检验结果告诉我是一个健康的小宝宝，我终于可以满心欢喜地公开怀孕的消息了。

更好地利用休息时间

虽然有些孕妇乐于遵守医生的指示乖乖卧床休息，但对大多数的孕妇来说，卧床休息实在不方便。因为除了孕育宝宝之外，总有很多事要处理。不过如果你想到这些事将来有的是机会处理，而你怀这个孩子只有这一次机会，就可以忍受一天将近24小时的卧床休息了。下面这些方法可以让你排解卧床的烦闷，甚至帮你好好享受这段时间。

确定哪些事能做，哪些事不能做。你必须清楚了解医生所谓的"卧床休息"是什么意思。你大概也猜到卧床休息也包括禁止在床上从事较"剧烈"的活动——性生活和性高潮。不过你还是应该确定一下医生的意思是完全待在床上，也就是你只能在床上擦澡，而且必须准备便盆；还是你仍然有享用浴室，以及偶尔散步到厨房的特权，顺便确定一下你是否可以上下楼梯。记住，大多数医生规定的卧床程度都过高，因为他们知道大部分的人都无法接受这样大的生活形态改变，所以难免都会作弊一下。询问医生这种危险是不是跟心理压力也有关，因为有些孕妇除了身体以外，心理也需要休息。问一下你可不可以利用电话处理办公室的事务？另外，如果孩子们不拿你的床当蹦床用，他们可不可以长时间地陪你待在房里呢？

准备一个舒适的窝。既然你一定要待在床上，不妨就把床布置得让你想待在那儿。把床移到窗边或是面对窗户，这样就可以呼吸到新鲜的空气，还能拥有较大的视野。把你需要的东西都放在床边桌上，随时伸手就可以拿到。如果电话插座离床太远，就准备一只无线电话，或是使用线足够长的电话。把通讯录、电话簿、日记本及各种读物都放在靠床的桌子上，顺便把电视或是音响搬到卧室，买一台小冰箱放在床边，随时可以享受零食。不要忘了照顾正躺着休养的身体：在床垫上再放一层鸡蛋盒状凸起的海绵垫。

积极正面的思考。别再去想那些没办法做的事，不如想想你现在有的各种享受。当然，办公室发生的一切，孩子在学校的活动，甚至是到公园散步这样单纯的乐趣，都与你无缘。没错，一个人能忍受的生病时间有限，尤其是如果你一向习惯了忙碌，这样的卧床更是难挨；而且你也不可能一直读小说、看电视，或是想宝宝。如果你觉得很无聊、很沮丧，别担心，这些感觉终究都会消失，快乐的日子会再度降临。多想想你在为宝宝做什么，以及休息和放松对你和宝宝的好处。怀孕的情绪有一个最大的好处就是：低潮之后就会出现高潮。

我躺在那儿，幻想着如果不必卧床休息，日子会有多么美好。我看我不能再继续想下去了，因为这不但对我没有帮助，而且会让我更沮丧。

你的感觉是正常的。当你有这么多的时间坐在那儿想东想西时，你的情绪很可能会如脱缰野马一样任意驰骋。你可能会担心宝宝的安危，不知道丈夫和孩子怎么样；因为无事可做而觉得无聊；因为该做的事没做而感到不安，而且又痛恨这种处处得依赖别人的感觉。你也可能因为怀孕的过程而生气或是失望，还可能因为日子变长而觉得不耐烦，所以忍不住想犯规一下在床上动一动，或下床溜达一阵。在床上每待一天就有新的情绪问题需要处理，但只要你把注意力放在怀孕的目标上，就比较容易克服这些感觉，也能乖乖遵照指示躺在床上。

找丈夫帮忙。这可能是你这辈子第一次完全由丈夫照顾，而且他也不要求回报——当然，除了你必须帮他孕育宝宝以外。怀孕期间长期卧床可以让夫妻感情更好，也可能让两人渐行渐远。不能有性生活，以及不能进行其他你们常常一起从事的活动，对已经很紧张的婚姻关系来说，简直是雪上加霜。你必须有心理准备，因为卧床可能会使婚姻关系更趋紧

张。你丈夫现在必须身兼二职——照顾你同时还要养家糊口，但是如果你肯花心思，还是可以找出许多床边的浪漫，如烛光晚餐之后看个电影、在床上享用早餐、每天进行促进血液循环且让你感觉舒服的一些按摩。让体贴的丈夫服侍你，可以加深你们俩的关系。对你丈夫来说，他同时要扮演服务生、按摩师、开心果、厨师等数个角色，这可能是他一生中第一次必须把别人的需求摆在他自己的需求之前——这是将为人父者最好的练习。

我丈夫现在成了妈妈、跑腿的和管家，他现在终于了解我平时工作有多辛苦，也不会再开玩笑地说我的事情比他的轻松多了。因为我得躺在床上，他就必须做所有最琐碎的事情。

做只动口不动手的总司令。如果你有年纪比较大的孩子，你必须习惯从床上或沙发上发号施令。从你开始卧床休息那一天开始，就应该和你的丈夫一起把家里的规则订清楚，让孩子了解你必须在床上休息、必须有人伺候、服务，以及疼爱。你的丈夫应该以身作则，让孩子了解应该怎么对你，以及他们应该怎么避免打扰你。一定要让他们知道，他们不能随时想跑就跑进房间跳到你的床上。

如果你有不到四五岁的孩子，可

能会需要请保姆来照顾他们，你才能好好休息。如果你身边没有其他大人照顾他们，可以让他们到床边来，但让他们必须保持安静。你甚至还可以每天跟你3岁大的孩子在床边玩过家家，你可以把影片、零食、儿童书等都放在床边或是沙发旁边等伸手就可以拿到的地方，周围也一定要有一些玩具。但是别忘了即使是1岁半的孩子也能够听懂简单的命令，例如去拿一张面巾纸，或是关掉电视。只要你期望他们会听话，他们就会合作。

在床上工作。虽然卧床期间身体不能活动，但是你的头脑还是可以工作——记账、在笔记本电脑上工作、打电话约人、写购物单，或是跟孩子一起做功课。如果医生允许，你甚至可以利用视频会议设备，继续你的工作，或是处理一些文书工作。如果你必须继续卧床，也不要忘了请病假。

在床上锻炼身体。只要医生表示没有问题，你就可以在床上做运动，例如抬腿、伸直小腿、上臂运动如轻量级举重等。运动可以促进血液循环，也可以锻炼肌肉（包括心脏）。

多爱自己一点。待在床上不表示你必须拒绝所有的生活乐趣。你可以请个按摩治疗师（或是找个朋友），至少一个星期给你做一次从头到脚的全身按摩。甚至，你可以问一问美容师愿不愿意到你家里来美容。

和宝宝心连心。很多孕妇在长期卧床休息的时候都面临一个两难的困境：虽然这是一个理想的时间可以好好想一想怀孕有多奇妙，同时和宝宝培养心连心的感觉，但是必须长期卧床休息最常见的原因，就是有失去孩子的可能性。因此，许多孕妇虽然觉得有很多时间可以好好为宝宝作规划，但是她们也很怕投入过多的情感，因为她们有可能失去这个孩子。一旦日常工作和活动停止，没有可以让你分心的事，你很容易每次一流点血，就以为宝宝要早产了；或是每次一有宫缩，就担心分娩要开始了。别忘了，大多数卧床休息的孕妇最后还是生下了健康的宝宝。至于那些没能生下宝宝的，也都没有后悔为这个曾经出现在她们生命中的宝宝付出过关怀。

利用这段卧床的时光。这可能是你成年以后，第一次有这么多的时间可以为所欲为（只要待在床上就行）。其实卧床休息的人还是有很多事可以做，例如读一读你因为太忙一直没机会读的古典小说、看一看好久没看的连续剧、写一写你一直想写的文章，或者漫游互联网络、写写信、作计划、利用录音带学外语、学习新知识，或是读一读其他你因为工作太忙没机会加以了解的行业资料、亲手缝制一条棉被、读故事书给孩子听。欢笑可以让卧床的日子不那么难受，邀请有意思的朋友来陪你，或是看一部好笑的喜剧吧。

我刚开始觉得日子好难挨，但是过了一个星期左右，我慢慢地喜欢上这种被伺候的感觉。成年以来，我第一次又得到这么多的关爱。

有一天，我突然领悟到我所学到的耐性和容忍度比大多数人要多得多，这也使得我后来当妈妈的工作容易多了！

慎选访客。长期卧床会让你非常渴望有人和你聊聊知心话，不妨邀请愿意倾听你心声的朋友来陪你。很可能大多数的朋友都不能理解长期卧床的感觉，所以如果你听到："你真幸运，我也真希望能在床上待两个月呢！"别太惊讶，有的朋友可能比较能对你寄予同情，了解长期卧床有违人的本性，而且并不好受。常常邀请会逗你笑的朋友来陪你，但不要忘了选一些会自己带食物的朋友，而不是那些还想着要你下厨招待他们的人。

有些人觉得我的运气很好，可以整天坐在那儿看电视、休息。其实才不是他们想的那样。我每次一离开床，就会觉得很有罪恶感，而且总是担心这次上厕所会不会造成流产。

朋友到家里来帮我做头发，然后又坐在床边听我说话，让我觉得好过多了。

寻求帮助。向朋友打听或询问医生，是不是可以帮你联络一位同样也在家卧床休息的孕妇。有时候，如果日子过得太枯燥了，你们就可以彼此在电话里聊一聊，交流一下孕期的感受。

我就认识一位女性因孕期长期卧床，于是想到利用她空闲的时间，帮助跟她处境相同的孕妇们，结果发展出一个公益团体，拥有了全国性的义工热线。你可以询问这些有类似经验的卧床女性，她们是怎么度过无聊的日子的。孕期曾经在床上待过6周甚至更长时间的女性，一定可以给你一些排解寂寞的好点子。

有相同经历的人建议我，既然我现在有这么多时间和宝宝建立关系，我也许会想给宝宝起个名字，这样我们也能够建立更密切的关系。我采取了她的建议，利用这段时间来和宝宝建立亲密关系，而不是只会坐在那儿发呆。而且当我用为他取好的名字呼唤他的时候，感觉好特别。这个建议对我有很大的帮助。

下床之后也别太操劳。等到你终于可以下床的时候，你的丈夫、小孩，还有家里的其他人很容易就会觉得，突然之间你又可以完全恢复从前的样子了。记得要告诉他们，你只能慢慢地开始做一些家务，而且还是很需要休息及他们的帮忙。长期卧床之后终于可以站起来时，你可能会发现身体好像都不听使唤了。不过，卧床产生的疼痛在接下来几天内就可以逐渐消失，你的身体也会习惯再次活动起来。

我最后终于得到医生许可，能够偶尔下床，但我还是要慢慢来。我可不想把3个月卧床荒废的事在一天之内就全部完成。我还是很注意我最重要的目标：孕育宝宝到足月。

让孩子参与分娩

Q：我们希望4岁和7岁的孩子在我分娩时能在场，他们也表示愿意。我们相信这对他们来说，会是一次很好的经历。我们的决定会不会有什么问题呢？

A：让孩子分享分娩经验是联络一家人感情的好方法，我们家几个大孩子在后面三胎出生时都在场。你必须考虑两件事：你的孩子能不能应付那样的情况，以及他们在场时你能否应付得来？请仔细考虑下面这些因素。

* 孩子的年龄。根据我们的经验，3岁以上的孩子都能理解分娩时的感受，也能尊重分娩的庄严气氛。至于部分小于3岁的孩子，分娩的紧张程度可能不是他们所能理解和应付的。在家分娩对孩子们来说比在医院更容易面对，因为他们是待在熟悉的环境里，而且也可以自由地来去。

* 孩子的个性。只有你最清楚孩子是否能恰当地控制住自己的情绪，你的孩子面对正常但很戏剧化的分娩过程（你的呻吟、涨红的脸、出血都可能让孩子觉得妈妈好像很难受而且快要不行了），是不是会害怕？你的孩子对医院或其他分娩地点的规定是不是能很认真地遵守？

* 你要做到不理会孩子，专心分娩。你必须要做到不因其他孩子的要求而分心，并能够专心娩出宝宝才行。孩子们在场会不会让你分心，你能不能做到忽略他们，继续专心分娩？（如果你的孩子在分娩现场会分散你的精力，让你无法专心做你该做的事，一定要请人把他们带离产房。）

* 孩子熟悉的大人也要到场。分娩现场一定要有一些孩子们熟悉的大人（除了你丈夫以外），也就是每个孩子都要有一个大人负责照顾才行。

提前告诉小孩产房的规则，以及你希望他们在现场有什么样的行为表现。特别强调你希望他们到场，但是也需要他们守规矩，"这样妈妈才能

自然分娩

Q：我没有烈士精神，而且我也不觉得在分娩的时候要求注射止痛药或是实施硬脊膜外麻醉，就比别的女人差，我不过就是比较耐不住痛而已。对我来说，自然分娩就像是不化妆去医院。难道在医疗协助下的分娩，就那么"不自然"吗？

A："自然分娩"对不同的女性有不同的定义。但是，对分娩教育专家来说，自然分娩就是不借助药物的分娩。近来，分娩改革派人士又增加了一个新词——"纯粹分娩"，指不用药物，又没有任何技术设备介入的分娩方式。不管你怎么称呼都没关系，最重要的是整个分娩经历对你有什么意义。医疗协助下的分娩，对你来说也可能是非常自然的。因为如果医疗协助手段让你可以不必进行手术分娩，你就可以顺利做到自然的阴道分娩。

我们比较喜欢用"责任分娩"这个词，这是每个孕妇都可以获得的分娩方式。有责任感的分娩表示你做了准备工作——研究了各种可能性、建立了一套适合你的分娩观、组织了合适的分娩小组、选择了合适的分娩场所，而且也做好了安全、顺利分娩的充分身心准备。不管你的分娩最后是不是根据你的计划或期望进行，你在进产房之前，还是应该做好万全准备。然后你想怎么称呼你的分娩都行——只要自己觉得好就行。

专心努力把宝宝生出来"。

要让孩子有心理准备，知道在分娩过程中有时候会有点无聊，好像没什么进展，或者你可以一直等到分娩的最后阶段才让他们进产房。如果你决定在要开始娩出宝宝时，才让他们进产房，就必须事先想好之前的那段时间孩子要由谁来照顾，因为对3岁的孩子来说，分娩初期的那段时间是相当长的。解决这个难题的方法之一，就是分娩初期尽可能多待在家里，等到进展开始加快才前往医院，然后请保姆等到你在医院做完检查、办好住院后，再带小孩到医院去。

先用孩子能了解的字眼，让他们知道可能会看到什么样的景象："妈妈会大声叫或是哭出声来，还会发出你们从来没听过的痛苦呻吟（模仿一下那些声音给孩子听）。不过不用怕，这些声音只是表示妈妈很用力要把宝宝生出来而已。"你还可以顺便读一读介绍怎样让孩子参与分娩的书。

享受怀孕晚期的性生活

你的性生活在怀孕晚期又会有所改变。到了这时候，准妈妈们心里总是记挂着即将来临的分娩，以及未来照顾宝宝的工作。准爸爸们也会觉得自己的感情也在发生蜕变，妻子的身体变化快速、充满刺激——这同时也是更多变化的前兆。随着腹部增大达到顶峰，夫妻两人也了解到他们不再处于二人世界了，开始比较实际地考虑未来。妈妈要专心分娩和哺育宝宝，爸爸则专心扮演好新手爸爸的角色，以及成为唯一（至少是暂时）能赚钱养家的人。你的丈夫可能会担心你因为专心带小孩而会失去你的爱。你们两人都可能因为即将来临的改变不知如何是好，这些焦虑也可能让你们暂时无法想到性的问题。

但是，相当一部分的夫妻在怀孕晚期还是会有性生活。由于你身体变大，你们两人基于生理需要而发生的性行为也会变得更有创意。欲望催生了创意，你们必须尝试各种行得通且舒服的姿势来做爱。男人在上面的姿势通常是最笨拙的（说真的，要登上那座山丘，还真不容易），也是最不舒服的。这种姿势进入得最深，而且丈夫的重量压在妻子的胸部和腹部上，就算不会伤到宝宝，妻子的感觉也会很不舒服。

而且，在最后的这几个月里，孕妇平躺着，不管是做什么都不会太舒服。你们可以试试下面这些方法，这样孕妇可以控制进入的深度，以及承受的重量。

* 妻子在上面。

* 丈夫在上面，但要用手臂撑住自己的重量。

* 两人面对面，或是面向同一边侧躺（妻子抬高上面的一条腿，并用枕头垫高）。

* 背后进入（妻子双手及膝盖着地，丈夫在妻子的后面）。

只要是你觉得舒服的姿势都可以。在最后这几个月的性生活不会那么充满激情，不那么频繁，也不那么激烈，但是却比较有创意。如果你的性欲超过身体的不适及心理的压力，你一定可以发现一些两人在一起的新方法。

选择一位分娩助理

在丈夫们被允许进入产房之后，孕妇之间就开始流传一个秘密，这是她们从来不曾告诉过丈夫或是医生的（因为他们可能会把丈夫们赶出产房）：很多丈夫其实都不是当"分娩教练"的料。那么，要由谁来弥补这个缺憾呢？

你可以寻求专业分娩人员的帮助。这类专业人员通常也是女性，也可能自己就是一位妈妈，她们可以把助产士那套比较轻松、自然的方式带进传统的医院分娩过程中。有了分娩助理在场，产妇就不会只靠丈夫来帮助她面对疼痛。相反的，她可以在这个对他俩来说都很特别又很紧张的时刻，完全拥有他的情感支持和关爱。

虽然朋友也可以扮演分娩助理，但是雇用专业分娩助理（有时也称为分娩帮手），对产妇的帮助最大。这些助理可以陪伴和安慰分娩中的产妇，她们通常是接受过特殊产科训练的助产士、产科护士，或是受过高等教育的接生员等。她们有丰富的分娩知识和经验，而且注重产妇的需求，我们认为她们是在医院分娩中相当独特而不可或缺的部分。她们可以担任产妇的教练和顾问，还可以给她们支持和鼓励，让整个分娩过程进行得更顺畅、舒适。在面对医院的工作人员时，她们则扮演产妇及其配偶的代言人，传达他们的愿望，让他们可以专注在阵痛和即将来临的分娩上。

研究显示，在医院分娩的情况下，有其他女性在旁边协助的产妇分娩得较快（时间缩短约一半），而且医疗介入也比较少（有一份研究指出，没有分娩助理在旁边的产妇有18%最后是剖腹产；而有分娩助理陪伴的产妇只有8%是剖腹产，而且有分娩助理在场的产妇也较少用到硬脊膜外麻醉）。专业分娩助理是产科发展过程中新出现的角色，大多数的医院和保险公司都还不了解使用专业分娩助理的好处。因此，你很可能必须自己付钱雇用一位分娩助理。果真有需要，也别吝啬拿出这笔钱。如果产妇希望不要有医疗介入（例如静脉注射、硬脊膜外麻醉、子宫内胎儿监测等），就更应雇用分娩助理。在高危妊娠的时候，分娩助理绝对是很有帮助的，因为免不了要用到技术设备，所以自然缓解疼痛的方式比较不容易发挥作用，这时专业分娩助理就更能派上用场。最重要的是，她们尽可能地帮助产妇放松，让产妇配合分娩中身体的运作。

我前一胎是剖腹产，但是这次怀孕我希望尽可能自然分娩。我知道雇用专业分娩助理可以帮助我达成心愿，所以我就去和保险公司谈。我告诉他们，研究显示，有专业分娩助理陪同的分娩，出现第二次剖腹产的概率较小。于是我问他们如果我最后没有剖腹产，他们是不是愿意付分娩助理的费用，他们同意了。这不但让我在怀孕期间心情比较轻松，对保险公司其实也很划算：付给专业分娩助理的费用，比起昂贵的剖腹产费用便宜多了。我雇用了一位非常好的分娩助理，也顺利地自然分娩了，保险公司也很乐意付给这位助理应得的费用。

如果雇用专业分娩助理在你居住的地区已经很平常，你的医院或医生可能就会有她们的名单和电话。但是，大部分的孕妇多半是通过分娩教育专家、国际母乳协会各国分会，或朋友的推荐找到分娩助理的。

关于专业分娩助理的其他疑问

Q：专业分娩助理会不会让我丈夫觉得他在产房里完全无用武之地？

A：不太可能。根据我们的经验，丈夫们多半会张开双臂欢迎这位有经验的分娩助理。专业分娩助理是不会取代丈夫在分娩中的地位的。相反，她可以帮丈夫去除必须身兼分娩教练的压力，让他专心做男人最拿手的事——爱他的伴侣。

产科医生和护士也不应该因为分娩助理的出现就觉得角色被取代，分娩助理其实是填补了医疗团队的不足之处，让他们能专心地发挥所长。

Q：我因为有高血压，所以被归类为高危妊娠，而且医生担心我会出现妊娠毒血症。像我这样的情况，专业分娩助理可以帮得上忙吗？

A：那还用说！我们之前提过，研究和常识都告诉我们，如果有人能提供正确的信息和支援，让产妇能配合身体运作，同时也能协助产妇做出明智的分娩决策，就更有机会让产妇得到一次满意的分娩经历和产下健康的宝宝。专业分娩助理在发生紧急情况的时候，最能表现出她们的作用，例如因为出现未预料到的并发症，分娩计划必须改变，或是牵涉到技术设备的使用和手术的可能，专业分娩助理都能协助产妇作出最符合母子利益的决定。在发生这些情况的时候，你通常没有头脑清醒到可以完全理解各种可能性的优缺点，而专业分娩助理就等于是你的中间人或发言人，她可以解释医学知识给你听，这样你能更容易了解情况并参与决策。

琳达医生的经验谈：身为产科医生，我个人很喜欢专业分娩助理，她们可以帮助产妇和她的丈夫放松。发生问题时，专业分娩助理对于让准父母接受医疗介入及医生的建议，都有很大的帮助。

我自己分娩时就选择雇用专业分娩助理，因为我在阅读了各种资料后，发现目前的产科体系里确实是缺少这种人。由于医院财务上的压力，产科护士通常超负荷工作，而产科医生也是工作负荷过重。

我希望分娩的时候，身边不仅有一位朋友可以握着我的手，而且她还能提供必要的帮助。另外，我也担心丈夫在我出现第一次阵痛的时候就吓坏了。我跟很多妈妈探讨过她们的分娩经验以后，发现很多生头胎的妈妈在分娩时，都是独自一个人面对，而且根本不清楚自己的身体内正在发生什么。

我的分娩助理刚好可以弥补这个缺憾，这样我才能专心于身体的变化，让它能有效地运作。而且我的助理也减轻了我不少的疼痛——这是真的。

我和丈夫觉得雇用专业分娩助理是我们最明智的决定之一。我丈夫因此不必再担任分娩教练的角色，于是我们可以充满爱意地共同度过分娩过程。

我并没有想依赖丈夫来减轻我分娩的疼痛，所以我们也没有因为预期和实际结果之间产生差距而关系紧张。他也说他很高兴能成为这次分娩过程的一分子，却不必背负过程中的沉重压力。

怀孕日记：第7个月

我情绪上的感觉：_____

_____

我生理上的感觉：_____

_____

我对宝宝的感觉：_____

_____

关于宝宝的梦：_____

_____

我想象中宝宝的模样：_____

_____

我最关心的事：_____

_____

我最快乐的事：_____

_____

我最严重的问题：_____

我应该关心的事

我的问题有哪些？我得到的解答是：_____

_____

检查结果和我的反应：_____

最新的预产期：_____

我的体重：_____

我的血压：_____

感觉我的子宫，我的反应是：_____

_____

当我感觉到宝宝在踢时，我的感觉是：_____

_____

当爸爸感觉到宝宝在踢时，他的感觉是：_____

_____

当宝宝的哥哥／姐姐感觉到宝宝在移动时，他们的反应是：__

_____

我去逛街时，买了哪些东西：_____

_____

第 7 个月的照片

感想：

第8个月的产前检查

30～33 周

在这个月的产前检查中，你可能会做的项目包括：

* 检查子宫大小与高度
* 检查皮疹、静脉曲张、水肿等项目
* 体重与血压检查
* 验尿
* 如有必要，检查血色素及血细胞比容
* 检查你的饮食习惯，必要时，与医生讨论体重的变化
* 听胎儿的心跳
* 必要时，可通过超声波看看胎儿
* 与医生讨论你的感觉和关心的问题

如果你的主治医生认为有必要，可能会要求你在第7~8个月，每两周做一次产检。

第 **8** 个月

进入分娩准备期

进入第 8 个月，你的身心各方面可能会进入分娩的准备状态。子宫会增大到肋骨和胸骨的位置，你会觉得自己的肚子已经大到不能再大了，不过你的肚子和宝宝都还会继续长大。宝宝的身高在这个月初大约是 40 厘米，体重约 1600 克。从这个月起到分娩那天，宝宝每周大概还会再长高约 1 厘米，增加约 200 克体重。

情绪上可能的转变

期待宝宝的诞生，会刺激你不断地产生各种想象，有时候白日梦做得太多，甚至会让你怀疑自己是不是变笨了；但其实没这回事，只不过是你的脑子里充满了跟宝宝有关的各种问题罢了。第 8 个月典型的情绪转变包括：

希望怀孕赶快结束

虽然你觉得怀孕已经很久了，但是离分娩还有两个月，对你来说好像还遥遥无期。你可能跟大多数孕妇一样，到了这个时候渐渐对怀孕感到厌倦，而且迫不及待地想抱小宝宝了。这种不耐烦的情绪是正常的，而且会越来越严重，因为有许多问题都是不到分娩当天不能解答的，像宝宝到底是男的还是女的？宝宝长什么样？宝宝小小的身体动起来是什么样子？我看到宝宝会有什么感觉？新手爸爸对宝宝会有什么反应？等待宝宝的日子和盯着花朵看它成长一样，常令人觉得沮丧，因为时间好像停住了。虽然你急着想看看小家伙，虽然你想尽快恢复轻盈的体态，但你还得再孕育宝宝好一阵子——还有两个月的时间来完成孕育小家伙的最后工程。随时提醒自己把握这最后的机会，趁现在还有时间睡懒觉，出门看电影还不必请别人带小孩，做爱还不怕受干扰的时候，尽情享受吧！

想象宝宝的模样

随着怀孕的进行，你的各种想象会越来越真实，过去的幻想现在似乎就要实现了。你会想象宝宝的样子，想象他和哥哥姐姐一起玩耍。到了这个阶段，除了想象宝宝的长相，你可能也会常想到他的性格。

这些想象通常是胎动激发出来的，有时候宝宝踢得惊天动地，你的想象也跟着恣意驰骋。你会想象宝宝上学的情景、青少年的表现，甚至成人以后是什么样子，你也可能开始规划孩子未来会成为什么样的人。这些对孩子一生的幻想还会刺激你回想起自己的童年，许多女性反映，她们在这个阶段会开始跟自己的母亲更亲近，也会重温童年记忆中的温馨场景，像是每天早晨全家人一起吃早餐，或是被妈妈叮咛多添一件外套。

在这个月当中，你可能也会开始认真思考家里其他人会用什么态度对待宝宝。大多数的准妈妈都会开始想象自己的丈夫会是什么样的父亲。如果丈夫对你的关心及对成为父亲的热切程度，没达到你的期望，你可能会担心他会成为一个冷漠的父亲。别担

心，大多数在妻子怀孕期间显得漠不关心的男性，一旦怀抱宝宝，体验到做父亲的真实感，他们多半就会变成充满爱心又全身投入的父亲。你可能还会想到你的父母或公婆与宝宝在一起的情景。如果你的父亲或母亲已过世，你很可能会想到自己有多想念他们，而且因为他们没有机会疼爱这个孙子而感到难过，你甚至会想象去世的亲人抱着小宝宝是什么样。很多妈妈还喜欢想象大孩子会多么喜爱小宝宝，想象着像小姐姐亲吻宝宝，或是大哥哥帮忙换尿片等温馨的画面。

回想前一胎的情景

如果这不是你的头一胎，你可能会开始想到前一胎的种种愉快或不愉快的经历。这一胎分娩的状况会有什么不同？会不会更痛，还是不那么痛？分娩时间会更长，还是比较短？这也是你仔细回想上一胎分娩经验的好时机。这次分娩有哪些部分你想维持不变，哪些你想作些改变？是不是要用同一种减轻疼痛的方法？采同一种分娩姿势？这一胎你懂得更多了，用你的经验和智慧帮你度过下一个月吧。虽然在整个怀孕期间，你都一直努力想摆脱过去分娩的感觉，但你还是会常常回想起以前分娩的情景。因此，与其忧虑，不如多做些放松练习，同时多和鼓励你的朋友聊聊。如果你

还是不断担心分娩的情况，找位专业人士来帮你减少恐惧感。

迷信

即使你一向不迷信，这时候可能还是会开始担心各种不祥的预兆。假如刚好有只黑猫经过你面前，你可能会担心有不好的事要发生。随后你又会收到一大堆婴儿用品目录——孩子还没出生呢，这些公司的邮寄名单上，却早已有了你的大名。还有，你就是不能说服自己购买婴儿用品，因为你担心宝宝可能会出事。这种时候，你应该学会保护自己，别让这些无谓的烦恼扰乱了你的平静。

担心宝宝的健康

到目前为止，你一定听到不少好心的妈妈自觉有义务忠告你会出哪些状况。你的医生也会出于职业道德告诉你出现各种问题的可能性。但是在解释这些问题时，却可能在不经意间加重你的忧虑。告知你所有可能出现的状况是一个好医生或好助产士的工作之一。对于那些最坏的情况，你应该这么想：这些情况既然很少见，应该不太可能发生在我或是宝宝的身上。如果产检时这些负面的谈话内容让你感到焦虑，一定要告诉你的医生。

别因为担忧宝宝的健康剥夺了你怀孕和当妈妈的喜悦。担心是难免

的，你想的不过是做妈妈的都会想的问题。其实，绝大多数的分娩都很顺利，你应该也可以在分娩当天享受母子平安的喜悦。

我本来一直很喜欢产检的每一个项目——包括测量体重，但是后来医生开始跟我谈必须做一些检查，以确保宝宝没有任何可怕的异常现象。我知道医生有义务告诉我这些情况，但是这些谈话给原本愉快的产检蒙上了一层阴影。不过，还好她总是把最坏的情况留到最后才说。

担心体重增加

如果你对体重耿耿于怀，在每个月量完体重后都很沮丧，那你就不要再看体重秤的指针了。告诉医生和护士，如果没有问题，就不用跟你说你的体重。只要你的身体状况良好，宝宝的成长也很正常，你就不用担心体重的增加。记得这段时间千万别减肥。如果医生没有说什么，你就可以假设自己的体重是正常的，你应该担心的是要怎么吃才有足够的营养，而不是担心体重秤上的数字。更何况这个数字也不是绝对的，因为你的体液变化很快，可能在你产检那天（产检当时）刚好体液含量较高（详见附录三第459页"先兆子痫"）。

体重过重我会担心，体重太轻我也担心。直到后来助产士告诉我每个孕妇（胎儿）的成长模式都不同，我才觉得放心多了，可以吃得好，也不再担心了。

我非常担心体重的增加，甚至讨厌每个月都要量体重。于是我跟医生商量，除非有问题，要不然就不要跟我说我的体重有多少。如果她没说什么，我就知道自己的体重没问题，也就不用担心了。

放轻松

如果你一直担心自己会早产，那你大可放心。因为你应该知道即使宝宝现在出生，虽然还需要许多医疗协助，但是应该可以存活。其实大部分的胎儿到了第8个月末，肺部已经发育到足以让他们自行呼吸。而且，在这个阶段出生的早产儿很少出现并发症（不足36周出生的婴儿，通常需要数日至一周的时间，给予呼吸的协助，以等待其肺部发育成熟）。

对梦境感到好奇

随着分娩日的临近，你的梦境也开始有了主题——通常跟分娩有关。你可能会梦到阵痛和分娩过程，或是照顾宝宝的情形，这些梦通常有点诡异。

前几天夜里我梦到在医院开始分娩，低头看肚皮时，可以看到宝宝的头从皮肤下面冒出来。她看起来活像个外星人，真是可怕的一幕。那晚我还做了另一个梦，梦到我丈夫被外星人绑架。我想那天晚上我脑子里大概充满了外星人的主题吧。

我梦到宝宝突然不见了，等我醒过来，就匆匆跑进治疗室，请求医生给我做超声波检查。直到看到宝宝健康地出现在荧幕上，我才发觉自己不过是做了个噩梦。

我梦到自己出去买东西，却把宝宝留在家里，等我回到家，警察已经在等着逮捕我。我怀疑之所以做这个梦是因为在潜意识里，我害怕自己是个不称职的母亲，或是无法好好照顾孩子。

我梦到自己在炙热的沙漠中，居然把小宝宝忘在车子的后备箱。我还梦到好几天忘记喂宝宝，结果宝宝饿坏了。我想这些梦表示我对于要负担起照顾孩子的责任，觉得非常紧张。

我梦到我的女儿一出生就会走路！

刚出生的宝宝的确像是个外星

人，或是种奇特的生物。每个妈妈都会因为要照顾这么个无助的小人儿而感到紧张，同时还会不断地想到以后的日子，这也是难免的。你的梦也许像这些梦一样容易解释，但也可能是诡异、恐怖、混乱的，而且每个梦都带给你各种奇特的感受。你可以把记得的梦境写下来，这样可以帮助你了解潜意识中的恐惧和忧虑。

担心不能当个好母亲

很多妈妈都表示她们在这个月当中，对于即将成为母亲开始变得患得患失。一下子对即将来临的分娩大事感到莫名兴奋，一下子又因为宝宝的诞生可能带给家庭的重大变化而忧心不已。这些感觉都是正常的，就像你因为要当母亲而产生各种情绪起伏：有时候你乐在其中，有时候你又后悔不已。每一个准妈妈在怀孕期间，尤其到快生的时候，都会产生一种不必要的忧虑，那就是担心不能成为好母亲。她们听人家说到"母亲的本能"时，好像这种神秘的天性会放在医院赠送的礼包中，随着婴儿油和尿片一起送给妈妈似的。要有信心，你慢慢地就会发展出这种母亲的本能。既然你体内的激素帮你孕育了宝宝，它也会让你的心理有所准备，使你能够清楚地知道宝宝出生后的需求。

怀孕会让一个女人不断自我反省，你可能会希望自己更有耐心、不那么自私、更愿意付出、不那么在意体重、不要有那种非要打扫房子不可的洁癖。你之所以想让自己完美，就是因为你希望成为一个完美的母亲。其实，宝宝并不期望有个完美的母亲，因此你大可不必要求自己做到尽善尽美。

生理上可能的转变

你在第 8 个月最常有的感觉就是大，你的肚子好大，宝宝也越来越大。你开始觉得行动不便，不过可以轻易地克服这些问题，因为你知道再辛苦，也只要再坚持一两个月就好了。子宫的布拉克斯顿·希克斯收缩在这个月里也会更频繁，这些收缩就像结实的绷带一样紧紧捆住子宫，你可能会感觉到子宫本身变硬。在这个月里，每小时都可能会有几次这样的收缩，有时你不禁会想："是不是要生了？"但实际上应该不是，子宫现在只是在为下个月末真正的阵痛做准备（详见第 394~396 页"分娩开始：征兆"）。你应利用这些产前收缩来练习放松及自然缓解疼痛的技巧。每次子宫收缩时，让自己学会放松，不要绷劲。

踢得更有力

最后的这两个月，你通常会感觉到宝宝踢的次数变少，但是更有力。研究显示，孕妇第 8 个月感觉到踢的次数只有第 7 个月的一半。同时，在这个月里你还会对这些可爱的胎动产生不同的感觉。之前，你可能会享受宝宝轻轻地推撞，因为每一个轻推都像是在提醒你，在你体内正孕育着一个奇迹般的小生命。但是在这最后的一两个月里，宝宝每踢一次都可能造成疼痛，也许是在肋骨、肠、膀胱、腹股沟、背部，或是其他宝宝想伸展手脚的地方。你也可以开始感觉到宝宝的头和脚，像是宝宝的脚会向上踢到你的肋骨，而他的头则会向下压迫你的骨盆。有时候你甚至会觉得宝宝是在故意踢你，好像在说他需要更多空间，请你换个姿势。有的准妈妈还注意到当她们跟宝宝说话时会感觉到胎动，她们相信这是宝宝对声音所作的反应。在第 8 个月里，有一个特别好玩的游戏，就是在肚皮上放一张纸，然后看着宝宝把纸踢掉。(他是故意的吗？)我们还喜欢玩一个"猜猜这是哪里"的游戏。("这是他的小脚呢，还是他小小的手？")你还可以做一件有意思的事，就是画出宝宝的侧身图，然后问问医生看你画得对不对。

我夜里常被宝宝踢醒，但是这些踢的动作让我觉得很有趣。我看得出来宝宝长大很多，他的活动常常让我不舒服。我有时候会看到小手肘左右移动，或是感觉到小屁股顶出肚皮。我想他在里面一定很挤，因为他似乎总想把他的小窝撑大一点。胎动有时候会有点不舒服，不过我多半还是乐在其中的。这样的胎动虽然会把我吵醒，但是只要我换边躺，或是起床走一走，不舒服的感觉就会消失，我也可以重新入睡。

在我每次吃完东西后，宝宝就会动得特别厉害。宝宝好像在说："好吃的东西！好吃，好吃。"

只要我感觉到宝宝在动，我就跟他说话或是拍拍他，鼓励他多踢。我相信当他听到我跟他说："嘿，小家伙在里面做什么？"他就会用踢来回答。

觉得自己的肚子更大了

你觉得自己的肚子更大了，是因为你确实肚子更大了。值得庆祝的是，现在大概是你肚子最大的时候，或者说宝宝已经增大到你肋骨下方的位置，也就是不能再高的程度了。下个月宝宝就会开始下降到骨盆，到时候就算你的肚子看起来没有变小，至少你在镜子里的侧面看起来会不一样。

身材臃肿会带来很多烦恼：行动不便、关节疼痛、脚部水肿等，有时甚至走路、弯腰照顾小孩都会比以前辛苦。

我很喜欢看我3岁大的女儿对我庞大的身躯作出的反应。她会伸出手，拍拍我的肚子，然后说："宝宝，宝宝。"她变得越来越兴奋，急着想要知道小宝宝要睡在哪里，还会问："小宝宝是不是要坐在高椅子上吃饭？"她一边帮着我把宝宝的小衣服、小鞋子拿出来，一边说："这些小鞋子好可爱哟！"

需要休息

虽然你的身体不觉得累，但大脑可能会告诉你应该放慢节奏。你可能会对理智发出的信号感到惊讶，因为它居然能预测生理的需求。也许你的双腿并不酸，也不至于喘得上气不接下气，但是你的体内可能会有个声音对你说："坐一下吧！"即使你的身体叫你不要停，你还是该听从大脑的声音。这种情况通常表示你体内储存的能量快要耗尽了，所以还是理智一点吧，这对身体绝对有好处。如果你一直撑着直到倒下，那就需要花更长的时间来恢复元气了。

夜间频频醒来

你知道吗，宝宝是不会一觉睡到天亮的，孕妇也一样。欢迎你加入"午夜育儿俱乐部"。造成怀孕最后几个月夜间醒来有几个原因，一个是睡眠周期的改变，你会出现更多快速眼动期的浅睡——也就是做梦较多，也较容易醒来的状态（详见第133页）。同时，子宫变大也会让你难以入睡，子宫会向上压迫到胃而引起烧心，向下压迫到膀胱会使你在夜间频繁地跑厕所。就算变大的子宫不会让你半夜醒来，住在里面的小房客也会让你不得不醒来。小宝宝的活动似乎是日夜颠倒的，你白天的活动很容易哄宝宝入睡，等你休息时，宝宝才醒过来伸展手脚。他在肚子里面敲敲撞撞，还是会把你吵醒。有时候你醒来只不过为了翻个身，挪动身体找个舒适的睡眠姿势，大部分的妈妈都认为侧睡时用枕头垫着肚子最舒服。如果烧心很厉害，试试用几个枕头稍微垫高身体来改善。不要忘了在白天尽量多找机会打个盹儿，以补充夜间睡眠的不足。另外，准备一瓶果汁或一杯水在床边，半夜口渴的时候可以随手拿来喝。

你应该为分娩当天及之后的育儿工作尽量充分休息，以下是一些争取更多睡眠的方法：

* 复习第82页起介绍的各种方法。

＊白天多找机会小憩片刻。

＊早点上床睡觉。经过忙碌的一天，你可能很想有自己的时间，不过还是要早一点休息，至少比平常早一小时。你会发现体能恢复带来的回报绝对值得你牺牲阅读或看电视。

＊如果腿部抽筋使你半夜惊醒，你可以试试睡前按摩，或是利用第246页教的预防腿部抽筋的运动来缓解。

＊如果消化不良或是呼吸短促使你无法入睡，试试用枕头稍微抬高上半身再入睡。

＊试试第253页的姿势。

＊如果因为不舒服而醒来，就立刻变换睡姿，尤其是因为子宫肌肉拉扯而造成的骨盆疼痛，或是子宫压迫骨盆神经引起的不适（详见第202页"站直"，以及第250页"坐骨神经痛"）。

＊如果皮肤发痒让你睡不着，你可以在睡前用润肤乳按摩敏感的皮肤。

＊为了帮助入睡，你可以练习准妈妈课程中学到的放松技巧。你也可以试试运用想象力（详见第340页），假想自己浮在水中，或是在秋千上来回摇摆。利用放松技巧来帮助迅速入睡，会使你分娩当天更容易放松。如果你能利用子宫收缩的间隔短暂地休息或睡一下，到了分娩的前期阶段，这种方式可以帮助你省力。

胎儿的成长（30~33周）

到了这个月底，胎儿体重大约是1400~1800克，身高大约在40~45厘米之间。在这个月内，宝宝的脂肪存储量会加倍，因此看起来会比较胖。宝宝皮肤上覆盖的柔细如丝的胎毛开始脱落，同时眼睫毛和眉毛也长长了，有的宝宝还会长出一头浓密的头发。这时宝宝对外界的光线会有眨眼的反应。这个月是宝宝脑部快速发育的时期，所以他会有明确的快速眼动期和非快速眼动期这两种睡眠期。另外，

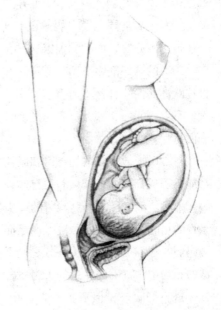

30~33周的宝宝

宝宝打嗝有时会让妈妈感到突然的痉挛，这是这个时期常见的现象。宝宝对外在世界也比较有知觉了，而且也会对外界的刺激作出反应。如果宝宝在这时候出生，也能在子宫外不依靠医疗协助而自行呼吸了。

你应该关心的事

担心剖腹产——你该怎么做

在美国，各级医院剖腹产的比例过去几十年来不断上升，目前这个趋势终于逐渐放慢下来，但是比例还是偏高。从 1970~1990 年，美国孕妇进行手术分娩的比率从 5% 上升到 25%。为什么美国每 4 个妈妈就有 1 个通过手术分娩，而欧洲国家却只有 5%~10% 的孕妇剖腹产？难道美国女性比欧洲女性的骨盆小而宝宝又比较大？不太可能吧。那么，究竟是怎么一回事呢？

自古以来，大多数的母亲和胎儿都能以阴道分娩的方式顺利地自然分娩。那么，剖腹产这个新趋势的产生是谁的错呢？医生还是医院？或是准妈妈们？都不是。虽然美国分娩改革派的刊物中常宣称医生是为了赚更多钱才进行剖腹产，但事实并非如此。虽然医生进行剖腹产手术比起自然产收取的费用稍微高一点，但是进行这样重大的剖腹手术，必须投入大量的时间与体力，再加上产后护理，这与医生额外赚的钱实在不成比例。至于医院，它们也无权主观地决定哪一种分娩方式最安全。当然，更不能怪罪辛苦的妈妈们。

其实高剖腹产率是产科制度改变而引发的一个副作用，或者可以说是美国社会变革的结果。随着产科护理体系日益复杂，以及增加使用科技手段，各种副作用也跟着增多。造成手术分娩率居高不下的因素很多，比如越来越多患有慢性疾病（例如糖尿病和心脏病）的女性也能孕育健康的胎儿，而这些"高危妊娠"可能更需要以手术方式分娩，以确保母亲与胎儿的健康。现代的促孕药物增加了多胞胎的出生，而多胞胎的情况多半需要剖腹产。目前剖腹产已经比部分有潜在危险性的自然产来得安全。举例来说，一些特别小的早产儿无法在自然产的过程中存活下来，但现在已经可以利用剖腹产的技术安全地生下来，而且存活率很高。几十年前腹腔和子宫的手术及手术进行的麻醉都比较危险，因此除非医生遇到最危急的情况，没有选择余地，否则都尽量采用阴道自然分娩的方式。如果胎儿无法通过阴道，医生就会使用产钳帮助卡住的胎儿顺利通过。但是，这对胎儿可能会有危险。现在的分娩手术安全多了，风险与利益两权衡，剖腹要胜过用产钳。风险评估后倾向剖腹产的另外一个例子是，现在大多数的臀位胎儿，都建议以剖腹方式分娩。研究统计结果显示，自然产对臀位胎儿造成伤害的风险比剖腹产高。

现代分娩科技的进步，也是促成剖腹产比例偏高的原因。一些帮助产妇减轻分娩阵痛的药物也会增加产妇需要使用剖腹产的机会。硬脊膜外麻醉——许多女性赞许这项技术为本世纪产科的一大进步——在某些情况下也会提高产妇需要进行剖腹产的概率（虽然有时候，硬脊膜外麻醉也可能提高产妇自然产的概率，详见第363页）。另外，电子胎儿监护仪可以观测到胎儿的问题，并且让医生有所警觉，在胎儿发生危险之前就可以介入。但是光靠监护仪的读数，要作出正确判断并不容易，而错误的警报可能引发不必要的慌乱，让整个分娩小组匆匆忙忙地进入手术室。

最后很重要的一点是，剖腹产率的提高是我们这个诉讼时代的产物。虽然许多人有不同的意见，但是治疗失当的诉讼，的确造成医生的恐慌，这类诉讼所带来的强大压力也促使手术分娩的比例提高，以及医疗费用的增加。人类自有史以来，就知道分娩是有风险的，准父母们也都有承担这些风险的准备。但是自从治疗失当出现之后，产科医生就比较不愿意进行有风险的阴道分娩了。时至今日，不论是好是坏，在大多数产房都普遍存在着一种不愿冒任何风险、"一有怀疑就剖腹"的心理，而这种心态似乎是准父母和医生们都能接受的。在这样的情况下，医生是不会主动去降低剖腹产率的。

分娩在今天可以说是相当安全了，即使是怀孕期间有异常现象的孕妇也可以安全分娩，因此，在不危及母亲与胎儿健康的情况下，医生和父母都认为是时候把高剖腹产率降下来了。不过还是有些你不能控制的情况，仍然有必要进行剖腹产。让人欣慰的是，在怀孕与分娩过程中，有许多你可以注意的地方，都是可以影响你是否需要剖腹产的因素。

现代手术和麻醉手术的进步使剖腹产比起几十年前要安全得多，这项技术也救了不少母子的性命。不过这毕竟是大手术，需要时间才能复原。因此如果不是绝对必要，还是应该避免采用。

剖腹产的前五大原因为：产程无法进展、前一胎剖腹、胎儿窘迫、胎头骨盆不相称、母亲有活跃性生殖器疱疹。这5项因素你都有能力加以改变。

产程无法进展

由于产程无法根据一般日程进展而必须剖腹产者，约占剖腹产的30%。有许多因素会造成子宫颈扩张的程度不足和（或）胎儿没有下降。有些产程无法进展的情况是不可避免的，像是脐带过短。但多数情况都是因为对产妇的支援不当，或是违反了分娩的基本生理运作造成的。在所有导致剖腹产的原因当中，产程无法进展是你最能加以掌控的。想一想：你身体的其他系统都很少出错，为什么唯独分娩系统出状况？当然，你必须根据这个系统的自然功能来使用它。另外，对产妇身体和情感的支持、阵痛时走动、站着出力、谨慎使用药物与科技手段等都对分娩过程有帮助。这些做法不但不会妨碍子宫收缩，还可以增加宫缩的效率。

前一胎剖腹

这是剖腹产最常见的原因，而这同样也是你可以控制的（详见第321页"关于剖腹产的问题"）。

胎儿窘迫

第3个常见的剖腹产原因就是胎儿窘迫。从胎儿监护仪上的胎儿心率读数可以看出胎儿是不是需要尽快分娩，以免发生危险。如果胎儿心跳比平均值高或低得过多，就表示胎儿可能没有得到足够的氧气，或是在宫缩时心跳自然减缓之后，恢复得不太好。胎儿没有得到足够氧气的有些原因是你无法控制的。因此，你在分娩时若能作出正确的决定，对胎儿的健康状况绝对会有正面的影响。

胎头骨盆不相称

另一个需要以手术方式分娩的原因就是胎头骨盆不相称——胎儿的头太大，无法通过骨盆腔的出口。如果采用比较直的姿势，也就是蹲姿，就可以扩大骨盆出口。这种方式通常可以让身材娇小的妈妈顺利生出大宝宝（详见附录三第454页"胎儿—骨盆指数"，以及附录三第457页"骨盆测量法"）。

活跃性生殖器疱疹

如果你怀孕时感染了活跃性生殖器疱疹，医生可能会建议你采用剖腹方式分娩，以免胎儿在通过产道时受到感染。如果你之前得过生殖器疱疹，但是在这次怀孕期间并没有任何可见的发炎症状，那么，依据美国妇产科学会目前的建议是不必进行每周的阴道病毒培养，而胎儿应该还可以顺利地从产道分娩。如果在这次怀孕期间之前感染的生殖器疱疹再度发作，或感染上新的疱疹，医生就会监控这些病变，有时候还会在整个怀孕期间用抗病毒药物进行治疗。

剖腹产的其他原因还包括多胞胎、臀位或其他异常部位先露、子宫或骨盆的结构性异常等。了解剖腹产的原因之后，你可以采用以下方式增加自然产的机会：

吸收各种信息。多看书、多研究。在美国，有许多支援团体是专门为前一胎剖腹产但坚持要尽一切所能避免再次剖腹产的妈妈们成立的。这些团体不但可以提供怀孕及分娩的实用建议，提高妈妈们自然产的概率，还可以帮助妈妈们获得信息以便更顺利、更有效率地分娩。

正确的饮食。吃得太多容易造成体重过重，以及血糖过高。这两项因素都会造成胎儿过大，无法以自然方式分娩。

规律的运动。身材匀称的女性一般而言分娩会较顺利，而且她们的体重增加也比肥胖久坐的女性正常。

雇用专业分娩助理。研究显示有专业分娩助理的母亲剖腹产的可能性较小（详见第 301 页"选择一位分娩助理"）。

保持直立姿势。平躺是进行手术的姿势，你平躺的时间越长，就越有可能需要剖腹产（详见第 386 页"找出最佳分娩姿势"）。

动起来。避免像个手术病人一样，太多时间都躺在床上全身连着各种监视器。只要你动起来，你的分娩过程就会顺利得多。

信任自己的身体。相信你自己的分娩系统会正常运作，相信你的骨盆通道是为了生下小宝宝而设计的。害怕自己无法通过分娩过程，其实只是心理作用。就是因为恐惧，才让子宫无法有效运作（详见第 334 页）。因此，尽量获取正面积极的建议。即使你的亲朋好友都是剖腹产，你还是要相信自己可以成为这些统计数字的例外。

"对妈妈好的，对宝宝也好。" 请牢记这句箴言。你在分娩过程中所作的正确决定，不但可以减轻疼痛程度，使整个过程更顺利，也会对胎儿的健康有所帮助，还可以降低胎儿窘迫的情况（详见第 334 页"处理疼痛，你要自有一套"；第 378 页"分娩自助法——你不可不知的事"；以及第 322~323 页提高剖腹产后自然产概率的几项建议。只要根据这些章节的建议去做，你需要剖腹产的概率就会小得多）。

关于剖腹产的问题

Q：我上一胎是剖腹产，我很担心下一胎还是剖腹产。我需要再次剖腹产的概率是不是比较高？

A：你下一胎自然产的概率还是很大。过去医学上很多谜团都已破解，同样地，"有过一次剖腹产，以后就一定要剖腹产"的定律也不再成立。有过一次剖腹产的母亲，就被判决终生都得在手术室里分娩的主要原因是担心子宫破裂。几年前，剖腹产手术是垂直切开腹部，也就是在子宫的上方切开——这是子宫最容易破裂的部位；近年来则多半是横向切开子宫的下方（甚至在紧急情况下也是如此）。像这样在子宫下方的横向切口（又称"比基尼切口"）是不太可能导致子宫破裂的。根据权威机构目前的估计，下方的横向切口，在日后分娩时造成子宫破裂的概率，大约是0.2%。也就是说，在分娩时母亲有99.8%的概率不会造成子宫破裂。在一项针对3.6万名尝试剖腹产后自然产的女性所作的调查中，无论之前子宫切口的方式是什么，没有任何一位母亲死于子宫破裂。在另一项针对1.7万名尝试剖腹产后自然产的女性所作的研究中，也没有任何一个婴儿由于子宫破裂而死亡（别被"破裂"这个字眼吓着了。这不是指子宫会突然爆开，而是指之前的剖腹产伤疤逐渐被扯开。不过还好子宫破裂的潜在危险可以从电子胎儿监护仪上监测出来）。所以你的胜算还是很大——剖腹产后自然产对大多数女性来说风险很小，甚至比剖腹产要来得安全。

至于你是不是适合剖腹产后自然产，就要看你当初是什么原因造成剖腹产的。如果你当初剖腹产的原因是胎儿臀位、患有生殖器疱疹、妊娠毒血症，或是有严重的胎儿窘迫情况，那么你没有理由需要再次剖腹产，因为这些因素都是上次怀孕特有的问题，可能不会再次发生。如果上次剖腹产是因为诊断出胎头与骨盆大小不相称——医生判断胎儿头过大，无法通过你的骨盆——你还是不需要担心。最近的研究显示，这样的诊断并不会降低剖腹产后自然产的概率。其实胎头骨盆确实不相称的情况很少见，而且很多这种分娩情况同样可以被称为"产程无法进展"。研究指出上次分娩被诊断为胎头骨盆不相称者，有65%~70%的概率可以成功地在剖腹产后自然产。女性的骨盆通常随着分娩次数增多而越来越有弹性，而分娩时变换各种姿势也有助于胎儿找到出口。

话说回来，别以为靠着统计数字就可以让你顺利地在剖腹产之后自然产，该做的功课还是要做。

选择支持剖腹产后自然产的医护人员及分娩地点。 医生对剖腹产后自然产的心态和医院的政策都会影响你分娩的方式，你必须确定你的医生和医院跟得上最新的医学研究。我们来看一些有趣的数据：在美国，剖腹产后自然产的成功概率大约是20%，但是如果医生不认为剖腹产后自然产比其他分娩方式危险，医院方面也不认为剖腹产后自然产是高风险，再加上母亲本人也能遵照下面帮助产程顺利的各项建议去做，那么剖腹产后自然产的成功概率就高达75%~90%。这表示实际上选择剖腹产后自然产的女性比一般女性剖腹产的概率要小，因为她们现在比大多数的女性有更强烈的动机去利用各种方式来帮助产程的顺利进行。也许剖腹产后自然产的真正障碍是产科体系的分娩政策，而不是母亲的骨盆大小。你应该了解一下帮你接生的医生进行剖腹产后自然产的成功率是多少。对于正常低风险的妊娠，成功率应该至少有70%。如果你除了之前的剖腹产记录之外，并没有其他风险因素，而医生和医院却认为你是高风险孕妇，像这样的医生和医院，你就应该拒绝。研究显示，尽管已有2~3次的剖腹产记录，但如果医院支持剖腹产后自然产，产妇还是有70%的概率在剖腹产后成功地自然产。大部分专门进行剖腹产后自然产的产科，不会把这类产妇视为高风险人群，而会把她们当成一般产妇对待。这些产科医生甚至认为，把剖腹产后自然产的女性贴上高风险的标签，是会起到反效果的。大多数希望在剖腹产后自然产的女性都应该被当成一般产妇来对待，这些产妇并不需

要特别的技术协助，不需要他人介入她的产程，也不需要特别监护。你倒是要特别留意有些医护人员，他们对臀部小又想在剖腹产后自然产的准妈妈抱有"骨盆偏见"。其实还是有许多身材娇小的女性，顺利地产下大宝宝的。

雇用专业分娩助理。如果你下一胎真的想自然产，就有必要雇用一位专业分娩助理。根据我们的经验，有专业分娩助理协助的妈妈们，比较容易按照她们的意思分娩（详见第301页"选择一位分娩助理"）。

别被科技设备或是机器上的读数吓着了。剖腹产后自然产的研究无法证明胎儿的大小和子宫破裂的概率有关联。而且，以超声波估计胎儿的大小与重量也不见得很准确，尤其是在最后一个月。

Q：我上一胎是剖腹产，到现在我还觉得自己很没用，我担心这样会影响下一胎，造成再一次剖腹产。

A：剖腹产不代表你比别人差劲。毕竟你经过漫长的怀孕期孕育了小宝宝，让他在你的子宫内成长，只不过最后的出口与当初设想的不一样。也许上次有一些你无法控制的医疗情况发生，才造成通过手术方式分娩。无论如何，当时你已经尽了全力。

这次分娩你获得的信息更多，有

更充分的准备，又能遵照本书提供的关于健康怀孕及顺利分娩的各项建议，应该可以避免上次那种不愉快的感觉。依我们的经验，女性开始仔细研究剖腹产后自然产的各类信息后，通常会发现她们是有能力降低剖腹产概率的。产妇如果自觉已经尽了全力来准备顺产，一般也不太会有罪恶感或挫折感，因为她们知道剖腹产是不得已的选择。

为什么要有罪恶感呢？说真的，导致剖腹产并不是你的错。如果你知道胎儿臀位、脐带绕颈、多胞胎，甚至生殖器疱疹等，都不是你造成的，你就会明白错不在你。如果出现这些情况而必须剖腹产，你的反应很可能是：感谢现代的产科技术。但是如果情况不明，找不出明显的生理因素，你自然就会想找出罪魁祸首。如果你对自己的努力有所怀疑（我走路不够多、我用药太早、我休息得不够等数不完的罪状），那么最容易怪罪的对象，可能就是你自己，你还会觉得罪孽深重。不过这恐怕有违事实，在剖腹产的情况下，你多半是个受害者。你必须告诉自己，你已经尽了一切努力，如果真要怪罪，就怪这个体制好了（千万小心，别怪罪到丈夫身上，不然你们会陷入长期冲突，破坏你们的关系。怪他和怪你自己一样没有道理）。不过，别掉入怨天尤人的情绪中而无法自拔。你应该振作起来，学会谅解，并决心吸取经验，也许这会是除了小宝贝以外最大的收获。你应该为身为人母及辛苦生下的宝宝感到无限喜悦，别老想着宝宝是怎么生出来的。

Q：如果我的宝宝是剖腹产生出来的，那么，跟自然产的宝宝比较起来，是不是比较不健康？

A：剖腹产的宝宝不会不健康。事实上，这要看剖腹产的原因来定，有时候剖腹产的宝宝反而比较健康。如果发现宝宝在分娩时有窘迫现象，却还继续等待自然分娩，则可能危及宝宝的健康。我们以产科医生与儿科医生的权威身份告诉你，宝宝怎么出生与他们的健康状况没有太大的关系。剖腹产的新生儿会有颗完美的圆形头颅，而自然产的宝宝因为辛苦地通过了狭窄的产道，通常头部会呈圆锥形。以手术方式分娩出的宝宝有时候在出生后需要立即做的抽吸动作比较多，黏液也会比较多一点，可能是因为他们肺部的羊水不像自然产时会被挤出来。剖腹产的宝宝有时在哺乳方面的反应也比较慢，但这可能是因为剖腹产后母子必须分隔开来，以及分娩时用药的结果。

如果太早剖腹产，胎儿有可能出现并发症。这通常是因为母体还没阵痛就进行剖腹产手术引起的，像母亲患有糖尿病或心脏病就会提前安排剖腹产。预产期虽然代表宝宝已经成熟可以出世，但有时候其实宝宝还没准备好，所以如果你的预产期或是宝宝的成熟度还不确定，又必须事先决定剖腹产日期，医生可能会用超声波及其他针对胎儿肺部成熟度的检验来决定宝宝是不是可以适应子宫外的生活。如果有任何怀疑，而且可以确定宝宝在子宫里多待一个星期左右不会有危险，那么最好再等一等。

在母亲开始阵痛前就进行剖腹产虽然有优点，但也同样有风险。不过也许你会想，反正要剖腹产，为什么还要经过阵痛？阵痛表示宝宝已经准备好要出生了，子宫收缩还会促使身体分泌一种对分娩有益的激素——内啡肽，它对母体和胎儿都有好处（详见第 338 页）。研究显示，在母亲阵痛一阵子之后才进行剖腹产的婴儿比没有开始阵痛就剖腹产生下的婴儿，在出生后头几天较少发生呼吸困难的情况。但是另一方面，排定日期进行剖腹产的母亲比起分娩时紧急需要剖腹产的母亲，出现手术并发症的比例要低一点。因此，一旦有所怀疑，就别急着剖腹产！

Q：我上一次尝试剖腹产后自然产，但最后还是又挨了一刀，我觉得是白白痛了一场。我不知道自己还会不会再试一次。

A：你的阵痛并不是徒劳无益的，如果宝宝会说话，他一定会谢谢你这场爱的阵痛。阵痛时身体自然释放出的激素，会让宝宝更容易适应子宫外的生活。研究显示，母亲开始阵痛一阵子之后才进行剖腹产的婴儿比没有阵痛就剖腹产的母亲所产下的婴儿，在出生后头几天较少发生呼吸困难的情况（有关这个主题的其他资讯详见第 409 页"分娩对宝宝好不好"）。

Q：现在已经有这么多孕妇剖腹产，剖腹产好像也没什么大不了。到底剖腹产会有哪些并发症？

A：的确如此，现代手术和麻醉技术都很发达，剖腹开刀已经相当安全，但是通过手术分娩还是不能太掉以轻心。切开腹部层层组织进入子宫还是一项大手术，虽然发生并发症的风险很小，但并不是完全没有，像是对麻醉药过敏、流血过多、手术后感染，以及疼痛等。另外，你还必须承担双重责任，一边休养复原，一边还要学着照顾小宝宝，再怎么说这样展开妈妈生涯总不会太愉快。所以，最好的方法还是尽量降低必须剖腹产的可能性。

Q：我的预产期快要到了，但是

宝宝还是保持屁股朝下的臀位，医生说剖腹产对宝宝是最安全的方法。剖腹产真的有必要吗？或者还有其他同样安全的方式？

A：研究显示，臀位宝宝在剖腹产中遭受分娩伤害及发生新生儿并发症的概率比自然产的低。因此，现在的趋势是以剖腹产方式生出臀位宝宝。虽然也有专家质疑，臀位宝宝在自然产中发生并发症的统计数字之所以升高是跟臀位本身有关，还是跟分娩方式有关。不过目前在大部分的医院，80%~90%的臀位宝宝都是用剖腹方式分娩。

目前臀位宝宝不用自然方式分娩主要是因为担心宝宝的脚和臀先露出来，头部就没有足够的时间形成可以配合骨盆通道的形状，而且可能在其他身体部位都出来后，头部反而被卡在里面。同时，自然产还可能会对臀位宝宝连接手臂和手掌的主要神经造成伤害。这两种并发症在宝宝臀部先露而不是脚先露的情况下，可能较少发生。另外，脐带脱垂（在宝宝身体出来之前，脐带滑出子宫颈，而且又被压住）造成必须立即进行剖腹产的情形，在臀位自然产中比较常见。

宝宝保持臀位并不表示非剖腹产不可。美国妇产科学会正式肯定在一些情况下，以自然产的方式生出臀位婴儿并不会更危险。医生应该权衡剖腹产和自然产的风险，然后根据你的情况给出最好的建议。以下是一些可能的方法，供你跟你的主治医生共同探讨，看看怎样才能让你顺利地以自然方式生下臀位宝宝。

首先考虑宝宝可能可以转向。大概有一半的宝宝在一开始，也就是在怀孕早期是臀部朝下的。到了32~34周左右，才转成头朝下。如果宝宝到了36周还没转向，很可能就会一直保持臀位。因为某些不明的因素，有3%~4%的宝宝是不会转成头朝下的。

如果你的宝宝到了36~37周之间还没有自行转向，你的主治医生（或是转诊的专科医生）可以帮你进行所谓的"外倒转术"，也就是医生在你的腹部上推，帮宝宝转为头向下的姿势。外倒转术大概有60%~70%的成功率（头胎大约只有40%~50%）。但是有些宝宝还会再转回去，所以需要再一次进行外倒转术。还有些顽固的宝宝一直转回臀位，然后维持到分娩。外倒转术一般来说是一个安全又不会太难受的过程，但是偶尔也会造成母亲疼痛或是胎儿窘迫的情况发生。

另一种可能性是找一个有过接生自然产的臀位胎儿经验的医生。这样的医生所在的医院，最有可能具备妥善照料胎儿并发症所需的技术和支援人员。但是我们发现有这类经验的医生多半不是在大学校医院的产科中心工作，就是已经上了年纪，而且至少20年前就开始替人接生，当时90%以上的臀位宝宝都是经阴道自然分娩的。你很可能因为遍寻不着这样的医生而感到失望，因为许多有这类经验的医生都已经退休了。在过去这10年里，许多臀位宝宝都是通过手术方式出生的，因此比较年轻的产科医生接生过的自然产臀位宝宝的数量可能很有限。另外，如果你的居住地的产科执业标准要求所有臀位宝宝都要以手术方式分娩，那么，医生就必须遵守这项规定，这也在意料之中。

例如，在美国，通常有丰富的臀位自然产接生经验的产科医生和医院都会遵守美国妇产科学会设立的原则来进行臀位分娩。至于如何安全地生出臀位的宝宝，下面几点是你必须知道的：

* 宝宝是臀部先露的臀位——宝宝的臀部向下，而不是脚先露或是双腿交叉盘坐。

* 宝宝的体重为2500~3000克。分娩时，体形小或是早产的胎儿反而容易发生头部卡住的情况，也许是因为比起其他身体部位，头部相对较大的缘故。

* 宝宝已发育成熟或至少满36周。

* 宝宝在分娩前头部已下压，下巴抵在胸前。

* 母亲的骨盆根据"胎头骨盆径线指数表"判定为大小适当。

* 母亲的产程进行正常。

* 医院有在30分钟之内进行紧急剖腹产手术的设备和人员。

* 母亲上一胎若是自然产，则更没有问题。

如果宝宝是脚先露或是完全臀位，体重超过4000克，或是早产儿，医生可能会选择以手术方式分娩。但是你也应该知道，每位医生对这些标准的判断可能有所差异。同时也别忘了通过X光结果所作的骨盆大小诊断可能不准确，因为骨盆的出口在分娩时会扩大，尤其是采用蹲姿分娩时更是如此（详见第387页）。

如果你想以自然方式分娩出臀位宝宝，而医生也觉得你符合各项标准，在分娩时，你可能会受到比一般产妇更多的仪器监护，你要有心理准备。另外，尽管在分娩过程中，你会被仔细监护，但还是要小心别让恐惧影响你的分娩过程。这也就是你需要专业分娩助理的原因之一，她可以帮你留意，确保一大堆医护人员不只是围着你"等着发生什么事"。

如果你很清楚分娩臀位宝宝有哪些可能的方式，同时也咨询过有这方面经验的医生，你和你的主治医生就可以作出明智的选择。

Q：我在怀孕早期发作过阴道疱疹，不过现在好像已经没事了。我是不是还要进行剖腹产手术？

A：由于新生儿在通过患有疱疹的阴道时会受到感染，因此比较谨慎的产科做法是，只要母亲在分娩时患有活跃性疱疹，胎儿都应该以剖腹产手术方式分娩。感染疱疹是会威胁新生儿性命的。如果你患有疱疹，医生可能会在你怀孕期间每周或每个月进行阴道病毒培养，以观察你的身体对怀孕带来的压力有什么样的反应（压力会引起生殖器疱疹复发）。之前曾经发作过疱疹的孕妇实际上会把部分免疫力传递给新生儿，反而是在怀孕期间才患疱疹，分娩时又有活性发炎症状的孕妇，最有可能将疱疹传染给宝宝。

医生如果在你开始分娩时没有看到新的疱疹，可能会判定自然产是安全的。但是如果阴道病毒培养在你怀孕期间持续显示出有疱疹活动，或者你开始分娩时有疱疹出现，你可能就必须通过手术方式分娩。

Q：我已经被排定要进行剖腹手术，我也知道按我的情况剖腹产对宝宝最好，可是我还是很失望。我好想自然产，而且我很害怕开刀。

A：如果分娩的方式跟当初设想的不一样，难免会感觉失望。不过最终的结果还是不变：你当妈妈了。虽然你需要借助技术手段，但是生出健康的宝宝才是最重要的。你已经成功地在体内孕育了这个小生命，所以不论他是通过什么途径来到这个世界上的，他都会是你这辈子最大的成就。

现在有各种鼓励自然产的信息，这确实是好个现象，不过这些信息也让必须剖腹产的孕妇觉得自己很失败。但是别忘了，100年前手术分娩还很危险，所以你应该心存感激，至少现在的剖腹产手术已经可以确保胎儿的健康。你最好能提前了解剖腹产是怎么一回事，这样才能从容应对原计划的改变，分娩时也不需要再对抗强烈的失落感。你还可以提前作计划，让这次剖腹产成为宝宝和你两人的一次正面的经历。你必须具有成熟的人格与强烈的意愿才能抛开个人的期望，并很好地利用这次机会来获得宝贵的经验。以剖腹产方式生下小宝宝的成就感绝不亚于自然产。

由于剖腹产现在已经相当普遍，因此你参加的准妈妈课程可能会有专门探讨剖腹产的课，这样至少你不会在毫无准备的情况下就进入产房。别忘了，剖腹产手术的本质还是分娩，因此，要让剖腹产成为你和宝宝的美好经验，下面是你可以做到的几件事：

＊要求医生进行脊椎或硬脊膜外

麻醉，这样在分娩时你就可以保持清醒。

*让丈夫坐在手术台旁边陪你。如果他有点犹豫，跟他说，手术实际上是在消毒布帘后进行的，他决不会看到什么不舒服的画面。

*要求医生在取出宝宝后高高举起，这样你就可以看到宝宝一出生的样子。在剖腹产手术中看到自己的宝宝被取出并举起是相当美好的画面。

*在宝宝出生后快速检查(体温、呼吸、脉搏、心律)完毕后，立即要求医护人员把宝宝抱给你，这样你就可以抱抱他。不过你也许需要一些帮助，因为静脉注射的关系，这时候你可能还有点头昏眼花，而且一只手臂还不能活动。这短暂的一家人联络感情的时刻也是绝佳的拍照时机，而且麻醉师或是陪同的小儿科医生多半都会愿意充当你们的摄影师。

*等到子宫和腹部缝合(约需30分钟)之后，手术就算完成了。这时，你丈夫应该随着宝宝到婴儿室，这样小宝贝才不会孤零零地面对一群陌生人。这额外的父子联谊时刻，对他们俩都会有深远的影响。

*为了减轻手术后的疼痛，你可以询问麻醉师是否可以用一种麻醉管里加上长药效止痛剂的方式来止痛，这种方式称为病人自控镇痛。这是一种可以让你自行实施的静脉注射药剂，你只要在需要缓解疼痛时将注射泵一开一关即可，这种药剂也不会影响你哺乳。

*通常在手术后一两小时之内医护人员就可以把宝宝带到你床边，如果你丈夫或护士会随时在病房里，而且宝宝的健康状况良好，那么甚至可以让宝宝跟妈妈同房。手术后缓解疼痛最好的方式莫过于给你一剂"怀抱宝宝止痛药"。

*提前寻找可靠的长期帮手，因为你要从大手术后复原，会需要更多的协助。

腹部手术和手术麻醉的复原一点也不复杂，别忘了，这是分娩。当你第一次看到小家伙一定还是很高兴，而且会渴望怀抱小宝宝。你也会想要连续几个小时凝视着小家伙，看着他皱眉、打嗝、摆动，都会让你满心喜悦。你一定会觉得很自豪，因为你孕育了这样一个珍贵的小生命。

当我走进产房的时候，我觉得医生好像已经开始磨刀了，我鞋子才脱下，就被连上胎儿监护仪及静脉注射管。而我呢，至少是我的子宫，则从头到尾在护理人员的注视之下，好像什么灾难就要发生似的。当检验人员进来帮我验血型，以备紧急手术进行中需要输血时，我的信心真的被彻底击垮了。我当初决定要剖腹产后自然产，大家的态度让我觉得我好像要对自己做一件违反自然规律的事，而且对宝宝也很危险——这种感觉对我的产程一点帮助也没有。不过，我还是成功地生出一个大约4500克的健康宝宝。他比我前一胎因为胎头骨盆不相称而必须剖腹产的宝宝足足重了450克。

我们家族的大多数女性经过诊断都必须要剖腹产，因为医生说她们的骨盆太小。我生第一胎的时候也遵守这个家族传统，也是剖腹产。生这一胎的时候，该做的功课我都做了，我选对了医院和医护人员，我不再是个病人，而且可以参与自己的分娩过程。我顺利地生出一个约4000克的健康宝宝。我就是让身体运行它天生的分娩功能就行了。

剖腹产和自然产给我的感觉完全不同。剖腹产时我觉得自己完全被击垮，而且觉得被所有人出卖了。我有一张刚生完时的照片，看起来好像死了一样，不知道是谁居然还帮我把手臂弯起来放在肚子上！我在剖腹产之后又成功地自然产，生完后我觉得非常开心。我很兴奋地一直说："我成功了，我成功了。"剖腹产经验的正面意义就是让我学会为自己的分娩负责，也帮助我成长。

琳达医生的经验谈：现在医生和病人为了要进行剖腹产后自然产，都面临很大的压力。整体来说，这是好现象，而且我认为这也改善了女性的健康状况。不过在作决定之前，一定要是因为你和主治医生都认为你的状况适合剖腹产后自然产。我看过一些女性在经历难产和手术分娩之后，真的出现"创伤后应激障碍"的现象，不应该强迫这些女性在没有经过适当辅导的情况下就贸然进行剖腹产后自然产。我们医院剖腹产后自然产的尝试率有90%，而其中成功率是80%，但是失败的20%的女性也很重要。她们中有10%在经过仔细考虑之后，决定听从医生的意见，这一胎最好还是再次剖腹产；剩下10%的女性则是在该做的都做了以后，结果还是以剖腹方式分娩。开始阵痛后才剖腹的产妇比事先选择安排剖腹产的产妇，其并发症的发病率要高，这个事实在剖腹产后自然产的相关文献中却常常被忽略。不过，我认为如果你想成为聪明的产妇，这个信息是很重要的。因此，你必须询问你的主治医生几个重要的问题，包括医生之前的剖腹产患者当中，有多少人尝试过剖腹产后自然产，以及医生的成功率是多少。如果没有特殊原因，而且尝试率低于

80%，或是成功率低于50%，那你可能要另请高明了。

对我来说，重要的是拥有一个健康的宝宝，而不是宝宝是怎么出生的。我知道剖腹产是必要的，我既不后悔，也不觉得自己不如别人。手术后复原并不轻松，不过至少我比自然产的朋友更能自在地享受性生活。

如何驾驭分娩疼痛

今天的女性对于缓解分娩疼痛比过去有更多的选择。产妇不仅有更多的自然方式来缓解疼痛，还有比过去更多、更安全的各种镇痛药物可选择。由于止痛药物相当多，因此现代产妇必须要有充分的信息才行。你最好在分娩前几个月就开始了解自然缓解疼痛的方式和各种镇痛药剂，等到子宫开始收缩才恶补疼痛控制技巧可就不好玩了。当然，安全有效的镇痛方式要靠你和医生的配合，但学习怎样运用身体和心理让产程顺利，并且缓解分娩的阵痛，比起知道医生注射的是什么止痛剂，给你嗅的是什么气体来得更重要。以下就是缓解分娩不适感的基本知识和方法。

生孩子为什么会痛
要把一个西瓜大小的宝宝移出

原来只有菜豆大小的子宫颈口是需要很多推挤和拉扯的。肌肉收缩、组织伸展都会通过痛来通知身体，这样你的子宫才会努力地完成分娩的伟大任务。

与一般人所想的相反，疼痛并不是因为子宫肌肉收缩，而是因为子宫颈、阴道、周围组织在宝宝通过时的拉扯造成的。分娩过程中，子宫是不会把宝宝挤出来的，宫缩的目的是把子宫颈的肌肉往上拉，让出通道，好让宝宝的头可以被推出去（就好像穿套头毛衣时，你的头套进去，毛衣渐渐被拉扯的情景）。骨盆的肌肉和韧带布满各种接收压力和疼痛的神经末梢感受器，所以拉扯产生的强大刺激可以使身体感受到疼痛，尤其是周围肌肉紧张时更是如此。

子宫肌肉和其他肌肉组织一样，因为被强迫做并非该组织原有的工作，才会产生疼痛。不过肌肉在疲劳、紧张、过度拉扯的情况下也会痛，这就是为什么你要学习让分娩时的肌肉有效运作，才会对你有所帮助的原因。如果肌肉过度疲劳，肌肉组织里的自然化学作用与电活动就会失去平衡，就是这些生理变化会产生疼痛。

你是怎么感觉到痛的
为了充分驾驭分娩时的疼痛，你必须要先了解身体是怎么处理疼痛，心理又是怎么认识疼痛的。我们可以从典型的阵痛来试着理解疼痛，也就是从被拉扯的骨盆组织产生分娩的收缩开始，一直到痛得喊出"哎呀"为止，你会知道该怎么做才能影响大脑接收到的骨盆产生的疼痛感。

子宫一开始收缩，组织就会拉扯，然后神经系统中微小的压力神经末梢感受器就会受到刺激，并发出闪电般快速的冲动，随着神经到达脊髓。如果周围的肌肉很紧张，疼痛神经末梢感受器也会受到刺激。这些冲动必须在脊髓那里通过一道闸门，这道门可以决定把哪些神经冲动挡在门外，哪些可以通过并继续传往大脑。到了大脑，这些冲动就被当成疼痛。因此，你可以在 3 个地方影响疼痛的产生：疼痛产生的源头、脊髓的闸门、感知疼痛的大脑。在找出驾驭疼痛的技巧时，你应该选用可以同时在这 3 处控制疼痛的镇痛方法。

要理解疼痛的传送路径，我们还可以把这些冲动想象成迷你小赛车。从骨盆的刺激点开始向终点停车场（也就是位于脊髓和大脑的神经细胞的微小痛觉感受器）前进冲刺。终点站停的赛车越多，你感受到的疼痛就越强。你可以影响这些疼痛赛车的活动。首先，你可以限制出发点的赛车数量，也就是练习放松技巧（详见第 339 页的说明），避免肌肉疲劳或

紧张，同时采用有效的分娩姿势（详见第 386 页）让肌肉按照天生的功能去运作。第二步就是关闭脊髓的闸门，这样赛车就无法通过。舒服的触摸刺激就像按摩，可以发出正面的冲动来阻挡疼痛冲动通过脊髓的传送过程。你也可以派出大量车子与疼痛赛车比赛，譬如音乐（详见第 340 页）、明确的想象（详见第 340 页）或是对抗压力（第 343 与 346 页）等产生的冲动，来制造闸门口大塞车。最后，你还可以把大脑的神经末梢填满，这样疼痛赛车就没有地方可以停了。一般的镇痛药物就是堵住这第三个地点——疼痛感受点的入口。你也可以制造"身体本身的止痛剂"（所谓的内啡肽），用这种自然方法来达到同样的效果（详见第 338 页）。

另外，分散注意力的技巧也可以用来填满大脑疼痛神经末梢的空间，达到阻止接收疼痛的效果。分散注意力的方法就是努力让大脑填满各种其他的影像，因为你专注于这些影像，结果忽略了对疼痛的感受。这些技巧由准妈妈课程的讲师讲起来似乎很不错，你在家里练习时好像也很有效，不过等到真正开始阵痛，这些技巧就都没用了。专注于某一影像需要很强的意志力，这样的意志力往往要经过好几年的磨炼。对大部分的孕妇而言，这样的努力很快就会变成心理负

疼痛的目的

为什么生孩子这么痛？所谓"夏娃的惩罚"——因为夏娃偷吃禁果，所以女性分娩时要受苦以作为惩罚——不但在圣经神学中站不住脚，从后女性主义观点来看，也让人无法接受。另一种说法则是分娩的疼痛是女性成为母亲的一种仪式，让女孩子对未来的辛苦有所准备，这种说法恐怕也没有多大说服力。还有，连最聪明的产科研究者也找不出适当的科学说法来说明分娩中的疼痛有什么作用。所以，我们只好依据常识来判断了。

许多孕妇在来医院时就登记要求硬脊膜外麻醉，这不足为奇。因为电影和电视中常把怀孕描绘成必须忍受的疾病，把分娩看成这场病的一个危机事件，必须用药物加以治疗，而女性就只能无助地躺在床上。而分娩教育专家都尽可能不提痛这个字，他们会用比较技术性的字眼——宫缩，来代替疼痛。

到底疼痛对分娩是不是有帮助呢？在自己经历过分娩，又看过上千名女性尝试控制（或是不控制）分娩的阵痛，我们对于分娩与阵痛得出两个理论：

第一，疼痛的确是有帮助的。

第二，分娩过程中发生无法控制的疼痛是不正常、不必要、也不健康的。

如果痛得无法忍受，表示身体的肌肉没有按照应有的功能发挥作用，或是身体出了状况需要特别留意。就好像你在跑马拉松的时候，发现自己累得发痛，这表示你需要补充营养或水分，或是应该改变呼吸的技巧或跑步的方式。于是你作出必要的调整以增加体力、缓解疼痛，同时还得继续跑向终点。

生孩子的道理也一样，如果母亲觉得背部剧烈疼痛，这个信号表示应该改变姿势，直到感觉轻松为止。对妈妈好的，对宝宝也好：改变姿势让宝宝可以转向，找到比较容易、比较不痛的方式出来。正确理解疼痛，并加以妥善的处理，会对分娩有很大的帮助。所以，听从疼痛发出的信号吧！这就是为什么有些人称这种分娩的痛为"美好的痛"的原因。

"有目的的痛"并不是由男性、部分坚忍的女性或是在象牙塔里从来没经历过产痛的研究人员所发明的奇怪、新潮的概念，提出这个观念也不表示分娩就该是一场耐力竞赛。所谓"没有痛苦就没有收获"这类的安慰是一点帮助也没有的（运动医学专家更是不信这一套)。比较好的做法是把疼痛想成分娩时的信使。如果出现能处理的疼痛，就表示子宫颈在发挥应有的功能——张开，这样你才能把宝宝推出来；如果出现不能忍受的疼痛，则表示不管你原来在做什么，是该改变的时候了。

担，反而容易造成身体紧张。经验告诉我们，如果孕妇为了逃避分娩而努力集中精神在其他事物上，那么她的心理和肌肉都无法放松，而要想应付分娩的疼痛需要同时注意肌肉和心理两方面。

玛莎的经验谈：我头几胎分娩都试过分散注意力的技巧，像是双眼盯住一个焦点出神、规律呼吸、用手指敲打某一首曲子的节拍等。不过等到阵痛开始，我实在痛得太厉害了，这些技巧就都没有用了。于是我直觉地作了真正有用的决定：让身体自己做主，该怎么做就怎么做。当我学会分娩时要放开身体，而不是控制它，我就比较放松，我的肌肉也就放松了。

处理疼痛，你要自有一套

每个人对疼痛的感受程度都不一样，你可能只有模糊的感觉，别人却已经很痛了。因此，在进产房之前，每个产妇都应该准备好一套自己控制疼痛的办法，同时还要预备一套候补方案。处理分娩疼痛的责任主要还是落在你身上，医护人员只是扮演顾问的角色而已。不管你读多少书，准备得有多充分，你还是不能完全掌握这次分娩的情况。不过一般来说，你准备得越充分，信息越丰富，你就越不怕，分娩过程也就越不痛。下面介绍如何建立一套个人处理疼痛的方法，我们把重点放在如何同时减少疼痛的产生及疼痛的感受。

忘掉你的恐惧

恐惧和疼痛是相连的。子宫肌肉是否能有效运作就靠你的激素系统、循环系统、神经系统等三大系统的通力合作，但是恐惧会搅乱这些系统。恐惧和不安会使你的身体产生过多的应激激素，这些激素会抵消掉身体产生的另一种用来促进产程和减轻不适感的激素。这样一来，疼痛程度就会增加，产程也会拖得更久。恐惧还会引起生理反应，造成对子宫的血流量及氧气供给减少。缺氧的肌肉很容易疲劳，而疲劳的肌肉是会痛的。恐惧还会造成肌肉紧张，而分娩时最怕的就是紧绷的肌肉。紧绷的肌肉不但会痛，而且还难以彼此协调使子宫颈顺利张开，让你推出宝宝。在正常情况下，子宫上方的肌肉会收缩上拉，而下方的肌肉则会放松张开。所以子宫收缩时，上方肌肉的收缩和下方肌肉的松弛共同促使子宫颈打开，让宝宝的头通过。恐惧主要是影响到子宫下方的肌肉，造成这些肌肉组织紧缩而不是放松，结果子宫上方的肌肉、子宫下方及子宫颈的肌肉同时收缩互相拉扯，引起剧烈疼痛，妨碍了产程的进行。

首先对这种"恐惧—紧张—疼痛"的循环加以说明的是英国的产科医生，同时也是《无惧分娩》一书的作者格兰特利。他在检查分娩中的产妇时，发现当产妇放松的时候，她们的子宫颈会呈现柔软扩张的状态；反之，如果她们对子宫收缩产生恐惧，子宫颈就会比较硬、比较紧。恐惧造成肌肉紧张，肌肉紧张又引起疼痛，疼痛造成更大的恐惧，恐惧又引起更加强烈的紧张，紧张又造成疼痛加剧，就这样循环不已。他教导产妇要和身体合作，而不要对抗，这样才能打破恐惧—紧张—疼痛的循环。通过这样的过程，他证明分娩不一定要受苦或是依赖大量药物。现在很多准妈妈课程的分娩课所教的控制分娩疼痛的方法，都是以格兰特利医生提出的分娩心理会影响身体的观察为基础的。

分娩之前先消除你的恐惧

对未知感到不安，或是因为以前的疼痛经验造成对分娩的恐惧都是正常的反应。但是如果不先消除这些恐惧，就会影响分娩过程。虽然不害怕分娩和无痛分娩都是不太可能的，但你还是应该在分娩前尽量消除你的恐惧感。你可以试试下面的方法。

面对恐惧。对于分娩你特别害怕的是什么？是怕痛呢，还是因为以前有过不好的经验？是担心剖腹产，还是会阴切开术？你是怕生到一半会受不了，还是担心宝宝会有问题？把所有你害怕的事都列出来，然后在每一项旁边写上避免这些恐惧的方法。但是你也必须知道，有些事是你无力改变的，如果你不能改变，就想办法让自己不要担心。

吸收信息。你知道得越多就越不怕。虽然每一个妈妈的分娩情况都不一样，分娩的经验也都不同，但是大致上还是有一个共同的过程。从子宫第一次收缩开始到生出宝宝为止，总是会有感觉（疼痛）的。如果你了解分娩的过程、你会有的感觉，以及为什么会有这些感觉，到时候你就不会被吓着了。许多妈妈都表示，如果她们对分娩有所了解，知道什么时候会结束，她们会比较有自信。好的分娩课程可以让你了解分娩过程及背后的原因，不过这些课程却无法告诉你现场你会有什么感觉，因为这跟你个人的情况及你能不能和医护人员合作有关。产妇很容易被分娩时阵痛的强度吓坏，因此有许多人在恐惧感来袭的时候，就完全放弃了抵抗。

雇用一位专业的分娩助理。 在分娩的时候，如果能有一位亲身经历过分娩，又是研究分娩的正常感觉及如何应对的专业人员陪在身边，会对你很有帮助。她可以在分娩过程中为你解释各种感觉，提供一些处理阵痛的建议，同时在需要作决定时，还可以协助你了解情况及参与决策过程（详见第301页"选择一位分娩助理"）。

多跟不怕分娩的亲友相处。 进入产房时，记得尽量减少不必要的恐惧。到了这个时候，你多少已经知道亲友之中哪些人将分娩视为畏途，哪些人则坦然面对。恐惧是会传染的，千万别让那些被吓坏过的亲友进产房陪你。如果你母亲认为分娩很可怕，别以为这是一个让她纠正观念的好机会。最好还是让她事后看看拍下来的分娩实况录像就好，别把她带进产房，让她的恐惧影响你。

避免回想可怕的经验。 别把过去可怕的经验带进产房。分娩会引起先前难产经验的不愉快回忆，甚至过去遭到性侵害的记忆。可能在子宫剧烈收缩的时候，你因为想起遥远过去的一段记忆，不由自主地全身紧张起

来。因此，在分娩以前，你一定要妥善处理过去重大创伤所引起的附加后果。如果有必要，你可以求助专业辅导人员。

威廉医生的经验谈：很多男性——包括准爸爸们——都很害怕生孩子这档子事儿。他们不能理解分娩疼痛，而且眼看着妻子受苦却不能解决，常让他们觉得沮丧。很多时候在面对一连串剧烈阵痛不断袭来，或是原来设想的分娩情况突然改变的时候，即使本来体贴大胆的男性也会害怕起来。所以，要让你的丈夫有所准备，这样他才不会把恐惧传染给你。你可以让他了解正常分娩会出现的情景，包括可能的声音。另外再告诉他，如果过程与当初想的不一样，会出现哪些情况。千万不要让他为你分担恐惧，如果他看你不害怕，他也就不害怕了。如果分娩时的医护人员也很冷静，他们可以帮助你丈夫，让他从容地扮演好自己的角色——给你支持，和你分享生孩子的经验，而不是想办法在这个自然正常的分娩过程中，给你多余的保护。

为自己的决定负责

虽然完全无痛的分娩比一觉睡到天亮的婴儿更不可能出现，但是只要

你有充分准备，分娩的阵痛多半是你可以控制的。你可以利用下面列出的影响阵痛强度的主要因素，做一次自我检查。

＊你是否选对了主治医生？你的医生或助产士是否积极让你了解分娩过程，并且协助你建立对自己的身体可以顺利分娩的信心？每次产检之后，你是不是相信你的分娩过程会很顺利？或者是医生会让你对分娩产生恐惧，让你心里充满对各种可能出的差错的担心？

＊你是否充分了解分娩和分娩的过程？你知不知道子宫收缩是什么样子，阵痛有什么作用？你知道在分娩时，保持直立或是变换姿势可以影响你感受到的阵痛强度吗？

＊你是不是已学会各种放松技巧？

＊你是不是已经雇用了专业分娩助理？特别是在预定的医生或助产士在你分娩时可能没空的情况下。

＊你是不是确定所有你请来陪同分娩的人（朋友、亲戚或丈夫）都能从容自信地协助你，而不是用害怕的神情来打击你的信心？

＊你知不知道分娩中可能会用到的医疗仪器（例如电子胎儿监护仪）？对于分娩中使用的技术手段，你是不是自信有足够的知识可以参与决策？

＊你知道哪些可以选择的镇痛药物，像麻醉剂、硬脊膜外麻醉等？你知道各种药剂的优点和风险吗？

＊你知不知道在分娩过程中放开身体让它自主的重要性？你是不是已经下定决心采用有利分娩的各种姿势，以避免不必要的紧张，或是抗拒分娩过程，甚至平躺在床上当个被动的病人？

进入产房之前，这些问题你应该充分解答。只要你能对这些问题了然于胸，你的分娩一定会很顺利。

分娩时，学着放松肌肉

"放松？开什么玩笑！子宫收缩的时候就像肚子被轧路机碾过一样，怎么放松？"这是我们认识的一位产妇在分娩到一半的时候说的话。"放松"绝不只是无助的旁观者在产妇经历一生中最大身体负荷的工作时，随便丢给她的一句空话。相反的，产妇应该设法身体力行，以促进产程顺利进行。放松可以让产妇配合子宫的运作，而不是加以抗拒。学会放松，你就可以得到毕生难忘的愉快分娩经验，否则这次分娩，可能就像个丑陋的战争故事，你会想尽快忘记它。

为什么要放松

除了子宫肌肉收缩外，放松全身其他肌肉有助于缓解不舒服的感觉，并且加速产程的进行。如果在子宫收缩的过程中，你身体的任何一部分紧张起来，特别是面部和颈部变得紧张，都会扩散到原本应该放松的骨盆肌肉。紧张的肌肉比松弛的肌肉更会造成疼痛，而且也更容易疲劳。同时，疲倦紧张的肌肉内部的化学变化会让人更容易感受到疼痛，因此，比起肌肉放松的情况，你会觉得更痛。紧张的肌肉抗拒子宫持续自然收缩的结果就是疼痛，疲倦的肌肉很快就会导致心理疲劳，增加你的疼痛程度，同时削弱你应对疼痛的能力，于是你就不能去尝试可以减轻疼痛的各种方法或是作出必要的改变。

跑马拉松是持续不断而且很辛苦的活动。而生孩子（通常）需要的时间更长，只不过辛苦的部分是间歇性爆发的，中间休息的时间就好像是冲刺然后充电的过程。因此收缩一结束，你就应该完全放松，这样才能充分休息。如果你不能在两次收缩之间放松，就无法获得充分的能量补充来迎接下一次的收缩，让身体发挥它的功能。随着分娩过程的进展，疼痛会逐渐增强，体力消耗也会增大。放松可以帮你省力，因为接下来你就要面对生平最艰巨的工作，也就是分娩的下一个阶段——活跃期与娩出期，这是需要大量体能的。

放松还有助于平衡分娩的激素。我们之前说过有两种激素对分娩的进行很有帮助。一种是肾上腺素（也称为应激激素），它可以在有庞大体力需求，像分娩的情况下，给你提供额外的力量。这种激素还常被称为"打不赢就跑"的激素，它的主要功能是保护身体。肾上腺素可以将身体自然产生的麻醉剂加以合成，增强身体自然缓解疼痛的效果。在分娩过程中，你需要足量的这种应激激素帮你进行辛苦的分娩工作，但是如果这种激素过多，你就会变得不安、沮丧，造成精神不振，肌肉无法发挥效率。应激激素甚至会让血液转向，让血液从努力工作的子宫流入大脑、心脏、肾脏等重要器官。

另一种有助于分娩的激素是天然缓解疼痛的激素，也就是一般所说的内啡肽(endorphins，这个词是由 endogenous 和 morphine 两词合成的，前者表示身体自行制造的意思，后者则是一种止痛化学药品)，这是你身体内的一种自然麻醉剂，让你在压力下放松，在疼痛时缓解你的痛苦。这些生理上的分娩小助手是在神经细胞内制造的，它们和神经细胞中的疼痛神经末梢相作用，让你的疼痛感觉变得迟钝。费力的活动会增加内啡肽的分泌量，同时只要你不做任何阻挡它的活动，它就会在你进行辛苦劳动的时候自动进入你的身体系统，而紧张会让身体无法顺利释放内啡肽。在分娩的第二阶段，也就是子宫收缩最剧烈的娩出阶段，内啡肽的分泌量达到最高峰。它和人造麻醉剂一样，对不同的人有不同的效果，这可以用来解释为什么有的产妇觉得比较痛，有的觉得不怎么痛。如果内啡肽没有受到阻碍，那么它比人造麻醉剂要好。人造麻醉剂是一阵一阵地发挥作用的，而且接着还会产生眩晕。但内啡肽会在分娩过程中持续为你缓解疼痛，同时还会让你心里感觉舒适，产妇常常形容那种感觉好像是不自觉用了药一样。放松可以让这些天然的镇静剂发挥作用，恐惧和不安只会造成应激激素增加，让内啡肽的放松效果大打折扣。所以，只要你心里不慌，就不会觉得那么痛。

内啡肽还能帮助你在分娩后顺利地转换成妈妈的角色。产妇体内的内啡肽在分娩刚结束的时候达到最高峰，一直要到产后两周才会回到分娩前的水准。内啡肽会刺激泌乳激素的分泌，这种具有松弛效果的"妈妈激素"专门负责母乳的制造工作，同时给你心理鼓励，让你享受身为人母的喜悦。内啡肽还会让你在整个怀孕期感觉轻松。研究显示，笑声可以增加体内的内啡肽，也许这可以解释为什么谚语说"愉快的精神让身体健康，给灵魂力量"。

如果你能运用身体和心理的自然功能去分娩，身体就会制造出均衡的应激激素和内啡肽。恐惧和疲劳会让这些激素失去平衡，也就是应激激素多过镇痛激素，使得分娩更痛、过程更慢。如果你能在分娩中放松，你会很惊讶地发现心理是怎样影响身体的，而且你的感觉会好得多，宝宝也比较容易生出来。

如何放松

你在选择准妈妈课程的时候，有一项选择标准就是课程中会花多少时间让你了解分娩需要的放松程度。实际上，放松能力是受潜意识控制的。读书或听课是不能帮你放松的，你必须尽量找时间练习放松技巧。如果你需要额外的协助，尽管提出来。有些一对一的辅导或课程可以帮你打破障碍，学会放松。下面是已证实有效的放松方式，也是玛莎和我们辅导过的妈妈们觉得对她们分娩最有帮助的方法。

放松与释放。放松与释放是以下介绍的各项训练的共同基础。在两次子宫收缩之间要放松；在子宫收缩期间要释放。在整个分娩过程中你都要牢记这个要诀。

训练自己想一些可以放松肌肉，又可以释放身体，让它自然运行的事。当感觉到收缩开始，你千万不要紧绷肌肉，全神贯注地准备迎战接下来的阵痛。相反的，要深呼吸、放松，然后释放自己。不断练习这两种"放"的运动，慢慢地你就知道要告诉自己："要收缩了，释放身体。"而不是："真讨厌，又要开始痛了。"

和你的丈夫一起练习放松身体。首先布置一个舒服的场地。找一堆枕头来，然后告诉场地布置组长（丈夫）你希望怎么摆放枕头。你可以用不同的姿势来练习下面的动作：站着、靠着丈夫、靠着墙、靠着家具等，或是坐着、侧躺，甚至四肢着地也可以。

练习一，检查身体的肌肉紧张程度。额头紧绷、拳头紧握、嘴巴紧闭等都是明显的表现。接着有系统地从头到脚练习放开每一组肌肉。先紧绷，然后放松，这样你可以了解这两种不同的肌肉状态。等你的丈夫示意宫缩开始，心里就想"放松、释放"，然后去体验每一组紧绷的肌肉渐渐松弛下来的感受。

练习二，怀孕的最后几个月要经常练习"触摸—放松"的动作。这种练习可以让你习惯在紧张之后体会愉快的感觉，而不是紧接着疼痛。先找出哪些触摸、什么样的按摩最能让你放松（详见第346页）。按照练习一，从头到脚循序渐进地做。先绷紧一组肌肉，然后让丈夫在该处温暖、轻松地触摸，好让你试着把紧张释放出来。这样你就不用一直听丈夫提醒你：

"放松！"因为听久了，很容易让你感觉心烦。这个练习的另一个目的就是要让你在疼痛发作时，只要你丈夫能在正确的位置给予适当的抚摸，你就能放松该处的肌肉。你还可以这样练习："我这里痛，你压（摸、碰）一下这里。"

听音乐分娩。音乐对放松有很好的效果，仔细挑选一盘合你口味又能帮助你放松的曲子合集，你在家里练习放松的时候就播放这盘合集。这样在分娩当天，你就会习惯一听到这些具有安抚作用的音乐时，就能自然而然地放松。

大脑的想象。如果你能保持清醒，又能想象各种安抚情绪的画面，就可以顺利地放松分娩中的身体——至少在两次收缩之间，这也能刺激有助于分娩的内啡肽分泌。运动心理学家常用大脑的想象来提高运动员的表现。

现在就想好哪些事情、哪些画面最能让你放松，然后经常练习想象这些画面，特别是怀孕的最后一个月。这样在分娩的时候，就能储存相当丰富的短片，如果你在两次宫缩之间需要几分钟的松弛，就可以随时拿出来播放。很多产妇表示下面这些与分娩有关的想象很有帮助：滚动的波浪、瀑布、蜿蜒的溪流、和丈夫在海滩上漫步等。你也可以把一些最愉快的记忆储存在心里，像是你和丈夫是怎

理性看待分娩疼痛

记得在1996年国际分娩教育协会的大会上讲演完毕之后，我们听到一群经验丰富的妈妈分娩教育家讨论分娩疼痛的问题。我们发现她们与第一次怀孕、被朋友间口耳相传的"分娩战争纪实"影响的新手妈妈相比，对阵痛的看法大不相同。

所受的教育让新手妈妈认为，分娩的阵痛将是她一生中要经历的最可怕的痛，所以她们往往是带着恐惧进产房的。她们完全不知道阵痛是什么样的，只知道一定很可怕。而这些有经验的分娩教育家都分娩过好几次，所以对阵痛有完全不同的看法。她们不认为分娩会经历一生中最难受的疼痛，而是一种不一样的痛。由于这些有经验的妈妈知道产痛与其他疼痛的不同之处，所以她们在分娩时感受到的疼痛比新手妈妈来得轻。

仔细回想你一生中最难受的疼痛经验，比如很剧烈的牙痛。那颗蛀牙突然痛起来，一痛就是好几天，一开始的时候痛得很厉害，不管你怎么弄都很难受，就是无法止痛。你觉得只要能不痛，即使几分钟也好，你愿意付出任何代价。但分娩的痛则是不同的。

*你知道一定会痛，只是不清楚痛起来是什么感觉。

*它不是持续的痛，在阵痛之间会有让你很感激的短暂休息时间，而且这些间隔时间比痛的时间要长得多，至少阵痛前期是如此。仔细想想，每次疼痛不过是一分钟到一分半钟而已。

*阵痛是可以预测的。你知道在一分钟或几分钟之后又会有一次阵痛。

*过一阵子之后，你就会知道下一次阵痛是什么样的。比起前一次，多少会更痛一点，不过感觉起来是大同小异。

*分娩的阵痛是慢慢加剧的，所以你有机会习惯这种痛，而且学会如何应对。

*分娩的阵痛有一个不变的目的，就是告诉你怎么调整身体对宝宝最好。

*你知道阵痛最后一定会结束。

*阵痛一结束，你就会得到全世界最美好的回报。

如果你能这样来看待阵痛，你就知道大自然设计的这种疼痛一定是可以控制的。要不然，为什么这么多女人还会继续生孩子呢？

认识的、过去的约会对象中你最喜欢的人、做爱、一次难忘的假期等。

想象分娩中的各种情境。收缩开始的时候，想象你的子宫轻轻地拥抱小宝宝，宝宝可爱的小头同时显露出来。在扩张的阶段，想象你的子宫颈经过每一次收缩变得越来越薄，宫颈口开得越来越大。有些妈妈成功地在娩出阶段运用这样的心理想象，她们假想阴道像一朵花一样地开放。

把痛苦的画面转为愉快的想象，试试所谓"包裹疼痛"的策略。把疼痛当成一团黏土一样抓起来，然后揉成一个小球，包装起来，放进氢气球里，然后想象它离开你的身体，飞上天空。对于沮丧的思绪你也可以利用这个方法：把它们包起来，想象它们飘走。如果能配合宫缩时的"廓清式呼吸"，这个练习就更有用了，也就是深深吸一口气、吐气，想象把疼痛吹走。

在剧烈的子宫收缩期间和两次收缩之间，想象你将获得的喜悦，而不是必须经历的痛苦。想象宝宝出来的时候，你伸出手，帮医护人员把宝宝放到你的肚子上，让宝宝依偎在你胸前。

大脑的想象并非强调心理掌控身体的技巧，而是让心理帮助身体更有效地运作。运用心理想象一定要能帮你放松，不要让它分散你的注意力。

如果你以为想象自己的心在另一个星球可以帮你逃避身体的痛苦，你可能会很惊讶地发现宫缩还是那么剧烈，心理上的逃避根本没有多大作用。比较实际的做法是，让你的心理和身体的分娩相配合，而不是试图逃避。

我发现把"痛"这个字完全从脑子里抹掉很有用。这样一来，子宫开始收缩的时候，我就不去想痛，而是想着："舒服的感觉又来了。"

想象着我最喜欢的沙漠，可以让我放松。我的分娩教师点醒了我，她说："压力 (stressed) 倒过来拼写，刚好是沙漠 (desserts)。"

考虑水中分娩

生活（分娩）中单纯的事物，往往最有效。最有效的缓解分娩疼痛的方法，正好也是最不需花钱的方法，而且也不会产生任何副作用。是奇迹吗？不，是水——不是用来喝，而是要泡在里面。

玛莎的经验谈：我在生老七斯蒂芬的时候，亲身体验过水中分娩的好处。在阵痛开始4小时之后，我发现下腹部开始出现强烈的疼痛，我知道，这意味着身体一定有什么不对劲的地方需要注意。如果是背部疼痛，我知道四肢着地的跪姿会有帮助，不过当我尝试这个姿势时，却发现痛得更厉害。于是我就把自己泡进装满温水的大浴缸里，就这样轻而易举地我觉得全身都放松多了。我尝试了各种不同的姿势，总算让我找到一个可以放松身体的方法，让肩膀以下的部分在水中浮起来，这样我的整个身体和骨盆就可以保持完全放松的状态。就在那个时候，我发现疼痛真的逐渐消失了——比德美罗（Demerol）止痛剂还管用！水的浮力所产生的效果是我身体无法自行产生的。

完全放松伴随着全面释放的感觉是很美妙的。我在水里待了1个小时，一直到娩出阶段才出来。后来，我到床上用侧躺的姿势生下了斯蒂芬。宝宝露出来的时候，我们才发现之所以会那么痛，是因为他的小手和头是一起出来的，也就是说这两个部分是同时经过子宫颈的。我的身体必须完全放松，才能让肌肉让出通道，因为宝宝先露的

部分，比一般分娩来得大。可惜我经过了整整7次分娩，才发现水有这样美妙的用处。

为什么水可以减痛

还记得物理课上讲的吗？将物体放入水中，相当于物体重量的浮力会把物体举起来。让我们把阿基米德定律简化一下：水把孕妇托起来，让她精神为之一振。浮力的感觉就像是失重状态，因为身体必须支撑的重量减少了，肌肉的紧张程度也会减轻，身体感受到的疼痛就会比较少，而且可以把力气省下来给需要的地方——辛苦工作的子宫。

水可以缓解疼痛

承受重量较少的肌肉比较不累，也比较不会痛。同时，水的对抗压力可以缓和肌肉的酸痛，特别是阵痛发生在背部的时候。还记得我们之前谈到的吗？让神经系统充满愉悦感，给疼痛留下的空间就比较少，这种方式可以缓解疼痛。待在水里就像是持续

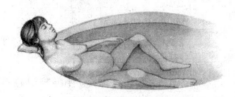

水中分娩

按摩身体，刺激皮肤上所有的感觉神经末梢。浸泡在舒服的温水里，让水去触摸皮肤上无数的神经末梢，只用指尖轻轻按摩的方式绝对没有这样的效果。

水可以让你放松

把全身泡在装满温水的浴缸里对身心都有安抚的效果，同时还能减少应激激素，让身体自然产生的放松止痛的激素发挥作用。

水可以让你释放自己

随着分娩的进行，改变姿势是自然缓解疼痛、促进分娩过程顺利进行最重要的原则。待在水里可以让你更自然、更轻松地变换姿势。很多在"陆地"分娩的产妇形容说，那种感觉就像被固定在一点上，动都不敢动，生怕一动就会更痛。而在水中的产妇因为身体有水的支撑，就可以自由浮动，直到找出最能减轻不适感的姿势为止。待在水中好像还能让孕妇心情放松，这样她就可以发觉心灵深处的本能，让紧张从身体中"漂走"。下次去游泳的时候，试试看这句话到底对不对，特别留意看看自己是怎样自由地移动身体、怎样让心灵解放的。

水中分娩在俄罗斯和法国已经有30年的历史了，但在北美地区还是很新的做法。最近一项针对1800名尝试过在类似按摩浴池中分娩的女性所作的研究，得出下面这些乐观的结论：

　*产妇分娩时间缩短。

　*子宫颈能更有效地扩张——每小时2.5厘米。如果分娩中没有用水则是每小时1.5厘米。

　*宝宝下降的速度快1倍。

　*产妇表示不那么痛。

　*剖腹产率只有传统医院的1/3。

　*因为高血压而被视为高危妊娠的妈妈们，在泡进池中几分钟之内，血压就明显地下降了。

用水帮助分娩

在美国，有些医院的妈妈套房或是分娩中心配备有按摩池大小的分娩浴盆。如果你选的医院产房里没有这类设备，可以向院方提出要求，这样女性同胞就可以发挥影响力来改变目前分娩行业的做法。要不然去租一个也行，你可以向所在地的助产士或分娩机构要求提供相关信息（当然，你必须先说服你的医生及医院，让他们愿意和你配合）。你选的浴盆必须够大，好让小美人鱼可以顺利出来，也就是说至少要有约154厘米宽。在水里除了可以缓解不适感以外，还给你自由移动的能力，这些对你都会很有帮助。下面是利用水来分娩时的一些方法：

＊水温调整到洗澡的温度，也就是跟体温差不多的温度。

＊试着让背部或是侧面靠着浴池边，或是采用四肢着地向前跪着的姿势，这样水才可以没过你的子宫，水面至少要到达乳头的位置。

＊当子宫收缩的强度让你觉得需要放松的时候就进入浴缸。对大多数的产妇而言，最好的下水时间是子宫颈开口5~8厘米时，也就是分娩的活跃期达到高峰的时候。你可能会发现在水中分娩特别舒服的时候是在过渡期——分娩过程中阵痛最强的时候。母亲在水中自由移动有助于宝宝找到阻力最小（最不痛）的通道。躺在水里还可以让缓慢进行的分娩加速。同样，在乳头上泼水也会引起身体分泌刺激收缩的激素。水可以有效地缓和快速剧烈的分娩，因为那样分娩的宫缩强度往往让你觉得几乎快虚脱了。

＊如果因为你在水中漂浮得太舒服，而造成分娩过程停滞，那么你可以出来走一走，或是出来蹲下，好让分娩继续进行。等到分娩又开始继续，就再次进入为你专设的"子宫"。

＊记得进出水池必须是在两次子宫收缩之间，而且要人帮忙，以避免滑倒。

＊如果你觉得想用力了，就表示你该出来擦干身体了（曾经有产妇因为来不及离开水池，或是因为太舒服了实在舍不得出来，结果宝宝就在水里出生了。这种情况下只要立刻把宝宝从水里抱出来，放到妈妈怀中，宝宝就不会有事。因为宝宝不过是从水里进入水里而已，一直要到他们的脸接触到空气时才需要呼吸）。

除非医护人员不赞成你进行水中分娩，否则一般来说，水中分娩是安全的。甚至羊膜破了之后，还是可以继续待在水中，因为这正是收缩越来越强，极需用水来帮你放松的时候。水中分娩经验丰富的产科医生表示，产妇羊膜破裂以后，可以继续待在水中，只要产妇是在分娩的活跃期，而且紧接着采取适当的防止感染的措施，就不会增加母亲的感染率。

水中分娩也不需要因为例行检查而离开水池。如果你需要静脉注射，可以在手臂的静脉使用肝素帽，包裹在防水塑料袋内，再用橡皮筋封口。如果你必须每隔一段时间进行胎儿监护，可以在你能浮出水面的那部分腹部进行，如果使用的不是专为水中分娩设计的胎儿监护仪，那就在手持式监护仪上罩上塑料袋。

如果医院或产科中心没有提供分娩池，或是你租不到，至少你可以坐在普通的浴缸里，淋浴也可以。如果要缓解分娩时背部疼痛，冲一冲热水通常很有效。另外，除了水的按摩之外，淋浴的水流声及浴缸放水的声音都有安抚的作用，在分娩中听来特别令人舒畅。

别以为所有分娩的疼痛都会这样离开你的身体漂进水里。但根据我们自己及其他用过分娩池的产妇的经验，水是现有最棒、最能省力的工具。

利用正确的抚摸

轻柔的按摩、关爱的抚摸、热情的亲吻，甚至简单的脚部搓揉对分娩中的妈妈而言，都是令人喜悦的慰藉。触摸缓解疼痛的道理是基于疼痛控制理论（详见第341页）。按摩布满神经末梢的皮肤，以及揉捏皮肤下的压力神经末梢，等于是不断地给你大脑各种愉快的刺激，从而减少疼痛刺激的空间。

你恐怕得等到分娩日渐渐接近，才会知道要请你的丈夫按摩什么地方，以及该怎么按摩。在最后这几个月用来缓解背痛，或是用来帮你在子宫收缩时放松的各种按摩练习，可以让你们夫妻俩为分娩做准备，因为到了分娩的时候，正确的抚摸是绝对有用的。你可以告诉丈夫，这么多的产前练习可以让他的手部肌肉养成习惯，等大日子到了，他的手才不那么容易疲劳。

你可以用纯植物油或是按摩乳液在身体的不同部位试试各种按摩方式，用手指尖稳定地抚摸适合用在面部和头皮。对大片的肌肉则适合用深压和揉捏，像是肩膀、大腿、臀部、小腿、足部等。你还可以试试手掌在按摩时产生的对抗压力来缓解背部下方的肌肉疼痛。

你可以利用最后这几个月找出你喜欢的抚摸方式，同时淘汰你不喜欢的方式。比如顺着身体毛发的生长方向向下抚摸很舒服，但是如果反向往上轻抚可能会让分娩中的你很不舒服。让你的丈夫学会你喜欢的按摩强度与节奏，可以借着帮他按摩的机会告诉他你喜欢的方式，让他亲身感受这些抚摸。

我第一次分娩的过程进行得很慢，不过我却享受了一生中最棒、最能让我放松的脚部按摩。第二次分娩则进行得很快而且很剧烈，丈夫也很快、很用力、上上下下地按摩我的腿。好像他直觉地知道，我需要足够强的按摩，才能压制住腹部像是发送炮弹一般的痛楚。

给按摩者一个小秘诀：别太介意妻子对你按摩技术的批评，你的妻子在怀孕晚期会变得特别敏感，到分娩时甚至会变得暴躁。她平时很喜欢揉搓，到了分娩当天你可能会听到这样不客气的反应："不要揉了"或是"不要碰那里"。你可能会发现让她舒服的按摩，不但不能让她放松，反而还会激怒她。在你们参加分娩课程时，可能会练习使用一些按摩工具，像是网球、绘图滚筒等。不过到了现场要会随机应变，在不同的分娩阶段，要试着在不同的地方给予各种不同的按摩。万一妻子不喜欢，你要很快地改变，而且一定要保持耐性。你的妻子会尽量让你知道她的感觉，只不过她必须专注于别的事情，也就顾不得礼貌了。不过你可以放心，日后她对你所作的努力，一定会非常感激的。

分娩当天因为丈夫拨我刘海儿的方向跟我平常习惯梳的方向相反，结果我大发雷霆。以前我们躺在床上跟宝宝说话的时候，我很喜欢他在我腹部上按摩。但是分娩时，我实在无法忍受任何人碰我的肚子。

分娩的正确呼吸法

你也许会感到奇怪，呼吸不是与生俱来的吗？为什么还要在分娩课程里练习呢？但是你可能从来没想过正确的呼吸会在分娩中帮助你放松身体、缓解疼痛。每一种活动都有其最佳的呼吸规律，对分娩来说更是如此。

在一些过时的分娩教学录像带中，你可能会看到分娩中的女性在第一次出现子宫肌肉拉扯时，就开始机械式地喘气。忘掉这些画面吧！即使准妈妈们记得上课教的经过设计的呼吸技巧，她们到头来也会发现这种不自然的呼吸规律对缓解疼痛帮助不大。而且，有时候反而让她们觉得有点头晕，甚至造成过度紧张，而分娩时你最不希望出现的现象就是紧张。

我和丈夫每天晚上都练习规律的呼吸法。不过出现剧烈疼痛时，我一定会忘记到底该怎么呼吸。

如果经过设计的规律化呼吸的目的，是要分散你的注意力，那么呼吸就不能发挥生理上的真正功能。缓慢的深呼吸有松弛的效果，还可以为血液提供大量的氧气，快速而短促的呼吸则会产生反作用。如果你发现自己在子宫收缩的时候呼吸急促，这可能表示你正处于惊慌的状态。把呼吸速度放慢，你自然而然就会冷静下来了。

做了10年的分娩及接生护士，现在又是专业分娩助理，我观察并参与了上千位女性的分娩过程，但是我发现很少有人能从头到尾都运用设计出来的规律化的呼吸技巧。大部分的产妇到后来都会产生挫折感，因为运用这种呼吸技巧必须相当专心。结果这种呼吸方式不但不能帮助她们放松，反而让她们觉得很困惑、很紧张。规律化的呼吸根本不足以分散她们对剧烈宫缩的注意力，特别是在分娩后期及过渡期。我注意到多数的孕妇，在这个时候会本能地专心于身体内部，开始持续缓慢地深呼吸，好让她们放松，并调整呼吸以配合身体正在进行的分娩工作。

正确的呼吸就是对你有帮助的呼吸方式，也就是能以最省力的方式输送最多氧气给你和你的身体的方法。你可以试试下面的方法。

必须做的事

*在两次宫缩之间自然地呼吸，就像你睡着时的呼吸一样。

*开始宫缩时，慢慢地深吸一口气，让气从鼻子吸进去，然后慢慢地以一种长而稳的方式从嘴巴呼出来。在呼气的时候要放松脸部肌肉，放松四肢，同时想象紧张焦虑离你而去，像大大松了一口气那样来做这个呼气的动作。

*到了收缩最剧烈的时候，提醒自己继续放松，舒服地呼吸。

*要求你的丈夫在发现你因为剧烈收缩而呼吸急促时，千万记得提醒你要慢慢来。让他也跟着你一起缓慢、放松地呼吸。

*如果你觉得自己的呼吸还是太快，休息1分钟，然后深呼吸，再接着吐一口长而久的气，就好像要哈气一样。每隔一会儿就做一次这个动作，以提醒自己要慢下来。

*丈夫们要观察妻子的呼吸规律，这样才能知道她应对宫缩的情况。缓慢、有规律的深呼吸表示她应对得很好；快速、抽搐似的呼吸表示她非常紧张不安。丈夫们可以帮妻子按摩，示范正确的呼吸法，或是建议妻子改变姿势。

不该做的事

*不要急促地喘息。对人类来说，喘息是不自然的（猫、狗在分娩时喘息是因为它们不会流汗，喘息是它们释放体热的方式）。喘息不但会使你疲倦，而且还会减少氧气的吸入，可能还会导致过度换气。

*不要过度换气。呼吸太快、太用力会呼出太多二氧化碳，造成头晕，还会让你的手指、脚趾、脸部产生刺痛的感觉。有些产妇遇到剧烈的宫缩时容易换气过度，所以丈夫们要关心地提醒她们放松地呼吸。如果你开始过度换气，尽可能利用鼻子吸气、嘴巴呼气的方式，慢慢呼吸。

*不要憋气。即使在一连串的用力过程中，电影里看到的那种脸色发青、血脉贲张的憋气方式不但会让你

更累，而且会夺走你和你的身体都迫切需要的氧气（详见第 405 页）。

*不要过于担心分娩时该怎么呼吸。只要你能临危不乱，到时候你就会很自然地用对自己和对身体最好的方式来呼吸。

布置一个舒适的分娩环境

分娩环境的好坏会影响你的疼痛程度。猫妈妈要分娩的时候都会在屋里找一个最安静、最舒服，又不会被打搅的角落。虽然产科中心或医院的设计师会尽一切可能来美化产房，但你还是得再带几件东西，才算完成分娩小窝的布置工作。向猫妈妈偷学一招，为自己布置一个宁静小窝来生下宝宝。

带着自己的音乐

为什么有的牙医会为病人放音乐？当然是为了让病人把注意力转移到音乐上，好让医生治疗他们的牙齿。音乐确实有缓解身体不适的功效，这种现象称为"音乐止痛"。研究显示，分娩时使用音乐的产妇比不听音乐的产妇所需要的阵痛药物要少。这是因为音乐可以刺激母亲的身体释放出内啡肽，也就是一种天然具有镇痛松弛效果的激素。音乐也可以让你的心里充满愉悦的感觉，疼痛的感觉就比较少。音乐对分娩的医护人员也有一种放松的效果，同时可以提醒他们对于分娩这件大事应给予尊重、从容应对。

放一盘你最喜爱的音乐的合集。选曲子时要注意选些节奏舒缓，可以帮你放松，而不是让你血脉贲张的音乐。有许多妈妈自己制作磁带，会选些曾经在她们面临压力时帮她们放松的音乐。另外，可以刺激你想起过去特别愉快经验的音乐更能发挥作用，像是第一次和你的丈夫共舞的音乐。有些妈妈表示，大自然的音乐，像是瀑布、风、海浪等声音一起一落的节奏（例如新世纪音乐或是轻爵士乐）比唱出来的歌曲更能安抚她们。除了带着自己最喜爱的磁带或 CD 外，别忘了还要带上录音机和新的电池。

威廉医生的经验谈：在玛莎分娩的时候，我和她听的是竖琴协奏曲。每次听到这首协奏曲，她就会想起我们第一次听这首曲子的场景：在朋友的滑雪小屋里，坐在火炉旁，看着前廊小灯照射下雪花的飘落。

坐在分娩球上

我们客厅里有一个给孩子玩的直径约 70 厘米的物理治疗球（一种很坚固的充气式物理治疗用球）。每次一有孕妇到我们家，就很羡慕我们有这样的球。我们最常听到的反应是："天啊，坐在这个球上一定很舒服。"我们的儿媳在怀孕晚期变得非常喜爱这个球，所以她跟我们借去在分娩的时候用。在分娩的时候，她坐在这个球上（如图）的时间，比躺在床上的时间还长。其实这是有道理的，因为坐在这个球上可以让骨盆肌肉自然放松。

分娩球

试试沙袋椅

你可以利用上街购物的机会，试试各种沙袋椅坐上去的感觉，然后找一个你觉得可以在分娩初期舒舒服服陷进去的沙袋椅。但是记得要找个椭圆形或是长方形的沙袋，而且要够大，让你可以全身舒展开才好。利用这些让你感到舒服的东西，来练习放松技巧。

带着枕头和海绵垫

医院不会给你够用的枕头，而你至少需要 4 个枕头。坐着时厚海绵垫子有助于放松背部，薄垫子可以垫在床和你的腹部之间，让肚子在侧躺时有个缓冲。不要指望分娩的地方给你提供这些，尽量在怀孕前期就买好沙袋枕和海绵垫，这样你就可以在分娩前利用这些东西来放松自己。

试试冰（热）敷袋

热敷袋可以促进血液流向身体组织，冰敷袋则可以减少这些组织的疼痛感，两样你都需要。你也可以用装有热水的瓶子，或是利用手术用橡胶手套装热水，当做热敷袋使用，放在下腹部、腹股沟、大腿等处，来缓解肌肉疼痛或是用来帮你放松。冷冻蔬菜包裹上一层布，就可以当做冰敷袋，可以放在额头上缓解发热现象，或是麻痹背部的酸痛。冰、热敷都试试看，再决定哪一种更有助于缓解疼痛，有时候轮流使用效果最好。另外，可以在开始用力之前用热敷袋按压会阴部位，这样有助于会阴肌肉的放松，宝宝的头就会更轻易、更舒适地通过。

请教专家

问一问其他产妇在分娩的时候都带哪些镇痛用具，但是一定要事先在家里试过各种方法，才能知道哪些对你有用。一旦开始分娩，尽量利用各种方式的组合，像是冰敷袋、对抗压力、四肢着地姿势、侧躺、热敷袋、按摩等。你可以冰敷这里，热敷那里，用垫子支撑等，一定要试过才知道有没有用。这也是花钱请专业分娩助理的道理，她可以帮你设想、指挥，看要怎样利用这些方式，同时也会帮你记下来哪些管用、哪些不管用。

分娩中的疼痛与产程进行是相互关联的，大部分能帮助产程进行的方式多半也能缓解疼痛（其他你可以装进分娩工具袋的疼痛舒缓用具，详见第 378 页"分娩自助法——你不可不知的事"）。

使用药物缓解疼痛

没有哪个医生能保证帮你完全消除疼痛又没有任何风险。虽然今天的止痛剂和麻醉药都比过去更好更安全，但是完美的止痛药物是不存在的，也就是说，目前还没有药物既可以解除疼痛，对妈妈和宝宝又是绝对安全的。如果你了解目前有哪些产科用药、各有什么优缺点、怎样正确使用等，到时候如果你有需要，就知道要选哪一种药了。医用镇痛药物应该是配合之前提过的天然自助止痛法，而不是取而代之。别忘了研究显示，上过分娩课程而且对如何减轻疼痛有所了解

的准妈妈，比一无所知的准妈妈在分娩时更不需要借助药物来帮忙。

麻醉止痛药

如果一种止痛剂只在母亲的疼痛传输通道产生作用，而不会通过胎盘传给宝宝，那就太完美了。但很遗憾，这种万能药并不存在。麻醉药虽能减轻母亲的疼痛，但是它们也会对胎儿造成影响。另外还有人担心使用麻醉药会影响人的心智，因为麻醉药会损害人的注意力。但是如果能和体内的天然止痛激素配合，适量使用麻醉药，产妇可以获得暂时的解脱，可以利用这段时间休息、恢复体能。下面就是每一位准妈妈在选择、使用麻醉药物来止痛时应具备的常识。

麻醉药如何在母亲身上发挥效用。 止痛麻醉药（例如德美罗、吗啡、纳布啡、布托啡诺、芬太尼等，是靠着阻碍大脑的疼痛感受器（详见第 332 页停车场的比喻，麻醉药就是把这些神经末梢的停车场填满）来解除疼痛，对不同的人有不同的效果。麻醉药不仅对不同产妇有不同的镇痛效果，因这些药而产生的精神上和情绪上的副作用也因人而异。有些妈妈在注射麻醉药 20 分钟后就感觉舒服多了（"麻醉药帮我解除了最难受的痛苦，我就比较能应付了。"）。而有些妈妈则表示疼痛没怎么减少，而

且麻醉药造成的意识不清比身体疼痛更糟糕。有些产妇很喜欢麻醉药带来的飘飘然的感觉，那种飞起来的感觉可以让她们暂时忘记分娩的疼痛，有些产妇则认为麻醉药让她们没办法作出对自己产程有利的决定。如果产妇的心智太混乱，没办法以改变姿势来处理阵痛，她的产程可能就会延长，阵痛时间也会加长。麻醉药还会让你觉得很困，你可能会在两次子宫收缩之间睡着，只有在阵痛达到高峰时才醒过来，所以就没办法集中精神来控制疼痛。如果这是你第一次怀孕，或是第一次使用麻醉药止痛，你就不知道到时你会有什么反应。虽然你可能对这些药物的接受情况良好，缓解疼痛的效果也不错，又没有产生什么严重的副作用，但你还是要对可能出现的不适症状有心理准备，像是头晕、呕吐、发昏及上面所说的飘飘欲仙的感觉。如果你上一次分娩使用麻醉止痛药的效果很好，那么这次大概也可以用，但这是不能百分之百肯定的。

麻醉药对宝宝的影响。 妈妈用药等于宝宝用药。我们来看看麻醉药从注射进母亲的身体开始到分娩及产后的过程中宝宝会受到什么影响。在妈妈接受静脉注射麻醉药的 30 秒内，母亲血液中的麻醉药会以 70% 的浓度进入宝宝的循环系统。宝宝不会说

话，不能告诉我们这些药剂会让他产生什么感觉，我们只好从外部的表现来猜测。母亲在分娩时如果使用麻醉药，电子胎儿监护仪上宝宝的心跳就和正常情况不同，宝宝的脑波读数（脑电图）也会改变，呼吸运动也会不一样。根据药性、剂量、注射时间的不同，受麻醉药效影响出生的宝宝，有时候会出现呼吸窘迫，需要短暂的外部协助来刺激他们呼吸。同时，宝宝刚来到这世上可能会有点头昏眼花，因此你们之间的感情会受影响，用药的妈妈和用药的宝宝对彼此的第一印象不会太好。另外，这些新生儿学习吸吮母奶也比较慢。分娩中母亲使用的麻醉剂残留在宝宝血液内可以长达出生后 8 周之久。

分娩中如何明智地使用麻醉药。 也许你在进产房前就已经熟知各种药剂信息，对于自然的止痛方式也了然于胸，但你还是决定听从医护人员的建议：根据你和宝宝的情况，为了让产程顺利进行，最好还是用一点止痛药。下面是你在分娩时使用止痛药最安全、最有效的方法。

*选对药。在你丈夫及分娩助理的协助下，和医生或麻醉师一起讨论哪种药对你的分娩状况最好，哪种药对你的作用最快、最有效，对宝宝的影响最小。以我们在美国行医的经验来说，纳布啡最能有效解除疼痛，副

作用也最小。但是由于比较昂贵，我们发现有些医院并没有提供这种药。

在分娩过程中一定要保持体力，有时候妈妈需要的其实不是药物，而是睡眠。因此，有时候医生在分娩期不会建议你使用麻醉药，而是建议用镇静剂来帮助你入睡，这样你在进入分娩活跃期的时候就可以有比较充足的体力。

*选对用药时间。止痛药用得太早，会妨碍产程的进行。在分娩的前期使用麻醉药会减弱宫缩强度、减缓子宫颈扩张。而如果药用得太晚，又会引起宝宝呼吸困难。所以注射麻醉药最好是在分娩进入活跃期（宫颈口约开 6~8 厘米），也就是即将进入过渡期，或是宫缩强到了你无法忍受的地步（详见第 358 页"用平和的心态看待止痛"）。麻醉药对新生儿神经系统和呼吸系统的影响约在注射后两小时达到高峰，因此医生多半不愿意在预定为你接生的两小时前注射麻醉药。他们希望麻醉药有时间消退，至少不要影响宝宝出生后自行呼吸的能力。因此，一旦产妇进入娩出期，医生就认为注射麻醉药是不安全的。还好一旦你开始有想要用力的冲动，你对止痛药物的需求就会大大降低。不过别担心，如果在娩出期你真的需要使用麻醉药止痛，只要宝宝在出生后立即打一针麻醉阻断药剂——纳络酮，至少可以消除麻醉药对宝宝呼吸能力的影响。

*选对用药方式。实施静脉注射比肌肉内注射缓解疼痛的效果更快，静脉注射麻醉药的药效退得也快。静脉注射后约 5~10 分钟之内，就会感觉比较轻松，而且效果可达 1 小时左右。而肌肉内注射则必须花 30 分钟到 1 小时才能充分发挥药效，不过却可以持续 3~4 小时。有一些产妇表示，不管是采取哪一种注射方式，第二剂的效果都不如第一剂。大部分产妇在分娩痛苦得必须请求药物止痛的程度时，都会选择静脉注射。因为在那种情况下，你一定希望尽快发挥药效。另外，你大概还会需要静脉输液，别忘记要求使用肝素帽，这样才能离床，也比较方便变换姿势，才不会因为要连着床边的静脉注射瓶而动弹不得。

在分娩中利用药物缓解疼痛，和怀孕过程中的许多情况一样，需要孕妇和医生共同作出判断。作这些决定时要特别谨慎，因为关系到你的产程进行和宝宝的健康。

硬脊膜外麻醉

很多女性对医生在分娩时给予硬膜外麻醉都感激不已。在美国，许多医院都有高达 60% 以上的产妇在分娩时选择这项"天赐的礼物"。自从硬脊膜外麻醉出现后，其他止痛法都相形见绌，甚至长久以来认为生孩子一定要经历疼痛的信仰都被推翻了。但在你接受这项神奇疗法之前，应该先了解它的优点和可能带来的风险。你还应该事先了解硬脊膜外麻醉的种类、注射时间的差异，以及必要的取舍。

下面的医学名词可以帮你了解有关硬脊膜外麻醉 (Epidural) 的注射方式与效果。

* 英文字首 Epi 在希腊语里是周围 (外围) 的意思，dura 则是指覆盖在脊髓外的硬膜。脊髓腔 (spinal) 是指包裹在硬膜内的空间，其中包括脊髓、脊神经、脑脊液。硬脊膜外麻醉就是把止痛药注射到硬脊膜外腔，而脊髓麻醉则是把麻醉药注射到脊髓腔。

* 无痛状态 (analgesia) 是指疼痛减轻但身体仍能活动。这种缓解疼痛的药物就称为止痛药 (analgesics)，

* 麻醉状态 (anesthesia) 是指失去知觉，且在药效作用下的部位活动能力减少。硬脊膜外注射包含了麻醉药的成分，所以也被称为硬脊膜外麻醉。目前有一些比较新的做法是只把止痛药注射到硬脊膜外腔或是脊髓外腔，所以分别被称为硬脊膜外止痛或是脊髓止痛。

硬脊膜外麻醉的注射过程——你可能会有的感觉

在注射硬脊膜外麻醉之前，你要先接受 1 升的静脉注射液，以增加你的血液量并预防硬脊膜外注射可能引起的血压降低。然后，医生或麻醉师会要求你坐起来或侧躺着，并且将膝盖弯曲接近胸部让你的下背部形成圆弧状。这样会增加脊柱的空间，有利于找到正确的注射位置。医生或护士用消毒液擦拭你的下背部时，会有冰冷的感觉。

接着，医生会在皮下注射局部麻醉药，这时你可能会感到轻微刺痛。当注射区周围充分麻痹后，医生就在硬脊膜外腔插入一根比较大的针筒，注射少量测试剂以确定针筒位置是否

硬脊膜外麻醉

正确。一旦针筒插好，麻醉师就会把一根塑料导管穿过针筒进入硬脊膜外腔，然后再将针筒移开，让弹性较好的导管留在原位。

然后，你和医生决定的止痛药就会通过这条导管注入你体内。几分钟之后，你可能会感到强烈的刺痛，像是被电击一样。5 分钟之内，你可能就会觉得肚脐以下的身体都已经麻痹，或是觉得双腿热热的，甚至可能还会有刺痛的感觉。

在 10~20 分钟之内，你会觉得下半身变得疲倦、沉重，或有麻木的感觉，这要看你用的是什么药。然后，宫缩的疼痛就会逐渐消退。但是，实际上无法精确预测能减少多少疼痛感。

大部分产妇都会觉得肚脐以下麻痹了，有些人甚至觉得从乳头以下都麻痹的感觉。有些妈妈则表示，她们的有些皮肤区域还会有感觉。不过你应该还是能动动脚趾头的。

这是许多女性开始感激硬脊膜外注射这项发明的时刻，但同时也是她们从参与者转变成患者的时候。没错，一旦疼痛消除，你就可以休息，恢复体力。但因为你的下半身很沉重，就必须靠他人帮忙才能改变姿势。

同时，因为你感觉不到排空膀胱的压力，所以护士会插一根导尿管帮你排出尿液。因为硬脊膜外注射还可能会导致血压降低，护士可能会每 2~5 分钟就帮你量血压，一直到血压稳定后，才改为每 15 分钟量一次。为了平衡身体两侧的疼痛舒缓效果，护士可能会不时地帮你翻身。同时，为了观察宝宝对硬脊膜外麻醉的反应，你还必须接上电子胎儿监护仪。你可能还会发现医生或护士隔一段时间就会触摸你腹部的皮肤，以检查麻醉药的量是否足以帮你减轻疼痛，而不至于影响你的呼吸。接下来，就是反复调整药量，以确定麻醉的程度可以舒缓你的疼痛，同时又可以让你顺利地继续分娩。

我分娩第一胎的经验很可怕，坦白说，我真不知道还有没有勇气再生第二胎。不过分娩的记忆慢慢消退后，我又怀孕了。这一次我选择硬脊膜外麻醉，我很高兴自己作了正确的决定。在开始分娩以前，我因为知道自己要进行硬脊膜外麻醉，对分娩的恐惧和忧虑少了许多，甚至很喜欢这种不必经过剧烈疼痛的分娩经验。我一点儿也不会因为做了硬脊膜外麻醉就觉得有罪恶感，或是不如别人。对我来说，这绝对是个正确的决定。我的硬脊膜外麻醉经验太美好了，我都等不及要再生个孩子了。

我觉得自己好像是头搁浅的鲸

鱼，双腿沉得好像两袋土豆。我彻底瘫痪了，需要靠其他人的帮助，甚至连开始宫缩都要靠护士告诉我。当然我是一点儿也不痛，但是我觉得好像跟自己的身体脱节了。我想下一胎我得好好考虑是不是还用硬脊膜外麻醉。

硬脊膜外麻醉的种类。硬脊膜外麻醉技术年年提高，而且种类也越来越多。因此，产妇和医生现在可以针对个别分娩状况选择最适合的方式。下面是你的医院应该会有的硬脊膜外麻醉的种类。

*持续性硬脊膜外麻醉。是指在你的床边有一台注射泵，持续地注射止痛药到你的硬脊膜外腔。这是最常用的硬脊膜外麻醉法，因为它持续地为产妇解除疼痛。如果是间歇性的硬脊膜外麻醉（详见下文），产妇的血压会较稳定，全部需要的注射剂量也会较低。

*间歇性硬脊膜外麻醉。在有必要时每隔一段时间注射一次，因此产妇可以随时调整她们愿意接受的疼痛和活动程度。但是有些产妇不喜欢间歇性注射带来的像坐过山车一样的感觉。

*混合与配合。麻醉师可以混合药剂（麻醉的和止痛的）来配合你要求的感觉和活动程度。不过不能保证你得到的效果跟你要求的完全一样，因为每个产妇对镇痛药物的反应都不同。

*病人自控的硬脊膜外麻醉。产妇可以自行控制所需的镇痛效果，只要按个钮，电脑控制的预设药量就会注入硬脊膜外麻醉管。通过这种注射方式，有的产妇所用药量较少，有的则用的多，但至少你有选择的余地。

*新硬脊膜外麻醉。产妇和医生长久以来都梦想着能有一种麻醉药，可以让产妇在分娩中仍有感觉和活动能力，同时又不必忍受疼痛。最近的硬脊膜外麻醉差不多实现了这个梦想。麻醉师目前正在试验一种麻醉药和止痛药的混合药剂，或只用止痛药物，希望能阻断疼痛神经，却又不影响运动神经。这种新药称为"可行走硬脊膜外麻醉"(walking epidural)。产妇注射这种止痛药后，还可以站、跪、蹲，有人帮忙的话，甚至还可以走动。研究显示，让产妇可以走动或至少可以直立的硬脊膜外麻醉，比完全令产妇瘫痪的硬脊膜外麻醉，较不需要介入产程，宝宝也更健康。

这种可行走硬脊膜外麻醉实际上是施行脊髓麻醉联合硬脊膜麻醉。将少量的麻醉药直接注入脊髓腔（而不是硬脊膜外腔），注入剂量要少到可以缓和阵痛但产妇仍能活动的程度。产妇在他人协助下，应该还可以

有感觉又不会痛——低剂量硬脊膜外麻醉(Epi-lite)

麻醉师的药箱中有一种最新的止痛剂，就是在硬脊膜外麻醉中使用低剂量的全身麻醉剂，或是混合型麻醉剂。用低剂量是考虑到为产妇缓解难以忍受的疼痛，同时又让她留有部分的知觉与活动能力，这样产妇就可以面对分娩而不用害怕疼痛。批评硬脊膜外麻醉的人认为分娩时丧失所有的知觉恐怕会有危险，因为疼痛是很有用的信号，它告诉我们身体有问题，还能促使产妇作出调整。反对人士还认为，有些硬脊膜外麻醉会麻痹母亲的知觉，造成她无法知道自己身体的状况，从而跟分娩过程脱节。这样的话，不但妈妈不够投入，而且不清楚身体状况，爸爸也一样无法投入，因为他们根本不需要投入。也许低剂量硬脊膜外麻醉是解决这些问题的折中办法，它对母亲比较有利，也比较安全。

如果使用的麻醉药剂量较少，产妇就可以参与自己的分娩。进行这种低剂量硬脊膜外麻醉，产妇还是可以感觉到子宫收缩，而所用的剂量足以缓解难以忍受的疼痛，但不会完全掩盖剧烈的痛楚，因为这是身体发生的信号，告诉医生和准妈妈要注意了。低剂量的硬脊膜外麻醉缓解了疼痛，刚好可以让疲倦的妈妈放松一下，喘口气准备用力。这种麻醉方式让产妇至少可以在摇椅上坐直 [因此又称"摇动硬脊膜外麻醉" (rocking epidural)]，就算产妇不能走，她还可以摇动身体。另外，更好的改良方式是麻醉师同时使用脊髓和硬脊膜外注射的技术。也就是注射少量麻醉药到脊髓腔，药效会立即发挥，而且至少可以维持 2 小时，同时硬脊膜外注射持续进行，以发挥长时间的镇痛效果。

产妇在分娩过程中感觉不到自己身体的情况，这对她本人和宝宝都不好。同样，剧烈的疼痛也有害，因为它会引起身体释放应激激素，因而减少了子宫的血流量。因此采取中庸之道是最安全的，对一些产妇来说，低剂量硬脊膜外麻醉就是不错的折中办法。

没有哪个麻醉师可以向你保证能减少多少疼痛，或是你的活动能力能维持多少。但只要你多做功课、多提问，你就越有可能了解对自己和宝宝最好的疼痛缓解方式。如果麻醉师知道你并不坚持，他可能就会试试低剂量的麻醉方法。

低剂量硬脊膜外麻醉可以让准妈妈保持感觉，同时避免难以忍受的疼痛，让她鱼与熊掌兼得——有感觉又不会痛。

用平和的心态看待止痛

有的妈妈反对在分娩中使用任何药物，她们希望自己全身心投入，她们认为只要不是"纯粹"的分娩就是失败。有的妈妈则要求医生："给我什么都行。"她们希望生孩子时能完全无痛。其实这两个极端都不正确。比较聪明的做法是，在分娩前就充分了解我们提过的各种自然缓解疼痛的技巧，同时也不排斥各种镇痛药。一旦在分娩中或视个人分娩情况需要使用镇痛药物时，应该保持开放的态度。生孩子不是比赛看谁能以最少的医疗协助、在最短的时间内冲过终点，分娩最重要的意义应该是宝宝来到这个世界，这也是你生命中的一个里程碑。分娩的记忆会令你终身难忘，因此，只要能帮你生下健康的宝宝，同时你对整个过程感觉很好，那就是你要的止痛法。

以走动、淋浴、坐、站、蹲。这种麻醉方式在分娩初期产妇出现难以忍受的阵痛，或是疼痛和疲劳让产程无法顺利进行时特别管用。如果产妇仍处在很早期的分娩阶段就不适合用硬脊膜外麻醉（宫颈口没开到5~6厘米），因为硬脊膜外麻醉可能会延缓产程的进行。这时脊髓止痛刚好可以让孕妇放松一下，让她可以休息，恢复体能，准备进入下一个更费力的分娩阶段。

有些缓解疼痛的做法仍在实验阶段，而有很多做法则是所有医院都会提供的。但是你还是应该知道，硬脊膜外注射有很多不同的方法。问问医院你可以有哪些选择，事先和医生讨论各种方式，大致计划一下你想怎么做。跟麻醉师也讨论一下各种方法，因为下次你再见到他，可能就是分娩的活跃期了。记得告诉医生，如果你分娩的情况有所改变，你愿意配合。关于分娩，有一个不变的事实就是：在实际分娩之前，你不会知道阵痛是什么感觉，以及你会怎样面对。如果能掌握各种选择的信息，至少你在当场就可以作出明智的抉择。

在决定使用哪一种硬脊膜外麻醉（如果需要的话）时，记得在你所要的疼痛减轻程度和你希望保持的活动能力之间作个取舍。完全无痛与完全瘫痪会妨碍你的身体协助宝宝找到最容易的出生途径，而且极易造成你需要更多的医疗介入，甚至是剖腹产。

如果完全的活动能力与最少的止痛效果对你来说不是最佳的选择，那当然要试试硬脊膜外麻醉。但要切记止痛药和麻醉剂的效果是因人而异的，医生也不能保证能减轻多少疼痛，以及你能有多少活动能力。

制订分娩计划

分娩就像生活一样充满惊喜。你越清楚地表达自已的期望，就越有实现的可能。分娩计划不但能提高你以自己期望的方式分娩的机会，还能提醒医护人员留意你的个人需求。产科医生和护士可以帮助准妈妈实现很多愿望。有些产妇希望与人接触多、技术手段少，比较自然的分娩方式；有的则喜欢在分娩过程中，有高科技手段介入。如果你不积极说明，医护人员不会知道你喜欢什么样的方式。

我看了你的分娩计划，知道你不想使用药物。其实我可以请医生开一些止痛药，不过这样你以后可能会生我的气。这样吧，我们先试试换个姿势，不行的话再打一针纳布啡止痛药。（这是我儿媳第一次分娩时跟产科护士的一段对话。）

你的分娩计划里提到希望在进入过渡期以后就把硬脊膜外麻醉注射关掉，以使你可以亲身参与分娩，同时体验用力推出宝宝的感觉。所以我决定用低剂量止痛剂，等你不想再用药时，药效会退得比较快。（这是我儿媳和产科医生的一段对话。）

要有自己的分娩计划，不要抄袭书上或是课堂上的计划。这是你的分娩，你要有自己的计划。在分娩课程里你会学到怎样制订分娩计划。

硬脊膜外麻醉的注射时机。 除了选对硬脊膜外麻醉的种类，什么时候注射也很重要。注射太早会妨碍产程的进行，太晚又会妨碍你用力（使用持续性硬脊膜外麻醉可以在你子宫颈口全开，准备用力的时候就关闭）。

硬脊膜外麻醉对产妇分娩的影响有很大的个人差异。因此，在产科麻醉的实践中，很难决定哪些"应该"，哪些"不应该"，但大致上还是有些基本原则。比如，麻醉师可能会建议等到分娩进入活跃期、已有规律的宫缩，而且你的子宫颈口也持续打开时，才进行硬脊膜外麻醉。不同产妇的活跃期时间都不一样，不过大致上，当你的子宫颈口开 5 厘米左右时，就表示你开始进入活跃期了。即使你事先就知道到时会进行硬脊膜外麻醉，但是由于你必须经过分娩的前半段，才能达到硬脊膜外麻醉最安全有效的注射时机，因此你还是应该建立一套自我处理疼痛的方法（如前所述）。

控制分娩

在怀孕期间，你也许听过"控制分娩"或"积极控制分娩"这两个词。这是指如果产妇没有按照预定速度进行分娩（通常是宫颈口每小时开1~2厘米），产科医生就以人工破水、催生、实施硬脊膜外麻醉等方式介入，而不让产妇冒着过度疲劳、产程无法进行的风险，继续以自己的速度进行分娩。积极控制分娩的目的，是希望降低剖腹产率，而其背后的理论基础是要在准妈妈和她的子宫过度疲劳、无法有效运作之前，就介入分娩。根据时常进行这类控制分娩的产科医院报告，这种做法确实能缩短产程、降低剖腹产率。积极控制分娩并不是指医生主导或是准妈妈控制的分娩，而是通过一种团队合作的方式，所有的成员都以各自的专业训练促使分娩有效地进行。积极控制分娩的好处就是适时介入，避免产妇等得太久，太过疲倦使体力无法跟上，或是连医疗介入都已经无效的情况发生。这种情况下，准妈妈就只能接受剖腹产了。积极控制分娩的关键在于产妇的分娩确实受阻需要医疗介入，或者是产程过于缓慢。如果你的分娩好像在原地踏步，为了避免你过度疲劳，或是你的分娩情况有特殊需要，医生可能会跟你讨论是否选择积极控制分娩。

有些准妈妈和医护人员对硬脊膜外麻醉采取观望的态度。如果你能有效地处理疼痛，也没有过度疲劳，同时宫缩的强度还能忍受，你可能应该延缓麻醉针刺进你背部的时间。不过别忘了"决定起效时间"（从决定到注射，到镇痛效果出现）至少要30分钟。如果拖得太久，你可能就得不到需要的解脱。

我本来一直应对得很好，后来宫缩就像执法人员打击坏人那样猛烈，我只好请求他们帮我进行硬脊膜外麻醉。医生检查后告诉我，我已经进入过渡期，医生和我都很难在这样的宫缩高峰期进行硬脊膜外麻醉。而且等到药效发挥作用，恐怕最难熬的时候也已经过去了，我大概也不需要麻醉了。所以我只好咬着牙挺过去，不过下一次我决不会那么晚才请救兵。

在什么时候把持续性的硬脊膜外

麻醉关小或关掉，这个决定是很重要的，你最好提前1小时开始想这个问题。很多产妇和医生都希望停止注射的时间早些，足以让药效在娩出期开始前就消退。这样准妈妈才能自由活动和调整身体，找到最舒服的姿势用力。如果等到子宫颈口全开才停止硬脊膜外麻醉，你就不会有想用力的冲动，也没办法在大约1小时里持续有效地用力。

娩出期有时长达3小时——1小时无效用力接着2小时真正的用力——从你感觉到自己必须用力开始算起。当然，时间长短还跟使用的药剂成分有关。

别忘了，分娩就如人生，对妈妈好的，通常对宝宝也好。如果你能自由活动，你的宝宝会比较容易找到阻力最小的通道，娩出期也就比较轻松、比较短。

硬脊膜外麻醉让我觉得自己跟身体好像分家了。我感觉不到用力的冲动，不知道什么时候该用力。我得靠护士把手放在我的子宫上，告诉我什么时候该用力。我觉得自己好像只是在旁观宝宝的出生。

关于硬脊膜外麻醉安全性的问题

Q：硬脊膜外麻醉对宝宝安全吗？

A：应该是安全的，但实际上连医生也不确定硬脊膜外麻醉对宝宝是不是绝对安全。即使在美国，食品药品管理局也只认定硬脊膜外麻醉"一般公认为安全"而已。这是在回避问题，说明美国食品药品管理局也没有把握。真正零风险的止痛剂是不存在的。在硬脊膜外麻醉中，的确有少量的局部和全身麻醉药会在几分钟内通过胎盘，到达宝宝的血液中。

在硬脊膜外麻醉后，有些宝宝会出现心律改变，但是这些改变目前被认为是无害的。有些观察者则发现注射过麻醉药的妈妈，她的新生儿在出生后几周内会出现哺乳困难。如果将出生后的新生儿立即放置在母亲的腹部，与未借助医疗手段出生的婴儿相比，一些用药妈妈的新生儿觅乳反射比较弱。

还有一些不明因素会造成部分实施硬脊膜外麻醉的妈妈出现高烧现象，而新生儿当中也有5%会发烧。儿科医生也很难判断这种发烧现象究竟是单纯药物引起的副作用，还是新生儿被感染的征兆。因此有时候，为了安全起见，虽然发烧可能是由硬脊膜外麻醉引起的，医生还是会进行一系列检查，以确定宝宝没有被感染。

我们在研究各种产科麻醉药的时候，发现很难对它们进行药效和安全性的评估。产科麻醉领域的技术进步飞快，有一次我们请一位麻醉师对一项研究作评论，他回答说："哦，我们已经不用那种药了。"

你听过或是读过的关于硬脊膜外麻醉的潜在问题的信息，大多数都已经过时了。现在有了改良的针筒、更好的药、低剂量的注射等，硬脊膜外麻醉对宝宝已经安全多了，对妈妈的不良副作用也少了。可见，跟麻醉师讨论安全性的问题是非常重要的。

有时候准妈妈实施硬脊膜外麻醉对宝宝反而好，因为如果产程过长，造成产妇心力交瘁，流入子宫的血液量减少，反而对宝宝不好。在这种情况下，硬脊膜外麻醉对母子二人都有利。

Q：硬脊膜外麻醉对产妇安全吗？

A：评估硬脊膜外麻醉的安全性有一个问题，就是每个人都非常希望它是安全的，因此容易失之客观。对大多数产妇来说，硬脊膜外麻醉是有效而安全的。如果你询问用过的产妇，大多数人会说她们愿意再用一次。

有些孕妇不喜欢硬脊膜外麻醉所带来的技术性手段和一大堆监护仪，以及沦为病人的感觉，或是不能如她们所愿在分娩中采取积极行动。和服用其他药物一样，有些孕妇会产生一些不舒服的副作用：血压下降、颤抖、头晕呕吐、全身发痒、排尿困难、头痛，甚至痉挛（特别是在硬脊膜外麻醉药进入脊髓腔的时候，也就是药物进入脊神经在椎管中流动的时候）。

有些接受过硬脊膜外麻醉的女性表示会出现长期的背痛。虽然这些副作用只是轻微的不适，而且只是暂时的，但还是足以让你三思而后行了。总的来说，大多数接受过硬脊膜外麻醉的产妇都能轻松分娩，而且很少有副作用，最后都能带着健康的宝宝和愉快的分娩记忆回家。

Q：硬脊膜外麻醉会不会影响分娩的进行？

A：硬脊膜外麻醉可能有助于分娩，也有可能妨碍产程进行。我们看过注射时机正确的硬脊膜外麻醉确实让分娩加速；我们也看过注射时机不对，或选错方式，结果阻碍分娩进行的情况。针对硬脊膜外麻醉在延长分娩时间方面的研究和针对其安全性的研究一样，结果是好坏参半。一般来说，硬脊膜外麻醉似乎很容易延长分娩的第二个阶段，特别是针对怀头胎的孕妇。但是近来低剂量的方式通常不会延长产程。下面是两个硬脊膜外麻醉影响分娩的例子。

简与托尼是对夫妻，他们希望能用正确的方法生下第一个宝宝，他们参加了两个系列的准妈妈课程、谨慎选择分娩医护人员，还雇用了分娩助理，所有该做的都做了，就是为了配合分娩这件大事。他们在进产房前就充分了解了各种可能性，对于学过的各种自然缓解疼痛的方法也都做了充分练习。

简一直到分娩过程的一半似乎都能很镇定地处理阵痛。这时，宫缩却开始加强，简和托尼发现自然的方法已经没有用了。简试过走路、跪下、浸泡在水中、蹲下，托尼也试了按摩、给简支持和指导，医生和分娩助理也都尽了职责，简的分娩还是进展缓慢。她已经用尽一切努力来应对疼痛，而且渐渐精疲力竭，分娩却仍然原地踏步：痛得很，却没有什么收获。

于是简和丈夫、医护人员共同决定采取适当的医疗介入手段，以完成她想要一次完美分娩经验的心愿。她选择了硬脊膜外麻醉，这样她可以获得休息、恢复体力继续分娩。简虽然多少还是有一点"我没办法自然产"的遗憾。不过她知道该作决定时，还是要当机立断，而且觉得自己的决定是对的。在硬脊膜外麻醉后约 3 小时，简就要求停止，让药效得以退去。到了娩出期，大部分的药效果然退去，于是她以蹲姿生出了一个 4000 克的宝宝。

在这个例子中，正确地利用硬脊膜外麻醉让简得以恢复体力，继续她的分娩。简和托尼没有因为使用硬脊膜外麻醉就觉得自己能力不足，而是把它看成是追求安全、顺利分娩的另一项可用的工具。

同样也是新手父母的约翰和苏珊周围有一堆朋友都认为硬脊膜外麻醉好处多多，而且不懂为什么还有人不想用这种"天赐良药"，而甘心受分娩的折磨。约翰和苏珊参加了医院的准妈妈课程，但他们认为反正要进行硬脊膜外麻醉，就不用花时间做那些用不上的放松、呼吸、改变姿势等练习。

苏珊在宫缩刚开始加剧的时候，就接受了硬脊膜外麻醉，但是注射之后，她在床上动弹不得，整个分娩过程就慢下来了。为了让分娩继续，医生又使用一种合成的催产素，来刺激宫缩。照顾苏珊的护士忍不住想到："她先用药减弱了宫缩，然后又用另一种药让它变强，难道错上加错会得到正确的结果吗？"

虽然用了催产素，苏珊的宫缩仍然停滞。于是很快地，她的分娩就被一种跟现代分娩控制理论有关且逐渐流行的产科诊断判为：产程无法进行。苏珊最后以剖腹产分娩告终。

你必须了解分娩中任何药物，特别是硬脊膜外麻醉，都会影响母亲自然产生的分娩激素。分娩进入第二阶段时催产素（身体自然产生的刺激宫缩的激素）的量，在没有使用硬脊膜外麻醉的准妈妈的体内较高。研究还显示，使用硬脊膜外麻醉的产妇身体内的内啡肽会较少。在没有使用药物的分娩中，产妇会产生比较多的内啡肽为她缓解疼痛（详见第338页）。

内啡肽一般被认为是让没有使用药物的产妇在分娩中感到亢奋的主要原因。因此，硬脊膜外麻醉在减少疼痛的同时也带走了一部分分娩的愉悦。当然，有时候硬脊膜外麻醉对母亲身体内的激素分泌是很有利的，比如当准妈妈因为受不了宫缩的强大压力而逐渐精疲力竭的时候。因为这时候她的应激激素会增多，子宫收缩会减弱，流向胎盘的血液也会减少。无论是哪一种情况，对妈妈和宝宝都不好。对这些产妇来说，硬脊膜外麻醉可以减少应激激素，让子宫收缩增强，也更有效率。

Q：如果我选择硬脊膜外麻醉，是不是更容易导致剖腹产？

A：产妇需要剖腹产的原因有很多，因此这个问题很难回答。而这方面的研究也没有一个肯定的答案，而且研究对象都是旧式的麻醉药，所用的剂量也比目前普遍使用的要高。新近的低剂量硬脊膜外麻醉似乎并不会增加剖腹产率。但是让我们先抛开研究报告，回归一般常识。

宝宝为了能进入产道，必须要能够活动，并能找到阻力最小的路径。一般的硬脊膜外麻醉会让产妇无法活动，所以她就不能利用分娩的一个好帮手：重力。如果她失去感觉，就失去了身体传递的信号可以让她知道什么时候该怎么动或是改变姿势。如果宝宝进入产道的方式不顺，没有被麻醉的妈妈会感觉得到，于是本能地改变姿势。其实，这是宝宝在找妈妈帮忙，而妈妈也在请宝宝让她知道哪一种方式有用。

如果妈妈和宝宝的沟通渠道被医药截断，宝宝可能就找不到最佳的下降位置，因此又会旧调重弹：产程无法进行。硬脊膜外麻醉也需要同时监护胎儿，但是这可能造成虚惊一场，导致手术介入。硬脊膜外麻醉的妈妈通常也需要催产素，而这就更需要胎儿监护。这样的技术手段通常会越来越多，最后常常以手术收场。

在前面简和托尼的故事里，硬脊膜外麻醉有时候可以通过防止母亲过度疲劳或是缓和疲劳，让母亲避免以手术方式分娩。我们曾经目睹这样的分娩情景：妈妈的产程无法进行，于是医生建议剖腹产。在准备剖腹产的过程当中，妈妈接受了硬脊膜外麻醉，结果她得以放松并同时恢复了体力。等到手术小组准备就绪，大家都吓了一跳，妈妈已经把宝宝生出来了。有时候，选择一种医疗手段介入可以避免更多、更严重的医疗介入。

在某些情况下使用硬脊膜外麻醉，像是分娩时出现高血压的情况，可以降低产妇需要剖腹产的机会。因为它可以让妈妈休息，让血压降低，因此妈妈自然产的概率就增加了。

在长时间筋疲力尽的分娩过程之后，我已经厌倦了一切都要靠自己。经过两天长而密集的宫缩，子宫颈却没有打开，于是我接受了硬脊膜外麻醉，并注射了催产素，让子宫颈口张开到 10 厘米。然后我请他们关掉麻醉，准备用力。等药效退去，那种想用力的冲动感觉真是好，远远强过别人告诉你："收缩了，用力。"

Q：硬脊膜外麻醉要花多少钱？

A：每一家医院、每一个地区的定价都不同，不过大致上是从 500~2000 元不等。另外还要加上为了确保硬脊膜外麻醉实施过程的安全所需的技术成本（静脉输液、电子胎儿监护仪、催产素、可能的手术费用等），因此硬脊膜外麻醉是相当昂贵的。

令人满意的分娩经验不是只靠按摩、音乐或是药物，而是作出你自己可以放心的正确决定。医生的目标也跟你一样：把风险降到最小，把舒适感尽量放大。

实际上，几乎没有人能两者兼得。医药会带来潜在风险，但是不用药物又会疼痛、需要费力。了解你有哪些选择、你的个人偏好、独特的分娩情况之后，你就可以作出明智的决定，而且可以拥有一个你和宝宝都满意的安全分娩过程。

怀孕日记：第8个月

我情绪上的感觉：_____

_____

我生理上的感觉：_____

_____

我对宝宝的感觉：_____

_____

我想象中生宝宝当天的情景：_____

_____

我的体重：_____

我的血压：_____

我最关心的事：_____

_____

我最快乐的事：_____

_____

我最严重的问题：_____

_____

我应该关心的事

我的问题有哪些？我得到的解答是：_ _ _ _ _ _ _ _ _ _ _ _ _ _ _

_ _

检验结果和我的反应：_ _ _ _ _ _ _ _ _ _ _ _ _ _ _ _ _ _ _ _

_ _

最新的预产期：_ _

我的体重：_ _

我的血压：_ _

感觉我的子宫，我的反应是：_ _ _ _ _ _ _ _ _ _ _ _ _ _ _ _ _

_ _

当我感觉到宝宝在踢时，我的感觉是：_ _ _ _ _ _ _ _ _ _ _ _ _

_ _

当爸爸感觉到宝宝在踢时，他的感觉是：_ _ _ _ _ _ _ _ _ _ _ _

_ _

我去逛街时，买了哪些东西：_ _ _ _ _ _ _ _ _ _ _ _ _ _ _ _ _

_ _

当你的哥哥／姐姐感觉到你在移动时，他们的反应是：_ _ _ _ _ _

_ _

当我想到分娩时的痛楚时，我的感觉是：_ _ _ _ _ _ _ _ _ _ _ _

_ _

我上一次分娩没有尝试的事，但是我这一次分娩会尝试的事：_ _ _

_ _

_ _

第 8 个月的照片

感想：

第9个月的产前检查

34 ~ 40 周

最后一个月的产前检查次数和内容，要依据你的个人情况而定。医生也许会要求你每周做一次例行检查。在这个月的产前检查中，你可能会做的项目包括：

* 检查子宫大小与高度
* 子宫触诊以确定宝宝的位置
* 如有必要，进行内诊
* 测量体重与血压
* 如有必要，用超声波确定宝宝的大小和位置
* 验尿
* 讨论分娩开始后，什么时候该到医院
* 讨论布拉克斯顿·希克斯收缩和"真的收缩"有什么不同
* 讨论有哪些迹象表明分娩开始
* 讨论何时到医院或产房
* 讨论你的分娩计划
* 和医护人员讨论你的感觉及关心的问题

如果这种每周1~2次的例行产检拖了很长一段时间，你的医生就会跟你讨论过了预产期该怎么办。比如你可能每周都要接受超声波检查，确定羊水的量，或是考虑进行人工引产。如果你真的过了预产期，你的主治医生会向你说明必须注意的一些信号。

第 **9** 个月

迎接新生命的诞生

这个月你似乎所有的时间都在准备分娩。虽然这些分娩的长期准备跟分娩当天或是分娩临近时比起来是小巫见大巫，但是比较正确的产科说法还是应该说这个月是分娩月，而不是简单地把这个月的某一天当做分娩日。因为在分娩的前几个星期，你的身心都会准备好迎接一生中最难忘的事——你的宝宝的诞生。

情绪上可能的转变

把过去 8 个月来你所有的各种情绪加重，你大概就会对第 9 个月的情绪转变有个概念了。你可能会受不了自己的庞大体形，对经常感到疲倦觉得很烦，也准备好随时结束你的怀孕生涯。面对即将来临的分娩及生活状态的改变，你的情绪可能会更不稳定。

不过因为你知道该来的总是要来，所以你反而比较容易处理自己的情绪。下面就是大多数孕妇的感觉。

更急切

因为你已经进入最后冲刺阶段了，所以你比以前更迫不及待地想要见到宝宝。同时，你也急着想让那些唠叨的朋友住口（"什么！你还没生？"）。对许多孕妇来说，第 9 个月是怀孕期当中最长的一个月。有一些准妈妈告诉我们，她们真恨不得把日子快转到分娩当天。

还有两个星期才到预产期，我的身体好庞大，孕妇装都快穿不下了。今天到朋友家做客，我还得辛苦地管束快满两岁的孩子，觉得又累又热。朋友们好像都觉得我早就该生了，她们都生过孩子,应该更了解这种感觉。

我们之前建议过,你在告诉自己和亲友预产期的时候,应该尽量模糊,或是故意延后1~2周。你给自己的这段宽限期可以让你获得平静,而且如果宝宝真的没有准时"报到",你才不会那么烦躁。不耐烦的情绪会破坏你的宁静,而且会惹得丈夫和孩子也不高兴。更何况,如果宝宝真的提前来到,有谁会埋怨这突如其来的惊喜?你唯一必须吐露真相的是你的丈夫、分娩助理,还有分娩后头几个星期会在家陪你的人,方便他们安排时间。

更矛盾

没错,你很想怀抱小宝宝,而且恨不得立刻终结怀孕,回复往日的身材,也许你甚至等不及想在床上趴着睡了!不过,你可能也会偶尔闪过一丝丝遗憾,因为自己就快要丧失孕妇的特殊身份了。其实,有许多孕妇都不希望孕期结束。到了这时候,你会觉得和宝宝有一种独特的亲密感,没有人能分享你与宝宝的这种关系,而你以后也不会和宝宝再有这么亲密的关系了。不过还好,这种关系很快会被另一种更特别的亲密感所取代。

如果你本人对角色转换一向处理不好,那么怀孕即将结束的矛盾情绪,会让你对从怀孕到当妈妈的转变感到不安。你可能会不断寻找各种方法来挥别过去自由的生活状态,而且渴望能有个信号或预兆,让你知道你已经准备好要迈向成人生活的一个新阶段。打起精神来,一旦你怀抱小宝宝,你就会惊讶自己怎么能那么快就忘记怀孕的苦与乐。不过你一定会因为不再具有孕妇的身份而难过,所以要难过趁现在,等宝宝出世,你就会忙不过来了。

我发现自己最后一个月不是沉迷在宝宝的拳打脚踢中,就是跟宝宝说话,或是抱着自己的肚子,想要把这种特别的感觉深深烙印在脑海里。等到宝宝出世,我却发现怀孕固然美好,也喜欢宝宝分享我的身体,但是能和他面对面相处,我心里觉得更充实。怀孕的过程已经充满了惊奇,当妈妈对我来说更是很大的震撼。

有一天我正想着未来的日子,想象一切恢复"正常"以后,会是什么样子。然后我就意识到,当妈妈就是我现在的正常生活。

渴望独处

虽然你还不至于隐居起来,但是多数孕妇到了最后一个月都会把心思转到家里。你可能会变得喜欢沉思,日程表在预产期之前几乎是一片空白。突然之间，外在的事物对你来说都不再重要，什么国家大事你都不想关心。你也许还很庆幸现在（还有未来的几个月）有个最好的借口，可以拒绝所有需要你花时间和精力，让你无法好好休息的各种要求。

进入第9个月后，我就决定创造一个身心都需要的安静休息空间。我希望自己能为分娩充分休息，并培养体力。我也知道分娩之后就要立刻担起母亲的重担，完全没有时间缓冲。我看过朋友带小孩，知道那的确很累人，所以我觉得这是我最后可以积蓄体力的时候，应该争取多休息。

更敏感

要有心理准备，这个月你会更敏感，而且会被很多善意却不够体贴的意见搅得很心烦。你可能更容易生丈夫的气，对孩子变得没耐心，一些平时不在意的事这时也会激怒你。你要持续进行自我安抚的活动（详见第377页），以免被这些负面的情绪左右而消耗了体力或是破坏了家里的和谐气氛。一些喜欢给意见的朋友会在最后的这几个星期把她们储存的各种宝贵的育儿知识，一下子都倒到你身上。你会觉得被这些意见激怒或是被压得喘不过气来，希望大家不要来烦你，让你以自己的方式来生养你的

宝宝。你的这些情绪都是正常的，这也就是为什么即将分娩的准妈妈到了最后几个星期会变得独来独往的原因——她们不希望成为不招自来的意见的靶子。你可能会发现自己非常保护自己平静的生活，这是你保护自己不受外来影响的本能。这样可以避免分心而无法专注在最重要的事——分娩上，同时也替你节省体力，准备好面对即将来临的大事。如果迎面而来又有个小意见，别怕，让自己暂时心不在焉一下。如果你能接受就点个头，表示感谢，不过不必太在意给意见的人。更好的做法是避开容易让你紧张的人，因为接下来的几个月，你有很辛苦的工作要做，而且没人能代劳。

更忧虑

你已经作好所有计划，宝宝的衣物也都买好了，不过偶尔晚上还是会睡不着躺在床上，一件一件地回想有没有遗漏什么。为了做到万全的准备，你把所有的事都记在纸上，以免自己老是担心会忘了什么。可是，你现在又开始担心，不知道自己会不会一开始就漏记了（在床边摆一本便笺和一支笔，这样你随时可以把想到的事记下来，然后就可以安心入睡）。利用表格做一次产前最后的检查（详见第375页），然后就可以放心地让身体和心理去做该做的事——休息。

你会发现你遗忘的事到头来可能并不是那么重要。

更害怕

虽然为了这个大日子，你已经准备了9个月，而且觉得该做的都做了，不过你还是会自然而然地反复思考，你是不是真的挨得过分娩的阵痛？现在显然是不可能回头了，而且在你之前，已经有无数女性经历过分娩，包括你母亲在内。如果这是你的头胎，对未知的害怕自然会让你产生畏惧。所以尽可能在第9个月初就把问题想透彻，好让你的身体可以迎接接下来相当吃力的工作。你越信任自己的身体，相信它能正常运转，你的心情就越能好好放松。

筑巢直觉更强

鸟类如此，蜜蜂如此，甚至孕妇也是一样：筑个巢好"孵蛋"。如果你发现自己突然有股强烈的大扫除的冲动，想把房子的每个角落、窗户、百叶窗、所有家具等都打扫干净，或是突然想进行一项大工程，像是把过去多年来零零散散的照片整理成册。不必太惊讶，这很正常。

分娩前两周我开始刷洗墙壁，我可从来没刷洗过墙壁。

大自然会赋予你一股爆发力，满足你为这个重要的新成员准备一个家的欲望。让这股爆发的能量为你最后这段无止境的无聊日子带来一些变化。这样你的生活才能维持常态，而且你也会很有成就感。不过也不要做得太过分，虽然这种筑巢的直觉在动物界的雌性身上很普遍，人类的妈妈却不是真正需要有个干净整洁的"巢"。你不必在宝宝出生以前就把所有东西都布置好，或是整理得井井有条。其实经验告诉我们，有很多精心设计过的婴儿房在前几个月（或是前几年）都派不上用场。别让自己忙昏头了，否则到头来你会过度疲倦，现在可不是把精力耗尽的时候。其实有许多工作可以由其他人代劳，或是留到分娩后，利用宝宝在摇篮中静静睡着的时候再慢慢做。虽然你可能认为离分娩日还有2~3个星期，但是别太有把握。在第9个月中，要充分休息，就像是明天就要生了一样。

我的助产士告诉我，宝宝很快就会出生，不过我并不知道会这么快。那天整个下午我都带着4岁的孩子逛街，然后回家，把床单换了，把脏衣服分类，又煮了一顿丰盛的晚餐。后来我发现自己开始阵痛，当时厨房里一团糟，卧室乱七八糟，而我马上就要生了！当天深夜宝宝就出生了，不过厨房一直到 3 天以后才打扫干净。

生理上可能的转变

你在分娩过程中经历的身体变化会比你一辈子任何一段时间经历的变化都大。这些变化大多数是自然而然发生的，就像无数女性一样，你会发现你的"分娩系统"本能地知道该怎么运作。但是如果能了解身体在这个月的变化，同时为这些改变做准备，你就可以让分娩过程更顺利，而且更有机会拥有一次安全满意的分娩经验。下面是最后这几周在等待身体为分娩做准备的日子里，你可能会有的感觉。再过不久，你就要留意一些大日子来临的征兆了。

觉得身体更庞大

你现在是个庞然大物——身体真的很庞大。你会发现腹部肌肉因为要辛苦地支撑你的肚子而疼痛，也会发现胯部或大腿骨在走路的时候会痛，甚至会觉得要这样一摇一摆地走到停车的地方都很累人。庞大的身躯会让你觉得浑身不舒服，甚至连你的双腿都觉得沉重。在第 9 个月最初的 1~2 周，尽情欣赏自己在镜子前庞大的侧影吧，因为宝宝很快就要下降到你的骨盆，所以你突出的肚子会有所改变。你可能还会想，不知道自己会怎样拖着庞大的身躯再过一个月。

更疲倦

很多妈妈在这个月会觉得身体很疲倦。你可能因为要拖着前凸而沉重的身体上下楼觉得很累，甚至从沙发上爬起来都会让你喘不过气来。有些孕妇喜欢一直忙到接近分娩，但是多数孕妇在最后一个月会想放慢脚步或是干脆请假待产。大部分准妈妈都表示她们在最后一个月因为似乎总是睡不够，所以常觉得很郁闷。不管她们有多累，却总是睡不好，而且也觉得没有得到充分休息，这是因为第 9 个月沉重的身心负担造成的。其实，不只是单纯地睡不够，第一次做妈妈的人还会渐渐习惯一种她们从来没有体验过的睡眠状态——浅眠，这渐渐会变成妈妈们熟悉又实际的一种生活状态。照顾小宝宝、看看大孩子有没有踢被、做噩梦的时候安慰他们、生病的时候熬夜看护他们、睡不着的时候哄他们，这些肯定会让你习惯这种浅眠，甚至可能持续好几年。

我在 8 年之间，一共生了 5 个孩子，最小的两个是双胞胎。生完老大以后过了 14 年，有一天我一觉睡到天亮。等我醒来，我想起这是我有孩子以前的睡眠状态。这么多年来，我已经习惯半夜里醒来巡视一下几个孩

产前准备事项检查表

在产前的最后几周，你会有很多必须在最后这段时间完成的事，还要告诉一些该通知的人，所以不要让该做的事留到分娩那一天。下面是可以提醒你注意的检查表。

☐ 安排其他孩子的照料问题
☐ 把未完成的工作做个交接
☐ 到医院登记
☐ 参观分娩地点（产房）
☐ 制订分娩计划，并和医生讨论
☐ 和医院协商计划
☐ 通知分娩助理最新修正的预产期
☐ 付清账单
☐ 确定自己知道什么时候通知医生，什么时候该到医院
☐ 准备好宝宝的全套衣物
☐ 购买舒适衣物的最后机会：睡衣和哺乳胸罩
☐ 购买婴儿汽车座椅，并且要确定摆在车里刚好合适

下面是分娩需要的物品：

分娩配备

☐ 你最心爱的枕头
☐ 录音机和最喜欢的音乐
☐ 按摩乳液或油（不含香精）
☐ 易消化的零嘴（如蜂蜜、干果、新鲜水果、果汁、燕麦片）
☐ 热水壶

☐ 其他你觉得有用的物品

卫浴用品

☐ 梳子、吹风机、插座
☐ 肥皂、洗发水、润发素（不要用香水，可能会让宝宝不舒服）
☐ 卫生巾
☐ 牙刷、牙膏、润唇膏
☐ 眼镜或隐形眼镜（或者都带，分娩中你可能不想戴隐形眼镜）
☐ 化妆品

宝宝出院服装

☐ 袜子、脚套
☐ 一件内衣
☐ 婴儿睡袋（和婴儿汽车座椅大小合适）
☐ 婴儿毯
☐ 冬天须另备抱被、厚毛毯
☐ 帽子
☐ 尿片

其他准备事项

☐ 保险单
☐ 照相机或摄像机
☐ 一些打电话用的零钱（或电话卡）
☐ 入院登记单
☐ 一份或几份分娩计划
☐ 给宝宝哥哥姐姐的"生日礼物"
☐ 最喜欢的书籍或杂志
☐ 通讯录（可查电话号码，通知亲友喜讯）

子，我的耳朵好像总是在听有没有咳嗽声或哭声。

有时候我像个僵尸一样，半夜里起来去上厕所。我妈妈说这种失眠现象是为了宝宝的来临"彩排"。我很担心像我这么累，等宝宝出生，我说不定会做出什么糊涂事，像是把他忘在商店里之类的。

我居然在上班的时候睡着了，所以我这个星期就请产假了（提前3周）。而且因为没办法再为这个家分担经济压力，总觉得很有罪恶感。12年来，我一直都在工作，不知道宝宝出世后，这份罪恶感会不会减少一点。

体重减轻
虽然宝宝的体重在本月还会再增加好几百克，你的体重却可能只有小幅增加，或是维持不变，甚至减轻0.5~1千克左右。最后一个月的体重减轻通常是因为激素开始转移你的体液，使得羊水减少的缘故。你制造的羊水减少，再加上尿频，使得体内的水分含量整体下降，因此体重会跟着减轻。这种现象其实是身体在排出多余的体液。

很难找到舒服的姿势
你可能很难找到舒服的姿势——不管在什么地方都一样。你会发现自己坐也不是，站也不是，甚至同一个姿势躺着也维持不了几分钟，而且也很难找到舒服的睡姿。工作的时候，你可能会很不舒服，在家里又得不到充分的休息。你可能会跟多数孕妇一样，觉得自己太累，恐怕没办法挨过分娩的痛苦。这个月一定要常常利用时间小睡一下，同时要多练习你所学的放松技巧，利用这些方式让自己在分娩前多多休息。

感觉好一点了
喘不过气和烧心这两项前几个月常见的困扰，通常在第9个月都会缓和下来。如果宝宝下降到你的骨盆（详见第391页"下坠感"），你的横膈膜附近的空间就会变大，好让它比较容易发挥作用，你的呼吸就会顺畅一点。而且胃受到的压迫也变小了，发生烧心的情况也少多了。不过虽然子宫上方的问题减轻了，下方的老问题又会出现——你又得常常跑厕所，因为宝宝的头会更多地压迫到你的膀胱。所以，虽然身体上半部分的消化道会舒服一点，但是下半部分会更挤，可能又会造成便秘和胀气（详见第77~78页减轻便秘症状的方法）。

新的骨盆压力
由于宝宝下降到骨盆腔，你的尾

多爱自己一点点

* 读小说
* 看喜剧片
* 打电话给个性积极的朋友
* 泡个舒服的澡
* 好好享用一顿大餐
* 参观博物馆
* 去电影院看一部浪漫喜剧片
* 一边听能够放松心情的音乐，一边写卡片的信封地址，准备通知亲朋好友宝宝的诞生
* 白天小睡的时候，就播放分娩要用的音乐
* 深呼几口气，伸展一下手脚

骨或是骨盆的中间可能会出现强烈刺痛感，因此走路时会很不舒服。有些孕妇的子宫颈本身还会有很难受的像针扎一样一阵一阵的刺痛。你可能每次抬腿穿上内裤或是下床时，都会感觉到骨盆附近有压力或是剧痛，有时候这些疼痛还会扩散到你的背部或是大腿。这些新增加的骨盆疼痛和其他第9个月的疼痛，很可能都是因为骨盆周围的韧带组织在为即将来临的工作做准备时，不断地拉扯和放松所引起的，你可以利用姿势的改变来减轻这些不适症状。每天还是要做些温和的运动，像是慢而长的步行，或是在

室内骑一骑健身脚踏车。如果你连走路或是运动都会痛，可以找一位有怀孕按摩经验的脊椎按摩师，请他帮你做一些温和的骨盆调整按摩，让你的臀部回到平衡状态。

我们的理论是，怀孕期间的脊椎按摩不但有助于预防或是减轻背部疼痛，而且可以让你的背部和骨盆结构更能适应分娩的压力。

感觉到宝宝不同的踢法

宝宝在第9个月动得比第8个月少，不过频率虽然减少，力度却有所增加。你可能会觉得肋骨被踢、骨盆受到冲撞。有时候，你甚至会觉得宝宝的手脚伸进阴道——这是一种非常奇特的感觉。

全身酸痛

有些孕妇在第9个月会觉得全身僵硬，她们觉得就像是老年人得关节炎一样。宝宝的头会压迫到骨盆的神经和血管，可能会造成大腿抽筋。这些新的变化就跟骨盆的疼痛一样，是孕激素影响到全身关节的韧带组织所引起的。全身韧带松弛一般被认为是造成膝盖和手腕无力的原因，这让准妈妈们有时连举起轻一点的东西都会觉得不容易，而且走路时会觉得不舒服。但是活动可以使身体健康，而且一旦你开始每天走路，这些疼痛就会

慢慢消失。千万别瘫在沙发上，要不然你的肌肉、心血管、呼吸、消化等系统就会容易生病。

胎儿的成长（34~40周）

到了足月的时候，大部分宝宝的体重都在 2700~3400 克之间，身高则在 48~53 厘米之间。在这个大功即将告成的阶段，宝宝还会长出大量的皮下脂肪，为出生增肥。宝宝细软的胎毛和胎脂都会逐渐消失，剩下的胎脂足够为宝宝出生时润滑产道。到了这个时候，宝宝的空间已经不够用了，所以他会整个蜷缩起来像个小球

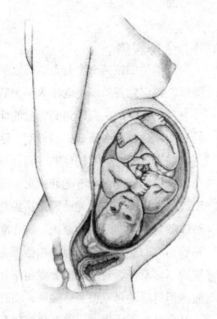

34~40 周的宝宝

一样，变成准备出生的姿势。最后这几个星期，宝宝在子宫内会吸吮、吞咽、呼吸、眨眼、踏步、转头、吮拇指、握拳、手指交叉紧握，练习他首次在这个世界亮相时需要的各种动作。宝宝肺部的气囊（肺泡）也会出现一种表面活性物质，可以在每次呼吸后扩张他的肺，同时让几乎所有在这个阶段（甚至在这个阶段初期）出生的婴儿都能够在子宫外呼吸空气。

你应该关心的事

分娩自助法
——你不可不知的事

你听过有关分娩的最惨的情况是什么吗？很痛、持续很久。还好，疼痛的强度和受折磨的时间，都是你可以左右的。你可以促进产程的进行，同时避免失望引起的恶性循环。这种循环大概是这样的：医护人员检查之后，表示："还不会这么快生！"你听了开始失望不安，然后子宫收缩就更慢，于是你就必须面对漫长而精疲力竭的分娩过程。对部分产妇来说，缓慢稳定的分娩是她们的常态，不会有问题。不过有一些方法是几乎所有产妇都可以加以利用的，它们让身体更有效率地运作，同时又可以让产妇不那么痛。

了解状况

在分娩课程当中，你可能会学到很多与分娩相关的解剖学和生理学知识，包括子宫怎么收缩，以及宝宝在弯曲的骨盆通道前进时身体会如何旋转或弯曲等。另外，你还必须了解放松的重要性、恐惧造成的分娩停滞、激素的运作，以及你怎样帮助激素更有效地运作等。分娩课程中至少有一堂课会教你分娩进行时的情况，千万别落掉这堂课。

在分娩前了解一下分娩时可能会用到的仪器设备及药物。虽然仪器设备通常是用来救命和省力的，但是这些技术手段的应用是要帮助分娩的进行，而不是加以阻碍。记得在正确的时机使用硬脊膜外麻醉，一如我们在第8个月中谈到的，这样可以让精疲力竭的妈妈休息一下、喘口气。因此，从长期来说，反而能加速产程的进行。相反的，用错药，或用对药却用错时间，都会阻碍产程的进行。凡是需要你待在床上的仪器设备都会让你的分娩拖得比较久。如果你需要静脉注射，别忘了要求用肝素帽，这样你才能够活动，不至于因为必须连着床边的输液架而失去行动自由。如果你必须接受胎儿监护，询问一下，看看是不是可以隔一会儿做一次。如果出于一些医疗方面的考虑，你必须持续接受胎儿监护，可要求采用遥感监护系统，这样你才能自由活动。这项现代科技让产妇可以鱼与熊掌兼得——不但可以自由活动，同时在监护下安全也有保障（详见第358页"用平和的心态看待止痛"，以及第356页"新硬脊膜外麻醉"）。

保持身体健康

这时候你就能看出来蹲坐、每天走路、游泳、骑健身脚踏车的好处了，提前拉伸并调整好肌肉更有利于你的分娩。

多休息

把宝宝生出来是一件辛苦却很有效率的工作。工作越辛苦，人越需要休息。幸运的是，大自然提供了两种休息方式给分娩的产妇。第一种是在分娩初期，子宫收缩还不会痛得无法忍受的时候；第二种会贯穿整个分娩期，就是在宫缩之间的短暂休息机会。即使在阵痛最剧烈的时候，每一次收缩结束和下一次开始之间都会有一段间隔。一般生第一胎的产妇常犯的毛病就是在分娩初期还忙个不停，你可能会想："这些宫缩还不会很痛，我还撑得住。在真的阵痛开始前，趁现在刚好可以整理房间，或是写好通知宝宝出生的卡片地址。但你错了。如果你不趁现在让身心好好休息一下，等到真的阵痛开始，你会更难受，更难控制疼痛。如果你是在家分娩，找一个安静的地方，把电话听筒拿下来，想办法睡一下，或至少休息一下，不要老想着还有哪些事没做。如果你的分娩是在医院开始的，就尽量维持一个适合休息的环境。别忘了要在宫缩之间休息，特别是在分娩初期，每次收缩间隔都能持续5分钟或更长。在分娩的活跃期，每次收缩的间隔也有2~3分钟。你同时还要运用练习过的放松技巧。我们看到过经验丰富的妈妈，她们有效地运用这些技巧，让自己在收缩的间隔当中发呆来放松，还有些妈妈在第二阶段中的两次用力之间居然能打鼾。不要因为担心下一次收缩会有什么感觉而浪费了这些间隔时间，因为这样只会让疼痛加剧。恐惧感会强化疼痛的感受，充分休息才不会累坏了。

别忘了在两次宫缩之间想3件事：休息、放松、躺下。

注意营养

辛苦工作的子宫和周围的肌肉需要大量的食物来补充能量，以及大量的饮料来补充水分。医生过去都希望产妇分娩时不要进食或是喝饮料，以免妈妈临时需要全身麻醉进行剖腹，那时她们可以通过静脉输液来补充水分、提供能量。不过既然大部分最后以手术分娩的妈妈都选择以硬脊膜外

麻醉或脊髓麻醉来保持清醒，分娩中保持空腹就不再像过去那么必要了。在紧急分娩的情况下，偶尔还是会有需要全身麻醉的时候，因此医生会担心你在昏迷的情况下呕吐，然后把肠胃里的东西吸进肺里。因此，一般还是建议分娩中的产妇进食少量容易消化的食物就好，其实吃得太多也会让你不舒服。下面是在分娩中保持营养均衡的方法。

早一点进食。在分娩初期进食以储存能量。等分娩开始加剧，你的肠胃就不会那么听话了。

进食次数多一点。以小吃代替正餐（少量多餐或吃零食），对敏感的胃来说比一顿大餐舒服得多。

吃高热量食物。在分娩初期，尽量往肚子里装些复合碳水化合物（谷类、面食），胃比较容易接受这些食物，而且它们也能在接下来几小时的辛苦工作中缓慢、稳定地提供热量。在分娩后期，小口吃或喝一些简单碳水化合物，这些食物很快就会经过胃，快速提供能量，像是水果、果汁、蜂蜜等。

吃容易消化的食物。有的妈妈在分娩时会觉得恶心，不管是吃还是喝都没有食欲，但是她们还是得吃。所以你必须准备一些在怀孕前期害喜时你最喜欢吃的或是喝的东西，你当时可以忍受的食物，很可能就是你现在可以消化的。避免含脂肪太多或

是油炸、含气的食物，或是碳酸饮料——你体内的工作已经够多了，不要再加重肠胃的负担。

尽量多喝水。千万不要脱水，因为这会消耗你的热量，扰乱身体的生理功能，而且让分娩减缓。吃不饱或是缺水的肌肉是没办法有效工作的。在分娩初期，每小时补充至少240毫升的水分，利用宫缩的间隔，缓缓吮吸。记得带至少两瓶你最喜欢的饮料到医院，把它们放在床边容易拿的地方。在我们的从业生涯中看过很多妈妈采用一种她们称之为"分娩水"的有效配方，其实就是我们习惯的运动饮料的健康版。它提供碳水化合物、电解质、矿物质等，帮助你保持身体的化学平衡。

柠檬汁	1/3 杯
蜂蜜	1/3 杯
盐	1/4~1/2 茶匙
苏打粉	1/4 茶匙
钙片（压碎）	1/2 片

再加水至1升左右。如果你希望味道淡一点，可以再加入250毫升的水，你也可以加入自己最喜欢的果汁来增添风味。

很多妈妈在分娩的时候忙于应付阵痛，根本就没想到要帮身体补充水分。因此，陪同分娩的人有一个重要工作就是要敦促产妇喝水。

静脉"喂食"。如果你恶心得厉害，不能进食，也不能喝饮料，那么你的医生可能会担心你脱水，所以他会建议你进行静脉输液，这样可以刺激分娩的进行，或是让疲惫的妈妈振作起来。

额外的好处。体内水分越多，就表示你越需要常跑厕所。这就意味着你必须要走动、蹲下，而这些动作本身，就能够刺激分娩。

保持安静

你不需要像猫妈妈一样躲到橱柜里去生小宝宝，不过你必须为自己安排一个平静的分娩环境。陪同分娩的人（丈夫、朋友或护士）必须尊重你的隐私，这样在子宫收缩时，你才可以专心做该做的事，在宫缩之间，你才可以好好休息。把这项工作交给你的丈夫，让他维持秩序，把闲聊、喧哗、造成干扰的人请出待产室，以维护分娩这件大事的隐私与尊严。

开心一点

你会发现在分娩期间，除了保持安静，还会有时间笑和说话。其实笑一笑对分娩是有好处的。医生的幽默感可以让妈妈和那群无助地围绕在她身边的人都放松些。笑可以增加内啡肽的分泌——它是你身体的天然疼痛舒缓剂和松弛剂。你可以试试看一部喜剧片，要是你喜欢的类型。你和丈夫可以共同调整室内的安静和轻松程度，让你感觉最舒服，为你创造一个有助于分娩的环境。

浪漫一点

"爱让世界运转"，爱也有助于宝宝的出生。做爱时释放的激素也能促进分娩的进行，内啡肽在做爱时会让妈妈产生一种愉悦的感觉，自然而然地放松。另外，刺激乳头（妈妈可以自己来或是请丈夫帮忙，或是泡在水池里泼水到乳头上）也可以让身体释放出加强宫缩的激素——催产素。亲吻、亲热的拥抱、充满爱意的按摩都能促使激素在分娩时发挥作用，这些促进产程的激素还会消除造成产程迟缓的不安情绪。

你可能听说过做爱可以刺激分娩的进行，因为精子含有一种有力的激素——前列腺素，可以被你的身体利用以促进分娩的进行。这种说法其实说对也可以，说错也行。说对，是因为在分娩初期做爱，也就是在羊膜破裂之前、医生同意的情况下，的确可以刺激分娩进行，有助于你放松，不过这是因为性爱会让妈妈的身体释放出催产素和内啡肽。研究已经证实，一个男人在精子中所能释放的前列腺素的量绝对不够刺激分娩的进行。虽然女性很少把"做宝宝"跟生宝宝看成同一件事，但是性和分娩的确是有相同的激素，所以你实在没道理不让这些天然的激素来帮你。但是有些孕妇发现她们的敏感地带在分娩的时候变得太过敏感，完全碰不得（陪同分娩的人注意，要有心理准备，你们可能会突然听到一声："不要碰我！"）

对一般孕妇来说，乳头和阴道刺激不会有问题，还有些孕妇会觉得很舒服。这些爱的激素跟分娩的激素是很类似的，让它们为你服务吧！

对我来说，分娩是性感和女性特质最极致的表现，所以我觉得分娩的环境是很重要的。我希望有抒情音乐、柔和的灯光、还要有私密的环境。合适的分娩环境该像合适的做爱环境一样。

积极的环境

消极的环境对分娩中的妈妈没有一点好处。把消极的人都赶出产房。你不需要听其他人的奋斗史，也不必知道为什么她们的产程无法进展，或是让她们批评你的分娩策略跟她们比起来，简直是完全的失败，等等。如果你听了这些消极人士的话，你就注定要成为"产程迟缓俱乐部"的一员了。我们接触的分娩情况越多，就越了解待产室里身心协调合作的强大力量。邀请积极的人陪产吧！

我什么时候才会生？

你一定很想知道"我什么时候才会生？"如果能了解医护人员的分娩用语，以及这些说法对应着你身体的什么情况，对你会很有帮助。分娩医护人员有下面 3 种方法来衡量你的产程进展情况：消失、扩张、下降。

消失程度 (effacement)。表示你的子宫颈变薄，从原来厚壁的圆锥状，变成位于宝宝头部下方的薄而宽的杯形。医护人员在内诊时会检查你子宫颈消失的程度。

* 消失度 0，表示你的子宫颈还没开始变薄。

* 消失度 50%，就表示子宫颈已经有一半变薄了。

* 消失度 100%，表示你的子宫颈完全变薄，可以张开准备让宝宝出生了。

怀头胎的妈妈的子宫颈可能必须要完全消失才会开始扩张。如果不是头胎，消失和扩张可能会同时进行。医护人员内诊时，你可能会听到他们宣布你的子宫颈已经准备好了，这表示你的子宫颈已经够柔软，可以开始消失与扩张了。

扩张程度 (dilatation)。是指你的子宫颈口张开的程度。在内诊的时候，医护人员会用手指估计你的宫颈口开

了几厘米。在分娩前与分娩最初的阶段，你应该会开 1~2 厘米。随着阵痛加剧，你会开到 5 厘米，等到医护人员报告好消息，告诉你已经开到 10 厘米了，那就表示你的子宫颈口已经全开。在产科的术语里，分娩是指你的子宫颈逐渐扩张的阶段。

下降程度 (descent)。是指宝宝的先露部分（通常是头）下降了多少到你的骨盆。医护人员在内诊时，会判断宝宝已经下降到什么产位 (station)。产位零表示在骨盆的中间，从零开始，每往上或往下 1 厘米就是另一个产位。最高的产位是浮动 (floating)，表示宝宝的头还在骨盆的入口上方，也就是还没进入产位。如果医护人员宣布"宝宝在负四产位"，表示他正在零产位上方 4 厘米处浮动。如果医护人员说"宝宝在正四"，表示他的头已经一路下降通过骨盆，医护人员已经可以看到宝宝的头了。

除了消失、扩张、下降以外，另一个产程元素是宝宝姿势的改变。宝宝除了必须下降到产道，身体还必须旋转，才能以阻力最小的方式通过骨盆通道。有时候在分娩中整整一小时（或更长）扩张和下降的程度都没有变化，但其实宝宝和你的身体都在努

力改变宝宝的姿势，好方便他出来。虽然这种改变不会像扩张和下降程度一样被记录下来，但是这还是表示产程在持续进行。

万一医护人员宣布："你还是只开到 4 厘米……"不要太失望。产科医生认为活跃期的正常扩张程度是每小时开 1 厘米，下降 1 厘米（第二胎以上，则是每小时 1.5 厘米），不过这都只是产科的经验法则而已，不一定适用于你的子宫。比一般规律缓慢的分娩不一定就是不正常，也许你的子宫和骨盆通道本来就不同于一般产妇。

保持舒适

随身携带有助于分娩的物品（只要是可以放进你准备的住院袋就好）来溺爱自己一下。顺便带上自己最喜爱的音乐（详见第 340 页"听音乐分娩"）。冲个澡、泡进浴缸、咬几口你为分娩特别准备的美食，让丈夫一直为你按摩，在你身边堆满枕头支撑身体——做任何让你觉得平和舒服的事。分娩是一张让你享受奢侈的执照。如果你的医院提供新式产床，尽量加以利用，这种可调整的床可以给你必要的支撑，让你用自己喜欢的方式舒适地分娩。

促进分娩

你带去医院的分娩工具越多，你的分娩就可能进展得越快。如果你的医院在提供分娩辅助工具方面比较落后，你就自己带吧。其实，最好的分娩辅助工具就是一位专业分娩助理（详见第 301 页"选择一位分娩助理"）。另外，我们也看过一些妈妈在分娩的时候带了自己整理的小卡片，上面写着各种勉励的俏皮话，用来帮助她们放松或是让她们振作起来。如果你觉得这个点子不错，可以从各种关于分娩的书中节录一些值得记忆的句子、一段诗、一节经文或是幽默的打油诗等。你可以自己念给自己听，或是请陪同分娩的人念出来也可以，听到心爱的人读一段情诗能帮助你在宫缩之间好好放松（详见第 349~351 页的其

分娩小秘诀

告诉协助分娩的人不要坐在你身边盯着你看。俗话说得好："心急水不沸。"尽可能保持平常心做自己的事。被周围的人仔细盯着只会增加你的不安，让你觉得好像真的有什么事是必须小心注意的。

他分娩辅助方式）。

我生前两胎的时候，医院看到我带着自己的专业分娩助理、最喜欢的录音带、最喜欢的食物，他们以为我疯了。到了第3胎，护士小姐看到租来的分娩浴缸抬进我的房间的时候，都是一脸吃惊的样子。等我生第4胎的时候，他们对我所带的一切东西都表示欢迎了。我想他们终于了解，其实像我这样的妈妈反而比较不会麻烦他们，而且因为我这么自助，医院大概省了不少钱。我希望医院在设计产房的时候也可以有所领悟，他们应该询问真正的专家——我们这些会用到那些设备的妈妈们——到底产房应该有些什么设备。

发出声音来

把礼仪留到宴席上再用，在分娩的过程中你不必对自己发出的声音不好意思，毕竟你不是在图书馆或是教堂里生孩子。每次准备分娩的妈妈总会问我到时该怎么做，资深的医护人员（特别是自己已经分娩过的人）的回答都是："按照你的想法去做就好。"很多妈妈表示，在越来越难熬的时候，放开自己喊出来、发出长长的呻吟或是用力哼哼，都可以给她们力量，让她们觉得舒服。这些心里不由自主地发出的声音是一种紧张的释放，也是集中体内力量来度过剧烈宫缩的有效方法。这些声音就像运动员要进行特别激烈或是需要绝对专心的活动时发出来的声音一样。当然，有些声音对分娩有益，有的则有害。低而长的呻吟（"鸣音"）可以让你放开、振作，高而尖、突然的呼喊会造成身体紧张，让你害怕（也会吓到隔壁房间的产妇）。记得要让你的丈夫知道你可能会发出奇怪的声音来自我释放，要不然他可能会误以为这些可怕的声音是表示你已经失控，于是想办法要帮你解决问题，让你安静下来。

我是科班出身的歌手，我发现在分娩中发出声音可以让我放松。我可以借着发出的声音把宫缩的痛包裹起来送出去。生完宝宝我的声音都变了，但是还不至于沙哑。正确的歌唱方式也是需要放松的，放松身体让我在分娩中可以利用有效的发声技巧。

自由活动

分娩的准妈妈都应该有活动的自由，以及采取最有效的分娩姿势的自由这两项权利。但是为了利用你身体天生的能力，找出最佳的分娩姿势，你可能必须先经过一场小小的思想革命。把你脑袋里那些从电影里看到的躺着生孩子的画面都抹掉，这些不过是过去惨痛不堪的分娩史遗留下来的记忆罢了。实际上，除了平躺之外，通常在分娩过程中会采取 8 种可能的分娩姿势。这些姿势几乎都是直立、半直立，或是移动的。

如果在分娩中你把自己限制在床上，你的分娩时间就可能会比较长。在分娩早期来回走动是很有帮助的，它可以缓解不舒服的感觉，也可以加速产程。我们之前提过，如果你需要接受检查或仪器设备的监护，记得要求使用新式仪器，让你可以一边接受监护，一边自由活动。

直立

如果产妇被允许使用她们自己携带的设备，多数的妈妈会用直立或是半直立的方式分娩。直立的时候，地心引力可以帮助宝宝下降。从生理角度看，躺着分娩对妈妈和宝宝都不合理。躺着的时候，地心引力会把宝宝拉向妈妈的后背，所以她的子宫被迫要费力地把宝宝往上推。更糟的是，子宫会压迫到脊柱附近的主要血管，减少通往子宫的血流量，使宫缩无法充分发挥作用。躺着分娩也很容易造成严重的背痛。根据研究显示，以直立方式分娩可以提高子宫的效率，缩短分娩时间，子宫颈口也开得较快。从我们的经验来看，躺着分娩的妈妈更可能经历漫长、痛苦的产程。

直立分娩可以扩大骨盆的通道，让宝宝比较容易出来。直立的时候，你的骨盆关节受到孕激素的影响会比较松弛，因此比较容易转动，可以让大头宽肩的宝宝顺利出来。同时直立姿势也会让产道组织自然伸展，因此撕裂的情况较少。平躺分娩是借助麻醉与产钳的分娩所遗留下来的观念，当时的女性分娩时药用得很多，她们根本站不起来或是不能用力把宝宝推出来。因为妈妈无法自己生出宝宝，所以要由其他人帮她把宝宝取出来。渐渐地，接生宝宝的人习惯了舒舒服服地坐在产台那一端协助宝宝出来。没过多久，他们就自行决定这是最安全的方法，因为这对他们来说比较方便。其实用任何姿势都可以让宝宝安全出生，只要妈妈或是医护人员可以接到宝宝就行。

直立分娩不表示整个分娩过程你都要站着、靠着、走动、或是蹲着。为有效促进分娩，下面是变换姿势的最好方式：

* 宫缩时以直立方式分娩
* 宫缩间隔时躺下休息

找出最佳分娩姿势

当我躺在床上，产科医生进来察看的时候，我发现自己突然变成了病人。后来我开始在房间里走动，在走廊上散步，或是靠在我丈夫的怀里，她发现我的产程进展良好，也能有效地处理阵痛，她根本不需要介入。如果我躺在床上，显然就是她干涉的对象。我想，躺在床上让我看起来比较依赖别人，也比较虚弱，所以医生就觉得有义务要帮我。

你真该看看我请医生跪下来从下面接宝宝的时候她脸上的表情。我是靠先生从后面扶住我，用蹲姿把宝宝生出来的（我肯定这种分娩姿势还没写进产科的教科书中）。这种姿势确实很有效，我相信下一次如果还有人提出这样的要求，她一定有所准备——戴上护膝。

就像做爱没有所谓的正确姿势一样，生宝宝也没有什么正确的姿势。要想实现有效率地分娩，就必须知道有哪些可用的姿势，以及拥有尝试各种姿势的自由。试试下面这些最受欢迎的成功分娩姿势。

蹲

你也许会想，既然可以舒舒服服地侧躺在床上，为什么还要蹲着。蹲姿对妈妈和宝宝其实都有好处，它可以扩大骨盆开口、舒缓背部疼痛、加速分娩进行、放松会阴肌肉，减少撕裂的发生概率、供给宝宝更多氧气，甚至可以加速胎盘的娩出。如果你在怀孕期间经常练习蹲姿，那么分娩的时候就会容易多了。

如果你现在试着下蹲，你可会觉得大腿骨与骨盆是连在一起的。所以你蹲下的时候，腿骨就像是杠杆一样可以让你的骨盆出口扩张 20%~30%。蹲姿让宝宝以比较直的路线通过更宽的通道，这也是宝宝最容易通过骨盆的方式。但是如果是平躺着分娩，你的子宫就必须把宝宝推过较窄而弯曲的通道，这通常比较困难，而且也比较痛（分娩第二阶段比较短的妇女会选择不用蹲姿）。

蹲姿要诀：

＊除非蹲姿对你初期的分娩有帮助，否则你应该留到第二阶段再用这一姿势，也就是子宫颈完全扩张，你想要充分利用每一次宫缩的时候再用。如果你的宫缩不是很剧烈，而且子宫颈持续扩张，第一阶段的分娩通常不必采用蹲姿。在宫缩变得剧烈之前，最好不要让双腿过度疲劳。

＊如果你有想要用力的冲动，就表示是该蹲下的时候了。等宫缩一开始，你就可以从休息的姿势起来，改为蹲姿。你可以使用连在产床上的蹲姿杆，或是借其他人的脖子来支撑身体（详见第388页图例）。宫缩之间别忘了采取更舒适的姿势休息。

＊蹲姿会让宫缩加强，因为这个姿势让宝宝的头压迫子宫颈，这也是

慢舞　　　　　　　　　　悬挂蹲姿　　　　　　　　支撑蹲姿

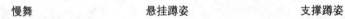

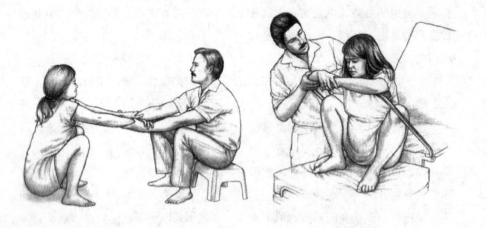

支撑蹲姿　　　　　　　　利用蹲姿杆

四肢着地

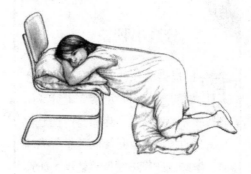

靠着椅子

蹲姿可以加速产程的原因。但是如果你发现在分娩的第二阶段采取蹲姿造成阵痛太剧烈，那就调整一下姿势。

*避免滑倒或太累。双脚打开至少与肩同宽，慢慢地往下蹲。不要突然站起来，这样会拉伤膝盖。

*往下蹲的时候要同时放松腹部肌肉，让你看起来像怀孕 11 个月的样子，绷紧腹部肌肉可能会造成疼痛加剧。

悬挂蹲姿（详见第 388 页图）是很自然的"释放"姿势，你要同时提醒自己放松，释放压力，然后产下宝宝。这种姿势也会让你放松心情。

跪

跪姿有助于缓和剧烈的宫缩、缓解背部疼痛，或是让臀位的宝宝转向。这个姿势也很容易变换为其他姿势，像是蹲跪、四肢着地跪着，或是

膝胸位等。

坐

坐姿可以扩大骨盆，但是不如蹲姿扩大得多。最有效的分娩姿势就是在矮凳子上采取蹲坐的姿势。或者利用其他你练习过的道具，像是跨坐在马桶上、椅子上，或是分娩球上也可以（详见第 349 页）。如果你因为使用止痛药，必须待在床上，跨坐在产床上也可以。

站与靠

为了让分娩进行得更快、更有效率，你可以多走走。如果突然之间一阵强烈的宫缩袭来，而你刚好是直立的姿势，这时候你不妨停下来，靠在墙上或是靠着陪同分娩的人，又或是把头靠在桌子的枕头上，休息一下。

分娩小秘诀

前面提供的各种建议都有助于分娩的进行（详见第 331 页"如何驾驭分娩疼痛"），疼痛与产程是相互关联的，但通常是反向关系。你越痛、越累，产程进展得就越慢。如果想知道促进产程的小秘诀，一定不能错过第 8 个月关于缓解疼痛的部分。

侧躺

虽然走动和直立都有助于分娩的进行，但是要你在整个分娩过程中都站着，实在是不尽人情。你的身体很

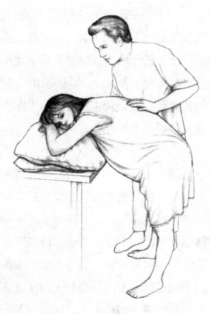

靠着桌子

辛苦，需要休息，要不然可能没办法继续有效率地工作。所以在分娩活跃期的宫缩中，你最好保持直立，变换各种姿势，但是在分娩初期和两次宫缩之间，则要尽可能多休息。记得要靠左侧躺（详见第 253 页图）。

侧躺次数和时间长短，要看你的分娩状况而定。如果分娩进行得很快而且宫缩很强，你就用侧躺姿势，特别是在剧烈宫缩的时候。如果分娩进行得太慢，你想加快分娩的进行或是增加宫缩的强度，就可以在宫缩时采取蹲姿或跪姿，然后在两次宫缩的间隔回到侧躺的姿势。我们要再次强调两次宫缩之间的三大法则：放松、休息、躺下。

有的妈妈因为侧躺着太舒服了，所以就用这个姿势娩出宝宝。如果你也想用这个姿势分娩，就请陪同分娩的人帮你把上边的腿抬高，以扩张你的骨盆。

一定要在分娩课程中或家里事先练习过这些姿势。记得在子宫收缩期间，告诉自己要保持直立，在宫缩间隔则告诉自己要休息。分娩时，尽量尝试各种姿势，直到找到能帮你缓解不适，又能促进分娩的姿势为止。

阵痛与分娩

在第 9 个月中，你一方面想要赶

快卸下身上的大包袱，一方面又等不及想要抱一抱孕育了这么久的可爱小生命。因此可能每次子宫一有动静，你就会想："是不是要生了？"通常情况下应该不是，你还是得再等几天或是几星期才能摸到小宝宝。有的妈妈一下就开始阵痛了（突然、确定、有力），而且进展迅速。有的妈妈则是慢慢地进入分娩状态，有时候还不太确定，而且是一步一步地进行，不过却很有效率。另外还有些妈妈的分娩时断时续，突然爆发后又中断，一拖就是好几天。有时候，妈妈会被假阵痛、真阵痛、分娩前阵痛等一大堆的术语搞迷糊了。虽然每个妈妈的阵痛和分娩就像怀孕一样，都是因人而异的，但多数孕妇在接近分娩时，还是会经过几个典型的阶段。

分娩前阵痛：分娩日快到了

你可能会经历些什么？

可以说，最后一个月大部分的时间都在分娩，因为你的身体会经历很多变化，为分娩做准备。下面就是衡量分娩日是否接近的一些线索：

下坠感。在最后这几周里，你可能会注意到你的宝宝已经移到腹部下方。第一次怀孕的妈妈通常在分娩前两周就会注意到宝宝在往下降，有的宝宝甚至在分娩前4周就下降了。第二次怀孕的妈妈则有很多是到分娩开始时宝宝才往下降，这是因为妈妈的骨盆肌肉已经伸展过一次，所以不需要事先"热身"。宝宝的头进入骨盆后固定，又称为"轻松感"（因为重量下移的腹部感觉比较小、比较轻），或是"进入产位"（因为宝宝的头进入骨盆开口）。如果觉得宝宝下降、变轻或是进入产位，你的感觉和外表就会有所不同。你的乳房就不会再碰到肚皮，你也可以感觉到宝宝的头就搁在盆骨中间的下方。

尿频。宝宝的头现在更靠近你的膀胱了，所以你可能更会常跑厕所。

下背部疼痛。随着宝宝越来越重、下降得越来越低，子宫和骨盆的韧带组织受到的拉扯更大了，会造成你的背部下方和骨盆出现酸痛现象。

布拉克斯顿·希克斯收缩更强。你可能会发现这些"热身宫缩"（详见第250页）从不舒服渐渐变得很痛，就像是痛经一样。虽然这些分娩前的宫缩强度比不上真正分娩时的宫缩，不过还是强到可以让子宫颈开始变薄，或是消失，你的子宫颈会从厚壁的圆锥状变成薄壁的杯形。这些收缩到了分娩前夕会变得更强，而且会持续加强，这样断断续续从分娩前1~2周开始，一直持续到分娩。但是如果你改变姿势或开始走动，这些宫缩可能就会减弱。记得出现这些宫缩时，要练习放松技巧（详见第394~395页

有关"分娩前宫缩"与"分娩宫缩"的差异比较）。

我觉得好像有一条腰带在我的肚子里面，一下拉紧，一下放松，然后又拉紧。这种情形持续了1~2周之后，我真正的宫缩才开始。

腹泻。分娩激素对肠子的影响，可能会引发腹部抽筋或腹泻。排便次数频繁，就好像是天然的灌肠，空出肠子让宝宝有更多的空间通过。但这些激素也可能会让你觉得反胃。

阴道分泌物增加。你可能会发现有更多蛋白状或带粉红色的阴道分泌物出现。这和下面"见红"所描述的情况是不一样的。

"见红"。宝宝的头下降进入骨盆腔，加上分娩前的子宫收缩促使子宫颈变薄，会使子宫分泌出一些黏液。这种黏液有的是丝状，有的则呈浓厚的胶状。有些妈妈会有很明显的一次流出大量黏液的状况，而有些妈妈就只是发现带血的阴道分泌物有所增加。子宫颈变薄，会造成子宫颈上的一些微细血管破裂，所以你会看见从粉红色到红褐色的一茶匙量左右的血色黏液。如果你的分泌物除了黏液还有血，像是经血或是鲜红色的血，那么你应该立刻告诉你的医生。

一旦见红，就表示你很可能会在3天之内分娩，不过有的妈妈还是又拖了1~2个星期才生。

破水。只有大约10%的妈妈，会在分娩前破水。大多数的妈妈要到分娩进行了很久之后才会破水。如果你在分娩前就破水，要有心理准备，你很可能在几分钟或几小时内，就会开始强烈阵痛，最迟也会隔天开始分娩。

上述的临产征兆出现表示分娩很快就要开始，只是还不一定是什么时候。有些孕妇会在分娩前几天出现部分或全部的这几种征兆，有的妈妈则在分娩前的1~2个星期就会出现。至于这些征兆何时发生，以及发生程度如何则都是因人而异，还有很多妈妈完全没有注意到有这些变化。如果你出现其中的一些征兆，最好赶快休息，因为你很可能在几天之内就要生了。

你的身体会有哪些变化？

虽然分娩还没开始，你的身体已经开始为分娩做准备了。你的激素在改变，黄体酮减少，雌激素、催产素、前列腺素则增加。这些分娩激素会让你的骨盆韧带比前几个月更放松，让阴道组织更有伸展性。这些激素也会开始对子宫颈发挥作用，让它发育成熟，也就是让它更柔软、更薄、做好扩张的准备。

分娩前的阵痛可能持续几个小时

什么情况下该到医院?

你唤醒丈夫:"噢,天哪,我要生了!"他的反射动作就是马上带你到医院。先别急,你还有功课要先做。到底什么时候该去医院,要看你个人的情况而定。下面这些基本原则,可以减轻你的忧虑。

*在第9个月的产检时,请医生具体说明什么情况下该到医院,你可能有些特殊的产科原因需要比其他妈妈提前到医院。你的医生会给你一些数据,让你可以掌握打电话的时机,像是宫缩的间隔时间,以及每次宫缩持续多久。医生也会告诉你真正分娩时的征兆(详见第395页)。如果这不是你的头胎,那么何时该到医院,就要看你上一胎的分娩是快而剧烈,还是拖了很久。

*复习一下分娩前宫缩和分娩宫缩的不同(详见第394~395页),以确定你的确是在分娩进行中的状态。

*到医院前,参考"在家宫缩表"(详见第395页)。

*一旦发现你的宫缩表显示的情况和医生给你的原则相符,你就可以准备到医院。如果你发现有下面列出的其他问题,也应该准备到医院。

或是你很担心、害怕、不确定该怎么办,也可以去。不要因为自己太紧张,结果发现只是虚惊一场就觉得不好意思。特别是如果这是你的头胎,你想要一些肯定的答案好让自己安心,这是很正常的(第二胎以上的妈妈也还是需要一些确定的答案,才能放心)。

下面是一些可能出现问题的信号,一旦你发现了,要立刻就医:

*见红,阴道大量出血(血色鲜红而且比平时月经的量还多)

*破水,而且你发现阴道流出浓稠绿色的液体,这是胎便(宝宝第一次大便),这表示宝宝可能发生窘迫。

*直觉告诉你有状况发生,虽然你实在没有具体的证据显示有问题,但还是相信你母性的本能吧。

如果你在家一切正常,希望能尽量在舒适的窝里待久一点,就待一下。如果你会胡思乱想,而且希望能获得一些帮助,就提前一点到医院去;可能只是去检查一下、确定一下,即使医生叫你回家再等等都没关系,只要你觉得这样最安心就好。

或是几个星期。一般来说，宝宝会在这时候下降到骨盆，子宫颈也开始变薄(部分消失)、张开(扩张)1~2厘米。

你能做些什么?

休息、休息、再休息。就算真有可能，也不要在这时候工作，你接下来马上有很辛苦的工作要做。现在应该开始准备住院用品，把该交代的事项交代一下，再次检查产前应准备事项，确定没有遗漏(详见375页)。多吃一些复合碳水化合物来补充营养、储备能量。精神方面，你可以阅读或是练习下面的动作：

*放松技巧(详见第339页)

*疼痛舒缓技巧(详见第337页)

*有助于分娩进行的技巧(详见第378页)

尽量休息、保持体力、充分准备以迎接即将来临的艰苦工作。

分娩开始：征兆

当你的子宫颈扩张到4厘米的时候，你就正式进入分娩活跃期了(详见第395~396页关于分娩各阶段的描述)。有的妈妈就是迟迟无法进入这个阶段，她们可能拖个几天或1~2个星期才开始规律、强烈的宫缩。因此当你的宫缩变得规律，而且越来越强，就表示你已经开始分娩了。如果你已经开始分娩，那么你很可能在24小时内就可以看到小宝宝了。

我们觉得用"真分娩"和"假分娩"这样的词来定义，既不实用也不正确，因为根本没有所谓假的分娩宫缩。就像我们前面讨论过的，所有在分娩前几个星期到几个月所出现的布拉克斯顿·希克斯收缩，都是在调整子宫、调整宝宝的位置、让子宫颈消失，一切都是为了宝宝出生的那一天做准备。不过我们认为区分分娩前宫缩(准备宝宝的通道)和分娩宫缩(生出宝宝)很有帮助。对许多妈妈来说，尤其是生第一胎的妈妈，很难清楚地确定分娩宫缩的开始时间，因为分娩宫缩一开始跟分娩前宫缩很像。当然，妈妈事后回想的时候可以说："哦，没错，就是那时候开始的。"一旦分娩活跃期持续进行，你就可以很确定自己马上就要生了。下面是你可以区分这两种宫缩的方法。

分娩前宫缩(也称为"假宫缩")

*不规则：连续几个小时都没有明显的规律。

*没有进展；强度、持续时间、频率都没有增加。

*大部分出现在身体前部、腹部下方。

*从无痛到轻微地不舒服，比较像是被压到了，而不是痛。

分娩小秘诀

如果你不清楚自己到底是分娩前的阵痛，还是分娩的阵痛，可以采用"1-5-1"的原则来判定：如果收缩持续至少 1 分钟、每次间隔 5 分钟（或更短）、这种情况持续至少 1 小时，你应该就是开始分娩了。

这时候你就可以开始制作像下面的这张"在家宫缩表"了：

开始时间	持续多久
晚上 10：02	60 秒
晚上 10：06	65 秒
晚上 10：10	50 秒
晚上 10：13	40 秒
晚上 10：17	65 秒
晚上 10：22	60 秒

＊如果你改变姿势、走动、躺下、泡个热水澡或淋浴，就不会那么剧烈，也不会太难受。

＊子宫感觉好像一个很硬的球。

分娩宫缩（也称为"真宫缩"）

＊有规律（虽然不至于分秒不差）。

＊有进展：越来越强、持续更久、次数更多。宫缩的时间变长，间隔则缩短。

＊大部分出现在腹部下方，但是会扩散到背部下方。

＊从不舒服的压力，到紧绷、拉扯的疼痛都会出现。但是通过有意识地放松其他部分的肌肉，这种疼痛状况是可以克服，甚至是可以减轻的。

＊如果你是躺着的，就保持这个姿势；如果不是，就改变姿势。走动可能会产生更痛的感觉。

＊通常会"见红"（详见第 392 页）。

除非你发现有危险信号出现（详见第 393 页），要不然你还不需要去医院。但是如果刚好是在医生门诊时间，而你的好奇心太强实在不能等，那就直接问吧。医生可能会帮你做个内诊，然后告诉你究竟你是处于分娩前状态还是已经开始分娩。如果医生告诉你子宫颈已经变软、变薄、正在消失，或可能已经开始扩张，你可能会觉得精神为之一振。

既然你（也许和医生一起）决定这次是真的了，你就必须开始留意分娩各阶段的信号。但是没有哪个人的分娩是可以很精准地分段的。但是分娩大致都会经过下面这些阶段：

分娩第一阶段
＊初期或是潜伏期
＊活跃期
＊过渡期

分娩第二阶段
 *休息与用力阶段
 *先露与娩出阶段

分娩第三阶段
 *娩出胎盘

有些孕妇第一阶段的各期之间有清楚的分界,有些妈妈则是各期同时发生。别忘了各期的强度和时间长短在不同妈妈身上,甚至同一个妈妈的每一胎之间,都会有很大的差异。下面的描述只是一些基本原则,你的分娩也许在持续的时间、发生的时间和强度方面都会有所不同。

分娩的第一阶段:初期

你可能会经历些什么?

分娩的第一阶段之所以称为初期或潜伏期,是因为活跃期接着就要开始,虽然有时候看起来好像还没什么明显的动静。有的妈妈甚至不知道自己已经开始分娩,或是误以为这只是比较强的布拉克斯顿·希克斯收缩罢了。对大多数的妈妈来说,潜伏期是分娩最轻松、持续最久的阶段。在分娩初期,宫缩可以每隔5~30分钟一次,每次持续30~45秒。宫缩的强度则会让你没办法像平常一样做家务,但是多数产妇还是能保持冷静、从容应对。你可能会想聊天、希望有

人陪伴,或是想去散散步。你也可能会很兴奋,因为你知道终于就要生了。但是可能也会有点担心,因为不知道分娩会是什么样子,也不知道自己能不能应付得来。或者,你会突然出现强烈的筑巢本能,或是注意到自己出现了好几项先前讨论过的分娩前的征兆(腹泻、下背部疼痛、阴道分泌物增加、类似经痛的抽筋、见红、尿频)。在这个时期,有的妈妈的羊膜会破裂而有羊水流出,但是这种现象通常是到下一期(活跃期)才会出现。头胎妈妈分娩的第一阶段平均会持续8小时,但是这一时间可能从几小时到几天不等。有的妈妈的这一阶段发生在夜里,所以她们就会在睡眠中度过。

你的身体会有哪些变化?

在分娩初期,你的子宫颈会变薄,而且会消失50%~90%。到初期结束,子宫颈开口可达3~4厘米。

你能做些什么?

你的身体在这个时期会玩些小花样,你可能会觉得幸福洋溢、变得爱聊天或是突然神采奕奕,想要让自己忙起来——想要找个安静的地方躲起来的欲望这时还没出现。如果你觉得自己非常亢奋而且体力充沛,你大概不会想要休息——但是你非休息不

可。很多第一次怀孕的妈妈在这个阶段浪费了过多的精力，等到真正困难的部分开始时，她们已经很累、完全没有体力了。虽然你需要休息与睡眠，但是兴奋的心情和轻微不适的身体都会让你没办法好好休息。你可以请丈夫帮你按摩背部，让你放松，或是洗个热水澡、看看书或看电视都可以。不管如何，尽量试着睡一下，或是至少休息一下，想办法把体力留给即将面临的重要工作。

如果你就是静不下来，去散个步。直立的姿势和温和的活动有助于地心引力帮宝宝下降到骨盆，同时让宫缩持续进行。但是要小心，不要陷入恐惧的情绪，如果你前一胎难产或是你对自己的身体不信任，就很可能在这时候出现恐惧感，恐惧会使身体和心理两方面对分娩产生抗拒。如果你觉得自己有点紧张，找个能帮你的人谈一谈（最好是有分娩经验的或是你信任的朋友）。

随着宫缩加强，你就可以开始运用放松技巧和自然的疼痛缓解方法。在宫缩期间尝试变换不同姿势，在宫缩间隔试着侧躺着休息。如果背痛越来越严重，试试看在休息的时候偶尔采用四肢摊开的姿势。等到潜伏期的阵痛越来越强、越来越密集的时候，在收缩期间你就需要靠着别人或是靠着某样东西来支撑身体。

大部分的准妈妈在分娩初期都是待在舒适的家里（有的医院规定孕妇一定要到了活跃期才可以办住院待产和分娩手续）。进食次数要多一点（详见第 380 页），以储备能量。随时排空膀胱，这样会有利于分娩的进行。最重要的是尽可能放松身心。

你的身体和心理会让你知道潜伏期要结束了。分娩初期要结束的时候，宫缩的强度和频率都会增加（大概是每 5 分钟 1 次）。活跃期开始的一个常见征兆就是你会从先前的幸福感平静下来，变得比较内省，不关心周遭的一切，想要退到一个安静的角落，这种情绪的转变表示你该通知医生你已经开始分娩了。留意自己情绪和身体的信号，根据这些信号来采取行动（详见第 393 页"什么情况下该到医院？"，第 400 页"该去医院了！"）。

丈夫在初期该怎么办？

当个跑腿的，劝妻子尽可能在自己准备好的小窝里面好好休息。你呢，就负责提供吃的喝的。同时依照她的要求，给她按摩、揉搓背部，以及给她身体和情绪上的支持。

这段时间会很可怕。你可能还记得很久以前陪她参加的准妈妈课程里放的电影或书上有关分娩出危险的情况，像是妈妈痛苦的惨叫，爸爸在产房外焦急疯狂地来回踱步。这些都可能造成你下意识地对分娩感到恐惧。这些记忆中的画面在分娩时一定会浮现，你会突然害怕9个月前的一夜浪漫，如今可能会危及你所爱的人的性命。你看到她越来越难受，觉得自己要负全责，又因为无法减轻她的痛苦而充满无力感。背部按摩、鼓励的话、甚至亲吻或是爱抚似乎都帮助不大，而且因为妻子分娩时又显得冷淡或是易怒，你也会担心宝宝出世后不知道生活会变成什么样子：妻子还会不会喜欢浪漫的夜晚，你赚的钱够不够宝宝的医疗和教育费用，你会不会是个好父亲，等等。最让你想不通的是那个大西瓜到底要怎么通过妻子的阴道。

大部分的男人都不喜欢医院、讨厌面对疼痛和流血，所以尽管你已经很仔细地做了准备，接下来的48小时还是不会太好过。勇敢一点，你一定办得到。你对妻子的爱和关怀会让你安然度过这段时间，她最需要的就是你能在她身边陪她度过接下来发生的一切。这是很紧张的一段时间，但是当你怀抱自己的儿子或是女儿，你就会觉得很震撼、很自豪，一切恐惧和忧虑都会化为无形。这个小人儿和他的妈妈在未来的几星期甚至是几个月的时间里，都需要你稳重、冷静地陪着他们，支持他们。妻子给你的这个世界上最宝贵的礼物——你的孩子，会让你和你的人生更加丰富，远超过你能想象到的。

分娩的第一阶段：活跃期
你可能会经历些什么？

一般来说，如果你的宫缩强度让你没办法把一句话顺利讲完，那就表示你进入活跃期了。在分娩初期，你很可能会想："还好嘛，我还撑得住。"不过现在宫缩开始来得更快、更强，持续得也更久，你必须调动全部精神来应对，所以你可能改口："哇，真的好痛。"一般活跃期的宫缩约3~5分钟1次，每次持续45~60秒。你可能正散步到一半，突然开始宫缩，让你不得不停下来，而且几乎喘不过气来。想要借着分散注意力来减轻痛苦已经不可能，你必须开始使用之前练习过的放松和缓解疼痛的技巧。

妈妈们常形容活跃期的宫缩像是波浪一样，从子宫的上方开始向子宫下方席卷过去，或是从后面往前面扩散。这些波浪的波峰会在宫缩的中间出现，然后逐渐缓和下来。在活跃期，你的全身似乎都在参与宫缩。你会发现你的耻骨上方有强烈的拉伸，还伴随剧烈的背痛和骨盆压力。这同时也是羊膜最容易破裂，造成羊水冲出的时期（详见第392页"破水"）。

你可能注意到身体在进入活跃期之前，你的情绪就有了变化。在活跃期一开始或甚至在快开始之前，很多妈妈就本能地会找一个比较安静的地方来分娩。因此，照顾分娩妈妈的陪同人员或是其他人，应该要能看得出来妈妈现在需要专注于内心世界，他们应该调整计划来配合妈妈。

分娩第一阶段的活跃期会持续3~4小时，不过这只是平均值，你的子宫有它自己的进度。很多妈妈的活跃期是爆发后暂停的模式，强烈阵痛了一会儿，就平静一阵子，然后阵痛又再次加强。

你的身体会有哪些变化？

在活跃期里，你的子宫颈会完全消失，而且会张开4~8厘米左右。宝宝的头降到骨盆下方，因此会压破羊膜，造成羊水冲出。你的大脑为了应付增强的不舒适感，会释放更多内啡肽（身体的天然止痛剂）。

你能做些什么？

利用放松技巧和疼痛舒缓自助法（详见第331页）来缓和疼痛，同时谨记有利分娩进行的各项建议（详见第378页）。分娩活跃期的前期，也是许多产妇选择使用药物止痛的时候（详见第358页"用平和的心态看待止痛"），牢记下面这些要点，有助于缓和不适感和促进产程进行。

＊在宫缩之间休息以恢复体力。

＊在宫缩期间的放松与释放。宫缩一开始就深吸一口气，缓慢有节奏地从鼻子吸气，由嘴巴吐出。宫缩结束时，再次深呼吸，把全身累积的紧张都释放出来。

＊不断变换姿势。随机应变，只要有用就可以。

＊每小时都要把膀胱排空。

＊考虑浸泡在水中。

在这个阶段，你可能会发现自己的意识好像到了另一个世界，这种出窍的感觉在宫缩期间或两次宫缩之间都可能出现。不要害怕，你没有发疯，你的身体不过是在做它该做的事，来帮你解决痛楚罢了。

丈夫在活跃期该怎么办？

所有陪产的人都应该尊重妈妈希望保持心情平静的意愿，他们应该创造一个安静的环境，同时也应该主动保持安静。还有，要求护士和其他医护人员停止闲聊和制造不必要的噪音，这样妈妈才能安静地分娩。

现在是你保持不要陷入"恐惧—紧张—疼痛"的恶性循环的重要时刻。留意任何恐惧、紧张、疼痛的征兆，尽可能化解不安与紧张的气氛。说话时要肯定、冷静、注意你的声音和肢体语言，不要显露出恐惧或是紧张。提醒妻子一切都很顺利，并表示她处理得很好。活跃期一开始，就跟她一

该去医院了！

你可能会想象自己像疯了一样赶去医院或是产科，结果却在出租车上生下宝宝。也许你会担心因为你拖了太久，结果丈夫得扮演助产士在卧室里帮你紧急接生。不管电影怎么演，这些情况其实很少发生。大多数的准妈妈，只要经过分娩医护人员说明一下，都能把入院时间掌握得很好。在你分娩前的几次产检中，或是在分娩初期问医生的时候，你会得到有关何时去医院的明确指示（如果你有特殊的产科问题，必须提前入院确保安全，就去吧）。以下是一些基本原则：

＊对大部分头胎妈妈来说，有一个很有用的经验法则，就是当你达到"4-1-1"的宫缩时，就是该去医院的时候了。"4-1-1"原则是指宫缩每隔4分钟1次，每次持续1分钟，而且持续1个小时以上。

＊如果宫缩很强，让你走到一半得停下来、说话困难，或是必须利用很特殊的疼痛缓解方法的时候，就该去医院了。

＊倾听内心的声音，如果它说时间到了，你就去吧。

除非你的医生有别的指示，要不然你应该等到分娩已经进展到一定程度再去医院。试着尽量在自己舒适的家里分娩，待得愈久愈好，大多数的产妇都觉得在分娩初期待在自己熟悉的环境里最为舒适。太早到医院反而容易造成分娩停滞，但是太晚到医院也不见得太高明。

不要担心如果你到医院结果是虚惊一场，医院的分娩医护人员会怎么看你。他们早就习惯这种情况了，他们不会用怜悯的眼光看你，而是用"你这么早来干什么？先回家或去散散步"这样的问题来笑你，或是让你不好意思。如果这是你的头胎，你当然不会知道分娩是什么样子，你又不能自己检查子宫颈的进展状况。如果这不是你的头胎，你更有理由相信，分娩很快就会开始。

起使用放松技巧，因为她可能会忘记要利用放松技巧，而且如果她不及早开始利用技巧，很可能渐渐就没劲再用了。

分娩的第一阶段：过渡期
你可能会经历些什么？

过渡期表示你即将从分娩的第一阶段——打开骨盆通道，进入第二阶段，也就是生出宝宝。过渡期是整个分娩过程中阵痛最强的时候，不过也是最短的时期，通常只维持 15~90 分钟。很多妈妈过渡期的宫缩都不超过 10~20 次。过渡期的宫缩也比活跃期频繁，大约每 1~3 分钟 1 次，而每次宫缩持续约 1~1.5 分钟。这些宫缩通常会有不止一次的阵痛高峰，而且来势又快又强，使你很难有机会在宫缩之间休息来补充体力。

随着宝宝穿过子宫到阴道的弯道，你的背痛也会加剧，骨盆和直肠也会感到很强的压力。另外，剧烈的宫缩还可能会引起恶心、呕吐、打嗝、大汗淋漓、忽冷忽热、全身颤抖，腿部会抖得特别严重，大腿也可能会痛得很厉害。

很多妈妈在过渡期，会有被阵痛吞噬的感觉。残酷的宫缩不断袭来，似乎超出忍耐极限。因此很多人会很自然地想（或说）："我不行了！"或是"我受不了了！"或是"我要硬脊膜外麻醉，现在就要！"尽管你到这个时刻为止，都处理得很好，而且能充分驾驭宫缩的疼痛。但是从现在起，你恐怕很难在这些阵痛中放松。它们就像波浪席卷而来，中间根本没有什么时间让你喘口气。你也许会大叫出来，发出呻吟声，或是其他从心里发出的粗野声音，只要是能够让你撑下去的声音都可以。

等你觉得实在撑不下去的时候，告诉自己你已经爬过最痛的山头了，觉得自己不行了正是你不必再忍耐太久的表示。一旦过渡期结束，接下来就是比较好走的下坡路了。虽然接下来要生出宝宝也很辛苦，不过大部分的产妇都觉得不太痛，而且痛得比较值得。

你的身体会有哪些变化？

你的子宫颈会在过渡期扩张最后的几厘米。到这一期结束，你就会听到这句福音："恭喜你，子宫颈全开了。"过渡期之所以会这么难受，是因为你的子宫肌肉正在做双倍的工作，好让子宫颈充分扩张，也就是持续往上拉扯子宫颈，使其越过宝宝的头，并开始把宝宝的头推出去。同时，宝宝的头挤过子宫颈会对你的直肠和盆骨造成巨大的压力，这就是为什么你在过渡期会这么难受的原因。还好，你的大脑知道这是项艰巨的工作，所以也会持续释放内啡肽。

你能做些什么？

因为过渡期非常难熬，所以你必须利用各种放松和缓解疼痛的方法和工具。你可以试试这些方式：

*改变姿势，看看怎样最有效：跪、坐、四肢着地、侧躺、蹲姿等。你的身体会告诉你什么时候该变换

姿势。

*宫缩间隔充分休息。不要想着刚才的痛或是接下来的宫缩。

*专心让身体松弛。想象你的子宫颈正在打开，同时往上拉，越过宝宝的头。

*利用不断吐气来克服想要用力的冲动。如果你在子宫颈全开之前过度用力，可能会引起子宫颈肿胀，这样就要花更长的时间才能将子宫颈往上拉越过宝宝的头。要克服过早用力的冲动很难，如果你想要用力，一定要让医护人员知道，这样她才能帮你检查子宫颈，然后告诉你什么时候可以开始用力。

很多原来决定不用硬脊膜外麻醉的妈妈，到了过渡期通常会改变主意要求麻醉。但是如果医护人员告诉你已经太迟了，不要太失望。因为等到硬脊膜外麻醉注射好开始发挥药效的时候，过渡期恐怕已经结束了。

丈夫在过渡期该怎么办？

千万记得，分娩中的女性没有什么所谓的标准行为或表现。过渡期一点也不浪漫，你心爱的妻子正在分娩，她很可能会六亲不认，甚至对你们陪产的人都充满敌意。她也没办法告诉你应该怎么帮她，她得忙别的事，没时间去想你该怎么做才能帮她，而且她太累了，也没耐性解释她的需

求。如果她大叫"不要摸我"或是"我不要生了"，不要觉得受伤。在过渡期当中，你碰她某些地方会让她没办法专心。如果她大叫"走开"，你就退后一点，但是还是要陪着她。给她信心、称赞她、试着让她保持呼吸正常，你可以和她一起慢慢地深呼吸。如果这时候有很有经验的人出现（分娩助理或护士），这时候你会很高兴她可以提供经验，你的妻子需要她，你也需要她。

如果妻子的状况很糟，你就必须保持良好状态，要当她可以信赖的灯塔、可以帮她稳定的船锚。你不必替她解决什么事，只要陪着她就可以了。她对你的感激绝对超出你的想象，只是现在她没时间对你表示。

分娩的第二阶段：生出宝宝
你可能会经历些什么？

在生出宝宝的阶段中，最令人高兴的两件事是：第一，这个阶段比过渡期更容易熬过；第二，这个阶段结束，你的宝宝就出世了。你的宫缩现在不那么痛了，而且间隔时间也比较长，大约每隔3~5分钟才有一次。

难得的休息机会

很多妈妈在过渡期的痛苦和生出宝宝的冲动之间，会有整整10~20分钟的暂停时间，分娩教育家海伦·韦

塞尔称之为"宁静时期",另一位分娩教育家希拉·基青格则称之为"休息与感恩阶段"。如果你在分娩中也有这一段时间,尽量休息。多数的妈妈还会感觉到突然精力百倍,这段时间是在为生出宝宝之前准备精力。

想要用力的冲动。一旦子宫颈全开,宝宝的头就会开始下降,进入产道。你可能会有一股无法克制的冲动想要用力。

那是一种无法抵挡的强烈感觉,像是我一生中最剧烈的一次排便(不过,好像又不怎么像)。那是我经历过最实在的感觉,而且比起过渡期好太多了。

你在把宝宝推出产道的时候,可能会有一种很吓人的短暂撕裂的感觉,因为你的阴道组织正在拉扯,好让宝宝通过。记住,阴道天生就是为了这种拉扯而设计的。几分钟之后,宝宝的头对阴道壁造成的压力就会让你感觉麻木。

有些运气很好的妈妈,只用力几次就把宝宝生出来了,有的妈妈就得经过几个小时的努力才行。对生头胎的妈妈来说,生出宝宝的时间,平均是1~1.5小时(生第二胎的妈妈就快得多)。跟分娩的其他过程一样,生出宝宝这个阶段的时间长短,也有很大的个体差异。但是如果你使用硬脊膜外麻醉,你想用力的欲望和能力就会受到阻碍,所以生出宝宝的阶段,就会比原来应有的时间更久。这就是为什么很多妈妈和医护人员,会决定在过渡期把硬脊膜外麻醉关小或关掉,让妈妈可以完全参与生出宝宝的阶段。不过各种药效强弱不同,有的药物需要长达一个小时,才能完全消退。

你的身体会有哪些变化?

你的子宫颈在过渡期结束后就已经完全张开,可以让宝宝的头(或是臀部,如果是臀位的宝宝,详见第326页)进入产道。随着宝宝的头拉扯阴道和骨盆底部肌肉,位于这些组织的微小神经末梢接收器会引发你用力的冲动,称为弗格森反射,而这种反射也会通知你的身体释放更多的催产素(刺激子宫收缩的激素)。这两种天然的刺激物会共同作用把宝宝生出来,其中一种告诉你要全身用力,另一种则告诉子宫要收缩,有助于把宝宝往下推。在前一个阶段,你的子宫负责所有的工作,到了这个阶段则是你的腹部和骨盆肌肉一起对子宫施压,增加子宫的力量,把宝宝往下、往外推。

你能做些什么?

如果你知道要怎么用力,以及在什么时候用力,你就可以早一点抱到宝宝,而且可以比较省力。

试着用自己的方式来用力。当你的直觉告诉你用力的时候,你就用力,不要等别人大声喊"用力"的时候才使劲,这样比较符合生理原则。为了以最省力的方法,让宝宝在最短的时间内出来,你的子宫和需要出力的肌肉必须合作。一旦你感觉到难以抵挡的冲动想要用力,你就用力。这种冲动可能在一开始宫缩的时候出现,也可能在宫缩当中出现。有时候在宫缩当中,你会感觉到一阵持续很久的冲动,有时候又会在一次宫缩中间,就有好几次想用力的冲动。

医护人员应以平和方式支持妈妈。陪同分娩的医护人员就像是在赛跑终点热情欢呼的群众一样,喜欢在生出宝宝的阶段用一些鼓励的话来激励妈妈。如果这些"教练"使产妇感觉到过多的压力,产妇一定要让他们知道。医护人员在大声喊"再用力一点","憋住气","你一定没有问题的,再试一次","用力,用力"等的时候,要注意避免扰乱产妇自己的内在节奏。以前因为产妇大量使用麻醉药动弹不得,所以她们感觉不到什么时候该用力,而且她们也没办法很有效率地生出宝宝。现在这些"工程总监"虽然是善意的,却常产生反效果。

让妈妈根据每一次宫缩的情况来感觉什么时候该用力、用力多久、用多大力等,就好像是让收缩的子宫来指挥这场分娩交响乐(分娩教育家希拉·基青格如是说)。

但是有时候平和的指挥是必要的,比如你感觉不到用力的冲动,或是当这种反射被药效盖过的时候。护士小姐可以帮你盯着电子胎儿监护仪,告诉你什么时候该用力(也许可以把手放在你的子宫上,这样你就可以感觉到即将开始的宫缩)。等宫缩开始,你的"指挥"就会下达指令:"深呼一口气,弯起背部(不要拱起来),收紧腹部肌肉,臀部放松,用力。一边用力一边慢慢吐气,想象你正在放松身体、生出宝宝。"(详见第359页"硬脊膜外麻醉的注射时机"的相关内容)。

正确地用力。请把记忆中电影里的分娩情节都抹掉。和我们之前提过的生理用力不同,由一群喧闹、紧张的拉拉队鼓动的用力方法,通常对妈妈都没有帮助,甚至可能对宝宝有害,毕竟分娩不是奥运会比赛。如果妈妈持续很久地憋气用力,她胸腔的压力就会增加,这样会减缓血液回流到心脏的速度,造成血压下降,而且会减

少对辛苦工作中的子宫的供血量。憋气和用力的时间越久，越有可能产生这些循环系统的问题。研究指出，超过6秒的憋气和用力，会改变胎儿的心律，这表示胎儿可能没有获得足够的氧气。

研究也证实很多妈妈本能的做法是对的：短暂、多次的用力，不但可以替你省力、保护脸部血管、输送更多血液到子宫、促进宫缩，同时还可以给宝宝更多氧气。其实研究也显示大多数的妈妈不需要别人告诉她们怎么用力，就可以做得很好。适当地出力不但对宝宝比较好，妈妈也不会太累。

那么生出宝宝最好的方式是什么呢？尽你所能地用力，但是别过头。短暂(5~6秒)、多次(每次宫缩3~4次)的用力，不会让你过度疲劳，而且可以维持你血液中氧气含量的稳定，在连续5~6秒使尽全力之后，把空气从肺部全部吐出来，然后赶紧吸气，让肺部充满新的空气，准备下一次用力。

采取最佳用力姿势。平躺最费力，保持上半身直立的蹲姿是最好的。如果你是平躺着，等于是要把宝宝往上坡推，这是最没有效率的路径。如果你的脊柱下方(尾骨)是靠在某个地方的，当宝宝通过时，它就没办法向外伸展，因此就会减缓产程进行，也会增加分娩的疼痛。蹲姿则可以扩大

骨盆、利用地心引力，这样宝宝往外、往下移动就会快些。还有一些方式也可以享受到蹲姿的好处，其中之一就是半躺的姿势，在你用力的时候将双腿拉向身体，这样可以扩大骨盆，但是这种姿势对地心引力的利用就不如蹲姿来得多。

如果宝宝下降得太快，你可以采取侧躺的姿势，请医护人员或分娩助理用热敷布支撑你的会阴组织，另外你还需要有人帮你抬高上面的一条腿。

慢慢来。通常妈妈和医护人员都会想让生出宝宝的阶段进行得快一点，你会希望分娩赶快结束，可以赶快抱到小宝宝。目前的研究则显示，第二阶段就算很长，只要经过适当地处理和监护，并不会对宝宝有负面的影响。新近的研究也指出，在用力的阶段如果用力过猛、过久，会造成宝宝缺氧，但是和第二阶段本身的时间长短无关。如果你听到电子胎儿监护仪的信号声在宫缩的时候变慢，不要紧张，只要宫缩结束后，信号声又恢复正常就没有关系。宝宝的心跳通常在宫缩时会减缓，在两次宫缩之间才又恢复正常。如果这些信号声让你担心或心烦，请医护人员把声音关掉，请一位医护人员帮忙盯着监护仪就好。

两次用力之间要休息。虽然分娩

教育家和许多有经验的妈妈都不断建议在两次用力之间要休息，但是很多新手妈妈还是不懂得利用这段分娩暂停的时间。等宫缩一结束，就慢慢变为能让你舒服地休息的姿势。吃点容易消化的食物、听听抒情音乐、保持产房及陪产人员安静，采取任何你需要的放松技巧，好让你能顺利进入你个人的宁静世界。在宫缩时或两次宫缩之间，想象子宫颈口张开、释放或是展开等的画面。你也可以借着想象玫瑰花瓣优雅地展开的画面，来鼓励你的身心敞开并生出小宝宝。

保护你的会阴。刚开始的几次用力的冲动可能会让你有点吃惊，所以你可能不但没有放松反而会使盆底肌肉紧张起来。这时候你努力练习的凯格尔运动和放松练习就大有帮助了。

丈夫在第二阶段该怎么办？

提醒你的妻子要放松，同时帮助她放松。用湿布帮她抹去前额的汗水，帮她拿想吃的东西、按摩她指定的地方、搓揉她的手臂和腿。提醒她要深呼吸，然后放松身体。即使她认为进展很慢，还是要鼓励她继续努力（"很好，加油！"）。别忘了在合适的时间亲亲她。

先露：宝宝的头出现了

在你用力了一阵子之后，你的阴唇就会开始突出，这是你辛苦工作后具体可见的结果。再过一会儿，每次你用力的时候，医护人员就可以看到小小的起皱的头皮出现，宫缩停止时就会缩回去，下次宫缩时又会出现。等医护人员说："宝宝开始露头了。"你的会阴就会开始慢慢拉扯，一直到最后阴道打开像个皇冠一样罩在宝宝头上。这种逐步的来来回回的下降方式可以让阴道组织逐渐张开，保护会阴不至于因为宝宝通过而受伤。一旦宝宝的头绕过弯道，低头弯身进入盆骨下方，他就不会再滑回去了（这时候你可以伸手下去摸摸宝宝的头，增加你继续努力的动力）。当你的阴唇和会阴在拉扯的时候，你会有一种刺痛、灼烧的感觉（抓住嘴角然后拉开，留意这种拉扯和灼热的感觉，再把它强化，就是分娩的感觉了）。这种刺痛是身体要你暂停用力的信号，再过几分钟，宝宝头的压力会自然地让你的皮肤神经麻痹，这时灼烧感就会消失。

一旦宝宝露头，医护人员可能会建议你不要再用力，而是让宝宝的头慢慢地出来，以免撕裂内部组织或是会阴。等到宝宝的头开始拉扯你的会阴皮肤时，有的医生会决定进行会阴切开手术，一定要事先让医生知道你对进行这项手术的意愿。再经过几次收缩，宝宝的头会随着肩膀通过耻骨下方而转向。再经过几次收缩，宝宝就会滑到医护人员的手上或是床上。

如果有必要，医生可能会把宝宝口、鼻里的黏液吸出来，搓一搓宝宝的背部，刺激他呼吸（然后你就会听到宝宝的第一次哭声），然后让宝宝和你肚皮对肚皮地躺着，同时快速地进行阿氏评分（Apgar score，详见第450页）、断脐（有的爸爸希望能有荣幸剪这一刀），然后宝宝就可以和你见面了。有的宝宝可能需要特别的照料，像是抽吸黏液、刺激呼吸或是给予氧气，让他们能顺利适应子宫外的生活。一旦照顾宝宝的重要系统都能正常运作，他就会被带到你身边，让你可以尽情地抱着他。

分娩的第三阶段：娩出胎盘
你可能会经历些什么？

经历了辛苦的分娩过程，你这时大概会精疲力竭，但是又同时因为努力得到了回报，所以非常兴奋。当你和先生赞叹地看着小宝宝和他小小的身体时，医护人员和你的身体都还要继续努力。因为你还有一件小工作未完成——娩出胎盘。

你可能会因为全部注意力都在宝宝身上，所以完全没留意胎盘的娩出。不过大多数的妈妈都觉得她们和宝宝联络感情的时间还是会被打扰，因为子宫仍会有轻微的疼痛，而医护人员也会提醒你还有工作未做完。在子宫轻微收缩娩出胎盘的时候，你可能会有抽筋的感觉，或是微弱的排出东西的感觉。如果你做了会阴切开术，或是有裂伤，医生可能还有缝合的工作要完成。为了方便缝合，医生会注射局部麻醉药，所以你可能会有一点针刺的感觉。不过分娩第三阶段的轻微不适感远远小过分娩结束后的轻松感，以及终于可以怀抱可爱宝宝的满足感。

你的身体会有哪些变化？

你的子宫会继续收缩，一方面是要排出胎盘，一方面要压迫血管，停止继续流血。

如果发生问题，医生就会注射催产素和麦角协助子宫收缩以尽快止血。医护人员也可能会按摩你的子宫，帮助它收缩，保持子宫坚硬。因为子宫保持坚硬，才会比较快止血。这个过程通常不太舒服。至于胎盘的娩出可能需要5~30分钟。

你能做些什么？

好好地享受宝宝诞生的喜悦，抱他、爱他、抚摸他，这个小人儿是你辛苦地分娩许久才诞生的。把宝宝放在你的腹部和你肌肤相亲，你的体温可以帮宝宝保暖（医护人员可能会在宝宝身上盖一条暖毛巾）。把宝宝抱

你的子宫如何分娩？

你有没有想过你的子宫是怎么把宝宝推出来的？虽然研究人员认为分娩是宝宝成熟时，由宝宝、子宫或是胎盘（也许三者都有）所分泌的前列腺素引发的，但仍然没有人真正知道它究竟是怎么开始分娩的。

把子宫想象成一个上下颠倒的梨子，纵向布满了几百条代表肌肉的橡皮筋。这些长条肌肉纤维在子宫上方，也就是最大的部分呈扇形展开，称为基底。而梨子最低最窄的部分，也就是子宫颈，包含了比肌肉更粗的纤维组织，而子宫颈的肌肉是呈环状排列的。想象子宫肌肉是以一推一拉的方式运作：上方的肌肉群把宝宝往下推，下方的肌肉群往上拉越过宝宝。为了让这些肌肉群能生出小宝宝，它们必须彼此协调合作，上方肌肉收缩变硬，下方肌肉软化、放松、张开。子宫最后会从梨形变成管状，让宝宝可以顺利下降。如果你很紧张，抗拒子宫的运作，这两组肌肉就无法协调，子宫上方的肌肉收缩，子宫下方的肌肉却无法放松，两者互相拉扯——就会很痛！

子宫肌肉还有一个跟身体其他肌肉群不同的了不起的特色，就是每次收缩完毕就会变得比较短。感谢老天爷，要不然你的子宫在分娩任务结束后就永远也回不到原来的大小了。

到胸前鼓励他吸吮。宝宝吸吮你的乳头，加上当你看到、摸到宝宝时所迸发的母性情感会释放出催产素，这种激素会自然帮助子宫收缩，有利于胎盘排出及止血。

在产后第一个星期中，你每次哺乳，就会有子宫痉挛的感觉，称为产后疼痛，通常生第二胎以上的妈妈比生头胎妈妈的产后疼痛更剧烈。但是别因为这种不舒服的感觉就停喂母乳，或是延后哺乳。如果产后疼痛让你很难受，询问医生你是否可以服用止痛药（例如扑热息痛或是布洛芬）。痉挛表示子宫在恢复到正常大小，这种痉挛通常很短暂，深呼吸有助于你在痉挛时放松。

一定要让爸爸抱抱小宝宝，最好不要穿上衣，这样他们才可以有肌肤之亲的机会。如果宝宝必须到婴儿室进行例行检查，或是基于医疗考虑要送去婴儿室，让爸爸也一起去。同时告诉医护人员尽快把宝宝抱回来给你。

分娩对宝宝好不好

你可能会担心被挤压出子宫和产道可能对宝宝不好。但是最新的研究有令人兴奋的结论：情况正好相反。可见，大自然的设计自有其道理。

虽然分娩的过程对宝宝来说压力很大，但是这种压力有正面的影响。对妈妈来说，分娩会引起有益的应激激素释放，帮助妈妈处理疼痛，以及快速地适应照顾宝宝的工作。妈妈的辛苦工作也会刺激宝宝的肾上腺分泌大量的应激激素，称为儿茶酚胺。这也是一般所谓的"胎儿应激反应"。这些激素跟成年人在面对压力或危及性命的情况时，为了帮助人尽快适应而释放的"打不赢就跑"的激素是一样的。这些激素可以帮助宝宝努力适应子宫外的生活。研究显示，经过分娩过程的新生儿，会比事先安排好剖腹产而没有获得分娩好处的新生儿有更多的这种有益激素。"胎儿应激反应"可以让宝宝很顺利地过渡到子宫外的生活。这种反应的好处包括：

促进呼吸。这些激素可以增加化学表面活性剂的分泌，这种物质可以帮助维持肺部扩张。

帮助宝宝的肺部张开。让宝宝能够顺利地呼吸空气，同时也会加速宝宝肺部羊水的排出。

增加重要器官的血流量。应激激素可以引导血液流向宝宝的心脏、大脑和肾脏等器官。

增加新生儿的免疫力。肾上腺素可以增加宝宝血液中抗感染的白血球数量。

增加宝宝的能量供给。提供宝宝从胎盘吸取养分到哺乳的转换期间所需要的营养物质，帮宝宝度过吸入母乳之前的过渡时期。

感情联络比较容易。大量的应激激素可以让新生儿跟给予照顾的人之间的互动表现得更活泼、更有反应。

"胎儿应激反应"更加证明了宝宝和妈妈的身体就是为了能够一起面对分娩和共同开创新生活而设计的。

宝宝在第一声号啕大哭之后，没有道理要继续哭。如果婴儿室的护士太忙，爸爸可以抱着小家伙摇一摇他，等护士忙完可以处理他为止，不要让宝宝单独留在婴儿室。宝宝会哭是因为他天生的生物需求——希望能待在妈妈身边。他来自一个温暖安全的地方，所以需要感觉到这个世界也是安全而且充满关爱的（详见第 425 页关于亲子依恋的讨论）。

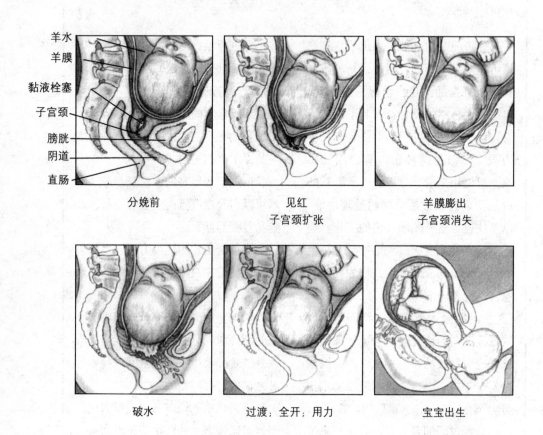

羊水
羊膜
黏液栓塞
子宫颈
膀胱
阴道
直肠

分娩前

见红
子宫颈扩张

羊膜膨出
子宫颈消失

破水

过渡；全开；用力

宝宝出生

怀孕日记：第9个月

我情绪上的感觉：_____

_____

我生理上的感觉：_____

_____

我对宝宝的感觉：_____

_____

_____

我想象中生宝宝当天的情景：_____

_____

我的体重：_____

我的血压：_____

我最关心的事：_____

_____

_____

我最快乐的事：_____

_____

我最严重的问题：_____

_____

_____

我应该关心的事

我的问题有哪些？我得到的解答是：
_____

检查结果和我的反应：
_____

当我感觉到宝宝在踢时，我的感觉是：
_____

当爸爸感觉到宝宝在踢时，他的感觉是：
_____

当分娩开始时，我的感觉是：
_____
_____
_____
_____
_____
_____
_____
_____

第 9 个月的照片

感想:

第 **10** 个月

产后复原与适应新角色

宝宝出生后的几个星期之内，因为你才刚刚完成一项艰巨的工作，加上生活产生了重大改变，你的身心还是会持续受到影响。这个阶段你的两大任务是：产后复原和适应当妈妈的这个新角色。虽然抱着新生宝宝的骄傲，足以让你忘却产后身体的酸痛，但是，还是有几件恼人的事是你必须面对的。

情绪上可能的转变

如果怀孕期间的各种情绪变化已经让你惊讶不已，那你可要当心产后心情起伏的大旋涡。突然之间，你不再拥有自己的生活——宝宝发出的每一个声音，都会让你紧张地跳起来跑去察看。你的身体在经历另一阶段的变化，激素也在快速地转变当中。再过 1~2 个月，你就能比较从容地应对。但是目前，你很可能一下子觉得非常充实愉快，一下子又变得担心害怕。下面就是一些例子。

既震撼又兴奋

你刚通过了分娩的严酷考验，宝宝也终于诞生了。这是你生命中的重大时刻，自然会达到情绪的高潮。你会发现自己很难入睡，满脑子想的都是你的宝宝。你和丈夫可能会情不自禁地不断想告诉别人你当时分娩的情况，只要有人肯听就行。但是如果在你的分娩过程中发生了一些意外状况，使分娩过程或结果不尽如你意，你应该找医生谈一谈，不要把一些你无法控制的情况怪在自己身上。

不胜负荷

照顾小宝宝绝对是一件全天 24 小时无休的重要工作，不管你之前是否接受过任何训练，现在这份工作都会掉到你头上。想想你才因为分娩而精力耗尽，就要马上开始接手这份工作，甚至可能一直要到好几个月之后，才有机会一次睡 3~4 个小时以上，当然你会觉得不胜负荷。

落寞

情绪高潮之后就是低潮。为了宝宝的出生，你已经准备了好几个月，现在这件大事终于结束，你当然会有一点落寞的感觉，特别是现在你还必须面对新的挑战。你可能会觉得有一丝难过，因为你已经不是孕妇了，你再也不是大家关注的焦点——你的宝宝才是。而且，虽然宝宝主要是由你在照顾，但是你现在必须与丈夫、家人和朋友分享宝宝。

想哭

产后忧郁症是很多产后妈妈的生活写照，这种症状大概在产后几天之内就会出现。有的新手妈妈可能会莫名其妙就觉得很沮丧、很难过，你也许会怀疑和担心自己照顾宝宝的能力，而且还因为自己有这些感觉而有罪恶感。

产后忧郁症通常是因为你的生活和激素突然改变所引起的，疲劳也可能是其中一个因素。专家估计大概有半数的产后女性会出现这种产后忧郁症。如果你在产后受到很好的照顾和支持，这种忧郁现象很快就会减轻。如果你没办法摆脱沮丧，就要寻求专业人士的帮助，或者参考相关书籍。

生理上可能的转变

觉得精疲力竭

你刚刚经历了生平最艰辛的工作，为了生宝宝，用尽全身的力气，使用身上每一寸肌肉、每一个关节和器官，才把宝宝生出来，难怪你觉得从头到脚都受到影响。在接下来的几周，根据你个人分娩时间的长短和强度，以及你是自然产还是剖腹产的不同，你的身体受到分娩影响的程度也会不同。你可能因为分娩时太用力而造成眼部血管破裂，到现在眼睛还有充血现象，甚至也可能造成脸部血管迸裂。宝宝的脸上也可能有类似血管破裂的痕迹，不过宝宝脸上的这些蜘蛛网纹路只要几天就会消失，你脸上的可就要等上好几个星期了。生完宝宝的头几天，你可能看起来好像被击垮了一样，苍白虚弱而且精疲力竭。

至少在产后头几天你会觉得累到了骨子里，而且全身酸痛僵硬，连走路都很费力，有时候连深呼吸都会引起过度劳累的胸部肌肉疼痛。除了时间这位大自然的治疗师之外，你还可以试试下面的方法来减轻产后身体酸痛的问题。

＊休息。

＊泡热水澡。

＊请人帮你常常按摩，尤其是针对酸痛的肌肉。

＊多吃多喝有营养的食物，补充身体需要的能量。

＊多抱抱你的宝宝，别只想着自己身体的问题。

觉得虚弱

产后的头一天，你可能会觉得头晕，尤其是当你改变姿势的时候特别明显，像是从躺着到坐起来，或是从坐着的姿势站起来时尤其严重。你在走路的时候，可能会觉得头晕、走不稳，需要别人扶着。同时因为怀孕结束后，体内的血流量及体液的总量都会突然改变，因此你在变换姿势的时候，心血管系统需要一点时间来适应调整。不管你是从躺到坐，还是从坐到站，都要慢慢来。一直到这种眩晕现象消退之前（通常需要一天的时间），你如果要下床或是要走动的时候，都应该请人帮忙，不要一个人行动。

颤抖

分娩完之后，很多女性会立刻出现打冷战和全身发抖的现象。这可能是因为在长期辛苦工作之后，身体的体温调节系统需要重新调整的缘故。多休息，同时要一些保暖的毯子来裹住自己。这种打冷战的情形大概在产后1~2个小时内就会消失。

出血与阴道排出物

产后几天到几个星期之间，你的子宫会继续排出多余的血液与组织，一般称为"恶露"。头几天的恶露通常呈红色，而且大约相当于月经前几天量多时的量，同时也可能出现一些血块。到了产后第一个周末左右，恶露的量就会减少，颜色呈红褐色或更淡。在接下来的几个星期当中，这种排出物的颜色会从红褐色变成粉红色，然后再变成淡黄色，同时你更换卫生巾的次数也会减少。另外，任何促进子宫排空的活动，例如站立、走动、哺乳等，也会增加恶露排出的量。

如果阴道持续出血，你又不清楚到底自己的排出物是不是正常，你可能会觉得担心害怕。下面就是一些可能有问题的信号，如果有这些情况出现，你就应该要去医院。

＊持续大量鲜红色的出血。产后的阴道排出物应该一天比一天少，而且应该会逐渐变得越来越不像血。如果经过了几天，你还会连续4小时以上每小时卫生巾全沾满血，你就该找

医生诊断了。

*排出大的血块或是持续有鲜红的血液涌出。很多产妇在哺乳后，偶尔会有血液涌出或是排出高尔夫球大小的血块，不过这种出血应该很快就会停止。产后头几天排出葡萄大小的血块是属于正常的。

*恶露持续发出恶臭。正常情况应该是没有味道或是类似经血的味道。

*眩晕苍白、发冷或冒冷汗、心跳加速等现象越来越严重。

如果出血现象让你担心，尽管问医生不要迟疑。你正在进行产后复原，所以有义务要注意身体的任何变化，至于是不是正常就交给医生来决定吧。

如果出血量多而且有问题，在去医院急诊的路上，就应该躺平，并放个冰敷袋在子宫上，位置大概在耻骨中央的上方。如果疼痛和出血好像是在会阴切开的伤口处，那就把冰敷袋放在那儿。一般出血的原因是因为子宫收缩不良、胎盘碎片残留、或是感染，医生会为你做检查，确定是否是这些原因造成的，或是你的阴道排出物是否完全正常。

产后疼痛

虽然你已经产下宝宝，子宫还是必须继续收缩才能回到原来的大小。子宫收缩同时也能压迫子宫内的血管，抑制产后出血。产后的几个小时内，宫缩是规律而强烈的。在接下来的几个星期，宫缩的强度和频率都会减小。产后疼痛可能跟经期的痉挛或是怀孕后期的布拉克斯顿·希克斯收缩类似。产后疼痛在哺乳时会加强，因为吸吮的动作会刺激催产素的分泌，而这种激素会收缩子宫、促进止血。很多医护人员都鼓励妈妈在分娩后让宝宝立刻吸吮，因为这样有助于子宫收缩。

通常生头胎妈妈的产后疼痛都不是很剧烈，不过生第二胎以上的妈妈就能很明显地感觉到了。你可以利用各种在分娩时对你有帮助的放松技巧来缓解产后终痛，这同时也能让你哺乳时感觉舒服一点。你也可以询问医生是否可以服用止痛药来减轻症状，这类药中的大部分都不会影响你哺乳。

排尿困难

产后的第一天，你可能会不想小便，或是想小便但是排尿困难，又或是排尿时有灼热感。膀胱和尿道就位于产道附近，难怪这些组织会被挤压、拉扯，甚至擦伤。如果你使用硬脊膜外麻醉，膀胱功能要到药效退去以后才会恢复。另外，会阴切开术或是会阴裂伤会造成排尿困难，因为还未痊愈的皮肤碰到尿液会出现灼烧感，因此你可能必须经过一段时间以后，上厕所才不会那么痛苦。由于产后尿液滞留的问题很普遍，因此护士可能会不断问你："小便了没？"而且护士还可能会通过腹壁来检查你的膀胱，看看是否有膨胀的现象。下面这些方法可以帮助你的泌尿系统尽快开始运作。

*多喝流质，产后立即饮用至少240毫升的液体(水或果汁)。

*在洗脸盆放水。听着水流的声音也会让身体想排尿。

*放松盆底肌肉。

*保持身体直立，或站或走，让地心引力帮助你排尿。

*在排尿时放松盆底肌肉，并且全身放松。

*以温水浸泡臀部。如果你觉得比较舒服的话，甚至可以直接在水里解小便。

*护士可能会帮你按摩膀胱(如果有膨胀现象)，促使它运作。

*如果你有会阴切开或是撕裂的伤口，跟护士要一个会阴冲洗瓶(一种可挤压的塑料瓶)。把它装满温水，在你排尿时喷洒一点水在会阴处。这样可以稀释尿液，减轻灼热感。

虽然有时候你和护士都很努力了，胀满的膀胱还是不排尿。如果你在产后8小时还没排尿，医生可能就会建议使用导尿管帮你排空膀胱，减轻膀胱胀满的不舒适感。尿液潴留太久会导致膀胱炎。

尿液潴留的问题1~2天就会消失，但是在1~2星期之内，你还会常跑厕所，这是你的身体为了排出过去9个月来累积的多余体液的方法。

漏尿

你在咳嗽、打喷嚏、笑的时候会有一两滴尿漏出来，这是正常的，但是也很讨人厌。这种"压力性尿失禁"只是暂时的现象，这是因为你的膀胱和骨盆器官正在重新调整，以回到它们怀孕前的位置。产后的前几周你可以垫着卫生巾，一直到这种现象消失为止。

大量出汗

你的身体排出怀孕期间所累积的体液还有一种方法，就是多流汗，特别是在夜里。产后头一两天要穿棉质的衣服来吸汗，床单和枕头上也要垫上毛巾来吸收夜间出的汗。产后第1个星期大量出汗、发热的现象会很明显，但是通常到了第1个月底这种现象就会逐渐消失。

会阴疼痛

你敏感的会阴已经被拉扯到极限，而且还可能有擦伤或被撕裂，也可能还被剪了一刀，所以当然会痛。你可以按照下面的方法来减轻会阴的不适感、促进复原，以及防止感染。

*要求医生或护士告诉你如何进行会阴护理。热敷可以增加血流量、促进伤口复原；冷敷则可以麻痹疼痛、缓和肿胀。这两种方法对受创的会阴都是必要的。分娩后，护士会尽快用冰敷袋抵住你的会阴让你觉得很舒服，她还会教你怎么泡热水澡、怎样用会阴冲洗瓶喷洒冷、热水在会阴上等。你也可以试试在卫生巾和会阴之间垫上小冰枕。

*采用任何舒服的姿势来躺或坐。侧靠着可能比坐在硬的床上更痛。如果不管你用什么姿势都会痛，你可以试试坐在橡胶面的床或垫子上，或是充气式的轮胎造型坐垫，减轻会阴部的压力。为了避免感染，你最好每隔几个小时就更换卫生巾，而且擦拭会阴一定要由前往后，避免把直肠的细菌带到会阴上。

*解完大小便后，要清洁你的会阴部，或是喷一点温水清洁会阴，再用软毛巾吸干。用卫生纸擦拭敏感的会阴组织及膨胀的痔疮可能会引起疼痛。

*如果你的会阴持续疼痛，医生可能会给你开不影响哺乳的止痛药。

便秘

你的肠子可能跟膀胱一样，基于相似的原因还不大愿意工作。排便所需要的肌肉在宝宝通过时已严重受创，另外，药物或麻醉也会导致肠功能暂时迟缓。不过在分娩期间，因为分娩前的腹泻现象，肠子多半会自然排空。除了身体的原因所造成的便秘以外，很多妈妈心理上也不愿意再用力牵动到会阴肌肉，可能是因为害怕这些组织会痛，或者因为想让它们休息。但是你越早开始让肠子蠕动，你就会感觉越舒服。你可以采用下面这些方法。

*走路。活动身体也可以让肠子跟着动起来。

*喝大量流质。

*多吃多喝天然的通便剂，例如果汁（梅子、梨、杏）、新鲜水果、全谷类食物、蔬菜等。避免含咖啡因的食物或饮料（像巧克力、咖啡或可乐）。

*放松。别担心排便会让缝合的伤口裂开，不过太用力倒是对痔疮不好。你可以使用分娩前运动会阴肌肉的方式来帮忙。

胀气

肠子蠕动缓慢造成的便秘可能会让你觉得肚子里有很多气，特别是剖腹产的妈妈更明显。多吃多喝，但是每次的量要少，同时让身体尽快动起来，都可以减轻这些不舒服的感觉。如果你是剖腹产，可以试试坐摇椅来改善胀气问题。

乳房发胀

产后的头几天乳房的变化不大，你甚至会怀疑奶水到底要从哪里来？第一次分泌的奶水（称为初乳）量很少，虽然如此，却富含营养素和免疫因子。不过到了第3天左右，你可能一早醒来，突然发现乳房大得像两颗甜瓜，而且也像甜瓜那么硬。你可能发现自己的乳房一夜就变大了两个罩杯。奶水开始分泌，但是你不知道要怎么解决这种肿胀的问题，而且怀疑宝宝那么小的嘴怎么含得住像个球那么大的乳头。

这就是乳房胀奶的现象，有的妈妈的乳房会突然之间胀奶胀到痛的地步，有些妈妈从宝宝出生就经常有效地进行哺乳，乳房充盈的感觉就是渐进式的。没错，这又是激素的作用：产后黄体酮和雌激素的量会减少，而泌乳激素则会取而代之。刚开始随着乳房开始工作，乳房组织就会肿胀，一方面因为奶水分泌，一方面则是因为其他液体的增加。你在怀孕期间想象的温馨、平和的哺乳画面，恐怕遗漏了这些乳房的剧烈变化吧。再加上你的宝宝也还在努力学习含住乳头，因此，刚开始的哺乳经验大概不会太美好。尽量保持冷静，你会苦尽甘来的。等到宝宝学会怎么正确含乳头，而你的乳房也能使奶水量达到供需平衡的状态时，你自然就会有让你满意、充实的哺乳经验。但是你也必须了解乳房有些不舒服是很普遍的，尤其是生头胎的妈妈更是如此，不过这些症状终究是会消失的。虽然有些乳房胀满的情况是无可避免的，但是肿胀的不适感是可以加以改善的。不过，长期胀奶容易导致乳房感染及其他哺乳方面的困难。

* 在乳房胀奶之前就教会宝宝正确地含住乳头。产后的头几天，你的乳房还是相当柔软，趁机教宝宝吸奶时把嘴张大，他的双唇和牙龈应该完全罩住乳晕，也就是在乳头的后方。他应该要整个嘴都含住乳房，不要让宝宝只吸乳头，要不然你会很快感到乳头疼痛。

* 试试"将下嘴唇往外翻"的做法。切记宝宝的下唇一定要在你的乳晕下方舒服地向外翻出来（详见第421页图）。如果宝宝的嘴唇往里缩，你可以用手指轻轻地把它拉出来，或是先把宝宝抱离乳头，然后再试一次。千万别让宝宝双唇紧闭，或是在乳头周围撅起嘴唇，因为这样会造成乳头疼痛。

* 不要使用热敷法，因为这样会让乳房组织肿胀得更厉害。利用冷敷

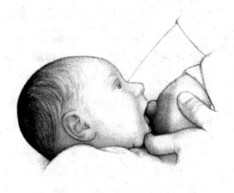

用手指帮宝宝张大嘴，正确含住乳头

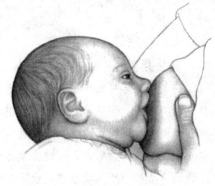

将下嘴唇往外翻

或是碎冰袋来解决乳房坚硬、肿痛的问题。

　　*站着淋热水浴可以引起喷乳反射，有助于你排空肿胀的乳房。让水流过你的乳房，然后试试轻柔的乳房按摩或是挤掉一些奶水。

　　*胀奶时，乳头组织会变平坦，乳晕则会变硬。因此宝宝含住的乳房就不够多，无法挤压位于乳晕后方的乳窦。结果宝宝就只能吸住你的乳头，这样宝宝不但没有办法获得足够的奶水，反而会刺激你的身体制造更多奶水，于是乳房会肿胀得更厉害。如果你的乳房胀得太满，宝宝不能正确地含住乳房，你可以利用挤奶器或用手挤掉一些奶水，让你的乳晕变软，这样宝宝才不会只能含住乳头而已。

　　解决胀奶最好的方法就是经常哺乳，能够有力吸奶的宝宝最能快速地解决乳房胀满的问题。频繁地喂奶

也可以让你的奶水供应满足宝宝的需求，因此要鼓励宝宝多吸。如果宝宝白天一次睡很久，你可以每隔几小时把他唤醒再喂奶。

　　以前用来帮助不打算亲自哺乳的妈妈退奶的药物，目前已经被认为并不安全（反正也不是很有效）。所以，如果你不打算喂母乳，你还是需要从乳房挤出那么多的奶水才能减轻肿胀，并且防止感染。胀奶的现象大约会在1~2周之内就平息下来。

　　威廉医生的经验谈：我以前跟小儿科住院医生一起巡视产妇病房的时候，这些人都把它戏称为"西尔斯医生的下唇巡礼"，我们一间病房一间病房地教导新手妈妈怎样让宝宝正确地含住乳头。我会用我的食指把宝宝的下颚和下唇往下压，让宝宝可以含得比较紧。

妈妈们通常会立刻说："噢，这样好多了！"

乳头疼痛

大多数乳头疼痛都是因为宝宝没有正确地含住乳房所造成的。如果宝宝能有力地含住乳房吸吮，你的乳头就应该在他嘴部的后方，因此会刺激皮肤的舌头和牙龈的动作就不会直接接触到乳头。哺乳不一定会造成乳头疼痛，但是如果你的乳头开始痛，那你就必须注意你在喂母乳的时候是不是有什么问题。产后头几天，妈妈必须做的工作就是教会宝宝怎样正确吸吮母乳。这并不难，就算你是新手妈妈也一定办得到。虽然你可能会想听取一些专家的意见（经验丰富的护士、哺乳顾问、经验丰富的朋友，或是国际母乳协会的成员），但是别忘了，你才是宝宝真正的专家。保持冷静、耐心，你们俩一定可以克服所有的问题。在宝宝能够有力地吸奶之前，你可以利用下面的方法来减轻乳头的疼痛。

*记得在把宝宝移开乳房之前，一定要先中断他吸吮的动作。把乳房往下压，或是把食指滑进宝宝嘴里上下牙龈之间，中断吸吮的动作。突然把宝宝抽离乳房你会感觉疼痛。

*先喂比较不痛的那一边乳房。乳头的疼痛在奶水开始流出以后，就会减轻。当你发现喷乳反射的征兆出现（比如奶水从另一边乳头滴出来、乳房出现刺痛、宝宝吸吮与吞咽节奏改变等）时，可以让宝宝换边吸吮。

*在你把宝宝抱近乳房之前，先刺激产生喷乳反射，你可以利用热敷、按摩、轻轻地挤出奶水等方法。

*经常哺乳——白天大约每两小时喂一次，这样可以减轻胀奶现象，而且宝宝也比较容易含住乳房。

*在两次哺乳之间让乳头自然风干。撒几滴奶水到乳头上，让它自然干掉，奶水中的免疫物质，可以帮你治愈皮肤的伤口或疼痛。

*两次哺乳之间，在乳头上抹一些含纯羊毛脂的产品，以保持皮肤湿润，这样会使乳头疼痛好得比较快。避免使用在哺乳之前必须再抹掉的药品。

*穿着合身的全棉胸罩，或是直接穿棉质T恤，不要带胸罩。不要穿含有塑料或合成成分衬里的胸罩，因为这些设计会隔绝皮肤与空气中的湿气。

*含塑料成分的哺乳衬垫会让乳头的疼痛加剧，如果衬垫紧贴着你的乳房，用水稍微沾湿它，让它与乳房之间有点空隙，以免皮肤受伤。

*请参阅哺乳或育儿相关书籍，以了解如何让宝宝正确含住乳头，以及处理乳房肿胀的问题。

大部分哺乳的问题都可以在几天之内就解决。但是，如果你没有得到足够的帮助，或是你觉得宝宝没有获得足够的奶水，问问医生是不是可以推荐一位哺乳顾问给你，或者你也可以联络国际母乳协会，询问相关情况。

你应该关心的事

恢复怀孕前的体重与身材

宝宝一出生，你大概就会减轻怀孕期间所增加的一半体重。剩余的部分体重有的是滞留在体内的水分，在未来的几周内，慢慢会以增加排尿和排汗的方式减掉。剩下的就以脂肪的形式留下来，提供你在接下来的几个月内制造母乳所需的热量。至于你要怎么把最后这些重量去掉，就要看你在怀孕期间重了多少，以及你产后的营养与运动的配合。9个月来尽情吸收的热量，是不可能随着宝宝的出生就一夜之间完全消失的，你必须要用其他方式把它们燃烧掉。如果你在怀孕期间增加的体重很标准，那你在产后几个月内就可以回到怀孕前的体重再加上为哺乳预留的体重。

女性产后大约需要9个月左右的时间，才能恢复到怀孕前的体重。有的女性当了妈妈之后，体重就一直保持比怀孕前重2~3千克的程度。

需要多久时间才能回复怀孕前的身材，也跟你在怀孕期间身体的锻炼和保养，以及产后是否持续运动有关。不要以为生完宝宝就可以在镜子前看到怀孕前的窈窕体态，实际上产后的几个星期内，你看起来还像怀孕四五个月时一样，你的肚子需要一段时间才会慢慢地消下去。随着子宫收缩回原来的大小——大概需要6周（如果你喂母乳就不需要这么久），你还是可以在下腹部看到和摸到一个突出的部分。你可以请医生告诉你怎么触摸子宫，这样你可以感觉它在逐渐收缩、最后消失在骨盆的下方。分娩之后，你就可以摸到子宫在肚脐的正下方，摸起来像颗坚硬的葡萄柚。再过几周以后，你大概就感觉不到子宫了，但是大约要几个月的时间子宫才会恢复到怀孕前的大小。

很多女性，尤其是生第二胎以上的妈妈，会发现她们的胸廓也比怀孕前要大一点。这是正常而永久的改变，主要是为了配合子宫在扩张到最大的时期所需的呼吸空间。

有效安全地减肥

你花了9个月时间增加的体重，至少也要9个月的时间来消耗掉这多余的体重。下面是一些简易却安全有效的产后减肥方式。

* 计算出你每日的基本热量需

求，也就是你从均衡饮食中摄取的，既能保持健康又不会增加体重的热量。别忘了，喂母乳的妈妈为了哺乳的需要，还要多摄取约 500 千卡的热量。大多数产后的妈妈每天都可以摄入约 2000 千卡的营养，同时体重还能逐渐减轻。当然，你每天能摄入多少热量又不会发胖，跟你每天运动消耗掉多少热量有关。

＊每天运动一小时。运动的方式可以很简单，像是推着婴儿车快步走。快步走或是游泳一小时可以消耗掉约 400 千卡的热量。像这样的运动再加上每天克制自己少吃一次不营养的零食，表示你每天少了 500 千卡的热量，一周下来就是 3500 千卡——足够你减掉 0.5 千克的体内脂肪。每星期瘦 0.5 千克大概是很理想的瘦身计划，而且妈妈还是可以摄取足够的热量维持自己身体健康和宝宝的需求。在哺乳期间逐步减肥是最理想的，快速燃烧掉脂肪并不安全，因为身体可能把累积的不良物质（如杀虫剂或其他污染物）都储存在脂肪里，体重快速减少会让这些污染物进入你的奶水中。

＊哺乳的女性通常在产后 3~6 个月间，会明显地减轻体重，因为这段期间，她们会制造大量奶水以满足宝宝的需求。所以如果一开始体重就是下不来，不要太有挫折感。

＊把体重减轻的情况用图表记录下来，然后根据自己设定的目标规划适当的运动和饮食习惯。

另外，你应该投资一点钱来添购一些合身、漂亮且舒适的衣物。如果你一心只想着要赶快穿上 9 个月以前的牛仔裤，你可能会觉得非常沮丧。当然，也没有人希望生完孩子都好几个星期了，还在穿孕妇装。你可以穿一些腰带有松紧性的裤子，然后搭配一件色彩鲜艳的上衣，这样会让你对改变中的体形觉得舒服一些。而且穿着适合哺乳的两件式衣物，你和宝宝要出门也比较方便。

转换成母亲的角色

每一位妈妈，面对宝宝在子宫里到实际养育孩子的转变，既感到充满挑战又感到害怕。很多人刚进入新手妈妈角色的时候，觉得喘不过气来而且觉得自己不称职。你在怀孕期间有多少次想过："我会不会是个好妈妈？"如果你读了很多育儿的相关书籍，你可能会觉得人类文明的未来，就要看你怎么处理宝宝打嗝、哭泣，以及脏兮兮的尿片。父母的责任是很崇高的，你的确能影响孩子的一生和他的人格。所以如果你觉得自己能力不够，或是宝宝哭的时候不知道要怎么办，这都是很正常的。还好你和宝宝都有一个天生的机制，可以帮助你们彼此了解。每个妈妈的身体天生就具有哺育宝宝的功能，只是有的妈妈一开始需要比较多的帮助罢了。

在我们 25 年的小儿科执业生涯中，我们发现有些妈妈比较容易转换成母亲的角色。这么多年来，我们也记录了不少她们成功的秘诀。如果你能身体力行下面的各项建议，或是部分建议，你跟宝宝就可能有个好开始。

和宝宝建立亲密关系

宝宝和妈妈一开始的关系是未来两人关系的关键。建立亲密关系是指从了解你的宝宝、从他的表情动作看出他的需求、找出哪些方式有用还是没用、宝宝对什么反应敏锐，一直到最后了解为人父母是怎么一回事。有了这样的基础，你就能看出宝宝眼里流露出的需求，就能够让宝宝的行为向一个单纯而重要的目标发展：喜欢和你相处。听起来不错吧，但你现在可能还会认为自己是全世界唯一在离开产房时，没有获得传说中应有的母性本能的人。别被母性本能这个概念吓坏了。没错，有些妈妈的母性本能发展得比较快，不过每个妈妈都有这个本领，母性本能就是你所累积的关于宝宝的知识。

一旦你能储存关于宝宝的这些知识，像是什么事会让他哭、什么事会让他静下来、他喜欢人家怎么抱他、他对周遭环境有什么反应等，很快你就不必再担心到底宝宝是怎么了。你的"妈妈大脑"会比你有意识的思考反应快得多，这就是你的母性本能。

引发母性本能最好的方法，就是利用大自然赐予的工具。这些工具其实就是可以帮你们俩建立关系的一套育婴方法，一共有三大原则：亲子依恋、母乳喂养、温柔搂抱。

从出生起就和宝宝亲密连心。"亲子依恋"可以说是时下医院的产科部门和为人父母书籍中的一句流行语。每本育儿书、婴儿杂志都一定会提到"亲子依恋"这个概念，好像这是本世纪的一项重大发明似的。其实"亲子依恋"不过是指多和宝宝亲近并了解宝宝，而这些事对于比较有心的妈妈来说本来就会做。"婴儿照顾专家"这个词不过是把妈妈们天生的母性重新加以包装取个名字，然后再卖给妈妈而已。就某种程度来说，"亲子依恋"不过是现代医学在经过几十年建议产后母子分离，造成妈妈和宝宝失去天然的联系之后，试图弥补错误的一种做法。

"亲子依恋"并不是像强力胶一样，只要在产后立刻使用，就可以自动地把妈妈和婴儿的关系永远牢牢地粘在一起，出生时的亲子接触只能让妈妈和宝宝有一个好的开始。如果因为出于医疗上的考虑，你没办法在一出生就立刻抱抱宝宝和他相处一段时间，也不必担心。培养亲密感情是个持续的过程，你和孩子的联系会在你接下来和他相处的日子里慢慢建立。

除非你出现产后并发症状，要不然你应该要求从宝宝一出生到出院为止都跟宝宝同房。这样你就会成为主要照顾宝宝的人，婴儿室的护士只要充当顾问或是给予协助就行。母婴同房是出生后亲子接触的自然延伸，这样宝宝就可以顺利地从妈妈的子宫过渡到妈妈的房间。一天24小时的相处是了解彼此的最佳方式。根据我们的经验，和妈妈同房的宝宝哭得比较少，也比较快学会吸吮母乳，妈妈实际上得到的休息时间较多，因为她们比较不会那么担心宝宝。如果你很担心、紧张，不知道该怎么照顾小宝宝，或是你和宝宝初次见面的时候并不像准妈妈课程中讲的那样彼此"一见钟情"，那么选择同房就对了。尽量多花时间来和宝宝培养感情，多看看他的眼睛，这样就可以唤起你潜藏的母性。

母乳喂养。你大概已经知道你的奶水对宝宝有多好了，但是你也许不清楚喂母乳对你有多好。喂母乳可以帮你了解宝宝。首先你会学会对宝宝的哭声作出敏锐的反应，不管他是想吃还是需要人抱。其实宝宝究竟是肚子饿还是需要安慰并不重要——你的反应反正都一样。对宝宝来说，乳房是营养和安慰的来源。接着，你还会学会辨认宝宝哭以前的一些信号，因此，他不需要哭你就可以满足他的需求。

哺乳还可以让你的母性激素分泌，宝宝每次吸吮乳房，你的身体就会释放出让你平静、充满关爱的激素。这些神奇的物质不但可以让你放松，也是形成你母性本能的生物基础。如果你觉得很平静，你就比较容易了解宝宝，也能对他的需求作出适当的反应。

温柔搂抱。每天至少要花几小时抱抱宝宝或是把他带在身边，这虽然是个老掉牙的育婴传统，但是对宝宝和妈妈却都有很大的好处。有人陪着的宝宝哭得比较少，因此陪着他也比较好玩。宝宝如果能安稳地依偎着你，他当然没有理由哭闹。而且宝宝不但不会闹，还有更多时间跟你建立联系，同时认识周遭的环境。把宝宝带在眼睛随时可以看得到的地方，你就可以很容易地看出宝宝的需求。因此，跟宝宝腻在一起和母乳喂养一样，可以让你很快地了解你的宝宝。一方面你能比较快地学会怎么看出宝宝的心思，另一方面宝宝也比较容易表达他的需要。所以你们俩就能和谐愉快地相处——因为你已经营造了适当的环境，亲密关系自然可以水到渠成。

寻求帮助

为了要和宝宝建立亲密关系，你需要有时间、空间、体力，你最好能不必操心家务，可以专心发展这样的情感。我们称回家的前几周为"入巢期"，也就是全家人努力帮妈妈建立一个宁静的窝，让她能乐在其中。如果你的亲友、丈夫可以帮你料理家务，让你专心照顾宝宝就更好了。如果不行，就雇用一个导乐（以照顾妈妈为专业，而不是照顾宝宝），让妈妈可以完全不用操心家务，可以把全部精力都用来照顾宝宝（产后服务和导乐服务已经在各地兴盛起来，你应该可以找到这样的服务）。

记得一定要让帮你的人了解你要专心照顾宝宝，而他们的任务则是处理家务。

雇用导乐的目的是要让你能享受刚当上妈妈的乐趣，让产后的压力可以维持在你能处理的范围内。她应该能让你没有后顾之忧，可以专注于宝宝的需求。如果照顾你的人（比如你的母亲或是婆婆）总是忍不住要插手，你应该要订出清楚的原则，记得要婉转同时很坚定。（"宝宝在哭了，我现在要去喂她。你是不是可以帮我们准备午餐？"）当然，如果你需要冲个澡，或是出去散个步，家人自然可以接手照顾宝宝。

老三出生后，我妈妈常常来帮我照顾两个大孩子。她会扫地、读故事书给我两岁大的孩子。当然，她也很喜欢逗弄小宝宝。一个宁静的午后，我突然想要冲个澡，所以就由妈妈照顾宝宝。等我从浴室出来，两个大孩子、妈妈和小宝宝全都在一张大椅子上抱在一起，睡得好香甜。

先爱自己再爱宝宝

为了把宝宝照顾得无微不至，你很可能会忽略了自己。你必须有心理准备，宝宝偶尔会要求一直被照顾，他就是一直要人抱着哄着——不分日夜。以前别人提到做妈妈的喜悦时，从来没提过像这样的日子。但是把全部精力都给宝宝，完全不留时间和精力给自己，其实对你或宝宝都不好。先想清楚你要保持身心健康最需要的是什么，然后根据你的需求创造一套自己的育儿风格。如果你一天需要给自己一小时，就给自己一小时（但是可别用来做家务）。如果你希望家里能更安静和谐，就大胆提出要求。你要学会分配责任，溺爱自己也是预防产后忧郁症（通常在妈妈体力透支的时候最容易出现）的最佳对策。记得下次坐飞机的时候，仔细听一下乘务员对使用氧气罩的示范说明："需要氧气时，先替自己戴上氧气罩，再帮身边的孩子戴上。"也就是说，如果你自己发生窒息现象，你对孩子一点用处都没有。

威廉医生的经验谈：即使已经生过8个孩子，玛莎到现在还会陷入这样的情绪："宝宝这么需要我，我连冲个澡的时间都没有。"有时候我还得提醒这个老手妈妈："孩子真的需要的是一个快乐、有精神的妈妈。"然后换我照顾宝宝，让她好好洗个澡。

找出一套自己的育儿方式

你才开始你的妈妈旅程，所以可能还不清楚自己会采取什么样的育儿方式（也就是说，你希望怎么样来带宝宝），而且你也还不知道宝宝的脾气和他的需求。不要一开始当妈妈，就被一些僵化的观念限制。要敞开心胸，要有灵活性，要不断努力找出适合你和宝宝的养育方式。

如果有人给你这样的意见——"让宝宝哭个够"，这些人你最好敬而远之，他们不了解你，也不了解你的宝宝，像这样的意见不但有碍你和宝宝建立联系，让你对宝宝的暗示渐渐变得不敏感，而且也不符合生物原则。研究显示，当妈妈听到宝宝哭的时候，她会出现一股强烈的冲动想要抱起宝宝，给他安慰。你和宝宝有一种奇妙的生物上的联系，让你会对他

的哭声作出反应，而不是加以忽略。哭是宝宝的语言，你要有所反应，这样宝宝才会信任你。当新手妈妈的第一步就是：要对宝宝的哭声作出直觉的反应。慢慢地，你和宝宝就可以发展出一套沟通方式，让你可以延缓对宝宝的反应，因为他会慢慢成熟，愿意等个几分钟，或是懂得自我安慰。顺从你的直觉，相信自己有能力对宝宝作出适当的反应，这样你就等于为未来数年内的亲子关系打下了良好的基础。

如果没用，换个方式

在你发展出一套适合你全家的育儿方式的同时，要敞开心胸，如果这套方式有不适合你的地方，就要加以改变。

玛丽和卢这对新手父母希望能尽可能了解各种育儿信息。他们参加了一个关于养育新生儿的课程，老师教了一套训练宝宝的方式，而且保证宝宝在6周之内就可以一觉到天亮，方便父母的作息。这套方法强调只收取几本书和录音带的工本费，而且保证如果父母遵照指示来训练宝宝，夫妻的婚姻生活可以更美满，因为宝宝不大会干扰父母。因为这套方法听上去很权威，这对新手父母就交了钱。

于是从第一天开始，他们就让宝宝遵守严格的作息时间。他们只在规

当心育儿专家

一旦你生了个小宝宝，你就成为各种意见的靶子，特别要当心那些自命为专家的人。他们专门提供严苛的方式来教养小宝宝，像是："就让他哭，这样他才学得会一觉到天亮。"或是："让她按照规定作息，这样你才不会被她牵着鼻子走。"或是："你会把他宠坏的！"听从你的直觉和你的宝宝，不要听育婴专家的片面之词，他们的意见很可能不适用于你的宝宝。别忘了，这是你的宝宝，你是他的妈妈。

在听从其他人的育儿意见之前，新手妈妈要想一想有没有违背你的直觉，然后再询问你信任的经验丰富的妈妈。不要相信任何叫你要靠方法，而不要靠直觉的方式。那些"带孩子很方便"的方式，只会造成母子间的隔阂，有碍你了解自己的宝宝，而且会破坏互信的亲子关系。别忘了，宝宝是世界上最美好的麻烦。甚至一些看起来颇有弹性的育婴方法，也很少考虑到个别孩子的性格差异，以及家长的不同生活方式。

你要立志成为养育自己孩子的专家，这方面没有人能比你强。

定时间才喂宝宝，而且总是让她自己哭累了睡着。玛丽一开始觉得这样做很痛苦，她常常要把耳朵捂起来，以免自己会想对宝宝的哭声有所回应。不过日子一天天过去，她也能对宝宝的哭声充耳不闻了。等到小宝宝三周大的时候，有一天，一位有几个孩子的妈妈朋友到家里来拜访。两位妈妈正在客厅聊天，宝宝在婴儿室里开始哭了起来，玛丽继续聊，似乎无视于宝宝的哭声。可朋友渐渐被宝宝的哭声搅得很心烦，于是就对玛丽说："你先去照顾宝宝没关系，我们等会儿再谈。"玛丽看看手表，回答道："不行，现在还没到喂奶时间。"于是这位细心又有丰富经验的老手妈妈告诉玛丽，她对自己宝宝的敏感度已经消失了，就是因为她对自己的母性本能不加理会，所以已经逐渐失去这些本能了。宝宝的哭声本应让她不舒服才对，但是现在已经不会了。

当小宝宝满月的时候，这对夫妻到我的办公室来咨询，当时这对父母和孩子之间已经有了隔阂，但是他们知道自己一开始就错了。妈妈首先开口："我的母性本能已经失去了一个月了。"她很气自己为什么愚蠢到宁愿相信别人的方法，而不自己发展出一套自己的方式。还好，她还够聪明，发现了这一点。我安慰这对父母，同时指出很多新手父母都很容易听信别人的意见，特别是由权威人士，像是医生或是牧师提出来的意见。我也很肯定地告诉他们要和宝宝重新建立亲密关系永远不会太晚，只是可能需要多花点时间。后来他们开始对宝宝的表现作出适当的反应，把这些表现看成是她的需要，而不是胡闹，于是一家人相处得就融洽多了。

多和有经验的父母相处

就跟怀孕期间一样，听取意见要有选择性。最容易造成朋友之间冲突的莫过于对教养孩子的看法有所不同（多听听那些经验丰富的父母的意见，但是要选择你尊重的那些父母，而且他们的孩子又是你喜欢的才行）。

我的宝宝和我

出生资料速记：_____

宝宝的生日：_____

出生时间：_____

出生地点：_____

体重：_____

身长：_____

当时还有谁在那里：_____

_____

_____

_____

宝宝刚出生的照片

宝宝出生的经过：

我第一次抱宝宝时的感觉：

在宝宝刚出生的那几天，我们：

附录一

如果你生病了

首先，我们将一句至理名言与作为准妈妈的你一起分享：**把你自己照顾好，就等于把你的宝宝照顾好！**但是，即使是很小心照顾自己的孕妇，偶尔还是会生病。

怀孕期间用药须知

如果你在怀孕期间生病了，你会自然地想起肚子里的宝宝，而且会加倍担心：你的病情会伤害到宝宝吗？你生病时服用的药物会伤害到宝宝吗？

对于这两个问题，有一个好消息。在大部分的情况下，在怀孕期间生病的妈妈，如果经过适当的照料，不会影响到宝宝的健康。同时，大多数医生给准妈妈开的药，也多半不会对宝宝造成影响。尽管如此，

你最好也不要因此掉以轻心，一觉得身体不舒服就径自去药店买药，你还是应该要先咨询医生，以确保胎儿的安全。

从另一个角度来看，你在怀孕期间对服用药物的恐惧，也对你和宝宝有利有弊。比方说，从好的方面来看，正因为你不希望生病、吃药，因此，你平常可能就比较会照顾自己的身体（例如尽量避免暴露在有传染性疾病、污染环境，以及有过敏原的环境中，也会吃得好一点），而且学习以其他安全的方法来代替服药。不过，如果从坏的方面来看，有时候不吃药，反而比吃药更冒险。再重申一次，准妈妈的健康对宝宝来说是最重要的。有时疾病对妈妈和宝宝的影响要比药物的影响更有害，一旦病情没有得到及时治疗而拖延，可能需

用药前问医生

在你怀孕期间，每一次用药都应该经过医生指示后才可以服用。本书提供的相关资讯，是以撰写本书时的医疗知识为基础的。根据一些最新的研究指出，怀孕前服用的被认为是无害的药品，在怀孕期间服用可能并不安全。本书提及的用药知识仅供参考，不论服用任何药，之前你都应该先请教你的医生。

要服用药效更强的药物，因此产生的副作用对妈妈与胎儿的影响可能更大。以下是几点关于服药的建议，供你作参考：

*不是吃药越多，病就好得越快。请遵照医生指示的时间与剂量服用药物。否则服用过量，恐怕会适得其反。

*也不要擅自将医生以前开的药物剂量降低，就以为这样应该对身体的影响不大。剂量过低的药物，不但可能无法改善你的病情，也可能对胎儿的健康造成不良的影响。

*别完全相信成药上的说明。因为，这些文字倾向于保护药品生产商，而不是消费者。此外，有关服用过量的副作用说明，多半是用动物测试的结果，很少真的以人为试

验对象，而拿孕妇来做临床测试就更是少之又少。因此，生产商多半会在药品上建议孕妇不要服用，来避免未来可能导致的纠纷（药品生产商如果标明这些警示语，可以减少许多诉讼风险）。

*一定要按照医生指示服药，即使是非处方药也一样。

*除非由医生指示，否则不可混合服用任何成药（例如感冒药可能含有抗组胺剂、减充血剂、阿司匹林等）。因为药物混合后的效果不易研究，所以关于混合药物的安全性，研究者和医生都很难提供可靠信息。

*考虑以较安全的替代方式代替药物。例如，你感冒了，除了服药之外，还有什么替代疗法。

*如果在你服药之后，才发现你所服用的药物可能会影响到胎儿的健康，不要太过惊慌。大部分的药物必须服用一段时间或大量服用之后，才会有不好的副作用产生。

*请折中考虑。服用一些药物对宝宝会有危险，但是生病的妈妈对宝宝的健康也不好。例如，因为呼吸道堵塞不能呼吸，或是因为呕吐和腹泻造成脱水对宝宝都很危险。有这些情况发生时，你最好赶快服药。例如，你的鼻子已经堵到不能呼吸时，使用鼻塞喷剂一两天，像阿弗林，根据研究指出，这样并不会对胎儿造

成任何伤害。

* 考虑药物对胎儿的影响。由于胎儿的肝脏与肾脏正在发育之中，因此，胎儿不能像你一样可以轻易地排泄药物。如此一来，不论你服用何种药物，这些高浓度的药物都会在胎儿的体内累积一段比较长的时间才会排出体外。

* 如果你打算怀孕，请不要服用药物，尤其在怀孕的第 1 个月。因为第 1 个月宝宝的器官正在发育，属于高危险期。而且你以为自己得的是"感冒"，其实有可能是刚怀孕时的害喜现象。

* 如果当你怀孕时正在服用医生开的药，在服用另外的药品之前，请务必询问他。同时，当你的医生开给你一些新的药之前，如果你正在服用其他药物，也务必要先告知医生。一些药物在单独服用时是安全的，但如果和其他药物混合服用就不一定安全了。

怀孕期间常见的疾病

当你怀孕的时候，有一些常见疾病的征兆，会比平常更为明显。你已经很累了，你的营养可能不够（至少在前几个月），你剩下的体能是要孕育一个宝宝，所以生病会打乱身体本来就已经很单薄的平衡。以下是怀孕

如何咨询医生

懂得何时及如何向你的医生求诊，与你平常照顾好自己一样重要。因此，当你咨询医生的时候，请记住向他请教下列的问题：

* 一定要吃药吗？如果不吃的话，病情是否会恶化？或者病情会对我及胎儿的健康造成更大的影响？

* 吃这些药对我及胎儿有没有什么副作用？

* 有没有其他的治疗方式，可以代替吃药呢？

* 一天该吃几次药？每次吃药的间隔时间？（确定你真的理解服药方式）

只要你确实遵照医生的指示服药，那么，就算是那些贴有警示语的药物（详见第 440 页），你依然可以安心服用。

时最常见的疾病，通过适当的照顾与治疗，你通常很快就可以恢复健康。

鼻塞与鼻窦炎

当你怀孕的时候，鼻腔的黏膜很容易发生肿胀、造成鼻塞的现象，这可能是与刺激阴道黏膜充血相同的一种激素造成的。因此，有些孕妇会觉

得一天到晚都好像得了感冒一样。一些原本就有过敏性鼻炎等过敏症状的女性，在怀孕时这些现象会更为严重（当然也有少数的女性表示，她们的过敏现象在怀孕时反而有所改善）。因为怀孕时增加了一个人且新的身体组织正在发育，所以孕妇对于氧气的需求量会大增。为了符合这些要求，孕妇会吸入和呼出更多的空气，这些都需要通畅的鼻子和呼吸道。

因为鼻窦是鼻腔的延伸，如果鼻子堵塞可能会导致鼻窦炎。肿胀的鼻腔黏膜会阻塞鼻子的分泌物，分泌物就像在池塘里停滞的水，不能顺利流出而使鼻窦被感染。

鼻窦部位受到感染的症状是鼻窦部位、鼻子或眉毛以上的部位感到肿胀或疼痛；容易流鼻涕、疲倦，或总是觉得感冒好像不会好，等等。

随时保持鼻腔的畅通

以下是几种帮助你保持鼻腔畅通的方法，预防它们被感染：

*尽量避免让鼻子接触到过敏原和污染物，像有烟雾和有人抽烟的地方。

*每天多喝水。

*每天使用盐水清洗鼻子数次。这是不需要医生指导的处方，盐水你可以自己调配：将1/4茶匙的盐，放入1杯水中溶解即可。

*利用美容用的热敷蒸脸器，以蒸汽来热敷你的鼻窦与鼻腔部位。每次使用10~20分钟（你可以一边看电视、看书，一边"蒸"鼻子）。一般你可以在百货商场美容专柜，或者某些药店买到这一类的热敷产品。当然，你也可以用自制的方式，自己烧热水，用毛巾打湿后，拿这条热毛巾来敷脸。此外，你也可以好好地泡个热水澡，利用浴室里大量的热气，来改善鼻塞的现象。

处理鼻窦发炎

一般常见治疗鼻窦发炎的药物有鼻塞喷剂与抗组胺。

鼻塞喷剂。在理论上，鼻塞喷剂的成分除了会收缩鼻腔血管之外，同时也会收缩胎盘血管，进而影响供给胎儿血液的速度。因此，除非在医生的指导下，否则千万不要擅自服用、使用任何这类口服或吸入型的药剂。虽然有些鼻塞喷剂还算安全，但在未征得医生同意之前，你最好还是先用盐水来清洗鼻子，这样比较安全。基本上，当你有严重鼻塞甚至感到有些呼吸困难的时候，使用鼻塞喷剂不但效果良好，而且如果一两天仅使用一次，通常不会对你及胎儿产生什么不良影响。一般会对胎儿健康造成影响的情况，多半发生在连续几天使用且每天都使用数次的情况下。以下是几种常见的鼻塞喷剂：

*阿弗林（oxymetazoline）。一天用两次，连续使用数天，并不会对发育中的胎儿造成影响。

*吸入式类固醇，如二丙酸倍氯米松（Vancenase）、伯克纳（Beconase）是比较安全的药，尤其是一天当中只使用几次，而且只使用很短时间的时候。但除非医生建议，否则最好使用低剂量。

*不要使用含有麻黄素（ephedrine）、去甲麻黄碱（phenylpropanolamine）、苯福林（phenylephrine）成分的鼻塞喷剂，这些药物经证实可能会对发育中的胎儿造成伤害。除非其他的替代方式都试过了，而且你的医生判断服药利大于弊，不会造成危险，你才可以使用。因为这些鼻塞喷剂除了会使呼吸道收缩之外，还会使提供血液给胎儿的血管收缩。

抗组胺类药物。一些抗组胺类药物，像氯苯那敏（chlorpheniramine）和曲吡那敏（tripelennamine）在怀孕时服用是安全的（详见第440页"绿灯用药"）。至于一些标示"黄灯用药"的药物，像含有溴苯那敏（brompheniramine）、苯海拉明（diphenhydramine）、特非那定（terfenadine）和氯马斯汀（clemastine）等成分，孕妇在服用时，就应该小心一些。因为根据部分的临床研究指出，早产儿眼睛受伤的原因可能跟怀孕的最后两周时服用这些药物有关。因此，除非你确定鼻塞的情况是由过敏引起的，而且影响到你的呼吸，否则，你还是应该使用前文中保持鼻腔畅通的药物或非药物疗法，避免使用"黄灯"标示的抗组胺类药物。

其他治疗方法。如果你在怀孕之前，就已经开始注射抗过敏剂，那么，通常医生会建议你在怀孕期间继续注射。不过，怀孕之后，你在注射后的反应可能与怀孕前不同，因此，你的医生可能会在剂量上有所调整。一般来说，医生不太会建议你在怀孕时才开始注射抗过敏剂。

怀孕时注射色甘酸钠（Cromolyn）没关系，这种药剂不属于减充血剂、类固醇或是抗组胺等药物，而是一种经过长期注射之后可以减缓过敏性鼻塞症状的抗过敏药剂。这对于季节性的过敏性鼻炎、花粉热等特别有效。不过，如果当你已经鼻塞之后才注射这种药物的话，可能就收不到什么效果。

在怀孕时服用咳嗽糖浆要特别小心，最好是在临睡前服用，或是实在咳得太厉害时再服用。此外，你也应该注意到你所服用的咳嗽糖浆，最好不要含有碘或酒精的成分。不过，目前的相关研究，并没有发现服用咳嗽糖浆与造成胎儿出生缺陷之间，有什么必然的关联。而为了不让咳嗽影响到你的睡眠质量，你也可以在睡前，试试前文讲的脸部蒸气热敷法，也许可以减轻你咳嗽的症状。

气喘

就像大部分慢性过敏问题一样，有些有气喘病史的女性在怀孕期间，气喘竟然莫名其妙地很少发作，但有些女性则发作得更严重。当你在怀孕时，为了随时给胎儿供氧，你的呼吸系统的工作量会更吃重（每次的呼吸量会增加）。如果这时气喘发作，将使你的呼吸状况雪上加霜。而如果你因为气喘导致呼吸困难，那么你的胎儿也一定会感到呼吸困难。如此一来，为了你自身与胎儿的健康着想，在怀孕时如何预防与面对气喘病的发作，则是相当重要的课题之一。以下就是几种可以协助你掌控气喘病的方法：

＊在怀孕前期（最好在你计划怀孕时），就与你的医生、过敏治疗师及产科医生等，一起讨论你近期的气喘史，以决定你在怀孕时可以使用的自助疗法或药物。如果在怀孕期间气喘还是发作了，那么，你有必要再向这些医生咨询，因为在怀孕的各个阶段，尽管你使用相同的药物，疗效却可能有所不同。

＊尽量避免让自己接触到香烟或其他污染物等过敏原，特别是睡觉的环境更应该留意。你在怀孕的时候，最好在床边放个空气过滤器，以随时保持空气的清新（高效空气过滤器的效果最好）。

＊你可以参照第436页的做法，随时保持鼻腔的畅通。根据较有经验的人表示，预防气喘发作最好的方法，就是随时保持鼻腔的干净与畅通。

＊当你有气喘要发作的感觉时，应该当机立断，立即求诊，让医生使用适当的药物来治疗。而不要一直拖到你不能呼吸了才去治疗。

治疗气喘的药物

如果你原本就是一名慢性气喘病患者，且过去已经有固定的预防或治疗方式，那么，在未征得医生同意之前，最好不要轻易改变原来的疗程。此外，你也不用担心长期用药或注射会对胎儿的健康造成伤害。相反的，如果你一旦气喘发作，却未立即得到适当的治疗，这样对胎儿健康造成的伤害可能会更大。目前最常见、最有效的是名为沙丁胺醇（Albuterol）的这类携带型吸入喷雾剂。不过这类药物会加速母亲与胎儿的心跳，促使血压升高，并造成母体供给胎儿的血糖浓度改变，因此，在使用的时候，一定得遵照医生的指导才能使用。一般来说，这类药剂还算安全，不过仍属于"黄灯"标示的药物，因此在使用上还是得小心为宜。色甘酸钠则是属于"绿灯"标示、安全性更高的预防性气喘药物。至于一些含有肾上腺素成分的气喘药物，除非在气喘发作严重并且有医生许可的情况下使用，否则应该尽量避免使用。最后像是一些属于"黄灯"标示的吸入式类固醇药物，如果在医生的指导下使用，一般也是相当安全的。

尿道感染

由于你在怀孕期间，子宫占据骨盆的面积越来越大，因此，膀胱、尿道、肾脏在长时间遭受压迫的情况下，很容易发生病变。因此，有许多女性在怀孕期间，或多或少都有小便灼痛、尿频、下腹疼痛甚至血尿等尿道或膀胱发炎的经历。更为严重者，甚至会造成肾盂发炎，而产生腰部剧痛、发烧、呕吐，寒战、心跳加速等不舒服现象。这些尿道感染症状除了依靠医生提供的药物来控制，你也必须在生活作息上有所调整，以有效改善你的病情。下列几种方法可以帮助你减少发生尿道感染的概率：

＊多喝水。特别是鲜蔓越莓汁，已被证实可以有效抑制尿道细菌的繁衍。

＊不要憋尿。养成有尿意就上厕所的好习惯。

＊利用三段式排尿法，也就是尿一次，停 10 秒钟，再尿一次，这样连续 3 次。以便将尿彻底排净。

＊在性行为之前和之后，养成上厕所的好习惯。

＊尽量穿低腰宽松的内裤与丝袜。

＊定期做产检，让医生可以及早发现尿道的病变，预先治疗。

＊如果你怀疑尿道已经感染，那么应该马上去医院做检查。通常，你的医生会做尿液检验来掌握你的病情。有些时候，你可能需要住院一两天，让医生进行细菌培养，以确切了解你发病的原因。

一般来说，如果你的确有尿道感染，医生通常会以安全性较高的抗生素来加以治疗。当然，抗生素的类型和剂量的多少，取决于你的病情与怀孕的状况。如果你未遵照医生的指示来使用抗生素，可能就会增加早产的概率。

消化道的毛病

当你的消化道受到细菌感染而"感冒"时，你就会有害喜、呕吐、下腹疼痛、腹泻或发烧等肠胃炎现象发生。事实上，你大可不用担心让你感染肠胃炎的细菌会影响胎儿的健康。然而，你可能会因为不断腹泻而造成体内水分、盐分（电解质）大量

如何在怀孕期间安全使用药物

绿灯用药：表示可安心使用

以下的药物如果是遵照医生指导的服用方式与时间来服用，通常不会对你的胎儿造成伤害[①]。

扑热息痛（Acetaminophen）

抗酸药：兰达（Mylanta），氢氧化铝/氢氧化镁合剂（Maalox）、泰胃美（Tagamet）、雷尼替丁（Zantac）、法莫替丁（Pepcid）

抗生素：盘尼西林、头孢菌素（Cephalosporin）、红霉素、氯林可霉素（Clindamycin）、呋喃妥因（Nitrofurantoin）、磺胺类药物（Sulfa，仅适用于怀孕前6个月）

色甘酸钠（Cromolyn，气喘药）

多西拉敏（Doxylamine,抗组胺药）

乘晕宁（Dramamine）

多潘立酮（Emetrol，消化剂）

布洛芬（Ibuprofen, 解热镇痛剂，仅适用于怀孕的前6个月）

胰岛素

萘普生（Naproxen，解热镇痛剂，仅适用于怀孕的前6个月）

非那西汀（Phenacetin）或氯苯那敏（Chlorpheniramine）属抗组胺药

强的松（Prednisone, 肾上腺皮质类固醇）

非那吡啶（Pyridium，泌尿系统药物）

软便剂：乳果糖（Lactulose，缓泻剂，只能短暂使用）、矿物油缓泻剂（偶尔，暂时使用）

曲吡那敏（Tripelennamine，抗组胺药）

黄灯用药：表示使用时应特别小心！

下列各种药物的使用，由于可能会对胎儿的健康造成影响。因此，一定要在医生指示的使用剂量与方式下谨慎使用才行。这是因为其中的许多种药物经过动物实验，发现有对胎儿健康造成影响的潜在危险，或者是尚未经过足够的人体实验，无法明确得知是否会对胎儿造成伤害。

阿普洛韦（Acyclovir, 抗病毒药，用于治疗疱疹）

沙丁胺醇(Albuterol，气喘治疗剂)[②]

①这些"绿灯"药物，是根据撰写本书时的规范整理出来的。如果你的医生根据新的药物规范来用药的话，你应该以医生建议的方式为准。

②治疗一般气喘的药物，如果在医生的指导下，母亲的使用效果良好，那么通常也应该不会对胎儿造成不良的影响。

抗生素：氯霉素（Chloramphenicol）、环丙沙星（Cipro）、甲硝唑（Flagyl）、庆大霉素（Gentamicin）、异烟肼（Isoniazid，属治疗肺结核的药物）、利福平（Rifampin）、万古霉素（Vancomycin）

止吐剂：丙氯拉嗪（Compazine）、盐酸曲美苄胺（Tigan）、非那根（Phenergan）

苯海拉明（Benadryl，一种抗组胺药）

含可待因（Codeine）的镇痛止咳剂（仅适用于怀孕的前6个月）

鼻塞喷剂，包含麻黄素（ephedrine）、苯福林（phenylephrine）、去甲麻黄碱（phenylpropanolamine）

含愈创甘油醚（Guaifenesin）的咳嗽糖浆，短时间使用应该还算安全

止泻宁（Lomotil）

羟考酮（Percodan）

百忧解（Prozac，抗抑郁药）

除虫菊素（Pyrethrins，疥癣专用）

特非那定（Terfenadine，属抗组胺药）

死菌疫苗

舍曲林（Zoloft，抗抑郁药）

红灯用药：禁止使用！

下列这些药物已经被证实可能对胎儿健康造成危害，但是在不使用下述药物无法治愈疾病的时候，医生仍然会小心地采用这部分的药物。

抗凝血药物

阿司匹林（在怀孕最后3个月禁用）

可待因（Codeine，在怀孕最后3个月禁用）

麦角（Ergot，子宫收缩剂）

含碘药物（如咳嗽糖浆）

苯巴必妥（Phenobarbital，镇静催眠剂）

含磺胺（Sulfa）成分的抗生素（在怀孕最后3个月禁用）

四环素（在怀孕后半期禁用）

活菌疫苗：麻疹、风疹③、腮腺炎、黄热病等

安定（Valium，镇静剂）

---

③如果你在证实怀孕之前才刚注射风疹疫苗，那么你也别太担心。目前还没有任何证据显示，它会对胎儿的健康造成直接的影响。

流失，产生脱水的现象，而影响到你自己与胎儿的健康。以下几种方法，可以让你尽量避免产生脱水的现象，并让你慢慢地恢复健康。

*尽可能地在床上休息几小时。

*多喝水。小口小口地喝水效果最好。同时，你也应该适时补充含有电解质的液体，以保持体内电解质的平衡。一些电解质溶液，一般在药店可以买到。而市面上一些标榜含有电解质的运动饮料，由于含有容易被正在发炎的肠胃所吸收的糖分，因此也是一种不错的电解质补充液。至于一些自制的电解质溶液，不是放了太多的糖，让腹泻的状况更加恶化，就是放的盐不够，而无法补充足够的电解质。你如果真的想要自制电解质溶液，你可以榨一杯大约900毫升的果汁（橙汁、葡萄汁、苹果汁、菠萝汁等），另外再加上两茶匙的盐即可。

*如果你深受恶心呕吐的困扰，担心无法补充足够的水分。那么，你也许能以吃水果冰棒或是吃冰块的方式，来补充足够的水分。

*除了水分或盐分的流失之外，为了避免养分的不足，你可以尽量试着补充一些较容易被肠道消化的食物，像米饭、烤土豆、香蕉或是一些黄色蔬菜等。

防止呕吐的药物

在一般常见的止吐剂里，其中有些适合孕妇服用，另外，当然也有一些药物可能会对胎儿的健康造成影响，像是多潘立酮（一般称为可乐糖浆）就是一种既安全、又有效的止吐剂。你每天只要喝上几次，一次1茶匙，通常很快就可以舒缓呕吐的症状。而丙泰拉嗪与盐酸曲美苄胺这两种"黄灯"药物，在你呕吐现象比较严重的时候，在医生的指导下短时间服用，通常还算安全，而且效果也还不错。

防止腹泻的药物

所有的止泻剂都应该经医生指导之后才能服用。腹泻多半是因为身体急欲将消化道内的细菌与有毒物质排出体外的一种本能反应导致的，因此，如果你擅自服用止泻剂，减缓这些细菌或有毒物质的排出速度，那么很可能导致更严重的后果。因此，除非腹泻的孕妇已经严重到有脱水的现象，否则，一般医生通常不会轻易开止泻剂给孕妇服用。像是硅酸铝与果胶合成的止泻剂，虽然孕妇服用比较安全，但是止泻的效果并不显著。易蒙停（Imodium）是目前公认安全性高、且效果不错的止泻剂。不过，让身体自然地将细菌或有毒物质排出体外，仍然是最好的方法，因此，我们认为上述药物也属于"黄灯"药物范围。碱式水杨酸铋（Pepto-Bismol）由于含有水杨酸盐（salicylate，一种常见于阿司匹林里的成分），可能会导致孕妇出血，而铋则在动物实验中造成了生出畸形儿的案例，因此这些药物不建议孕妇服用。

如果说你因为严重的呕吐或是腹泻而快要有脱水的现象，通常医生会为你实行几小时的静脉注射，替你补充水分与电解质，以避免发生脱水。在临床的经验上，静脉注射不但安全性高，见效也十分迅速。

治疗烧心的药物

一般是属于可以抑制胃酸分泌的药物，像泰胃美、雷尼替丁与法莫替丁等，都是"绿色"且安全性高的药物。尽管如此，你还是应该遵照医生的指示才可以服用。至于一般在药店可以买得到的镁乳（Milk of Magnesia）、氢氧化铝/氢氧化镁合剂等"绿灯"抗酸药，也是属于安全性较高的药物。不过，像是含有阿司匹林成分的胃药（详见第444页），就应该避免服用。至于含有抗痉挛成分的苯巴必妥则是"红灯"药物，因为它过去曾有影响胎儿成长的记录。

发烧

当你怀孕后，由于孕激素分泌与新陈代谢速度加快的双重影响，你的体温会比平常要高1℃左右。因此，如果你的体温持续上升，那么，你不但会开始感到不适，胎儿的健康同样也饱受威胁。根据动物实验研究发现，怀孕的第一阶段，特别是第3~5周时，如果你的体温升到39℃以上时，胎儿脊椎发生病变的概率也会随之大增。因此，如何预防发烧或尽快了解退烧的方法，是孕妇在日常生活中很重要的一个课题。以下提出几种方法来供你作为参考：

随着温度变化加减衣服。平常应注意不要穿得太多或太少。穿得太多容易提高体温，穿得太少又容易感冒、发烧。此外，衣服也应该力求宽松通风，让自己的皮肤接触到空气。如果你容易流汗，别忘了尽快换衣服。

保持通风。进入室内时记得开窗，或者打开空调，要不然就多去户外走走、透透气。如此一来，应可将体温随时保持在正常水准。

多喝水。由于怀孕的你比较容易流汗，呼吸也比平常更急促一些，因此，记得随时小口小口地喝水，以补充不停流失的水分。

补充热量。由于体内在燃烧热量时会产生额外的热能，因此，当你在食用富含热量的食物时，应该多补充帮助降低体温的水分。

冲个凉水澡。冲个不会让你冷得发抖的凉水澡，然后用干毛巾用力擦拭身体，以促进皮肤的血液循环，达到加速降温的目的。

治疗疼痛与发烧的药物

对于孕妇而言，阿司匹林并不是一种最佳的退烧药物，因为有其他安全性更高的药物可供使用。不过，如果你已经吃了几颗含有阿司匹林成分的退烧药，也不用太过担心，因为这通常不会对胎儿的健康造成伤害。这里不建议使用阿司匹林，尤其是到了怀孕的最后 3 个月，主要是因为阿司匹林（含抗凝血成分）可能导致母亲或胎儿产生出血或者妨碍正常分娩（阿司匹林有抑制前列腺素分泌的作用）。产科医生有时候会使用低剂量的阿司匹林，来改善孕妇因为怀孕所产生的紧张、惊吓或是其他像是子宫病变等问题。而另一个好消息是，目前似乎没有任何直接证据显示，在怀孕的前 3 个月服用阿司匹林，会增加胎儿出生缺陷的概率。

布洛芬这种止痛退烧药，对于孕妇而言，比阿司匹林要安全许多。不过，你仍然应该遵照医生的指示来服用。由于布洛芬并不具有抗凝血性质，因此，不论孕妇是在怀孕的前期、中期，还是晚期，在服用时都不会增加胎儿出生缺陷的概率。不过，由于布洛芬像阿司匹林一样，有抑制前列腺素分泌（会影响分娩顺利与否的一种激素）的作用，因此，你如果要在怀孕晚期服用，就应该要更加谨慎一些。由于停止服药后，它对身体的不良影响也会很快随之消退，安全性还是比阿司匹林要高，因此，它还是医生比较喜欢用的一种退烧药。

至于扑热息痛，也是一种"绿色"且安全性高的退烧止痛药。不过，如果你需要长时间服用较高的剂量，那么，还是应该遵照医生的指示来服用（这是最基本的态度）。因为根据过去的研究发现，长期高剂量地服用此药，仍可能会对孕妇与胎儿造成危害。当然，如果在医生的指导下适量服用，则应该可以安全且有效地抑制发烧与疼痛的现象。

附录二

紧急分娩

在家时该怎么办?

有时宝宝不会按部就班地给你信号,告诉你分娩进行得怎么样了。你可能会突然警觉到"糟糕!要生了",而且你知道上医院是来不及了。这种情况每年都会出现不下数千次,但是记住,这些状况几乎全都是以母子平安的喜剧收场。

*认识分娩迫近的征兆。你突然出现一股不自主想用力的感觉,而且这种想用力的冲动越来越强;你觉得自己好像忍不住要解出大便来;你的阴道已经可以感觉到宝宝的头,而且你每次一用力,宝宝的头就越往下掉。

*立刻打电话给医生或是助产士,把你的感觉告诉他们,然后请他们告诉你,你该怎么做。如果医护人员告诉你最好待在家里,他们也可能

同时就在电话上指导你如何渡过分娩这一关。如果可以的话,你应该按下免提键,然后把声音调大,这样你就不必握着话筒听医护人员的指示。

*如果你没办法立刻联络上医生或是助产士,就打110。如果你一开始就打110,就直接请接电话的人帮你联络你的医生,同时通知你预定分娩的医院。然后你就可以专心去生你的孩子了。

*准备一个分娩的窝,通常指的就是你的床。为了不弄脏床垫,记得在床垫和床单之间铺一层防水垫(像是塑料袋、浴帘、厚厚的几层报纸,或是塑料桌布等都可以),然后再铺上一层干净的床单。

*将临时产房的室温调整到21℃~24℃之间。打开窗帘,让天然的阳光照进室内,以调节房间的温度

和亮度。

*指定一个跑腿的，最好是丈夫以外的人，因为丈夫突然之间要身兼分娩教练及宝宝接生员二职，已经分身乏术了。这个跑腿的（可能是你的邻居、十来岁的子女，或是朋友）应该烧两盆热水，其中一盆用来消毒各种用具，另一盆就让它凉到微温的程度，让你分娩完后可以清洗一下。需要用这盆滚水消毒的，包括一把剪刀和两条和脚掌长度差不多的线（或是鞋带），这两条线是等一下要用来绑宝宝的脐带的。另外还要准备几样东西：一个可以用来装胎盘的洗碗盆，至少3条干净的大毛巾，温暖、干净的毯子或毛巾可以用来包裹宝宝（可以事先在烘干机里加热）。

*恐怕你的羊膜这时候早就破了，要不然你也不会出现紧急分娩的状况。不过如果你还没破水，千万别故意弄破，该破的时候它自然会破。

*在陪产或接生的人坐下来的地方，像是床边或床尾的地面上铺上毛巾。因为如果你家地板很光滑，忙里忙外地走动是很危险的。

*想办法用最舒适的姿势躺着：仰卧、侧躺、手掌和膝盖着地都好。通常蹲姿是最好的分娩姿势，不过在家紧急分娩的情况下，你未必希望加快分娩的进行。

*不要使用你常在电影里看到的

在医院分娩的典型姿势来分娩，也就是产妇的臀部下方刚好抵着床缘的姿势。因为宝宝很滑，所以一不小心可能就会从接生人的双手之间滑过去，掉到地上。小心起见，你应该躺得靠上面一点，这样就可以在床上接生宝宝。你要考虑的是自己躺得舒不舒服，以及宝宝的安全，而不是接生的人方不方便的问题。

*担任接生工作的人必须事先用酒精或是消毒肥皂把手洗干净。如果你只有一个人在家，必须靠自己把孩子生下来，记得事先把手洗干净。

*依照生理原则来用力（详见第404页），千万不要用力加快分娩的进行。如果宝宝能靠着自己慢慢扭转身体、调整角度找出最容易的方法出来，通常是最安全的。

*宝宝的头出现后，你每一次用力就会清楚地看到而且感觉到宝宝的头，但是在两次用力之间，宝宝的头又会缩回去两厘米左右。

*在宝宝的头先露之后（也就是至少半个头已经出来了），就不要再用力。也不要把它拉出来，要让宝宝的头慢慢滑出来，掉到接生人的手上，然后被放到床上。通常脐带会在宝宝的脖子上绕个一两圈，你可以轻轻地把脐带绕过宝宝的头拿下来。

*随着宝宝的头突然转向，接着出现的就是宝宝的肩膀了。在宝宝的

头已经出来，但是还没开始分娩肩膀的时候，你可以用双手拿毛巾按住肛门上方来保护你的会阴，以防它在宝宝露出肩膀的时候被撕裂。

*如果你有吸鼻器，可以让陪产或接生的人帮宝宝把黏液从鼻子里吸出来，然后把宝宝倒举起来保持几秒钟，好让宝宝喉咙里的黏液流出来。

*如果接生的人双手捧着宝宝的头，肩膀却迟迟不出来，你就用力把肩膀推出来。通常肩膀上部和手臂会先出现，之后接生的人就应该撑住宝宝的头和肩膀，同时把它们朝上轻轻抬起，好让下面的肩膀顺利地滑出来。

*一旦宝宝被完全分娩出来之后，就要立刻让宝宝肚子朝下地趴在你的肚子上。接着把宝宝身上多余的液体擦干净，至于宝宝身上奶酪状的膜不用急着清掉。然后用温暖的毛巾把宝宝的背和头盖起来。

*所有的宝宝在刚出生的几秒，甚至1分钟之内看起来都是蓝紫色的。要检查宝宝的脉搏，最明显的地方就是宝宝的肚脐与脐带的连接处。用你的拇指和食指轻轻地放在那儿，你就可以感觉到宝宝飞快的脉搏，至少超过每分钟100下（"一、二、三"要数得很快），有时候连数都来不及。如果宝宝的脉搏至少有100下，而且维持这个速度不下降，那么就算宝宝不哭，你也可以肯定他有呼吸。

如果宝宝看起来好像没有呼吸，或者宝宝的脉搏好像越来越微弱，就用力摩擦宝宝的背部，以刺激他呼吸，但不一定要把宝宝弄哭。不过如果宝宝哭出来，他应该就可以变得红润，你也可以感觉到他脉搏加速。通常到了这时候，紧急救护人员应该已经到达现场，所以如果宝宝有需要，也可以进行输氧或是其他协助呼吸的动作。

*如果宝宝的嘴唇发紫（记住，新生儿的手和脚呈现蓝紫色的情况，可以维持5~10分钟左右），同时你也没有看到宝宝呼吸，而且宝宝的脉搏显然不到每分钟60下（"一、二、三"放慢拍子数），就轻轻地对宝宝进行五六下人工呼吸，记得你的嘴要同时覆盖住宝宝的鼻子和嘴巴。

*如果有专业医疗人员正赶来你家，那你就不需要剪断脐带或是娩出胎盘。只要让宝宝贴着你的身体躺着，再把他的身体和头用温暖的毯子或毛巾盖好就行了。如果你没有剪断脐带，而且胎盘也没有自动娩出，你和宝宝就应该都采取侧躺姿势（但还是肚子贴肚子），这样宝宝才能和胎盘维持在同一个水平高度，血液也才能顺利地从胎盘流向宝宝。

*如果电话里的医护人员让你剪断脐带，或是没有医护人员正在路上赶来协助你，那你就必须自己来。先

等个几分钟，让脐带变得细一点、颜色也淡一些（也就是胎盘和宝宝之间的血液转移已经停止的时候）再动手。在宝宝的肚脐距离脐带2.5厘米处，用线紧紧地打一个结，然后在距离这个结2.5厘米处再打另一个结，从这两个结的中间剪下去。

＊不要想靠着拉扯脐带把胎盘娩出。你可以让宝宝吸吮你的乳头，刺激你的身体释放激素，造成血管自然收缩，以防止大量出血，同时刺激胎盘的娩出。通常胎盘在宝宝娩出后的5~30分钟内就会排出来。

＊让宝宝持续吸吮你的乳房。至少要持续到专业的医护人员赶到，或是你和宝宝情况都已经稳定，可以去医院的时候。或者按照电话里医护人员的指示去做，以确保你的子宫肌肉有效压制住胎盘附着处那些张开的血管，以免你失血过多。

＊因为你刚结束分娩，还非常虚弱，所以应该尽量在床上躺着。如果要下床行走，一定要有人搀扶才行。

＊你和宝宝都应该保持温暖、安静，等候医护人员到来，或是等待医生、助产士的进一步指示。

＊在胎盘娩出以后，在骨盆上方的位置轻轻地按摩子宫，以帮助子宫在继续收缩的同时适度地压缩血管。

在去医院的路上

＊开车时要注意交通安全。虽然是紧急分娩，但是还不到需要拿车上乘客（包括那个正要出世的在内）的性命做赌注的程度。

＊如果有车内电话，开车送你的人可以通知医院你已经在路上了。打开警示灯，让你在后座躺着休息。在座位上铺上报纸、床单、毛巾或是布，以防止弄脏椅套。别忘了在路上要让你和宝宝随时保持温暖。

＊在宝宝生出来的那一刻要减速，或是干脆停车。等到宝宝生出来（按照上面的程序进行），再继续上路赶去医院。

附录三

你应该知道的产科专有名词

以下专有名词包括怀孕过程中常见的关心事项和问题、各项检查与医学名词。在前面的各个章节中没有专门讨论且比较不常见的问题，都会在此解释，这样的安排可以使你不会被那些在怀孕过程中不常见的问题所困扰。

胎盘早剥 (Placental abruption)

胎盘早剥是指胎盘在分娩前或分娩期间，部分或完全地与子宫壁分离。胎盘早剥的发生率小于 1%，而剥离的程度也有所不同，常见于怀孕晚期。胎盘早剥的早期征兆是突然出现大量的出血，并且常常伴随着严重的腹痛或背痛。医生检查时会发现患者的子宫有异常的压痛感。超声波可能可以发现剥离的胎盘，但通常情况下还是无法发现。胎盘早剥若是危及供应到胎儿的血流量或是持续地出血，就是产科急症，需要紧急分娩。假如医生怀疑孕妇有这种情况，会让孕妇住院，监测胎儿的健康状况及孕妇的血液流失情况。假如出血停止，孕妇尚未进入产程，而胎儿也没有出现窘迫的情况，医生会建议孕妇先回家休息，使妊娠能持续到足月，或是等到早产相当安全的时候。医生会依照剥离的程度，决定孕妇是否需要剖腹产。胎盘早剥在下次怀孕时的再发生率约 10%，所以医生会在这位孕妇再次怀孕的最后几个月，予以特别密切的监测。

获得性免疫缺陷综合征——艾滋病 (Acquired Immune Deficiency Syndrome，简称AIDS)

艾滋病是由人免疫缺陷病毒

(HIV) 引起的，感染人免疫缺陷病毒会削弱人体的免疫系统，最后会致人死亡。大部分患有艾滋病的女性可以成功地完成怀孕，并且可以生出健康的小孩，但是有 50% 以上 HIV 呈阳性的女性及 70% 处于艾滋病活跃期的女性会经血液将病毒传染给胎儿，最后艾滋病也会成为孩子的致命疾病。产前检查时，假如医生建议你抽血进行艾滋病检查不要觉得受到伤害，因为有许多医生会将艾滋病筛检当做常规检查，即使是没有明显危险因素的女性也要接受检查。

羊膜腔灌注 (Amnioinfusion)

怀孕最后几周，假如羊水容积不足以维持胎儿健康，医生会将生理盐水溶液注入子宫，这项技术对预防及矫正子宫收缩时脐带受压所造成的胎儿窘迫特别有价值。

羊水 (Amniotic fluid)

子宫内的胎儿漂浮在这种特别的溶液中，可以保护他们免受感染，并且可以使胎儿在自由漂浮的环境中获得缓冲的空间。羊水在怀孕第 4 周左右开始形成，前期几乎是由母体来制造所有需要的羊水，怀孕第 11 周左右胎儿的肾脏开始制造尿液加入羊水中，怀孕 20 周以后胎儿的尿液形成了大部分的羊水，而母体只提供少部

分的羊水。羊水每天都会完全地更新，胎儿会吞咽羊水，并经由消化道将它排出，胎儿也会经他们正在发育中的呼吸道在羊水中呼吸。羊水基本上是富含营养的盐水，其中含有蛋白质、脂肪、氨基酸、果糖及其他营养素。羊水量在怀孕第 34~38 周之间最多，怀孕最后 2 周会稍微减少。

人工破膜术 (Amniotomy)

人工破膜术又称为人工破水 (artificial rupture of membranes)。施行这项技术时医生会将一支细小的钩子经孕妇的子宫颈到达羊膜，然后将羊膜（即孕妇的羊水囊）刺破。施行人工破水是无痛的，它常用于促使停滞的产程重新启动、过期妊娠的引产或是在分娩期间用胎儿监护仪接触宝宝头部时使用。羊膜只有在必要时才可以刺破，因为完整的羊水囊可使宫缩的力度在子宫下部及子宫颈伸展时能更均衡，且在胎头下降时保护胎儿的脐带。在胎头尚未进入骨盆腔之前将羊膜刺破，容易导致脐带被压在胎头与骨盆之间。早期破水也会增加细菌进入子宫而感染胎儿的机会。医生在施行这项技术之前会与孕妇讨论人工破水的益处与危险性。

阿氏评分 (Apgar score)

新生儿出生后 1 分钟及 5 分钟时，

接生的医生会评估新生儿的心跳、呼吸、皮肤颜色、肌肉活动力及对刺激的反应，并且依照这 5 种代表健康的生理征象每项给予 0~2 分的评分。假如每一项功能都可以达到标准，总分就可以达到最高分 10 分。父母及医护人员持续注意阿氏评分是很重要的。阿氏评分 10 分的新生儿不一定会比 8 分的新生儿健康，因为大部分的新生儿出生时会有短暂性的手脚发青的情况，即使是健康的新生儿也很少能得到 10 分。出生时较为安静的新生儿因为较少哭泣，计分也会比较低，但是并不表示他不健康。阿氏评分并不是新生儿的健康测验，也不是对新手父母的一项评分。它只是被当做一种快速的筛检，用来判断新生儿是否需要进一步观察，因为有些新生儿从子宫内转移到自主呼吸的环境下，会比其他新生儿需要更久的时间。

人工破水 (Artificial rupture of membranes，简称AROM)

请见人工破膜术。

生物物理评分 (Biophysical profile，简称BPP)

过期妊娠或高危妊娠的最后几周常使用生物物理评分来监测胎儿的健康状况。它会由医生在门诊时施行，结合了无应激试验及超声波检查来评估胎儿的活动力，并且会测量子宫内的羊水量。医生会依照检查的结果决定最安全的分娩方式及分娩时机。这项检查对母亲及胎儿都没有危险性，且不会有疼痛的情况，花费的时间也少于 1 小时。

水痘 (Chicken pox)

假如你对水痘不免疫，怀孕期间接触水痘患者会引起你的担心。不过，大部分的女性对水痘免疫，即使她们可能不记得小时候曾患过水痘。如果你不确定对水痘是否免疫，医生会建议你抽血来检测对水痘的免疫程度，假如你对水痘免疫就不必担心，也不需要任何治疗。假如你对水痘不免疫，即便是接触到水痘患者，你或胎儿患水痘的概率也不高。无论如何，怀孕前期接触到水痘患者会产生胎儿出生缺陷的概率是很小的。怀孕最后一个月接触水痘患者会引起更多的担心，假如母亲在分娩前两周以上的时间患水痘，她会产生足够的抗体，并将抗体由胎盘传给胎儿，可避免胎儿在新生儿时期得水痘。但是假如母亲在分娩前的两周内患水痘，胎儿会接触到病毒，却没有母亲的抗体，在这种情况下，新生儿可能会成为严重的水痘患者。怀孕期间患水痘的女性最常见的并发症是肺炎。

假使你对水痘不免疫，怀孕期间与水痘患者有密切接触，医生会建议你与水痘患者接触的 4 天内注射水痘－带状疱疹免疫球蛋白 (varicella-zoster immune globulin，简称 VCIG)，以立即提供抗体，并减少病毒传染给胎儿的机会。同样的，水痘－带状疱疹免疫球蛋白也会用在对水痘不免疫但在怀孕最后一周接触水痘患者的孕妇。由于目前可用的水痘疫苗是活疫苗，目前并不清楚用在孕妇身上是否安全，现行的建议是孕期不要使用。因此，在怀孕前最好能检查一下你对水痘是否免疫，假使有需要可先注射水痘疫苗。如果已经怀孕应该计划在分娩后立即注射水痘疫苗，以免在下次怀孕时发生问题。对水痘不免疫的孕妇，假如已经怀孕并且家中有其他的小孩，应该要考虑给小孩注射水痘疫苗，以减少小孩得水痘并传染给你的机会。当你怀孕时，家中其他成员注射水痘疫苗，对准妈妈是较为安全的。

宫缩应激试验 (Contraction stress test，简称CST)

怀孕最后几周如果担心胎儿的健康状况，医生通常会执行这项检查，这项检查需在医院中执行。宫缩应激试验是造成一个类似分娩的状态，评估胎儿是否可以忍受宫缩的压力。这项试验是当胎儿的心跳在监测下，刺激子宫收缩，子宫的收缩可以使用向静脉注射催产素引发收缩的人为方式，或是刺激乳头产生收缩的自然方式。宫缩应激试验的结果是阴性，就可以放心了，它表示在 3 次正常的子宫收缩中，胎儿的心跳仍然是正常的。宫缩应激试验是阳性的话则会引起关注，它意味着胎儿的心跳在子宫收缩期间或子宫收缩后出现了不正常的情况，表示子宫收缩期间胎儿没有得到足够的氧气。做过其他的检查之后，医生会根据宫缩应激试验的结果，决定是否在分娩宫缩的真正压力产生之前实施剖腹产取出胎儿。由于宫缩应激试验会引起分娩，因此它不可用在启动产程会引起问题的情况下，如胎儿还没发育成熟或胎盘位置不正常等。

宫缩应激试验出现模棱两可或假阳性结果的发生率也很高，也就是说试验的结果表示子宫收缩时胎儿的处境危险，但实际的状况却不是这样。这就是为什么医生除了做宫缩应激试验之外还必须做其他的检查来确定胎儿的健康状况，才可以决定最安全的分娩形式。因此，宫缩应激试验会提醒医生在分娩期间更加密切监测胎儿窘迫的迹象。

对于刺激子宫收缩的方式，你可能会比较喜欢以乳头刺激自然地引发子宫收缩而不是以静脉注射催产素的方式，医生会按照你的情况建议采用对你最好的方式。研究显示乳头刺激与注射催产素同样有效，而乳头刺激比较容易也比较便宜。

拟娩综合征 (Couvade syndrome)

拟娩 (Couvade) 这个词是来自法文的"couver"，意思是孵化。这个名词用来表示许多男性在妻子怀孕期间经历的类似怀孕的症状。无论在哪一个国家，大约有 25%~50% 的准父亲会出现拟娩综合征，出现症状的程度各异，最常见的症状是渴望食物、心情起伏不定、恶心、害喜、体重增加、疲倦、背痛及难以入睡。他们的这些症状最常出现在妻子怀孕的前 3个月，怀孕中期症状减轻，怀孕晚期又会以不同的症状再度出现。它被认为是男性下意识地想要确认及参与怀孕的表现，他们也可能想要分享怀孕女性所受到的注意。这些感觉也可能是身体对于即将成为新手爸爸的一种夸张而骄傲的反应。

糖尿病 (Diabetes mellitus)

好消息是：大多数糖尿病孕妇如果能适当地控制血糖，仍能拥有一个健康的妊娠期，并生出健康的小孩。假如你是糖尿病患者，怀孕前最好能适当地控制血糖并达到理想体重。怀孕期间你和胎儿的健康与血糖控制的情况有密切的联系。整个妊娠期适当地控制血糖是很重要的，尤其是怀孕的第 1 个月及最后几个月更为重要，因为怀孕第 1 个月胎儿的器官正在形成，而怀孕最后几个月早产的危险性是最高的。糖尿病在怀孕期间更难控制，但适当地控制是极为重要的。怀孕期间，由于孕激素会干扰胰岛素的作用，使胰岛素的需求量增加。胰岛素不会通过胎盘，但血糖能通过胎盘，所以假使母体的血糖过高，胎儿就会接收到过多的血糖并可能需要分泌额外的胰岛素。进入胎儿血流中过多的血糖会作为多余的脂肪被贮存起来，这就是糖尿病母亲会生出巨婴的原因。怀孕前假使你的血糖是以口服降糖药来控制的，医生会建议你变成注射胰岛素，这不只是因为口服降糖药在怀孕期间对血糖的控制是无效的，而且有些口服降糖药对发育中的胎儿是有害的，注射胰岛素则被认为是很安全的。怀孕前，假如你每天使用一次胰岛素，怀孕期间你的胰岛素需求量可能会增加，与医生密切联系以调整胰岛素的剂量、你的运动及饮食是很重要的。依照孕妇血糖控制的情况，医生会判断是否需要在预产期之前将胎儿娩出，因为糖尿病最后会使子宫的血管功能变差，使之无法提供充足的营养给胎儿。为了减少胎儿出生后血糖不稳定所带来的伤害，母亲的血糖在分娩前一周内进行适当地控制是很重要的。新生儿出生后几天内必须由临床专家密切监测以确定孩子血糖稳定，并观察新生儿是否有暂时性的呼吸问题，这在糖尿病女性所生的小孩中是很常见。

己烯雌酚 (Diethylstilbestrol，简称DES)

在20世纪50年代及60年代人工制造的激素——己烯雌酚常用于孕妇身上，以预防及延迟早产或避免先兆流产。几年之后，这种药物被发现对上述问题都无效，因此就不再被使用。怀孕期间服用己烯雌酚的孕妇所生的女儿可能会出现子宫异常或是输卵管、阴道、子宫颈会有问题，子宫颈机能不全是最常见的。如果你有这样的家族病史，必须要告知你的产科医生，让他特别留意你早产或流产的迹象。

子痫 (Eclampsia)

见先兆子痫。

胎儿医学专家 (Fetal medicine specialist)

见围产医学专家。

胎儿—骨盆指数 (Fetal-pelvic index，简称FPI)

这项检查是用X光来测量骨盆出口的大小并使用超声波来测量胎儿的大小。这项检查在预测臀位胎儿阴道产方式的可行性时特别有帮助。它也被用来评估前胎剖腹而这一胎想要尝试阴道分娩（即剖腹产后自然产）孕妇的骨盆大小。由于它同时考虑了产道及胎儿的大小，因此"胎儿—骨盆指数"比单独使用骨盆X光检查更为准确，但是这项检查的结果不应该让母亲对自己采用阴道分娩的能力失去信心，并且决定剖腹产也不能只凭这项检查的结果。简单的测量无法考虑生物学上的事实，当产妇采用蹲式分娩时骨盆出口大小会增加20%，而且在分娩时胎儿的身体还会旋转来适应骨盆中不同的径线，当他到达似乎很狭窄的产道时，他也会找到最容易通过的方式出来。

胎儿头皮血采样 (Fetal-scalp blood sampling)

胎儿头皮血采样通常在分娩期间进行，用来评估胎儿是否获得了足够的氧气。医生会从孕妇的阴道及子宫颈插入一条细管，采几滴胎儿的头皮血，检验室会分析检体中氧气的含量及胎儿血液中会反映胎儿健康状况的化学成分。胎儿头皮血采样比用电子胎儿监护仪监测胎儿心跳的速率，更能够正确地反映出胎儿的健康状况，因此它常在电子胎儿监护仪显示可能有胎儿窘迫的情况下进行。

第五病 (Fifth disease)

因为被发现会引起发烧及皮疹的第五种病毒而得名。这种病毒感染性疾病是孩童时期常见的疾病。它很容易传染，但是很少会对小孩或成人造成伤害。它的特征是发烧、脸颊有红疹（看起来像是被打了一巴掌），以及在大腿、躯干出现像蕾丝花边的红疹，有时患这种疾病的成人会有关节疼痛的情况。患各种溶血性贫血的孕妇，若感染这种病毒，会使疾病复发。感染第五病一个星期以上脸上才会出现红疹，因此有很多人在不知情的情况下接触到这种病毒。这种病毒对小孩及没有怀孕的成人是无害的，特别令人担心的是怀孕的女性。假使对这种病毒没有免疫力（大多数的成人都如此），在怀孕前期受到感染，会有比较高的流产率，比一般人高1%~2%。胎儿在怀孕晚期受到感染则会破坏胎儿的血细胞，引起胎儿贫血。假如你接触到第五病的患者，你的医生会抽血检查你是否对该病毒具有免疫力。假如有免疫力，你就不需要担心；假如检验结果显示你对第五病不免疫，或其他的血液检查显示你最近被感染，医生就会以超声波来检查胎儿是否出现了严重贫血的迹象。

产钳 (Forceps)

产钳是类似沙拉钳的工具，它被用来协助胎头从产道娩出，使用产钳有少许概率会对胎儿或母亲的产道出口造成损伤，但是正确使用通常是很安全的。假如母亲没有能力将胎儿娩出，或胎儿已经出现窘迫的情况，使用产钳可以避免剖腹产。

B型链球菌 (Group B streptococcus, 简称GBS)

B 型链球菌是常见寄生在阴道的菌种，它与咽喉部的链球菌是不同菌种。有许多女性因为没有出现任何症状，而不知道自己是 B 型链球菌的携带者，因此在分娩时会有将细菌传染给胎儿的危险。新生儿感染 B 型链球菌会很严重且可能致命，因此许多医生会为孕妇进行阴道及直肠分泌物与尿液的培养，以确认孕妇是否为 B 型链球菌的携带者。培养可能需要做很多次，因为孕妇有可能这个月带有 B 型链球菌，而下个月就没有了。假使孕妇在接近分娩时受到 B 型链球菌感染，会以抗生素治疗，因此不会将这个危险的菌种传染给胎儿。如果孕妇早产、破水超过 24 小时、分娩时发烧，医生会特别留意 B 型链球菌的检验。纵使 B 型链球菌可能会引起新生儿严重的疾病，但是受 B 型链球菌感染的母亲所生的新生儿大多数都没有受到传染，因为现在医生对这种细菌都非常注意。

HELLP综合征 (HELLP syndrome)

是指严重的先兆子痫的并发症，包括溶血（红血球被破坏）、肝酶升高及血小板减少（血小板与血液凝固有关），若是未加以治疗会使母亲与胎儿都处于危险的境地。

乙型肝炎 (Hepatitis B)

乙型肝炎是经性行为，或是接触到乙型肝炎患者的血液或血液制品而感染的。怀孕期间的女性可能会带有这种疾病，然而却没有任何症状，因此很多人不知道自己已经受到感染。令人担心的是胎儿在分娩期间会接触到病毒，这些受感染的母亲有很高的概率会将病毒传染给新生儿，而且有很多受感染的新生儿会变成乙型肝炎带原者，最后会变成慢性肝病。好消息是适当地注射疫苗，新生儿可免于乙型肝炎的感染。通常医生会将乙型肝炎的检测当做产前检查的一部分，假使你受到乙型肝炎的感染，应在你的小宝宝出生时立刻给他注射乙型肝炎免疫球蛋白及第一剂的乙型肝炎疫苗，并在出生后 1 个月及 6 个月给予第二剂及第三剂的疫苗，之后也要检查小宝宝以确定疫苗接种是否足以使他免于感染乙型肝炎。

子宫颈机能不全 (Incompetent cervix)

子宫颈在胎儿还未发育成熟时就扩张及变薄，可能会有发生流产及早产的危险性。子宫颈机能不全可能是先天性子宫颈无力、前胎分娩时子宫颈过度伸展或子宫颈手术所引起的。子宫颈机能不全的发生率约占孕妇总数的 1%~2%，严重度也有很大的差别，若能正确地诊断及处理，大多数母亲都可生出健康的小宝宝。子宫颈机能不全可能因流产、出血的例行检查或黏液栓塞提早脱落而被诊断出来。一旦怀疑有子宫颈机能不全，医生会实施宫颈环扎术，就是将子宫颈缝合使之保持关闭状态。这项手术需在怀孕第 18~20 周之间实施，到了预产期再将缝线拆除。除了实行宫颈环扎术之外，医生还会建议产妇卧床休息及服用药物以防止子宫提早收缩。大约有 25% 子宫颈机能不全的孕妇会有早产的情况，然而大多数的新生儿都是很健康的。

子宫内生长迟滞 (Intrauterine growth retardation，简称 IUGR)

子宫内生长迟滞的定义是：足月的新生儿体重小于 2500 克。子宫内生长迟滞的胎儿没有得到充分的成长，通常是由于许多情况减少了子宫的血流量，如母亲抽烟、有高血压、慢性疾病（如肾脏疾病）、营养不良、服药、喝酒或是有子宫内感染。有时，胎儿子宫内生长迟滞是由于没有明显原因的胎盘功能不全。在例行的产前检查时，医生以测量子宫的大小来监测胎儿的成长，若怀疑胎儿没有达到理想成长情况时会用超声波加以确认。依照子宫内生长迟滞的原因与严重程度，医生在怀孕中期会细心地监测胎儿的成长状况。由于子宫内生长迟滞的胎儿发生问题的危险性比较高，医生往往会采取特别的措施，例如密切地监测胎儿的状况，发现胎儿身陷危险处境时予以早期引产或剖腹产。由于身体中的脂肪比较少，子宫内生长迟滞的新生儿在出生后较难维持体温，也容易出现血液中化学成分紊乱的情况，如血糖不稳定。子宫内生长迟滞的胎儿在出生后需在提供特别护理的婴儿室中观察数天，或是至少在母婴同房时予以密切地监测。

巨婴（Macrosomia）

巨婴是指体形过大的小孩，一般是指超过 4500 克的婴儿。但大多数的巨婴是因为家族基因的影响，有些是因为母亲的营养不均衡或怀孕时没有控制好糖尿病引起的。巨婴除了在分娩时较为困难外，也比较容易出现分娩损伤。因此，医生在为某些体形过大的胎儿接生时，可能会认为剖腹产比较安全。

无应激试验（Non-stress test，简称NST）

无应激试验常用于过期妊娠时来评估胎儿的健康状况。这项检查对母亲及胎儿都是无痛且没有危险性的，可以在门诊中执行。胎儿心跳在有记录的情况下，医生会要求孕妇记录胎动的感觉，健康胎儿的心跳在胎动时每分钟会增加 15 次。假如在 40 分钟的检查中，胎儿心跳都没有增加的情况，表示胎儿的健康状况可能有危险。无应激试验呈现反应型(reactive)表示胎儿健康状况良好，不反应型(nonreactive，指胎儿心跳没有增加)有 75% 以上可能是假警报，有可能是测试时胎儿在睡觉。医生会选择再做一次无应激试验以免母亲担心，或是执行更进一步的检查来确定胎儿的健康状况。

骨盆测量法（Pelvimetry）

放射科医生会以 X 光来测量孕妇骨盆通道的径线，然后与正常径线作比较，以确定孕妇的骨盆是否够宽，可否让胎儿安全地通过。因为对使用 X 光的安全性与正确性存在质疑，所以单独使用 X 光的骨盆测量法已经较少使用，而逐渐被正确性较高的胎儿—骨盆指数所取代。纵然 X 光并没有被证实一定会对胎儿有害，特别是在怀孕最后几周，但 X 光也只能用在利大于弊的情况下。X 光骨盆测量法的正确性受到质疑是因为骨盆出口在分娩期间有可能会增大，特别是以蹲姿分娩时。因此，分娩前的 X 光骨盆测量法可能无法反映骨盆通道真正的大小，而且单独使用骨盆测量法并没有考虑胎头的大小，无法计算骨盆通道与胎头大小是否相称。

脐带血采样 (Percutaneous umbilical blood sampling, 简称PUBS)

这项技术是在超声波的引导下，由母亲的腹部插入一根长针进入脐带中的血管，采集胎儿的血液。这项技术的程序与羊膜穿刺术极为类似。怀孕第 16~36 周之间，如果以羊膜穿刺术取得的羊水无法诊断胎儿血液、基因及代谢的异常，就需要以脐带血采样来获得胎儿的血液进行检查。这项检查需要在大型医学中心进行。由于脐带血采样的流产率是羊膜穿刺术的两倍，因此这项技术只能用在有绝对必要获得有关胎儿健康状况信息的情况下。这项血液检查结果的分析比羊水的分析所花的时间更短，可较快应

用在临床上。

围产医学专家 (Perinatologist)

围产医学专家是指接受过特别训练的产科医生，尤其是在照顾有孕期并发症或预期会出现分娩问题的孕妇方面。他们一般在大型医学中心执业，来就诊的孕妇是由之前的产检医生转诊来的病人，他们会与产前检查医生一同处理孕妇在怀孕与分娩时的问题。

人工合成催产素 (Pitocin)

人工合成催产素被用来促进子宫收缩，要通过静脉注射，滴数必须由床旁的泵来控制，常用在引产或使停滞的产程重新启动时。由于人工合成的催产素所引发的宫缩强度比自然的宫缩强度大很多，因此使用人工合成催产素的产妇可能需要硬脊膜外麻醉。开始给予人工合成催产素的同时，医生会要求以电子胎儿监护仪来监测胎儿心跳，因为使用人工合成催产素所造成的子宫收缩到达高峰的速度更快，对胎儿的压力也更大。你可以和医生讨论以人工方式刺激子宫收缩的利与弊。当人工合成的催产素开始帮助你的产程进展时，你可能就必须卧床休息，这是因为注射了硬脊膜外麻醉或装上了胎儿监护仪。你失去了活动的自由，但这可能也会帮助胎儿找

到最安全的通道娩出。假如人工合成催产素给予的时机适当且使用正确，可以帮助产妇产程进展，但是使用不当会增加手术分娩的可能性。

胎盘前置（Placenta previa）

一个正常的胎盘在不适当的位置成长，部分或完全盖住子宫颈，称为胎盘前置。盖住子宫颈的胎盘在分娩前或分娩期间容易出现突然且致命的出血。胎盘前置的发生率约为5‰。假如孕妇在怀孕后半期，特别是怀孕的最后一个月，出现无痛的出血，就会被怀疑是胎盘前置。有时候孕妇不会出现任何出血的迹象，而是由超声波诊断出来的。治疗胎盘前置的目标是预防出血且减少早产的危险。假如有出血的危险，医生会建议孕妇卧床休息或限制活动。医生会依照胎盘前置的程度，决定是否需要以剖腹产娩出胎儿。由于现代科技的进步，胎盘前置通常可以在母亲及胎儿发生危险之前被诊断出来，并给予适当的治疗，大部分的母亲还是可以生出健康的小孩。

先兆子痫（Preeclampsia）

先兆子痫发生在怀孕后半期，它的特征是脸及手部肿胀、高血压及例行检验尿液时发现有蛋白尿。先兆子痫的发生率约占孕妇总数的7%，第一次怀孕的女性最常见，其次是多胞胎孕妇或是有慢性疾病如高血压、肾脏病或糖尿病的孕妇。许多孕妇开始时没有症状，先兆子痫的第一个症状可能是高血压及例行的产前检查时发现蛋白尿，这就是定期进行产前检查如此重要的原因之一。由于体液潴留造成体重突然增加（1星期大于1千克或1个月大于3千克），可能也表示有先兆子痫。有些孕妇会发现脸及手部肿胀、视力减退及头痛。先兆子痫假如未加以治疗，会变得很严重而威胁到母亲及胎儿的健康。高血压对母亲来说是很危险的，而供应到胎盘的血流不足会影响到胎儿的成长。治疗先兆子痫的首要目标是控制升高的血压，假如症状严重就需要卧床休息、住院及服药来降低血压，并使供应到胎盘的血流增加。依照先兆子痫的严重程度，医生可能会建议提前分娩，并常使用剖腹产（如果这是对母亲及胎儿最有利的话）。假使妈妈在某一次怀孕中出现了先兆子痫，下次怀孕时再发生的概率也比较高。先兆子痫过去被称为妊娠毒血症（toxemia），这是因为它被误认为是血液的毒素造成的。大部分的孕妇发生先兆子痫的原因并不清楚，但是以现代产科的处理方式，几乎可以成功地治疗，并安全地娩出一个健康的小宝宝。

前列腺素凝胶（Prostaglandin gel）

一种合成的子宫颈软化剂，与分娩时自然生成的前列腺素类似。医生可能会选择用前列腺素凝胶来软化孕妇的子宫颈，以促进产程进展。

Rh因子不合（Rh incompatibility）

假如你的血型是 Rh 阴性，而胎儿父亲是 Rh 阳性，你就必须注意 Rh 因子不合的情况。你的胎儿可能是 Rh 阳性的血液，某些 Rh 阳性的血液可能会在怀孕期间、分娩或流产后进入你的血液，你的身体就会产生抗体来对抗胎儿血液中的 Rh 因子。这种过敏反应不会在第一次怀孕时出现问题，但是第二次怀有 Rh 阳性血型的胎儿时，你的抗体将会通过胎盘攻击胎儿的血液，引起胎儿贫血。假如你是 Rh 阴性血型的孕妇，在分娩、自然流产、人工流产或羊膜穿刺术后，医生会立即帮你注射 Rho 免疫球蛋白，降低你的身体对 Rh 因子产生的过敏反应。有些医生会在怀孕 28 周时让孕妇注射 Rho 免疫球蛋白，预防早期的过敏反应。假如你的血液中有 Rh 因子抗体，在怀孕期间及产后会受到密切地监测，尤其是早产或是必须输血的时候。

肩难产（Shoulder dystocia）

发生率约 0.15%~1.7%，肩难产表示胎儿的肩膀太大或是以错误的位置经骨盆入口进入骨盆腔。这是医疗上的真正急症，需要有经验的医生以熟练的操作技巧避免胎儿受到损伤。肩难产常发生在体重超过 4000 克的胎儿，母亲可从两方面着手，以减少胎儿的肩膀通过产道时发生进退不得的窘境。首先是食用均衡的营养，避免体重增加过多或胎儿体重过重；其次是分娩时采取不同的姿势，协助胎儿转位，使胎儿找到最容易通过产道的方式。

妊娠毒血症（Toxemia）

见先兆子痫。

经皮神经电刺激（Transcutaneous electrical nerve stimulation，简称 TENS）

经皮神经电刺激仪是减轻疼痛的仪器，麻醉人员常把它用来减轻手术后的疼痛。它的操作基本上与电针类似。分娩中的产妇手中握着经皮神经电刺激仪，约银行卡大小，把连接此装置的电线贴在背部疼痛处的皮肤上，当感觉背痛快要来临时按下按钮，将电流送到疼痛处周围的皮肤与肌肉上。产妇可以将刺激的强度调整到想要的程度。一般认为经皮神经电刺激能使身体组织产生减轻疼痛的激素——内啡肽。

真空吸引器 （Vacuum extractor）

一种附有吸盘的装置，是产钳的代替品，用来协助受到阻力的胎儿通过产道。医生将橡胶或塑料的柔软吸盘经产妇的阴道放在胎儿的头皮，吸盘后连接一条管子然后再接到一个真空发生器（可提供温和的抽吸力量）上。医生会小心地拉着连接吸盘的把手，帮助胎儿娩出产道。真空吸引器优于产钳之处是使用它就不需要做会阴切开术，而使用产钳时在会阴处需要较大的空间，因此需做会阴切开术。但是胎儿娩出后，你会注意到放吸盘位置的胎儿头皮会出现不具伤害性的肿胀，可能要花几个月的时间才能让肿胀消失。